Health Assess

알기 쉬운 건강사정

공저자 노 민 · 장형순 · 김보라 외

의학교육

머리말

모든 사람이 겪는 생로병사의 과정에서 간호사의 역할은 대단히 중요하다. 간호사는 대상자의 건강생활에 깊숙이 관여하여 개인과 가족, 나아가 집단의 삶의 질을 유지하고 향상시키는 간호를 수행해야 한다. 이때 근거에 기반을 둔 간호를 제공하려면 대상자와의 전문적인 대인관계 속에서 과학적 사고를 통해 대상자의 건강문제를 명확히 파악할 수 있어야 한다.

건강사정은 간호실무에서 핵심 영역이며, 간호사에게는 대상자의 건강을 체계적으로 사정하는 능력이 요구된다. 대상자의 말과 행동을 예리하게 파악하고 개인의 적정한 건강상태를 유지하도록 간호계획을 세워 지원할 수 있어야 한다. 신체사정뿐만 아니라 심리사회적 측면에서도 대상자를 전인적으로 파악하고, 간호진단을 내려 간호수행의 방향성을 제시해야 하는 중요한 과정인 만큼 실무능력을 최대한으로 이끌어낼 수 있도록 내용을 구성하였다.

이 책은 총 3부로 구성되며, 1부는 간호과정에서 건강사정의 중요성, 문진 · 관찰 · 측정 · 신체검진 등 건강사정의 기본기술, 사정의 구체적인 진행방법에 대해 설명하여 건강사정의 기본적 사항을 이해하고 확인 및 복습할 수 있도록 하였다. 2부는 고든(Gordon)의 기능적 건강양상에 근거하여 신체적 측면과 심리사회적 측면의 사정을 이해하기 쉽게 구체적으로 설명하였다. 또 사정의 배경이 되는 이론을 설명함으로써 이론 지식을 견고히 할 수 있도록 도왔다. 3부는 신체의 계통별 구조와 기능을 설명하고 해당 계통에서 필요한 검진의 순서와 방법, 그 결과에 따른 간호수행 요령을 설명하였다. 정상 소견과 비정상 소견을 함께 제시함으로써 근거를 통한 사정능력을 높이고, 질병에 대한 학습으로 자연스럽게 이어질 수 있도록 하였다. 또한, 이해를 돕기 위해 많은 그림과 사진은 물론 각종 평가도구를 수록하여 간호실무에 바로 활용할 수 있도록 하였다.

건강사정을 배우는 간호학생은 물론 현장에서 근무하는 간호사들 모두에게 유용한 지침서가 되기를 기대하며, 부족한 부분은 계속해서 수정 보완할 예정이다. 아낌없는 지도편달을 부탁한다. 끝으로 이 책이 출판되기까지 많은 도움을 주신 의학교육 출판사 대표님 이하 편집부 여러분께 깊은 감사를 드린다.

저자 일동

목차

PART Ⅰ 건강사정의 개요

PART Ⅲ
신체사정

Health Assessment

PART I

건강사정의 개요

CHAPTER 01

간호과정과 건강사정

학습목표

1. 간호과정의 첫 단계가 간호사정이며, 간호사정단계는 모든 간호과정 중에서 핵심이 된다는 사실을 이해한다.
2. 정확도 높은 자료수집방법, 자료의 해석 및 분석원리를 이해한다.

1. 간호과정에서 사정의 중요성

'**간호과정**'은 간호사가 간호실무 시 사용하는 개념틀(framework)로, 건강관리를 필요로 하는 대상자의 건강문제에 대한 반응을 간호 입장에서 계통적으로 판단하고, 그 해결 대책을 계획 및 실천하여 결과를 평가한 후 더 나은 문제해결을 꾀하는 일련의 의도적인 간호활동을 가능하게 한다.

일반적으로 간호과정은 '**사정**', '**간호진단**', '**계획수립**', '**수행**', '**평가**'의 5단계로 구성되며, 성과를 더 빨리 유도하기 위해 계획수립에서 '**목표설정**'을 따로 분리하여 6단계로 나누기도 한다(그림 1-1).

간호과정은 보통 각 단계가 순차적으로 진행되지만, 각 단계는 서로 연관되어 있어 이전 단계의 정확성에 좌우되는 특징이 있다. 또 간호 중에 사정과 평가를 동시에 진행하여 각 단계로 피드백을 반복하면서 간호문제(**간호진단**)가 해결될 때까지 순환하는 역동적인 과정이다.

간호과정은 어디까지나 대상자의 간호문제를 해결하기 위한 개념틀이며, 이 자체만으로는 기능하지 않고 간호사의 비판적 사고(critical thinking), 지식(knowledge), 기술(technology) 등이 적용되어야 비로소 의미를 가진다. 또한, 간호사와 대상자의 신뢰관계가 기반이 되며 각 단계는 대상자에게서 얻은 사실정보에 근거하여 진행된다. 특히 간호사가 대상자와 직접적으로 관계하는 사정, 수행, 평가 단계는 대상자의 정보를 확인하면서 진행하는 것이 중요하다.

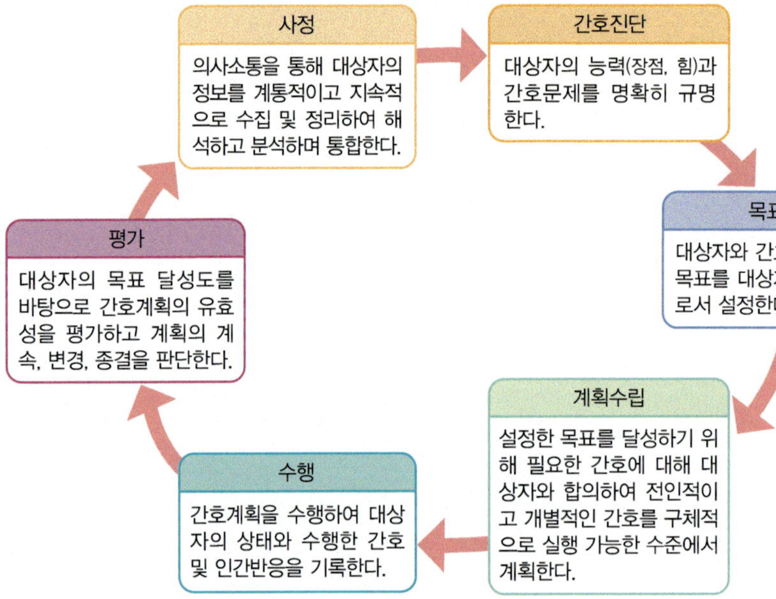

그림 1-1 간호과정

2. 건강사정

1) 건강사정의 정의

건강사정(health assessment)이란 대상자의 건강 유지 · 증진 · 회복을 위해 건강상태를 검사하고 사전평가하는 것을 의미한다.

간호과정의 한 단계인 사정은 검사 · 사전평가를 의미이며, 간호진단에 선행해서 대상자의 건강문제에 대한 반응을 판단하기 위해 **간호의 이론적 기틀**(p.7)에 근거하여 대상자(개인, 가족)로부터 필요한 정보를 수집, 정리하고 해석 및 분석, 통합하는 것을 말한다. 이 경우의 사정은 건강사정과 같은 뜻으로 사용된다.

2) 건강사정의 목적

건강사정은 각 발달단계에 맞는 각종 건강진단 및 학교 · 직장의 건강진단, 건강장애를 일으킨 경우의 병원이나 가정 등 다양한 장소에서 이루어진다.

또 **초기사정**(initial assessment)에 머무르지 않고 계속해서 **진행사정**(progress assessment)이 이루어지며 대상자의 건강상태 및 건강상태에서 파급되는 신체적 · 심리사회적 문제 여부를 판단하여 건강교육이나 치료 · 간호의 방향성을 설정하기 위해 시행된다.

건강사정에서는 간호의 이론적 기틀에 근거하여 문진(인터뷰), 관찰, 신체검진, 측정, 검사 등을 하여 정보를 수집, 해석 · 분석, 통합해서 사정(임시진단)한다. 특히 문진과 관찰을 통해 얻은 정보가 중요하며, 이들을 기반으로 대상자의 건강상태를 추론하고 필요에 따라 신체검진, 측정, 검사를 진행한다. 간호사는 여기에 의사가 시행한 검사나 검진 정보도 추가하여 간호로 대처해야 하는 건강문제(간호진단)가 있는지를 판단한다.

이처럼 건강사정은 간호진단에 선행해서 간호를 제공하는 근거와 성과의 선정 및 평가의 지침이 되는 정보를 얻어 대상자의 건강상태나 간호진단을 분석 및 판단하는 간호과정의 첫 단계라고 할 수 있다(**그림 1-2**).

간호실무에서 사정단계는 나중에 이어질 간호과정 모든 단계의 방향성을 설정하는 핵심이 되며, 건강사정을 바탕으로 간호진단을 정확히 내려 목표(간호성과)와 간호계획(간호개입)을 유도해간다.

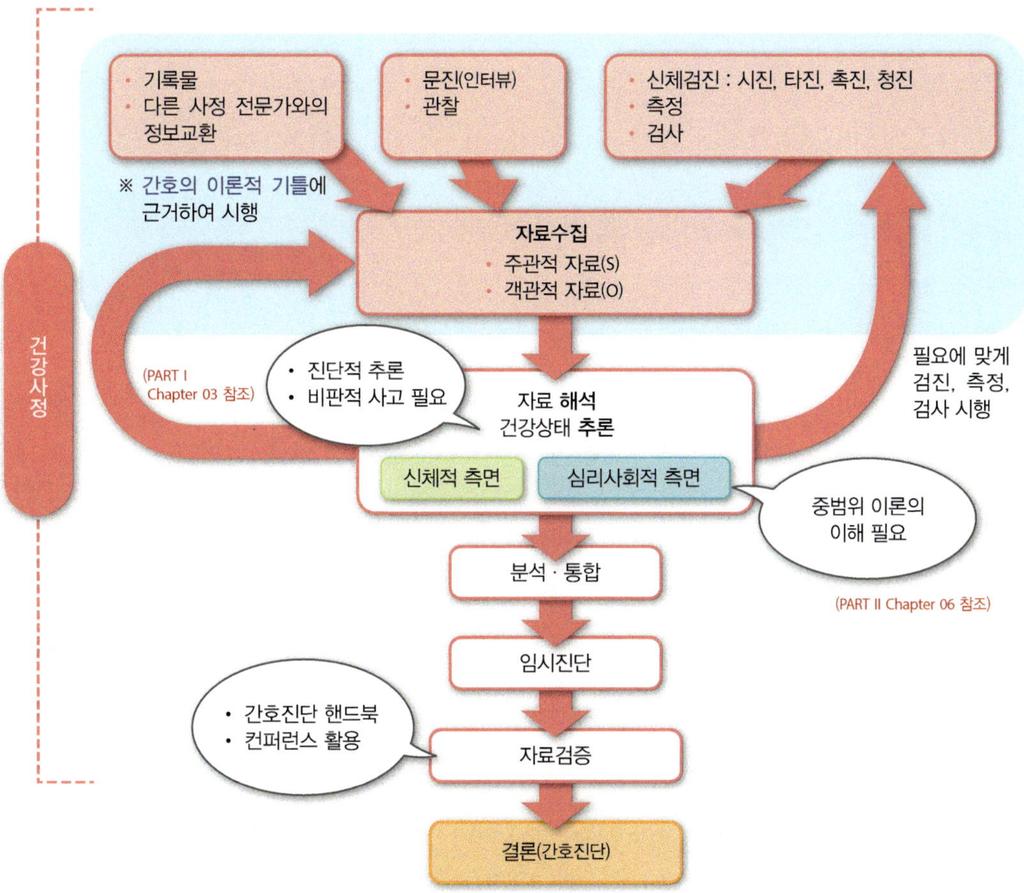

그림 1-2 간호과정의 첫 단계 : 건강사정

3) 건강사정의 배경

우리나라에서는 저출산 및 고령사회의 진행, 만성질환 증가, 재원일수 단축 등의 문제로 인해 가정간호나 외래간호의 확충이 요구되면서 간호의 중요성이 부각되고 있다. 한편, 병원에 입원하는 환자의 상태가 복잡하고 심각해짐으로써 간호사에게는 고도의 지식과 기술이 필요해지고 있다.

이처럼 간호를 둘러싼 상황이 변화하여 활동장소가 확대되고, 역할범위와 책임범위가 부득이하게 확대되고 있다. 복잡하고 심각한 건강문제를 가진 대상자에게 수준 높은 간호를 효율적으로 제공하려면 자료를 바탕으로 대상자의 건강상태와 건강문제를 적절하게 판단해나갈 필요가 있다.

4) 건강사정의 종류

건강사정에는 건강상태를 파악하기 위한 신체사정과 심리사회적 사정이 있다.

(1) 신체사정

신체사정(physical assessment)이란 대상자의 신체적 상태에 대해 간호의 이론적 기틀을 근거로 문진, 관찰, 신체검진, 측정, 검사를 시행하여 정상 또는 비정상 상태의 주관적 및 객관적 자료를 얻는 것을 말한다(PART III 참조, p.95).

신체사정은 대상자의 건강상태를 판단하기 위해 처음뿐만 아니라 계속적으로 새로운 자료를 입수해서 진행한다.

(2) 심리사회적 사정

건강사정에서는 대상자를 전인적으로 파악할 필요가 있다. 신체적 상태뿐만 아니라 대상자의 심리사회적 상태에 대해 간호의 이론적 기틀을 근거로 문진과 관찰을 통해 자료를 수집하여 건강상태로 인해 파급되는 심리사회적 문제가 있는지를 밝혀내는 것을 **심리사회적 사정**(psychosocial assessment)이라고 한다.

어떤 질병에 걸리면 인간은 신체적, 심리사회적, 전인적으로 반응한다. 예를 들어 당뇨병에 걸리면 신체의 영양대사 전반에 문제가 생길뿐만 아니라(신체적 측면) 식사 제한에 대한 스트레스와 미래에 대한 불안감을 느끼며(심리적 측면), 회사 내 역할이 부득이하게 축소되거나 변경되어야 할지도 모른다(사회적 측면). 이처럼 세 가지 측면은 서로 영향을 주고받는다.

심리사회적 사정에 자아개념이론, 역할이론, 발달이론, 스트레스 대처이론, 위기 이론 등 **중범위 이론**(middle range theory)의 이해가 반드시 필요하다(PART II Chapter 06 참조, p.56).

3. 자료수집과 간호의 이론적 기틀

1) 필요 자료

건강사정은 환자에 관한 자료를 수집하는 것에서 시작된다.

사정에 필요한 자료는 크게 **주관적 자료**(subjective data)와 **객관적 자료**(objective data)의 두 종류가 있다.

- **주관적 자료(S자료)** : 대상자의 말로 표현되는 자각증상이나 호소, 생각 등으로, 현병력, 과거력, 프로필 등이 포함된다.
- **객관적 자료(O자료)** : 간호사 또는 다른 건강관리 전문가에 의한 관찰소견, 검진소견, 측정 · 검사자료 등이다.

자료를 수집할 때는 대상자의 호소를 객관적 자료로 뒷받침하고(S → O) 객관적 자료인 검진소견 등이 적절한지 대상자에게 확인하여(O → S) 정확한 정보를 얻도록 한다.

또한, 어떠한 자료든 간호사의 해석이나 판단을 더하지 말고 있는 그대로 수집하는 것이 중요하다.

대상자를 전인적으로 파악하기 위해 중범위의 자료를 모아 일상생활활동 관점에서 정리할 필요가 있는데, 포함되는 요소에 따라 다음의 세 종류로 나뉜다.

- **신체적 자료** : 문진에서 얻어지는 건강상태에 대한 대상자의 호소나 말과 행동, 증상, 과거력, 현병력 등(주관적 자료)과 관찰 · 측정 · 신체검진 · 검사에서 얻어지는 활력징후, 호흡음이나 장음, 흉부 X선 사진이나 혈당치 등의 신체소견(객관적 자료)이 있다.
- **심리적 자료** : 문진 시 얻어지는 대상자의 호소나 말과 행동(주관적 자료)으로 건강상태와 관련한 불안감이나 스트레스, 대처법, 견해, 사고, 신념 등이 있다. 또 관찰을 통해 얻어지는 대상자의 모습으로 표정이나 시선, 말하는 모습이나 억양, 행동 등(객관적 자료)이 있다.
- **사회적 자료** : 사회관계를 나타내는 자료로, 문진에서 대상자의 호소나 말과 행동(주관적 자료)과 관찰(객관적 자료)을 통해 얻을 수 있다. 가족관계, 중심인물, 직업 등의 사회적 활동, 가정이나 사회에서의 역할, 사회적 교류방법, 경제상황 등이 있다.

2) 간호의 이론적 기틀

간호실무현장에서는 건강사정을 위해 **간호의 이론적 기틀**에 근거하여 자료를 수집하고 간호문제를 검토한다.

간호의 이론적 기틀에는 핸더슨(Henderson), 오렘(Orem), 로이(Roy) 등의 간호이론이나 모델 개념을 기반으로 간호 시점의 틀이 구축되어 있는 것과 고든(Gorden)의 기능적 건강양상처럼 간호진단개념을 쉽게 분류하도록 고안된 사정도구가 있다.

간호 시점에서 대상자를 전인적으로 파악하기 위해서는 병원이나 조직, 팀에서 채택한 간호이론이나 모델 등의 인간관에 따라 간호사정의 지침이나 자료수집의 틀을 결정해야 한다. 간호진단을 쉽게 이끌어 내기 위해 간호진단분류법에 근거하여 자료를 정리하는 사정도구를 활용하는 경우도 있다. 건강사정 시 많은 병원에서 채택하고 있는 주요 간호의 이론적 기틀을 **표 1-1**에 정리하였다.

표 1-1 주요 간호의 이론적 기틀

핸더슨(Henderson)	• 14가지 기본적 요구 가운데 대상자가 자신의 힘으로 충족할 수 없는 요구를 파악하여 체력, 의지력, 지적 측면에서 결여되어 있는 것을 보충하여 자립을 돕는다. • 호흡, 음식, 배설, 활동, 수면 · 휴식, 의류, 체온, 청결, 안전, (성), 의사소통, 신앙, 일, 레크리에이션, 학습의 14가지 기본적 요구에 대해 사정한다.
오렘(Orem)	• 보편적 자가간호요구, 발달적 자가간호요구, 건강이탈 자가간호요구에 대한 대상자의 자가간호능력을 특정하고 전체 보상적/일부 보상적/지지 · 교육 측면에서 지원한다. • 보편적 자가간호요구(공기, 물, 음식 섭취, 배설, 활동과 휴식, 고독과 사회적 상호작용, 생명과 안녕에 대한 위험예방, 정상일 것), 발달적 자가간호요구(인간발달과 관련해서 특정 조건에서 관찰되는 요구), 건강이탈 자가간호요구(질병, 상해 및 여기서 발생하는 장애에 관련하여 필요한 요구) 3가지 영역의 자가간호요구에 대해 사정한다.
로이(Roy)	• 4가지 적응양식에 따라 대상자의 적응행동을 사정하고 자극(초점, 관련, 잔존)을 조작하여 적응을 촉진한다. • 생리적 기능(산소, 영양, 배설, 활동과 휴식, 방어, 감각, 체액과 전해질, 신경학적 기능, 내분비기능), 자아개념(신체적 자기, 인격적 자기), 역할기능(일차적, 이차적, 삼차적 역할), 상호의존(중요 타인, 지원시스템)의 4가지 적응양식에 대해 사정한다.
고든(Gordon)	• 기능면에서 본 11가지 인간의 건강양상에 초점을 두고 실재하거나 잠재하는 간호진단을 명확히 하여 그 요인에 대처한다. • 건강지각-건강관리 양상, 영양-대사 양상, 배설 양상, 활동-운동 양상, 수면-휴식 양상, 인지-지식 양상, 자아인식-자아개념 양상, 역할-관계 양상, 성-생식 양상, 대처-스트레스내성 양상, 가치-신념 양상의 11가지 기능적 건강양상에 근거하여 사정한다.

3) 자료수집

자료수집에는 문진, 관찰, 측정, 신체검진 등의 일반적인 방법이 활용된다. 그 밖에도 기록물, 건강관리 전문가와의 정보교환도 효과적인 수단이 된다. 간호과정의 사정단계에서 간호사는 간호의 이론적 기틀에 근거하여 문진하고 오감을 의식적이고 의도적으로 활용해서 대상자의 건강상태를 관찰하면서 필요에 맞게 측정과 신체검진을 진행한다(건강사정의 기본기술에 대해서는 PART I Chapter 02 참조, p.10). 이들 방법에는 대상자와 간호사의 전문적 대인관계가 전제가 되며 대상자와의 인간관계를 구축하는 의사소통 능력이 중요하다.

4) 자료검증

자료검증이란 자료의 사실성과 정확성을 확인하는 행위를 말한다. 자료를 검증하는 목적은 자료를 최대한 오류나 편견, 오해가 없는 상태로 하기 위함이다. 검증되지 않은 자료를 사용하면 잘못된 간호진단을 내려 부적절한 간호를 제공할 위험이 높아지기 때문에 자료검증은 건강사정의 중요한 일부라고 할 수 있다.

모든 자료를 검증하기란 불가능하며 그럴 필요도 없지만, 간호사는 검증이 필요한 자료를 가려낼 수 있어야 한다. 또 객관성이 결여된 자료의 경우에는 근거를 내세울 수 있어야 한다.

간호사는 자료수집의 처음과 마지막에 자료를 검증해야 한다. 검증 결과 자료가 정확하고 또 관련 자료도 수집했다면 이 자료를 분석함으로써 간호진단을 문장화할 수 있다.

4. 윤리적 배려

간호사가 간호를 실천할 때 전문가로서 반드시 지켜야 하는 항목에는 간호윤리가 있다. 윤리란 인간으로서 마땅히 지켜야 할 행동규범이나 지침 및 기반으로, 간호 전문가로서 사회에 공헌하려면 간호 대상자인 인간의 생명과 존엄을 지키고 권리를 존중하면서 그 권리를 옹호할 수 있어야 한다.

학습과제

1. 간호과정의 각 단계를 열거하고 간결하게 설명해보자.
2. 주관적 자료와 객관적 자료의 차이를 들고 구체적으로 설명해보자.
3. 고든의 사정 시점(11가지 기능적 건강양상)을 열거해보자.
4. 건강사정 시 배려해야 할 윤리적 행동에 대해 생각해보자.

CHAPTER 02

건강사정의 기본기술 (면담 · 문진, 관찰, 측정, 신체검진)

학습목표

1. 건강사정 시 활용되는 자료수집의 기본기술에 대해 이해한다.

건강사정단계에서 자료를 수집하고 확인하는 방법에는 면담 · 문진, 관찰, 측정, 신체검진 등이 있다(그림 1-2 참조, p.5). 간호사는 간호의 이론적 기틀에 근거하여 환자 및 가족과 면담하고, 오감을 의식적이고 의도적으로 활용해서 환자 및 가족의 상태를 관찰하며, 필요에 맞게 환자 사정에 필요한 측정과 신체검진을 진행하게 되는데, 이때 환자와 간호사의 신뢰관계가 기반이 되어야 한다.

1. 면담 · 문진

1) 면담·문진의 정의

면담(interview)은 환자 또는 가족과 간호사가 얼굴을 맞대고 특정 목적을 가지고 직접 대화하는 것을 말하며 입원 시의 간호정보 청취, 질병이나 치료방침 설명, 입원 후 환자 및 가족과의 상담 등에 활용되는 방법이다. 면담을 통해 대상자의 건강력을 수집하고 건강상태의 강점과 문제점을 파악할 수 있다.

문진(history taking)은 특정 목적으로 이루어지는 환자와의 커뮤니케이션이며, 신체적 · 심리사회적 사정 모두에 활용된다. 구체적으로는 환자 및 가족과 면담을 통해 커뮤니케이션 기술을 활용하여 정보를 청취한다. 특히 입원 시의 계통적인 인터뷰는 환자의 주관적 자료를 수집하는 가장 좋은 기회이다.

문진에서는 문진표(face sheet)를 바탕으로 주호소, 현병력, 과거력, 가족 구성, 알레르기 유무, 사용 약물 이외에 현병력 때문에 생긴 생활의 영향, 현병력에 대한 생각이나 대처방법, 문진 시 반응 등에 대해 파악한다.

다음으로 개념틀에 따라 문진을 진행하는데, 대상자의 상태에 따라서는 중요한 양상부터 먼저 청취하여 짧은 시간에 문제를 추려낼 수 있도록 한다. 대부분의 병원에서는 입원 전에 환자 및 가족에게 문진표를 건네주고 기록하게 함으로써 면담과 문진 시간을 자료 확인에 할애하여 간호문제를 추려내고 있다.

2) 면담·문진의 방법

(1) 간호의 이론적 기틀과 자료

실무현장에서는 사정을 위해 이론적 기틀에 따라 자료를 수집하고 문제를 검토한다. **간호의 이론적 기틀**은 간호이론이나 모델 개념을 기초로 그 틀이 만들어져 있는데, 이 책에서는 고든(Gordon)의 '**기능적 건강양상**'을 활용하기로 한다. 고든의 기능적 건강양상은 간호진단개념을 11가지 양상으로 나누는데, 간호에서는 대상자의 건강문제에서 파생하는 반응을 진단하여 치료에서부터 진단에 이르기까지 일련의 개념을 우산 모형으로 설명하고 있다(그림 2-1). 이 우산 모형의 가장 상위에 '건강지각-건강관리 양상'을 배치하고 우산 아래에는 건강관리의 구체적 영역을 나타내는 양상을 두었다. 우산 왼쪽에는 주로 신체적 문제를 일으키는 '영양-대사 양상', '배설 양상', '활동-운동 양상', '수면-휴식 양상', '인지-지각 양상'이 위치해 있고, 우산 오른쪽에는 주로 심리사회적 문제를 일으키는 '자아인식-자아개념 양상', '역할-관계 양상', '성-생식 양상', '대처-스트레스내성 양상', '가치-신념 양상'이 위치해 있다.

각 양상에는 문진에서 얻은 환자 및 가족의 주관적 자료와 간호사가 관찰, 측정, 신체검진 등에서 얻은 객관적 자료가 종합되어 있다.

그림 2-1 건강지각–건강관리 양상(우산 모형)

(2) 면담·문진의 방법

① 진료기록(외래진료기록, 입원기록) 확인

면담의 준비단계로서 문진에서 빠트리는 질문이 없도록 간호사는 외래진료기록과 입원기록을 열람하여 환자 자료를 미리 확인해둔다. 또 환자의 건강문제에 관한 병태와 최신 치료방법에 대해 조사해둔다.

② 면담실 준비

면담은 조용한 공간에서 환자와 가족이 안심하고 문진에 집중할 수 있도록 실내온도를 조절하고 환기, 조명 등을 확인한다.

③ 인사와 자기소개

간호사는 인사 후 자기소개를 하고 면담 목적을 설명한다. 또 개인정보 보호에 대해 설명하고 환자의 동의를 구한다. 환자 및 가족의 긴장도를 파악하여 심하게 긴장하는 경우에는 긴장을 풀 수 있도록 전문적으로 접근하여 환자와 가족의 신뢰를 얻는다.

④ 문진의 실제

간호사는 환자의 건강수준에 면담의 초점을 맞추어 간호의 이론적 기틀을 바탕으로 문진을 진행한다. 통증이나 피로감이 있는 환자의 경우에는 주호소(방문 이유)를 중심으로 자료를 수집하고 나머지 자료는 추후 병실 방문 시 적절하게 추가한다.

a. 질문방법

간호사는 폐쇄형 질문과 개방형 질문, 계통적 질문과 지시적 질문을 환자의 상태에 맞게 적절하게 구분해서 활용함으로써 환자가 편하게 대답할 수 있도록 한다.

폐쇄형 질문 (closed-ended question)	'예', '아니오'로 대답할 수 있는 질문으로, 명확한 자료를 수집하거나 환자의 상태가 좋지 않을 때 사용한다. 예) "이 부위가 아픈가요?"
개방형 질문 (open-ended question)	환자가 자유롭게 대답할 수 있는 질문으로, 환자의 속마음을 파악하거나 많은 자료를 얻을 때 사용한다. 예) "지금 가장 힘든 건 무엇인가요?"
계통적 질문	숨이 차서 걷지 못할 때 호흡 · 순환상태나 활동상황을 연관 지어 질문한다.
지시적 질문	대상을 좁혀 질문한다. 예) "느끼고 있는 통증에 대해 조금 더 자세히 설명해주세요."

b. 기본적인 의사소통방법

경청한다	환자가 하는 말에 관심을 기울이고 있음이 간호사의 태도에서 나타나기 때문에 환자가 마음을 열게 됨으로써 정확한 데이터 수집을 가능하게 한다.
침묵한다	환자의 생각을 정리하거나 하고 있는 생각을 모두 표현하게 할 때 사용한다.
공감한다	환자의 느낌 혹은 생각을 인식하고 이를 말로 표현하여 이해함으로써 환자의 신뢰를 얻을 수 있다.
초점을 맞춘다	환자가 말한 내용의 요점을 정리하고 여기에 덧붙여 질문함으로써 더 완전한 데이터를 얻을 때 사용한다.
확인한다	환자가 한 말을 반복해서 전달하여 더 명확하게 하고자 할 때 사용한다.
피드백한다	간호사가 관찰하거나 추측한 것에 대해 환자에게 자료를 제공하고 확인할 때 시용한다.

⑤ 면담 종료

문진의 마지막 단계에서 간호사는 수집한 자료를 요약하고 면담을 마친다. 간호문제나 간호진단, 간호의 방향성은 환자와 함께 확인하는 것이 바람직하다. 간호사는 입원 후 의료종사자와의 연락방법에 대해 환자와 가족에게 설명한다.

2. 관찰

1) 관찰의 정의

관찰(observation)은 문제의식에서부터 시작되는 자료수집의 한 방법으로, 전 간호과정에서 연속적으로 이루어지는 간호사의 능동적인 활동이다. 예를 들어 객관적으로 존재하는 사상을 '평소와 달리 환자의 의식이 흐릿하다'고 간호사가 인식했을 때 그 사상이 무엇을 의미하는지 알아내려고 '환자에게 무슨 일이 일어나고 있지?' 하며 관심을 가지는 능동적인 작용을 말한다.

이 작용에는 사상을 있는 그대로 바라보는 실증적인 측면과, 여러 원리를 활용해서 그 사상과 관련이 있는 사실 자료의 연관성을 찾아 사상이 가진 의미를 탐색하는 합리적인 측면이 있다. 사정단계에서는 이 두 측면에서 대상자의 건강상태와 건강상태로부터 파생하는 환자의 반응을 파악하고 분석 및 해석하는 과정이 반복된다. 즉, 관찰에는 현재 일어나고 있는 사상을 깨닫는 능력과 그 사상이 가진 의미를 읽어내는 논리적인 능력이 반드시 필요하다.

2) 관찰의 목적

1. 대상자의 간호 필요성을 판단한다.
2. 간호의 실천과정을 평가한다.
3. 간호팀이나 다른 의료팀과 자료를 공유한다.
4. 간호사상을 명확히 분석하는 간호연구의 자료로 삼는다.

3) 관찰의 의의

간호에서는 간호 목적에 따라 관찰이 이루어진다. 관찰은 간호 목적을 달성하기 위해 행해지는 간호과정의 첫 단계인 사정의 중요한 요소이면서 동시에 전 과정에서 빼놓을 수 없는 요소이다.

또 사상에는 다양한 측면이 있어 '무엇을 위해 관찰하는가' 하는 목적에 따라 관찰 내용은 달라진다. 간호사는 '대상자의 생활 과정을 조정한다'고 하는 간호 목적을 의식함으로써 그 사람에게 있어 최적의 건강이 무엇인지를 생각하고 지금까지의 생활 실태에 관심을 돌려 그 사람다운 생활을 조정하기 위해, 무엇이 문제이고 어떻게 해결하면 좋을지를 관찰해나갈 필요가 있다.

나이팅게일이 활동하던 시절부터 '간호는 관찰로 시작되어 관찰로 끝난다'는 말이 있었다. 이는 관찰이 간호의 모든 과정에서 연속적으로 이루어짐을 뜻하며, 관찰을 통해 간호사는 간호의 방향성을 설정하고, 간호를 수행하면서 환자의 목표에 비추어 끊임없이 평가하여 환자에게 일어나는 사상의 분석 및 해석을 반복하는 간호의 본질을 나타낸다.

4) 관찰의 방법

관찰 방법에는 직관적 관찰법과 계통적 관찰법의 2가지가 있다.

직관적 관찰법은 어떤 예기치 못한 사상에 직면했을 때 '어?'하고 위화감을 느끼거나 어떤 사상을 봤을 때 지금까지의 경험이나 지식이 토대가 되어 간호사 내부에 있는 사실과 결부되어 정보가 연계되는 형태로 이루어지는 관찰을 말한다. 이 방법은 풍부한 경험과 지식이 있을 때는 사실을 정확하게 파악할 수 있지만, 잘못된 결과를 유도할 수도 있으므로 반드시 대상자에게 질문하여 사실을 확인할 필요가 있다.

계통적 관찰법은 어떤 원리나 법칙에 따라 관찰 시점에 순위를 매겨 계통적으로 관찰하는 방법이다. 간호에서는 '대상자의 생활 과정을 조정한다'고 하는 목적에 따라 간호의 이론적 기틀이 작성되며, 대상자의 전체상을 파악하기 쉬운 개념틀이나 시점으로 구성된다.

또한, **대상자와의 대인관계**를 통한 방법과 **기록물**을 통한 방법도 있다.

대상자와의 대인관계를 통한 방법이란 환자 및 가족과 직접 면담 · 문진을 하여 환자의 생각을 경청하거나 환자의 불안감에 반응하면서 관찰하는 것을 말한다. 간호를 통해 간호사의 감각기관을 의식적으로 활용하여 환자의 자세나 표정, 목소리의 강약이나 고저, 숨가쁨, 호흡음, 신음, 구취나 체취, 팔다리의 온도, 습기, 피부의 단단함, 부드러움, 융기 등을 관찰한다. 또 대상자의 보호자를 통해 가족이나 친구와의 관계에 대해서도 관찰한다.

기록물을 통한 방법이란 진료기록, 간호기록, 검사결과표 등을 바탕으로 관찰 시점이나 핵심을 파악해 가는 것을 말한다.

5) 관찰의 개념틀과 시점

인간을 바라보는 시각이나 간호 영역을 파악하는 관점 등이 제시된 간호이론과 모델에 근거하여 관찰의 개념틀과 시점이 유도된다.

인간의 반응을 계통적으로 관찰하는 개념틀에는 핸더슨의 기본적 간호의 구성요소 14항목, 로이의 4가지 적응양식, 오렘의 3가지 자가간호시스템, 고든의 기능적 건강양상 11항목 등이 있다(표 1-1 참조, p.8).

실제로 각각의 이론에서 유도되는 간호의 이론적 기틀에 기초하여 구체적인 관찰항목이 제시된다. 따라서 어떤 이론을 활용하든 그 관찰항목이 어떠한 개념에서 유도되었는지 그 의미를 이해할 필요가 있다.

6) 관찰 시 유의점

1. 간호에서 필요한 자료를 관찰하기 위해 목적과 시점을 명확히 한다.
2. 선입견 없이 최대한 자신의 생각을 배제하고 사실을 관찰한다. 그 반대도 있을 수 있다는 시점을 가지고 사실을 의식적으로 관찰하도록 한다.
3. 자신의 생각을 기준으로 사상을 관찰하기 때문에 관찰을 통해 얻은 자료가 반드시 객관적이지는 않다는 한계를 인식한다.
4. 관찰한 내용을 항상 다른 사람과 대조하여 내용을 검증하도록 한다.
5. 다양한 환경요인이나 주체적 조건에 따라 건강문제에서 파생하는 반응을 표현하는 방법은 대상자마다 다르므로 의식적으로 그 사람다움과 개별성에 유의한다.
6. 지금까지의 성공 경험이나 실패 경험에 입각해서 자신의 관찰 경향을 파악해둔다.
7. 대상자와의 신뢰관계를 확립하여 관찰한 내용의 사실을 확인할 수 있도록 한다.
8. 관찰을 통해 대상자의 전부를 파악할 수는 없으므로 측정이나 신체검진, 기록 등으로 수집한 데이터와 대조한다.

3. 측정

1) 측정의 목적과 의의

측정(measurement)이란 인간의 특히 신체적 측면의 형태와 기능을 실제로 재어 양적으로 특정하는 것을 말한다. 넓은 의미에서는 혈액검사나 심리검사 등도 측정에 포함된다.

간호사나 의료종사자는 각종 측정을 통해 수치로 나타낸 객관적 데이터를 입수하여 문제해결법(간호과정)의 각 단계에 도움을 주고 있다. 특히 측정을 통해 얻은 데이터는 대상자의 간호문제를 사정할 때와 간호의 성과(목표 및 평가)를 판정할 때 도움이 된다.

2) 측정의 종류

측정에는 **신체 각 부위의 형태를 측정하는** 키, 무게, 복부둘레, 피하지방 두께(견갑골, 상완삼두근), 심흉비 등과 **신체 기능을 측정하는** 활력징후, 경피적 동맥혈산소포화도(SpO_2), 폐활량, 악력, 시력, 수분균형 등이 있다(활력징후는 PART III Chapter 08 참조, p.106).

3) 측정 시 유의점

측정은 길이, 무게, 강도, 깊이, 비율, 빈도 등의 양적 수치로 표현되기 때문에 객관성 높은 데이터를 얻을 수 있지만, 반드시 정확한 방법으로 측정해야 한다는 원칙이 있다.

- 사용기기 준비 : 눈금 0점 확인, 부품 등의 파손 여부, 자, 트레이, 알코올 솜 등
- 대상자 준비 : 측정시간, 협력사항 등의 설명, 배뇨 여부, 사생활 보호
- 간호사 준비 : 필요물품 준비, 측정순서 및 유의사항, 판단기준 확인

4) 측정치의 판단

측정치는 기준치와 대조하고, 측정치와 연관된 다른 증상과 징후도 함께 종합하여 판단한다.

5) 실제 측정사례

[사례]

기본 정보

- A 씨, 65세, 남성
- 보행 시 숨이 차고 두근거림이 나타나 검사 목적으로 입원
- P 120회/분(부정맥), HR 133회/분, 심전도에서 심방세동이 확인
- BP 136/86mmHg, CTR 55%
- R 24회/분, 흉식호흡, 보행 후에는 어깨호흡이 관찰, SpO2 90%
- 휴존스(Hugh-Jones) 분류 Ⅲ도, 폐음에서 부잡음은 들리지 않음

이 대상자의 상태를 사정하여 어떤 간호가 필요한지 생각해보자. 정보가 아직 충분하지 않기 때문에 어떤 정보를 더 추가 수집하면 좋을지 생각해보자. 먼저 활력징후를 제외한 '측정'에서 얻은 수치에 대해 지식 확인을 해보자.

① **심흉비**(심장가슴비, cardiothoracic ratio, CTR) : 흉부 X선 정면상에서 심장의 최대 가로지름(A+B)과 흉곽 내측의 최대 가로지름(C)의 비율을 말한다. 심장의 크기를 통해 심장 기능을 추측할 수 있다.

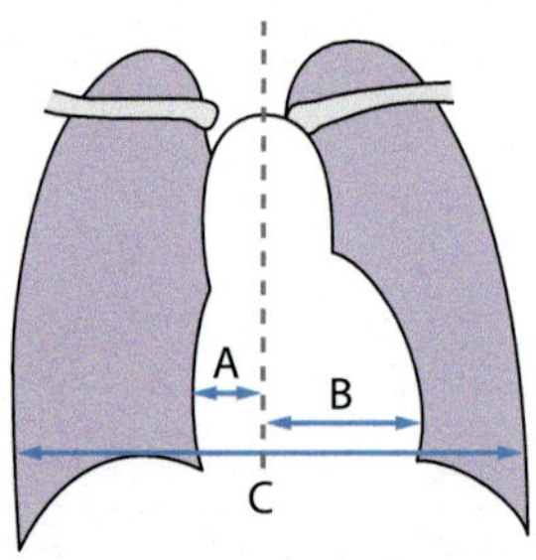

CTR = (A + B) / C × 100(%)

심흉비(CTR)

■ **판정기준** : 50% 이상이면 심비대(심장비대, cardiomegaly)로 판정한다.

- A 씨는 55%이므로 심비대가 있는 것으로 판정된다.

② **경피적 동맥혈산소포화도**(pulse oximetric oxygen saturation) : 맥박산소측정기(pulse oximeter)를 사용해서 손끝이나 귓불에 프로브를 장착한 후 경피적 동맥혈산소포화도(SpO_2)와 맥박수를 비침습적으로

측정한다. 산소포화도는 혈중 헤모글로빈 가운데 산소와 결합한 헤모글로빈의 비율을 나타낸다. SpO_2를 측정함으로써 동맥혈산소분압(PaO_2)을 추측하여 혈중 산소량을 판단한다.

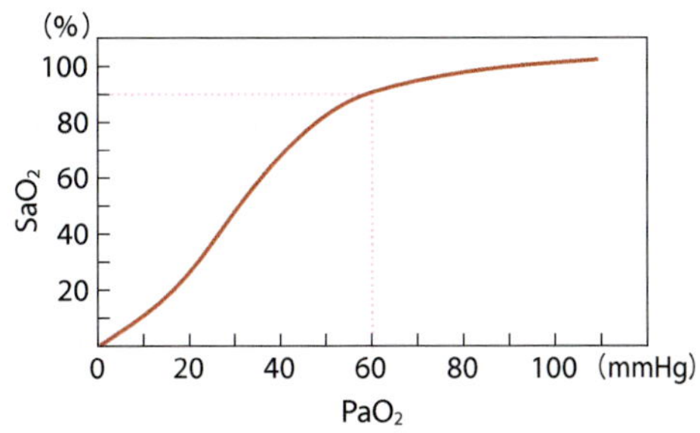

SaO_2	PaO_2
13.5	10
35.0	20
57.0	30
75.0	40
83.5	50
89.0	60
92.7	70
94.5	80
96.5	90
97.4	100

헤모글로빈 산소해리곡선

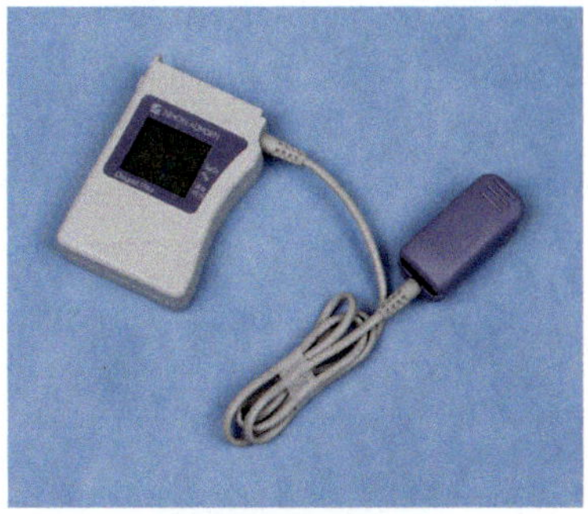

맥박산소측정기
(손끝에 장착하는 타입)

주) SaO_2(동맥혈산소포화도, arterial oxygen saturation) : 기준치는 95~100%이다. SaO_2를 비침습적(비관혈적)으로 측정하는 방법에 광혈류량 측정기(photoplethysmography) 측정법을 활용한 맥박산소측정기가 있다. 맥박산소측정기에 표시되는 산소포화도는 SpO_2로 표기된다.

■ **판정기준** : 건강한 성인은 95% 이상이다. 동맥혈산소분압(PaO_2)이 60mmHg일 때 동맥혈산소포화도(SaO_2)는 약 90%이다(헤모글로빈 산소해리곡선).

- A 씨는 SpO_2가 90%이므로 PaO2는 60mmHg로 추측되며 호흡부전상태라고 할 수 있다. 의사에게 보고해서 동맥혈액가스에 의한 동맥혈산소분압(PaO_2)이나 동맥혈이산화탄소분압($PaCO_2$), 동맥혈산소포화도(SaO_2) 측정을 의뢰하고 산소요법 대상이라면 지시를 받을 필요가 있다.

③ **휴존스**(Hugh-Jones) **분류** : 호흡곤란의 자각 정도를 측정한다(**표 11-1** 참조, p.155).

- A 씨는 휴존스 분류 III도로 호흡곤란이 상당히 심하다고 할 수 있다.

④ **심전도**(electrocardiography, ECG) : 심방세동(심방잔떨림, atrial fibrillation, Af)은 심방의 흥분수축이 불규칙하게 빠른 상태를 가리키며 심박수 130회/분 이상 불규칙한 수축을 한다. 심방은 300회/분 이상의 자극을 일으키지만, 때로 자극이 방실결절(atrioventricular node)을 통하지 않아 심실수축이 불규칙해진다. 수축이 불규칙해짐으로써 심박출량이 저하되고 빈맥이 되면 심박출량은 더 저하된다. 이 상태가 계속되면 심장에 부담이 가해져 심방의 불규칙적인 수축은 심방 내의 혈전 형성을 조장한다. 치료에는 디기탈리스(digitalis)나 항부정맥제가 사용된다. 뇌경색 예방에 와파린(warfarin) 등의 항

혈전제가 사용되기도 한다. 동리듬(굴리듬, sinus rhythm; 심장이 정상적인 리듬을 나타내고 있는 상태)으로 되돌리기 위해 전기충격을 가한다.

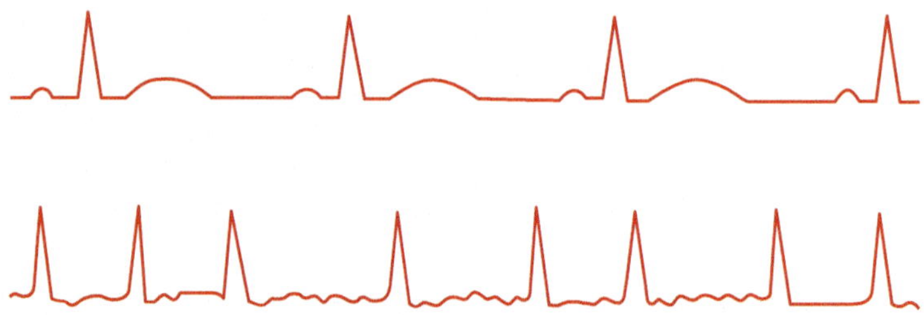

동리듬과 심방세동(Af)의 심전도예

- A 씨는 Af로 심부전 상태일 가능성이 있다. 또 호흡부전 징후도 있어 심장에 더 부담이 가해지고 있다고 볼 수 있다. 활력징후, 심전도 모니터, 순환 및 호흡상태를 계속해서 관찰하고 더는 악화되지 않도록 한다. 흡인세트, 산소흡입세트도 준비해둔다.
- 심폐기능에 부담이 가해지고 있으므로 몸무게 측정, 소변량 측정, 섭취량-배설량 균형에 대해서도 자료를 추가 수집한다.
- 활동내성의 저하(내장 질환으로 활동이 제한)가 관찰되므로 자가간호행동의 수준을 확인한다. 낙상위험이있는지 사정한다.

4. 신체검진

1) 신체검진의 정의

신체검진(physical examination)이란 신체상태를 종합적으로 사정하기 위해 대상자를 진찰하고 오감을 활용한 시진, 타진, 촉진, 청진을 통해 객관적 자료를 얻는 것을 말한다.

일반적으로 신체검진은 간호의 이론적 기틀에 근거하여 수집한 대상자의 주관적 자료를 검증하고 새로운 자료를 얻기 위해 문진 후에 시행된다. 즉, 대상자의 호소나 언동을 뒷받침하거나 주관적 자료와 객관적 자료에 모순이 없는지를 확인한다.

의학적 검진(medical examination; **진찰**)은 의학적 진단이나 치료 효과를 파악할 목적으로 시행되지만, 간호에서의 신체검진은 대상자의 신체적 기능면에 초점을 맞추어 신체적 변화 징후를 재빨리 발견하고 증상이나 이상에 대한 조기 예측과 대처, 간호의 지침 · 평가, 의사에게의 자료제공에 도움을 주기 위해 시행된다.

2) 신체검진의 진행방법

신체검진을 진행하는 방법은 크게 나누어 두경부에서 흉복부와 하지까지 '머리부터 발가락(head to toe)'을 향해 점차 아래쪽으로 살펴가는 **두미법**과 뇌신경계통 · 호흡계통 · 순환계통 · 소화계통 등 '신체계통별'로 살펴가는 **신체계통법**의 두 가지가 있다.

두 방법 모두 간호의 이론적 기틀이나 정해진 신체검진 기록용지를 활용해서 검진을 진행하는데, 대상자의 상태에 맞게 선택적으로 일정 부위나 계통만 중점으로 사정하는 것이 중요하다.

일반적으로 확실한 건강상태의 문제나 증상 및 징후가 있으면 먼저 그 문제와 관련된 부위나 계통에 대해 조사할 필요가 있다.

간호사가 습득해야 하는 기본 술기와 검진항목을 **표 2-1**에 정리하였다(기본 술기에 대한 자세한 내용은 PART III Chapter 08 참조, p.95).

표 2-1 기본 술기와 검진항목

시진	외형(마비, 변형, 종괴 유무 등), 피부 · 점막(색조, 염증 · 출혈반 · 정맥확장 여부 등), 눈 · 코 · 귀 · 구강(치아 · 인두 · 혀)의 상태와 분비물, 모발 · 손발톱 상태, 외부생식기 · 항문의 염증과 분비물 유무 등
촉진	림프선, 유방, 복부(비만, 복수, 종괴, 압통 등), 하지(부종), 관절(가동범위), 근력, 피부 · 점막(탄력성 등)
청진	심음, 호흡음, 장음, 복부혈류음
타진	흉배부, 복부, 관절(건반사)

3) 신체검진의 원칙

1. 일반적으로 시진 → 촉진 → 타진 → 청진 순으로 진행한다. 다만, 흉복부는 촉진이나 타진에 의한 영향이 청진에 미칠 수 있으므로 시진 → 청진 → 타진 → 촉진 순으로 진행한다.
2. 모든 검진에서 신체를 좌우대칭으로 관찰한다.
3. 두미법(외형, 두경부, 상지, 흉부, 배부, 복부, 하지, 음부 · 항문) 또는 신체계통법으로 미세한 징후를 놓치지 않도록 순차적으로 계획을 세워 검진한다.
4. 문제나 증상 및 징후가 있으면 해당 부위나 계통의 검진을 우선한다.
5. 비정상 소견이 있으면 재확인하고 해당 소견을 중심으로 상세하게 재검진한다.

학습과제

1. 면담 · 문진, 관찰, 측정, 기록에 대해 각각 요점을 정리해보자.
2. 고든의 11가지 기능적 건강양상의 사정 시점이나 자료수집 시점을 정리하고 구체적인 사례와 대조해보자.

CHAPTER

03 사정의 구체적 진행방법

학습목표

1. 자료(S자료, O자료)를 정리하는 것은 간호진단을 검증하고 목표, 계획수립, 평가를 이끌어낸다는 사실을 이해한다.
2. 사정의 구체적 기록을 통해 사고과정을 이해한다.

사정단계는 수집된 자료를 바탕으로 중요 단서가 되는 자료(기준에서의 이탈, 우려되는 사항, 강화해야 하는 사항)를 얻어 이를 해석 및 추론하고, 나아가 부족한 자료를 추가 수집하거나 자료의 사실 확인을 반복해서 검증한 후 관련 자료를 분석하고 통합하여 후속단계인 간호진단의 방향성을 설정해가는 진단과정의 핵심 부분이다.

따라서 이 단계가 잘못되면 치명적인 결과를 초래하므로 계통적 사정에서 얼마나 중점적으로 사정해 나가는지가 중요하다.

1. 사정에 필요한 개념

1) 진단적 추론

진단적 추론이란 수집한 자료를 관련 자료별로 정리하고 그에 근거하여 생각할 수 있는 설명(해석, 추론)을 뒷받침하는 자료 및 부족한 자료를 더 추가 수집하여 증거를 내세우는 것을 말한다. 진단적 추론을 통해 대상자의 건강상태와 관련된 간호문제를 명확히 할 수 있는데, 이 책에서는 **자료검증**이라는 용어로 표현하였다.

2) 비판적 사고

끊임없이 변하는 복잡한 의료상황 하에 간호사의 책임범위 내에서 지원할 수 있는 대상자의 개별적인 간호문제를 결정하려면 주의 깊은 사고가 필요하다.

비판적 사고(critical thinking)란 자료가 충분하지 않거나 자료가 있어도 한정된 불확정 상황에서의 ① 자료 선택, ② 판단, ③ 문제의 원인 특정에 대해 '비판적으로', '합리적으로', '객관적으로', '정확하게', '유연한' 사고에 근거하여 결정하는 것을 말한다.

비판적 사고를 향상시키려면 '왜'라는 의문을 품고 다양한 측면에서 생각하며, 사실과 추측을 구별하고 중요한 것부터 생각하며, 증거를 내세우면서 인과관계를 밝히고 필요한 자료가 갖춰질 때까지 결정을 보류하는 능력이 필요하다.

2. 사정의 구체사례

우선 **주관적 자료**(subjective data, S)와 **객관적 자료**(objective data, O)로 나누어 정리한다.

(1) 수집된 자료

(S) : '60세, 주부', '남편이 3년 전 뇌경색으로 쓰러져 집에서 간병한 후부터 갑자기 살이 찌기 시작했다', '1년 전부터 걸으면 왼쪽 다리의 서혜부가 아팠다', '의사가 대퇴골 고관절에 부담이 가해져 수술이 필요하다고 했다', '입원 중 남편이 걱정이다', '딸이 가까이에서 보살필 예정이지만, 아직 손자들이 어려 손이 많이 간다'

(O) : 진단명은 좌측 변형성 고관절증, 수술 목적으로 입원, 키 150cm, 몸무게 65kg(3년 전보다 15kg 증가), 여러 차례 남편의 간병 문제를 반복해서 이야기함

(2) 중요 단서가 되는 자료(기준에서의 이탈, 우려되는 사항, 강화해야 하는 사항)

(S) : '남편이 3년 전 뇌경색으로 쓰러져 집에서 간병하고 있다', '입원 중 남편이 걱정이다', '딸이 가까이에서 보살필 예정이지만, 아직 손자들이 어려 손이 많이 간다'
(O) : 입원 중 남편의 간병 문제를 반복해서 이야기함

주) 몸무게도 기준에서 벗어나 있어 우려되는 사항이지만, 간호사가 대응해야 하는 우선도로 볼 때 여러 차례 반복해서 이야기하는 환자의 걱정을 꼽았다.

(3) 자료의 해석과 추론

환자는 좌측 변형성 고관절증으로 수술이 필요하지만, 입원 중 남편의 생활에 불안감을 가지고 있다. 남편이나 딸의 상황, 환자와 가족의 지원시스템에 대해 부족한 자료를 추가 수집하고 환자와 가족의 심리사회적 조정의 필요 여부를 판단할 필요가 있다.

(4) 해석과 추론을 뒷받침하는 자료 및 부족한 자료의 추가 수집

남편의 건강과 일상생활활동(ADL) 상황, 딸의 가족상황, 어떻게 부친을 간병할 예정인지, 친족이나 친구 등의 지원 상황, 환자의 걱정 내용 등을 파악한다.

(5) 자료의 사실 확인

- 남편은 좌측 반신마비가 있지만, 지팡이로 보행이 가능하고 10시부터 15시까지 주간보호센터를 다니고 있다. 당뇨병도 있어 식사요법과 약물요법을 병행하고 있다. 집에서는 대부분 거실에 누워 TV를 보며 보낸다.
- 딸의 가족은 남편과 아이 2명(5살, 3살)인데, 환자가 입원 중 시어머니가 상경해서 딸의 가족을 돌볼 예정이다. 딸은 아버지가 주간보호센터에 가 있는 동안은 아이를 돌보고 밤에는 친정에 머물 계획이다. 남편에게는 어머니와 여동생이 있으며 같은 지역에 거주하고 있다.

- 환자가 걱정하는 내용은 '남편은 건강할 때부터 챙겨주지 않으면 약도 안 먹고 단 음식을 먹는다. 또 마비가 있어서인지 거의 움직이지 않고 누워 지낸다. 자신이 없는 동안 병이 악화되는 것은 아닌지 걱정이다. 손자도 아직 어리고 건강하지 않은 딸에게 부담을 주는 게 걱정된다. 딸은 시어머니에게 도움을 받으니 괜찮다고 하지만, 딸이 시어머니와 사위에게 아쉬운 소리를 듣게 될까봐 미안하다. 사돈처녀도 교대로 도와준다고 하지만, 여러 사람에게 불편을 끼칠 수 없다'이다.

(6) 자료의 분석과 통합

환자가 입원 중에 딸이 중심이 되어 아버지를 돌보기로 되어 있다. 역할도 분담하고 있으며 딸이 피로하지 않도록 지원체제가 갖추어져 있다고 판단된다. 환자가 걱정하는 부분인 남편의 병상과 생활에 대해서는 딸이 환자에게 꼼꼼히 전달하도록 할 필요가 있다. 환자는 다른 사람의 보살핌을 받는 것에 미안함을 느끼고 있으며 그 일로 남편의 생활에 불안감을 가지는 것으로 판단되었다. 현시점에서는 입원 중 남편의 보살핌에 대해 잘 조정되어 있으므로 앞으로 면회 시 환자의 반응, 딸의 피로 정도나 표정 등을 관찰해서 간호문제로서 다룰 것인지를 검토하도록 한다.

3. 간호과정의 구체사례

간호과정은 논리적으로 사고를 진행해야 하는 개념틀이다(**그림 1–1** 참조, p.4). 여기서는 쉽게 이해할 수 있는 '변비'를 예로 들어 설명하겠다.

(1) 자료

변이 4일간 없음 (S), 복부팽만감이 있음 (S), 입원 후부터 단단한 변 (S), 배변 시 통증 (S), 힘줄 때 괴로움 (S)

〈추가 자료〉

이상의 자료에서 변비를 추론하고 뒷받침이 되는 자료를 더 수집한다. 동시에 간호문제를 일으키고 있는 원인과 요인이 되는 자료도 수집한다.

배에 가스가 참 (S), 장음이 있음 (O), 침대에 거의 누워 있음 (O)
식사섭취량 1/3～1/4, 거의 주식만 (O)
수분섭취량 매 식후 따뜻한 물 1잔(100mL) (O)

(2) 자료의 정리와 사정

여기서는 간호계획을 쉽게 수립할 수 있도록 PES로 정리한다.

- 문제(problem) : 가설로서 '변비'
- 원인 · 요인(etiology) :
  - 침대에 거의 누워 있음 (O)
  - 식사섭취량 1/3～1/4, 거의 주식만 (O)
  - 수분섭취량 매 식후 따뜻한 물 1잔(100mL) (O)
- 증상 · 징후(signs & symptoms) :
  - 변이 4일간 없음 (S)
  - 복부팽만감 있음 (S)
  - 배에 가스가 참 (S)
  - 입원 후부터 단단한 변 (S)
  - 배변 시 통증 (S)
  - 힘줄 때 괴로움 (S)
  - 장음 있음 (O)

이 단계에서 정리한 자료의 내용과 간호진단의 '변비'에 관한 정의, 관련 인자(원인 · 요인), 진단지표(증상 · 징후)와 일치하는지 확인하여 검증한다.

(3) 간호진단

P : 변비 ⇨ 장기목표를 유도한다.
E : 식사 · 수분섭취량 저하, 움직임 부족 ⇨ 간호계획을 유도한다.
S : 변이 4일간 없음, 복부팽만감 있음,
배에 가스가 참, 입원 후부터 단단한 변 ⇨ 단기목표, 평가를 유도한다.
배변 시 통증, 힘을 줄 때 괴로움, 장음 있음

(4) 목표설정

장기목표는 간호 목표인 건강의 개선, 회복, 유지, 증진 등의 용어를 사용하여 표현한다.

단기목표는 증상 · 징후가 어떻게 변화하는지 쉽게 평가할 수 있도록 구체적으로 표현하며 평기일도 기록한다.

장기목표 : 변비 개선 **평가일** : ○월 ○일(2일 후)
단기목표 : ○월 ○일(1주일 후)

- 매일 유형의 무른 변이 중등량 있다.
- 배변이 편했다는 표현이 증가한다.
- 방귀, 장음이 있다.
- 복부팽만감이 없다.
- 수분을 하루 1,500mL 섭취할 수 있다.
- 식사량 1/2, 반찬, 채소 섭취가 증가한다.
- 하루 중 침대에 누워 지내는 시간이 감소한다.

(5) 계획수립

- O-P(observation plan : 관찰) : 배변 횟수, 형태와 성질, 방귀 · 장음 · 복부팽만감 · 항문통증 유무, 식사섭취량 · 내용, 수분량, 섭취량-배설량 균형, 하루 운동량
- T-P(treatment plan/therapeutic plan : 직접적 간호) :
  - 식사 · 수분 섭취량, 내용 등 환자와 이야기를 나눈다.
  - 낮 동안은 누워 지내지 않도록 가능하면 아침저녁으로 병동을 두 번 왕복한다.
  - 아침에 시원한 음료를 마셔본다.
  - 좌변기에서 비대로 항문부위를 자극해본다.
  - 효과가 없을 때 의사에게 완하제를 의뢰한다.
- E-P(education plan : 교육 · 지도) :
  - 배변과 식사 · 수분 · 운동 관계에 대해
  - 배변체조, 요복부 마사지 방법

현재 재원일수가 상당히 짧아졌기 때문에 지원계획을 신속하게 수립하여 증상 및 징후를 개선시키도록 한다.

4. 신체사정의 사례

여기서는 병태 악화에 따른 신체사정에 대해 예를 들어 설명하겠다.

• 사례 •

A씨, 80세 남성, 79세 때 완전방실차단(III도 A-V차단)으로 심장박동기이식술 시행. 올해 정기검진에서 오른쪽 폐동맥본간에서 혈전(폐혈전색전증)이 확인되어 와파린 복용 시작. 1주일 전부터 혈담과 발열이 있어 검사 목적으로 입원. 주요 치료방침은 ① 와파린 중지 및 와파린 길항제와 지혈제 투여, ② CT, 심초음파, 흉부 X선, 동맥혈액가스, 혈액검사, 혈액 · 가래배양에서 혈전 · 출혈부위 · 발열 원인의 확인이다.

입원 시 상태

- **활력징후** : T 38.5℃, P 100회/분, R 30회/분, BP 140/60mmHg
- **혈액데이터** : RBC 321만/mm3, PLT 14만/mm3, Hb 9.7g/dL, PT 50%, APTT 36.3초, TP 6.3g/dL, Alb 3.0g/dL, WBC 11,200/mm3, CRP 15.55mg/dL
- **증상 · 징후** : 습성 기침이 간혹 있고 점조성의 다갈색 가래 배출, 움직일 때 숨이 차고 SpO2 90%까지 저하. 캐뉼러로 2L의 산소흡입을 시작하여 SpO2 96%까지 개선. 의치가 있고 구강 내 건조와 오염이 있으며 호흡음 청진에서 우중엽에 거친 폐포호흡음이 청취. 1주일 전부터 식사는 거의 하지 않음. 수분섭취에도 사레가 듦, 목을 뒤로 젖혀 음식물이나 물을 삼킴. 소변은 1회 200mL로 농축뇨이지만 혼탁하지는 않음. 비중 1.030

사정

① 흡인성 폐렴 및 탈수에 의한 발열 가능성이 있어 금식, 흉부 X선※, 연하검사※에 대해 의사에게 상담한다. 또 섭취량–배설량 및 전해질 균형을 확인해서 수액 지시를 확인할 필요가 있다.

② 구강 내 건조와 오염이 있으므로 구강간호를 정기적으로 시행할 필요가 있다.

③ 수분섭취 시 급하게 마시거나 목을 앞으로 구부리는 자세를 취하지 않는 경우가 있으므로 지도가 필요하다.

※ **흉부 X선 검사 결과 우중엽에서 폐렴 유사 음영이 관찰되었다. 또 연하검사에서 인두기에 경도의 연하장애가 있음을 알았다.**

사정 결론

경도 인두반사장애, 부적절한 섭취행동과 관련한 폐흡인
(원인 · 요인: 경도 인두반사장애, 부적절한 섭취행동 / 진단: 폐흡인)

P : 폐흡인

E : 경도 인두반사장애, 부적절한 섭취행동

S : T 38.5℃, R 30회/분, WBC 11,200/mm3, CRP 15.55mg/dL, SpO2 96%(산소흡입 2L/시), 습성 기침, 점조성의 다갈색 가래 배출, 움직일 때 숨이 참, 우중엽에서 거친 폐포호흡음, 수분섭취에도 사레가 듦, 목을 뒤로 젖혀 물을 삼킴

목표설정

장기목표 : 폐흡인 경감 — **평가일** : ○월 ○일

단기목표 : — ○월 ○일

- 수분섭취 시 사레가 들지 않는다.
- 우중엽의 단속성 수포음이 사라진다.
- 가래가 백색이며 점조도가 저하된다.
- WBC, CRP가 저하된다.
- 활력징후, SpO_2가 기준치 내에 있다.
- 수분섭취 시 목을 앞으로 구부리는 자세를 취한다.

계획수립

O–P : 활력징후, 기침 · 가래의 횟수 · 성질, 숨가쁨 유무, 호흡음, 수분섭취 시 체위 · 자세 · 목의 상태, 구강상태, WBC · CRP · SpO2, 흉부 X선의 변화

E–P :

- 가래가 잘 나오게 하기 위해 체위변경을 유도한다(2시간마다). 야간에는 왼쪽으로 눕도록 한다.
- 수분섭취 시에는 앉아서 목을 앞으로 구부린 자세로 천천히 삼키도록 설명한다. 폐흡인이 일어날 것 같으면 T–P에 보리차젤리를 이용한 연하훈련을 추가한다.
- 폐렴을 악화시키지 않기 위해 양치질을 4회/일 하도록 설명한다.

주) 계획은 반드시 O–P, T–P, E–P를 다 갖출 필요는 없으며, O–P와 T–P, O–P와 E–P만 있는 경우도 있다.

5. 건강사정과 평가

평가의 목적은 대상자의 건강문제에 대한 목표달성을 지원하기 위해 계속해서 질적 수준[1]이 높은 간호를 제공하는 데 있다.

간호사는 사정단계에서 자료를 수집하여 대상자의 간호문제를 명확히 했듯이 매일 증상과 징후를 파악해서 간호문제가 해결되고 있는지를 판단한다. 간호과정의 평가단계에서도 자료를 수집해서 대상자의 간호문제가 해결되었는지를 목표와 대조하여 평가한다.

평가에 사용하는 자료는 목표로 삼은 대상자의 기대 결과나 행동의 변화를 나타내는 자료이다. 구체적으로는 간호계획단계의 관찰항목에 있는 대상자의 증상이나 징후 등이 포함된다.

문제해결방법에서는 평가가 상당히 중요하다. 즉, 검토를 거듭한 건강사정의 결론이 적절했는지, 아니면 부적절했는지를 검토하는 단계가 평가이며, 이 평가를 제대로 시행하면 가령 건강사정에서 잘못된 판단이 있더라도 조기에 수정이 가능하다.

1) 평가방법

평가는 건강사정의 결론(**간호진단**)을 유도하는 근거가 된 대상자의 증상이나 징후가 치료 또는 간호를 통해 기대대로 변화했는지를 명확히 한다. 여기서는 대상자와의 전문적 대인관계를 통해 대상자의 증상이나 징후를 확인하고 달성도의 판단이 되는 증거로서 사실 자료를 수집할 필요가 있다.

1) 간호의 질보증 : 수행된 간호가 시설 등에서 정해진 평가기준에 어느 정도 부합하는지를 판정함으로써 이루어진다. 구체적으로는 간호활동과정과 그 결과를 평가하고 개선점을 구체적으로 수립한다. 이 일련의 과정을 질보증프로그램이라고 하며 병동단위의 소규모에서부터 시설, 지역, 전국규모까지 있다. 질보증프로그램은 전문가로서의 보람을 보증하고 또 윤리적 책임에 대해 간호의 성실성을 촉진한다.

2) 기록방법

평가에서는 증거가 되는 자료를 기록한다.
평가가 원활하게 이루어지려면 다음과 같은 내용이 필요하다.

1. 환자의 말과 행동, 측정치, 검사소견, 검사결과 등 바로 관찰할 수 있도록 표현한다.
2. 목표의 달성 여부 판단은 건강사정의 결론(건강진단)을 유도한 증상이나 징후가 사라지거나 경감함으로써 확인할 수 있다.
3. 평가는 다음과 같이 정리하여 기록한다.
   - 달성도 : 전부달성/부분달성/미달성으로 기록한다.
   - 증거 : 목표로 하는 행동에 대상자의 상태가 어느 정도 변화했는지 사실 자료를 나타낸다.
   - 의견 : 징후나 증상이 어느 정도 해소 · 경감했는지 평가시점의 대상자 상태를 정리하여 기록한다. 전부달성일 때는 어떤 사정과 간호가 효과적이었는지를 언급한다. 부분달성일 때는 왜 전부달성에 이르지 않았는지 그 원인을 언급한 다음 계획에 변경이 있으면 추가 계획한다. 미달성일 때는 간호과정의 사정단계를 반복하고 그 과정의 적절성을 언급한 다음 계획을 변경한다.

학습과제

1. 통증이 있는 환자의 주관적 자료와 객관적 자료에는 어떠한 것이 있는지 생각해보자.
2. 친구가 감기로 누워 있다고 가정했을 때의 주관적 자료와 객관적 자료를 작성하고, 정리한 자료에서 어떤 간호문제가 있고 어떤 간호를 생각할 수 있는지 기록해보자.

Health Assessment

PART Ⅱ

대상자를 이해하기 위한 계통적 사정 - 고든(Gordon)의 기능적 건강양상에 근거

대상자의 **신체적 측면**과 **심리사회적 측면**을 계통적으로 빠짐없이 사정하기 위해서는 간호이론에 근거한 개념틀이나 사정도구를 활용하면 효과적이다.

PART II에서는 고든(Gordon M)의 **'기능적 건강양상'** 분류체계에 따른 사정 시점, 사정에 필요한 자료 그리고 그 해석에 대해 설명한다. Chapter 04에는 신체적 측면의 사정을 설명하고, Chapter 05에서는 신체적 측면과 밀접하게 관련된 심리사회적 측면의 사정을 설명한다. 또한, 사정 결과 각 양상에서 간호중재가 필요한 건강문제를 **NANDA-I 간호진단**[1]의 간호진단명에 따라 제시한다. PART II에서 제시하는 각 자료의 구체적 수집방법(신체검진방법 등)에 대해서는 PART III에서 설명한다.

Chapter 06에서는 심리사회적 측면을 사정하는 데 있어 이해해두면 유용한 중범위 이론을 설명한다.

〈고든의 '기능적 건강양상' 구성과 해당 항목〉

- 건강지각-건강관리 양상 → PART II Chapter 05 1(p.47)
- 영양-대사 양상 → PART II Chapter 04 1(p.33)
- 배설 양상 → PART II Chapter 04 2(p.36)
- 활동-운동 양상 → PART II Chapter 04 3(p.38)
- 수면-휴식 양상 → PART II Chapter 04 4(p.41)
- 인지-지각 양상 → PART II Chapter 04 5(p.42)
- 자아인식-자아개념 양상 → PART II Chapter 05 2(p.49)
- 역할-관계 양상 → PART II Chapter 05 4(p.52)
- 성-생식 양상 → PART II Chapter 04 6(p.44)
- 대처-스트레스내성 양상 → PART II Chapter 05 5(p.54)
- 가치-신념 양상 → PART II Chapter 05 3(p.51)

1) NANDA-I(international)는 1982년에 창립된 북미간호진단협회(North American Nursing Diagnosis Association)를 전신으로 하며 간호진단에 대한 세계적 관심을 반영하여 2002년에 NANDA-I로 이름이 수정되었다. NANDA-I는 간호진단의 표준용어 개발, 개선, 보급, 이용 촉진을 목표로 활동하고 있으며, 최근 NANDA International Nursing Diagnosis 2018-2020을 발표하였다.

CHAPTER 04

신체적 측면의 사정

학습목표

1. 대상자의 신체적 측면에 대해 사정 시점, 필요한 자료와 그 해석 및 분석 방법을 이해한다.

1. 영양–대사

영양(nutrition)이란 탄수화물, 단백질, 지방, 비타민, 미네랄 등의 각 영양소를 식품 등을 통해 섭취하고 소화하여 체조직의 유지와 성장, 에너지 공급을 위해 활용하는 과정을 말한다. 영양소(nutrient)는 음식에서 제공되는 신체기능에 필수적인 물질이다. 적절한 음식 섭취는 영양소 즉, 탄수화물, 단백질, 지방, 무기질, 물의 균형을 유지하게 한다.

① 음식물의 섭취-소화-흡수 과정

섭취를 통해 체내에 들어온 음식물은 구강 내에서 저작되어 으깨지고, 타액과 섞여 타액 속 아밀라아제의 작용을 받으면서 식도의 운동으로 위로 보내진다. 위에 고인 음식물은 위의 연동운동(꿈틀운동, peristaltic movement)에 의해 위액(위산)과 섞인 후 십이지장, 소장으로 보내진다. 소장에서는 풍부한 소화액이 분비되며 음식물 덩어리는 더 흡수되기 쉬운 형태로까지 분해된다. 소장벽에서 흡수된 영양소는 혈중 또는 림프 속으로 흡수되어 체내로 들어온다. 또 대장벽에서는 수분이 흡수된다.

② 대사 과정

소장에서 흡수된 영양소는 모세혈관과 문맥을 지나 간으로 운반되며 에너지원으로서 또 몸을 구성하는 원료로서 저장된다. 저장된 영양소는 생명유지에 이용되며 조직세포를 구축한다. 이러한 과정 전체를 대사(metabolism)라고 한다.

(1) 사정 시점

영양–대사 양상을 확인하려면 다음의 5가지를 사정해야 한다. ① 영양의 섭취와 소비 균형, ② 수분의 섭취와 배설 균형을 살핀다. 또 신체 각 부위로 영양이 공급되는 상태를 관찰하기 위해 ③ 피부, 모발, 손발톱, 점막, 치아 등의 상태와 ④ 체온조절상태를 살핀다. 피부와 점막은 대사율이 높고 세포분열이 활발하기 때문에 많은 양의 영양을 필요로 한다. 또한, ⑤ 영양과 수분 섭취에 영향을 미치는 인자로서 저작(씹기, mastication) 기능 및 연하(삼키기, swallowing) 기능 등을 사정한다.

(2) 사정에 필요한 자료

영양–대사 사정에 필요한 **주관적 자료**(subjective data)와 **객관적 자료**(objective data)를 사정 시점에 따라 **표 4–1**에 정리하였다. 피부나 점막의 상태는 영양과 수분의 섭취와 소비 균형을 사정할 때 함께 관찰할 자료이지만, 피부 및 점막의 통합성이나 손상의 치유상태를 의식적으로 사정할 수 있도록 여기서는 별도 항목으로 정리하였다.

표 4–1 영양–대사 사정에 필요한 주관적 자료와 객관적 자료

사정 시점	주관적 자료 (환자의 호소, 문진)	객관적 자료 (관찰, 신체검진, 검사결과)
영양의 섭취와 소비 균형	• 섭취 식품과 양, 식사시간과 횟수 • 기호, 영양보조식품 이용 여부 • 식사 만족감, 포만감, 공복감 • 권태감, 피로감	• 섭취 식품과 양 · 열량, 활동량 • 체격, 키, 몸무게, 지방두께, 복부둘레, BMI(body mass index) 등의 측정치 • 근긴장, 검사결과[TP(총단백), Alb(알부민), Hb(헤모글로빈), 혈당치 등]
수분의 섭취와 배설 균형	• 수분섭취량 • 소변 횟수와 상태, 잔뇨감 • 대변 횟수와 상태 • 호흡곤란감, 두근거림 등 • 의식상태	• 수분섭취량, 수액량 • 배뇨 횟수, 소변양과 색(소변양 · 소변비중 측정, 유치 도뇨관에서의 배뇨량) • 배변 횟수와 상태 • 구토 횟수와 양, 배액관 등에서의 배액 • 전신부종, 흉수 · 복수 저류, 체중 변화, 근력 저하 • 호흡패턴, 호흡부잡음, 중심정맥압, 경동맥확장 • 맥박 · 심음 · 혈압 · 맥압의 변화 • 섭취량–배설량 균형 • 검사결과[Hct(적혈구용적률)]
피부와 점막의 통합성	• 피부 가려움, 통증 • 구강 내 통증, 건조, 미각 변화 • 치통, 치은통, 시린 느낌	• 피부(색, 팽륭, 긴장, 건조, 부종, 미란, 습진 등) • 손발톱(색, 청색증 등), 모발(탈모, 모질) • 구강점막(구내염, 설태, 구취, 건조 등) • 치아 · 치은 상태(우식, 치은염, 출혈)
체온조절	• 열감, 냉감, 오한	• 체온
연하기능 상태	• 저작 · 연하 곤란감	• 저작 · 연하 상태, 사레 • 구강 내 음식물 정체 여부와 부위

영양이나 수분의 섭취상황이나 자각증상, 식습관 등에 대해서는 문진을 통해 자료를 얻고, 피부나 점막의 상태, 체온의 조절상태는 관찰 및 측정 등 신체검진을 통해 자료를 얻는다. 섭취하는 식품의 내용이나 양은 반납된 식기를 살펴보는 등 하여 간호사가 객관적으로 관찰해서 자료를 수집하는 것이 중요하다.

(3) 해석·분석과 간호진단

영양-대사 사정에서 자주 접하는 간호진단을 **표 4-2**에 정리하였다.

영양의 섭취와 소비 균형에서는 섭취하는 식사의 종류와 양의 자료에서 영양 섭취상태를 해석하고, 나이, 키, 활동량, 발열 등의 자료에서 영양 소비상태(영양 필요량)를 해석하여 이 둘의 균형을 분석한다. 또 영양과 대사 상태가 반영되는 키, 몸무게, 검사결과 등의 측정치를 함께 사정한다. 영양 필요량에 비해 섭취량이 적고 체중 감소, 저단백혈증 등이 관찰되는 경우에는 '영양불균형 : 영양부족'을 생각할 수 있다. 또한, 식욕부진이나 식사 섭취량만으로 영양부족으로 판단하기에는 잘못된 진단으로 이어지기 쉽다. 따라서 위와 같은 영양섭취의 부족을 나타내는 자료를 수집하고 분석하여 진단할 필요가 있다.

수분의 섭취와 배설 균형에서는 구갈, 소변량 감소, 요비중 상승, 체중 감소, 혈압 저하, 맥압 감소, 피부긴장 저하, 피부 건조, 적혈구용적률(Hct) 수치 상승, 맥박수 증가, 근력 저하 등이 관찰되면 체내의 수분이 부족하다고 해석되며 탈수, 즉 '체액부족'으로 볼 수 있다. 한편, 부종, 흉수 고임, 중심정맥압 상승, 폐울혈, 호흡부잡음, 적혈구용적률(Hct) 수치 저하, 헤모글로빈(Hb) 수치 저하, 호흡곤란, 요비중 감소, 체중 증가 등 혈액순환량의 부하가 관찰되면 체내의 수분이 증가하고 있다고 해석되며 '체액과다'로 볼 수 있다.

피부와 점막의 통합성에서는 각각의 변화와 그 변화에 동반하는 자각증상을 사정하고 이상이 관찰된 경우에는 '피부통합성 장애', '구강점막장애' 등이 진단된다.

체온조절에서는 체온 측정치나 자각증상에 대해 해석하여 '저체온', '고체온'의 진단을 생각할 수 있다.

음식물과 수분 섭취에 영향을 미치는 요인인 사레, 기침, 목에 걸림, 협부(볼) 가쪽으로의 음식물 저류 등이 관찰되는 경우에는 **연하기능**에 장애가 있다고 해석하여 '연하장애'로 진단한다.

또한, 주관적 및 객관적 자료에는 비정상 소견이 없지만, 다른 양상의 사정에서 영양-대사 문제의 원인이 되는 자료가 확인된 경우에는 발생하는 위험을 특정하여 진단한다. 예를 들어 활동제한이 있는 대상자가 동일 체위를 지속함으로써 욕창을 일으킬 위험이 있는 경우 '욕창 가능성 위험'으로 진단하고 예방을 위해 간호계획을 수립한다.

표 4-2 영양-대사 사정에 따른 간호진단

사정 시점	자주 접하는 간호진단
영양의 섭취와 소비 균형	영양불균형 : 신체 요구량보다 적음, 영양 향상을 위한 준비, 비만, 과체중, 과체중 위험, 비효과적 아동 식사 양상, 비효과적 청소년 식사 양상
수분의 섭취와 배설 균형	체액과다, 체액부족, 체액부족 위험, 체액 불균형 위험
피부와 점막의 통합성	구강점막 손상, 구강점막 손상 위험, 구강 건조 위험, 피부통합성 장애, 피부통합성 장애 위험, 욕창 위험, 조직통합성 장애, 조직통합성 장애 위험
체온조절	저체온, 저체온 위험, 고체온, 비효과적 체온조절
연하기능 상태	연하장애

2. 배설

인간의 배설기능은 대장(큰창자), 신장(콩팥) · 방광 · 요로, 피부 등을 통해 이루어진다. 여기서는 주로 대장과 방광에서의 배설 즉, 대변과 소변의 배설기능을 중심으로 사정한다. 피부에서의 배설은 앞에서 설명한 영양-대사에서 수분의 섭취와 배설 균형 사정에 포함시킨다.

① 배변기전

섭취를 통해 체내에 받아들여진 음식물은 소화 및 흡수 과정을 거치면서 변 덩어리를 형성한다. 변 덩어리가 직장(곧창자)으로 보내지고 직장벽이 늘어나 직장내압이 상승하면 골반신경이 자극을 받는데, 그 자극이 배변중추(대뇌)로 전달되면 변의(defecation desire)가 생긴다. 배설 준비가 갖춰진 단계에서 힘주기를 하여 직장내압이 100~200mmHg로 높아지면 내항문괄약근(속항문조임근)이 느슨해지고 항문거근(항문올림근)이 당겨 올라가 외항문괄약근(바깥항문조임근)이 열린다. 흡기(들숨) 후에 숨을 멈추고 힘을 주어 횡격막(가로막)을 아래로 눌러 복근을 수축시킴으로써 복강내압이 높아져 변이 배출된다(그림 13-13 참조, p.198).

② 배뇨기전

신장(콩팥)에는 1분간 1L의 혈액이 흘러들어가 원뇨가 만들어진다. 원뇨는 요세관으로 보내지고 요세관에서는 신체에 필요한 물질(포도당, 아미노산, 비타민, 호르몬, 전해질 등)이나 수분이 재흡수되며 재흡수되지 않은 것이 소변으로서 배설된다. 신장에서 생성된 소변은 신우(콩팥깔때기), 요관을 거쳐 방광에 고이고 소변양이 250~300mL에 도달할 무렵부터 방광내압이 상승하며 척수감각신경을 통해 배뇨중추에서 요의(micturition desire)를 느낀다. 반사적으로 하복신경(아랫배신경)을 통해 방광벽을 이완시켜 내요도괄약근(속요도조임근)을 수축시키고, 음부신경을 통해 외요도괄약근(바깥요도조임근)을 수축시켜 일시적으로 축뇨한다. 배뇨는 의식적으로 외요도괄약근을 수축시킴으로써 제어된다. 방광벽이 늘어나 방광벽의 신전수용기가 자극을 느끼고 자극이 배뇨중추, 척수방광중추에 전달되면 그 자극이 방광의 배뇨근을 수축시킴과 동시에 불수의근인 내요도괄약근을 이완시키고 수의근인 외요도괄약근을 이완시킴으로써 소변이 배설된다.

(1) 사정 시점

배설 양상을 확인하려면 ① 대장에서의 배변 상태, ② 방광에서의 배뇨 상태를 사정해야 한다. 여기서는 인간의 생명유지에 중요한 대변과 소변의 배설이 적절하게 이루어지고 있는지를 사정하며, 화장실까지 보행해서 배설하는 배설행동에 대해서는 활동–운동 양상(나중에 설명)에서 사정한다.

(2) 사정에 필요한 자료

대장에서 대변의 배설기능, 방광에서 소변의 배설기능을 사정하는 데 필요한 **주관적 자료**와 **객관적 자료**를 **표 4–3**에 정리하였다. 배설 사정에서는 배설 횟수나 배설에 동반하는 불쾌감 등의 주관적 자료를 대상자로부터 얻고 이와 동시에 장음 청진, 복부 긴장감이나 종괴의 시진 및 촉진 등 신체검진을 하며 검사결과를 관찰한다.

표 4–3 배설 사정에 필요한 주관적 자료와 객관적 자료

사정 시점	주관적 자료 (환자의 호소, 문진)	객관적 자료 (관찰, 신체검진, 검사결과)
대변의 배설기능	• 배변 횟수와 규칙성, 완하제 사용 여부 • 변의 상태, 변의, 복부가스, 잔변감, 변실금 • 복부팽만감, 복통, 복부압통	• 배변 횟수와 변의 상태, 변실금 유무 • 장음, 복명, 복부팽만, 복부종괴 촉진 • 복부 타진(고창음, 둔탁음), 검사결과(복부 X선)
소변의 배설기능	• 배뇨 횟수, 배뇨시간의 양상 • 요실금, 소변의 상태(색, 혼탁) • 요의, 잔뇨감, 하복부 긴장감 • 배뇨 시 통증	• 배뇨 횟수와 소변양, 소변의 상태(색, 혼탁) • 요실금 유무 • 하복부 긴장감 • 검사결과(요단백, 요정량 · 정량검사 등)

(3) 해석·분석과 간호진단

배설 사정에서 자주 접하는 간호진단을 **표 4–4**에 정리하였다.

대변의 배설기능에서는 대변 횟수의 감소나 수분이 적은 단단한 변 배설 등의 자료에서 '변비', 대변 횟수의 증가나 수분이 많은 무른 변 배설 등의 자료에서 '설사'를 생각할 수 있다.

소변의 배설기능에서는 불수의적인 배뇨에서 '요실금'이 진단된다. 이 경우 원인 · 요인, 배뇨 시 환경 등의 자료를 함께 사정하여 요실금의 종류를 특정한다. 또 소변 횟수나 소변량의 감소와 하복부 긴장감 등의 자각증상에서 '소변정체', '배뇨장애'의 진단을 생각할 수 있다.

표 4–4 배설 사정에 따른 간호진단

사정 시점	자주 접하는 간호진단
대변의 배설기능	변비, 변비 위험, 지각된 변비, 만성 기능성 변비, 만성 기능성 변비 위험, 설사, 변실금
소변의 배설기능	익류성 요실금, 기능성 요실금, 절박성(긴장성) 요실금, 절박성 요실금 위험, 반사성 요실금, 복압성 요실금, 소변정체, 배뇨장애

3. 활동–운동

인간에게 활동, 운동, 휴식은 살아가는 데 빼놓을 수 없는 기본적인 욕구이다. 인간은 장보기, 요리, 식사, 목욕이나 미용, 배설, 가사나 업무, 보행이나 운동 등 생활에 필요한 매일의 생활활동을 하고 있으며 또 여가활동이나 레크리에이션활동을 하고 있다. 신체기능은 활동에 의해 유지되며 적절한 운동에 의해 촉진된다.

① 일상생활활동(ADL) (표 4–5)

인간이 혼자 독립해서 생활하기 위해 행하는 기본적인 활동을 **일상생활활동**(activities of daily living, ADL)이라고 한다. 일상생활활동으로서 사정하는 활동에는 식사, 배설, 목욕, 세면 · 미용, 옷 입기, 이동 · 이승이 있다.

② 수단적 일상생활활동(IADL)

인간이 자립해서 생활하려면 예를 들어 식사를 하기 위해 메뉴를 생각하거나 장보기를 나가거나 요리를 하는 행위가 수반되어야 한다. 또 장보기를 하기 위해 돈을 준비하거나 버스 등의 교통수단을 이용하는 능력도 필요하다. 이러한 활동을 **수단적 일상생활활동** 또는 도구적 일상생활활동(instrumental activities of daily living, IADL)이라고 한다. IADL에는 연구자에 따라 다양한 활동이 포함되는데, 일반적으로 외출, 장보기, 식사 준비 · 설거지, 세탁, 청소, 금전관리, 교통수단 이용, 책이나 신문 읽기, 전화, 교제 등을 들 수 있다.

표 4–5 ADL과 IADL

ADL	IADL
식사 배설 목욕 세면 · 미용 옷 입기 이동 · 이승	외출 장보기 식사 준비 · 설거지 세탁 청소 금전관리 교통수단 이용 책이나 신문 읽기 전화 교제

(1) 사정 시점

활동–운동 양상을 확인하려면 우선 ① 일상의 생활활동 자립도 즉, 식사, 목욕, 배설, 옷 입기 · 미용, 이동 등의 활동 자립도(자가간호 상태)를 사정해야 한다. 이들 활동을 상세하게 분석하기 위해서는 각 활동을 운동역학 측면에서 평가하거나 활동에 필요한 근골격계 등의 신체기능이나 질환 상황을 살피는 것도 중요하다. 또 ② 여가나 레크리에이션 등의 활동이 적절하게 이루어지고 있는지를 사정한다. 이와 함께 ③ 에너지 소비를 동반하는 이들 활동에 필요한 호흡과 순환 상태를 사정한다.

(2) 사정에 필요한 자료

활동–운동 사정에 필요한 **주관적 자료**와 **객관적 자료**를 사정 시점에 따라 **표 4–6**에 정리하였다. 일상생활을 수행하는 데 필요한 활동이나 동작을 대상자가 원활히 할 수 있는지를 관찰하는 것은 기본적이고 중요한 항목이다. 활동을 자립적으로 할 수 없다면 어떤 활동이 제한을 받는지, 대상자에게 가능한 동작과 불가능한 동작은 무엇인지 등을 구체적으로 파악한다. 또 그 활동을 가능하게 하는 관절가동범위나 근력이 유지되고 있는지, 호흡 · 순환 상태에 변화는 없는지 등에 대해 신체검진을 통해 자료를 얻는다. 주관적 자료로서는 활동–운동에 동반하는 숨참이나 피로감 등의 신체적 자각증상, 활동에 대한 의욕 등을 대상자의 호소나 문진을 통해 수집한다.

표 4–6 활동–운동 사정에 필요한 주관적 자료와 객관적 자료

사정 시점	주관적 자료 (환자의 호소, 문진)	객관적 자료 (관찰, 신체검진, 검사결과)
일상의 생활활동	• 운동 시 숨참, 피로감, 권태감 • 활동에 대한 의욕 • 일상생활을 보내는 방법	• ADL, IADL의 자립도 • 활동에 의한 호흡 · 혈압 · 맥박 등의 변화 • 관절가동범위 제한, 자세의 불안정, 활동 시의 휘청거림 • 협조된 운동, 근력
여가활동	• 기분, 무료함에 관한 말 • 입원 전의 여가활동 · 취미	• 여가활동의 종류와 빈도, 해당 활동 시의 표정
호흡 · 순환	• 호흡곤란, 흉통, 피로감	• 흉곽의 형태와 움직임, 호흡수 · 깊이 · 리듬, 호흡음 • 기침(습성/건성), 가래(색, 양) • 노력호흡(흉곽의 운동, 비익호흡, 입술오므리기 호흡) • 피부색조 · 안검결막의 색, 손발톱 · 입술의 청색증 • 맥박, 혈압, 경정맥 확장 • 검사결과(폐활량, 동맥혈가스분압, SpO_2, 흉부 X선, 심전도 등)

(3) 해석·분석과 간호진단

활동–운동 사정에서 자주 접하는 간호진단을 **표 4–7**에 정리하였다.

식사, 목욕, 배설, 옷 입기 · 미용, 이동 등 **일상의 생활활동**을 자립해서 할 수 없다는 자료에서는 자가간호결핍과 지원 필요성이 사정된다. 간호진단에서는 '음식섭취 자가간호결핍', '배설 자가간호결핍', '침상 기동성 장애' 등 어떠한 활동에 지원이 필요한지를 특정해서 나타낸다. 활동제한의 원인이 되는 마비, 근력저하, 관절가동범위 제한 등이 있는 경우에는 '신체 기동성 장애'로 진단된다. 또 일상의 활동에 견딜 수 없는 생리적 상태(호흡 · 순환 장애로 활동 시 비정상적인 혈압이나 맥박 반응을 나타내는 등)로 사정되는 경우에는 '활동 지속성 저하'로 진단된다. 이 진단에서는 재활훈련 등을 권유하여 신체 기동성과 활동 지속성의 향상을 목표로 지원이 이루어진다. **여가나 레크리에이션 등의 활동**이 적절하게 이루어지고 있지 않은 경우에는 '여가활동 부족', **호흡과 순환**이 효과적으로 이루어지고 있지 않은 경우에는 '비효과적 호흡양상', '가스교환장애', '심박출량 감소', '비효과적 뇌조직관류 위험' 등의 진단을 생각할 수 있다.

표 4–7 활동–운동 사정에 따른 간호진단

사정 시점	자주 접하는 간호진단
일상의 생활활동	음식섭취 자가간호결핍, 목욕 자가간호결핍, 옷 입기 자가간호결핍, 용변 자가간호결핍, 자기무시, 이동장애, 보행장애, 침상 기동성 장애, 신체 기동성 장애, 휠체어 기동성 장애, 좌위수행 장애, 기립수행 장애, 비사용증후군 위험, 활동 지속성 장애, 활동 지속성 장애 위험, 피로
여가활동	여가활동 부족
호흡 · 순환	비효과적 호흡양상, 가스교환장애, 자발적 환기장애, 호흡기 제거 반응장애, 심박출량 감소, 비효과적 뇌조직관류 위험, 비효과적 소화관조직관류 위험, 비효과적 신장조직관류 위험, 비효과적 말초조직관류 위험, 출혈 위험

4. 수면–휴식

인간은 활동 및 운동에 따른 심신의 피로를 회복하고 다시 활동하기 위한 에너지를 비축하기 위해 수면과 휴식을 취한다. 수면은 휴식을 얻는 중요한 과정이며, 수면 중에는 신체의 생리적 활동이 저하되고 활동에 대비하여 에너지의 회복을 꾀한다.

하루에 필요한 수면시간은 개인마다 차이가 있으며 활동 및 운동 정도나 질병 상태에 따라서도 다르다. 수면에 대한 만족감에 있어서도 5시간이면 충분하다고 느끼는 사람도 있고 8시간 이상 자지 않으면 피로감을 느끼는 사람도 있다. 또 수면양상이나 수면습관(취침시간, 기상시간 등)에도 개인차가 있으며, 직업이나 육아 등 개인이 처한 상황에 따라 어쩔 수 없이 불규칙한 수면양상을 가진 사람도 있다.

① 수면에 동반하는 신체기능의 변화

수면 중에는 신체기능이 전반적으로 휴식상태가 되고 의식이 저하된다. 근육의 긴장이 저하되고 대사가 저하된다. 부교감신경의 작용이 우위가 되어 체온 저하, 심박수 감소, 혈압 저하가 관찰된다. 또 수면 시에는 단백질, 지방, 탄수화물 등의 동화작용이 진행됨으로써 신체의 조직이 회복되고 또 활동을 위한 에너지가 축적된다.

(1) 사정 시점

수면–휴식 양상을 확인하려면 대상자가 필요로 하는 수면과 휴식이 취해지고 있는지를 사정해야 한다. 필요한 수면시간은 개인마다 다르기 때문에 휴식을 필요로 하는 심신의 상태, 수면에 영향을 미치는 심신의 상태나 환경, 수면이나 휴식 후의 일상활동 상황 등도 포함하여 사정할 필요가 있다. 또 수면부족으로 발생하는 증상에 대해서도 사정한다.

(2) 사정에 필요한 자료

수면–휴식 사정에 필요한 **주관적 자료**와 **객관적 자료**를 **표 4–8**에 정리하였다. 타인이 볼 때 잘 자는 것처럼 보여도 본인은 충분한 숙면감을 얻지 못하는 경우도 있기 때문에 대상자 자신이 자신의 수면을 어떻게 느끼고 있는지 주관적 측면을 살펴보는 것이 중요하다. 객관적 자료로서 수면의 충족 여부를 판단하기 위해 하품이나 일상활동의 변화 등을 관찰한다.

표 4-8 수면-휴식 사정에 필요한 주관적 자료와 객관적 자료

사정 시점	주관적 자료 (환자의 호소, 문진)	객관적 자료 (관찰, 신체검진, 검사결과)
필요한 수면 · 휴식이 취해지고 있는가	• 입면 곤란/수면유지 곤란 • 수면에 대한 만족감/숙면감 • 기분 · 불안 · 흥분 · 혼란 등을 나타내는 말 • 정신집중을 할 수 없음, 초조감, 권태감, 환각 • 수면습관(취침 · 기상시간, 규칙성) • 휴식 · 이완에 관한 말	• 수면 중 상태, 표정, 하루 중의 활동 및 낮잠 · 기면 • 하품, 집중력이 결여된 행동, 손떨림 등 • 휴식 · 이완 양상

(3) 해석·분석과 간호진단

수면-휴식 사정에서 자주 접하는 간호진단을 **표 4-9**에 정리하였다.

불안정한 기분, 집중력 결여, 느려진 일상활동, 낮 동안의 잦은 하품 등에서는 수면 부족의 가능성을 생각할 수 있다. 주관적 자료로서 입면 곤란, 수면유지 곤란, 숙면감 없음, 권태감 등의 호소가 있는 경우 필요한 수면 및 휴식이 취해지고 있지 않는 것으로 해석된다. 이러한 사정에서 '불면증', '수면박탈' 등의 진단을 생각할 수 있다. 수면박탈(sleep deprivation)이란 수면을 동반하지 않는 시간이 장시간에 이르는 것을 말한다.

표 4-9 수면-휴식 사정에 따른 간호진단

사정 시점	자주 접하는 간호진단
필요한 수면 · 휴식이 취해지고 있는가	불면증, 수면박탈, 수면양상장애

5. 인지-지각

이 양상에는 시각, 청각, 미각, 촉각, 후각 등의 감각, 통증이나 불쾌감의 지각이 포함된다. 각 감각기에서는 빛, 소리, 열, 기계적 진동, 압력 등의 에너지가 신경활동으로 변환된다. 이 직접적인 감각체험은 과거의 경험이나 학습 등의 인자와 결부되어 지각으로 변환된다. 같은 경치를 보더라도 아름답다고 느끼는 사람, 그립다고 느끼는 사람 등 사람에 따라 반응은 달라진다. 이것은 받아들인 감각에 의미를 부여하기 때문이다. 인지기능에는 언어능력, 기억, 문제해결능력, 의사결정능력 등이 포함된다.

(1) 사정 시점

인지–지각 양상을 확인하기 위해서는 ① 시각, 청각, 미각, 촉각, 후각 등 감각의 인지장애나 변화 유무를 사정한다. 안경이나 보청기 등의 보조도구를 사용하는 경우에는 적절하게 사용되고 있는지도 사정한다. 안위에 관한 지각에서는 ② 통증, 오심, 불쾌감 등의 고통을 동반하는 지각과 그 지각의 관리방법을 사정한다. 또 인지능력에서는 ③ 언어기능, 기억에 장애는 없는지, 판단능력이나 의사결정능력이 충분한지 등을 사정한다.

(2) 사정에 필요한 자료

인지–지각 사정에 필요한 **주관적 자료**와 **객관적 자료**를 **표 4–10**에 정리하였다. 인지–지각은 주관적 자료로서 대상자 자신의 호소와 문진을 통한 자료수집이 중요하지만, 대화에서의 응답 적절성이나 과거의 사건이나 환경에 관한 부정확한 해석을 나타내는 발언 등도 자료가 된다. 감각기능의 변화나 장애 등에 대해서는 신체검진을 통해 그 장애 내용이나 수준을 정확하게 파악하는 것이 중요하다. 또 통증, 오심 등이 호흡 · 순환기능, 일상생활에 미치는 영향 등에 대해서도 자료를 수집할 필요가 있다.

표 4–10 인지–지각 사정에 필요한 주관적 자료와 객관적 자료

사정 시점	주관적 자료 (환자의 호소, 문진)	객관적 자료 (관찰, 신체검진, 검사결과)
시각 · 청각 등 감각의 인지장애	• 감각의 변화 호소, 환각	• 감각(① 시각 : 시력, 시야, 안경, ② 청각 : 난청, 보청기, ③ 촉각, ④ 미각, ⑤ 후각)의 기능 변화 • 감각의 선명도 변화, 자극에 대한 반응 변화 • 일상행동의 변화, 감각장애
지각이나 그 관리방법에 따른 안위손상	• 통증, 오심 · 불쾌감 호소 • 통증 완화방법에 대한 생각	• 근긴장 변화, 호흡 · 혈압 · 맥박 변화 • 통증을 피하는 체위, 산동, 구토, 인지기능 변화 • 일상행동, 수면, 통증의 완화방법
의식, 기억, 판단, 의사결정 등의 인지능력	• 지남력, 흥분, 주의산만 • 건망이나 기억력의 변화 호소 • 환경에 대한 부정확한 해석 • 선택의 어려움 표현	• 의식수준, 일상행동, 언어의 명확함 · 의미의 적절함 • 이해력, 기억력(새로운 자료를 학습할 수 있는지) • 안정되지 않은 태도 · 동작, 질문에 대한 대답의 적절성

(3) 해석·분석과 간호진단

인지–지각 사정에서 자주 접하는 간호진단을 **표 4–11**에 정리하였다.

시각 · 청각 등 감각의 인지장애에서는 신체 한 부위의 기능이상으로 인해 환측에 있는 그릇 절반의 음식을 남기거나 환측에서 다가오는 사람을 알아차리지 못하거나 건강측 자극에 대한 체간의 현저한 편위 등 편측에 대한 부주의와 반대쪽에 대한 과도한 주의의 특징적인 상태가 관찰되는 경우에는 '편측성 지각이상'으로 진단된다.

지각이나 그 관리방법에 따른 안위손상에서는 통증, 오심 등 안위를 저해하는 지각이 있다면 '급성 통증', '만성 통증', '오심'이라는 진단을 생각할 수 있다. 또한, '급성 통증'은 회복을 기대 및 예측할 수 있지만, '만성 통증'은 지속적이고 반복적이며 회복을 기대하거나 예측할 수 없으며 3개월 이상 계속된다.

의식, 기억, 판단, 의사결정 등의 인지능력에서는 자신이 처한 상황의 이해와 해석이 부정확하거나 앞뒤가 맞지 않는 대화나 대답에 혼란이 관찰되는 경우 그 혼란이 단시간에 진행하는 가역적인 혼란인지, 비가역적이거나 장기간이거나 진행성 혼란인지에 따라 '급성 혼란' 또는 '만성 혼란'으로 진단된다. 또 치료나 검사 등이 위험하거나 주요한 부작용을 동반하는 경우, 대상자가 선택에 어려움을 갖거나 선택할 수 없을 때 '의사결정 갈등'으로 진단할 수 있다.

표 4-11 인지-지각 사정에 따른 간호진단

사정 시점	자주 접하는 간호진단
시각 · 청각 등 감각의 인지장애	편측성 지각이상
지각이나 그 관리방법에 따른 안위손상	급성 통증, 만성 통증, 만성 통증 증후군, 오심, 안위손상
의식, 기억, 판단, 의사결정 등의 인지능력	급성 혼란, 급성 혼란 위험, 만성 혼란, 배회, 기억장애, 지식부족, 의사결정 갈등, 의사결정 향상을 위한 준비, 자주적 의사결정 장애

6. 성-생식

성(sexuality)은 성적 정체성의 행동표현이며 배우자와의 성관계가 포함된다. 성행동의 표현은 문화적 규범에 영향을 받는다.

(1) 사정 시점

성-생식 양상을 확인하려면 ① 성적 정체성, 성에 대해 느끼는 만족 또는 불만족, ② 생식능력과 생식기능을 사정해야 한다. 우리나라에서는 문화적 배경 때문에 성이나 생식 문제를 타인과 이야기하는 일이 적으며 아무리 대상자와 간호사의 관계라고 하더라도 사정하기 어려운 양상이다. 하지만 성행동이나 생식에서 생기는 문제도 다른 양상과 마찬가지로 심각하여 이혼 등의 문제로 발전하는 경우도 있다. 따라서 이 양상의 문제를 일으킬 가능성이 있는 생식기계 관련 질환(산부인과계 · 비뇨기과계 질환, 유방암 등)의 진단이나 치료 시에는 이 점을 고려하여 주의 깊게 사정할 필요가 있다.

(2) 사정에 필요한 자료

성-생식 사정에 필요한 **주관적 자료**와 **객관적 자료**를 **표 4-12**에 정리하였다. 이 양상의 정보는 대상자의 주관적 자료에 의존하는 부분이 크다. 그러나 사적인 부분을 다루는 사항이어서 수치심이나 가치관 등으로 인해 대상자가 먼저 말을 꺼내는 경우가 많지 않다. 대상자가 느끼고 있는 성적 역할의 변화나 성적 만족감 등의 자료는 "성생활에서 걱정되는 일은 없습니까?"와 같은 질문을 하여 대상자가 말할 수 있도록 유도한다. 생식기능에 관한 자료수집은 산과 · 부인과 · 비뇨기과 등에서는 더 상세하게 이루어지는데, 그 경우도 대답하기 쉬운 항목부터 질문하도록 한다. 이들 자료수집은 폐쇄된 공간이나 사생활이 보호되는 환경에서 시행한다.

표 4-12 성-생식 사정에 필요한 주관적 자료와 객관적 자료

사정 시점	주관적 자료 (환자의 호소, 문진)	객관적 자료 (관찰, 신체검진, 검사결과)
성에 관한 느낌	• 성적 역할의 변화에 관한 말 • 중요한 타인과의 관계 변화 호소 • 가치관에 관한 갈등 • 성행동의 변화나 어려움 호소	
성 · 생식 기능의 변화	• 성적 역할의 변화에 관한 말 • 성적 만족감 변화에 관한 말 • 성기능에 관한 말 • 자기나 타인에 대한 흥미 변화 • 초경, 월경곤란증, 최종 월경 · 폐경 • 임신 · 출산 횟수, 피임법, 갱년기 증상	• 생식기 소견 • 질환이나 치료로 인해 강요되는 제한

(3) 해석·분석과 간호진단

성-생식 사정에서 자주 접하는 간호진단을 **표 4-13**에 정리하였다.

성에 관한 느낌에서는 중요한 타인과의 관계 변화나 가치관 갈등, 성적 활동의 변화나 어려움 호소 등이 관찰되며, 자신의 성에 관한 걱정이 있는 경우에는 '비효과적 성적 양상'을 생각할 수 있다.

성 · 생식 기능의 변화에서는 성적 역할의 변화나 성적 만족감을 얻을 수 없다고 표현하거나 성기능에 문제가 있다고 호소하는 경우 '성기능장애'를 생각할 수 있다.

표 4-13 성-생식 사정에 따른 간호진단

사정 시점	자주 접하는 간호진단
성에 관한 느낌	비효과적 성적 양상
성 · 생식 기능의 변화	성기능장애

학습과제

1. 영양-대사, 배설, 활동-운동, 수면-휴식, 인지-지각, 성-생식의 각 양상에 대해 사정 시점, 필요한 자료를 정리해보자.

CHAPTER 05

심리사회적 측면의 사정

학습목표

1. 신체적 측면과 밀접하게 관계하는 심리사회적 상태에 대해 사정 시점, 필요한 자료와 그 해석 및 분석 방법을 이해한다.

1. 건강지각–건강관리

건강지각(health perception)이란 개인의 건강상태나 컨디션에 관한 인식이다. 건강관리(health management)란 개인의 건강관리에 대한 대처방법이며, 심신의 건강유지활동이나 건강증진활동에 대한 의지나 능력, 의료자의 지시나 권장한 건강관리행동의 준수상황 등이 포함된다.

(1) 사정 시점

건강을 관리하고 유지하기 위해 필요한 행동을 취하는 것은 대상자 자신이다. **건강지각–건강관리** 사정에서는 대상자가 자신의 건강상태를 어떻게 인식하고 있는지, 건강을 유지 및 증진하기 위한 건강관리활동을 어떻게 하고 있는지, 치료에 필요한 복약, 식사 · 운동요법 등에 대한 인식과 행동 등을 사정한다. 또 환자의 보건행동에 대한 생각이나 일상생활 속에서 건강관리행동을 어떻게 도입하고 있는지에 대해서도 사정한다.

(2) 사정에 필요한 자료

건강지각–건강관리 사정에 필요한 **주관적 자료**와 **객관적 자료**를 **표 5–1**에 정리하였다. 대상자가 일상생활에서 실제로 하고 있는 행동이나 습관 등을 관찰하기는 어렵다. 따라서 개인의 건강관리를 위해 하는 활동에 관한 자료 대부분은 대상자의 설명을 통해 얻을 수 있다. 또 매일의 간호에서 대화나 건강관리에 관한 교육 중 태도나 말에서도 대상자의 인식을 나타내는 징후를 파악할 수 있다. 입원 중이라면 교육 받은 건강관리활동의 실천 상황을 객관적으로 관찰할 수도 있다.

표 5-1 건강지각-건강관리 사정에 필요한 주관적 자료와 객관적 자료

사정 시점	주관적 자료 (환자의 호소, 문진)	객관적 자료 (관찰, 신체검진, 검사결과)
개인의 건강관리를 위한 활동	• 과거력(알레르기 과거력 포함), 현병력, 과거력 • 복약의 자기관리상황 • 건강유지방법(건강진단, 유방 자가검진, 일과, 운동습관 등), 흡연 · 음주 습관 • 건강관리에 관한 생각 · 의욕, 건강신념 • 질병 · 검사 · 치료에 관한 자각/인식, 자기 질환을 받아들이는 방법 · 대처방법 • 치료에 대한 기대, 자기관리에 대한 의욕	• 건강습관의 실천상황, 금연행동 • 건강행동의 개선지도에 대한 흥미 표현방법 · 표정 • 치료계획 목표 달성을 위한 적절한 행동 선택 • 위험에 대한 예방행동을 취하는 방법, 의식수준

(3) 해석·분석과 간호진단

건강지식-건강관리 사정에서 자주 접하는 간호진단을 표 5-2에 정리하였다.

개인의 건강관리를 위한 활동에서는 약물의 자기관리를 적절하게 할 수 없거나 질환 치료에 필요한 식사요법을 할 수 없다는 자료를 얻었을 경우 스스로 치료계획을 효과적으로 관리할 수 없다고 해석된다. 이때의 간호진단은 '비효과적 건강관리'이며, 건강관리를 위한 활동을 할 수 있도록 교육지도를 계획할 필요가 있다. 또 건강행동에 관한 지식이나 인식 부족을 나타내는 자료가 확인된 경우에는 건강행동을 할 수 없어서 발생하는 위험이 예측된다. 이때는 위험의 종류를 특정해서 '질식 위험', '낙상 위험' 등의 진단을 내려 예방적 간호계획을 수립한다.

표 5-2 건강지각-건강관리 사정에 따른 간호진단

사정 시점	자주 접하는 간호진단
개인의 건강관리를 위한 활동	위험성 있는 건강행위, 비효과적 건강유지, 비효과적 건강관리, 건강관리 향상을 위한 준비
건강행동을 하지 못하는 경우의 위험	신체손상 위험, 질식 위험, 중독 위험, 외상 위험, 낙상 위험, 수술 중 체위와 관련된 상해 위험, 감염 위험

2. 자아인식-자아개념

자아인식-자아개념이란 자기에 대해 지각하고 있는 내용, 자기 자신에 대한 느낌, 생각, 견해 등을 말하며, 자신에 대해 품고 있는 신념이나 감정으로 구성되는 것이다.

그 내용으로는 자신의 성격이나 인격과 같은 특징의 견해, 자신의 능력이나 이상, 자신의 가치에 관한 자기평가, 신체감각(자신의 신체에 대한 느낌, 컨디션이나 통증 등의 감각), 신체상(자기 몸의 외관에 대한 견해나 평가) 등이 있다('자아개념'에 대한 상세한 내용은 p.63을 참조).

(1) 사정 시점

자아인식-자아개념 양상을 확인하려면 ① 환자의 기분이나 정서가 어떠한 상태인지, ② 환자가 자신의 가치와 능력을 어떻게 인식하고 평가하는지, ③ 환자가 느끼는 신체감각이나 신체상은 어떤지를 사정해야 한다.

(2) 사정에 필요한 자료

자아인식-자아개념 사정에 필요한 **주관적 자료**와 **객관적 자료**를 표 5-3에 정리하였다. 이 양상에서는 주관적 자료가 중요한데, 환자 대부분은 불안 등의 감정을 이야기하거나 자신의 특징이나 자기 신체에 대한 감정을 표출하는 것에 저항감을 느끼거나 주저하기 쉽다.

대상자와 간호사 사이에는 간호사가 자신의 이야기를 잘 들어주고, 자신이 하는 말을 간호사가 비판하지 않을 것이라는 안심감이나 신뢰감을 가질 수 있는 관계성이 필요하다. 차분하게 말할 수 있는 분위기와 시간을 준비하는 것도 중요하다. 또 면담 중의 표정이나 신체 움직임이나 자세, 시선이나 주위에 대한 주의 등 비언어적 수단을 통해 어떤 문제가 있음이 느껴지는 경우도 있다.

환자에 따라서는 생리적 반응으로서 맥박수나 혈압의 변동, 호흡곤란이나 오심 · 구토 등의 증상이 나타나기도 하므로 이들 객관적 자료를 주관적 자료와 함께 관찰함으로써 정확한 진단을 하도록 한다.

표 5-3 자아인식-자아개념 사정에 필요한 주관적 자료와 객관적 자료

<table>
<tr><th>사정 시점</th><th>주관적 자료
(환자의 호소, 문진)</th><th>객관적 자료
(관찰, 신체검진, 검사결과)</th></tr>
<tr><td>기분 · 정서 상태</td><td>• 기분이나 정서(우울, 기쁨, 화 등)에 관한 말
• 상실감, 고뇌, 탈력감, 공허감, 식욕, 불면을 나타내는 말</td><td rowspan="3">• 표정 : 눈을 감고 있다, 한숨을 쉰다, 운다
• 행동 : 감소(멍하게 있다) · 증가(안절부절못하다), 일상행동이나 대인관계의 변화, 말 수 감소, 주위에 대해 주의를 기울이는 방법, 자극에 대한 반응 감소, 상처 등에 대한 태도, 몸의 일부를 숨긴다, 몸의 일부를 보지 않는다 · 만지지 않는다.
• 생리적 · 교감신경성 지표 : 안면홍조, 혈압 상승, 맥박 증가, 반사 항진, 호흡수 증가, 호흡곤란, 동공산대, 표재 혈관의 수축, 근긴장, 발한 증가, 손떨림</td></tr>
<tr><td>자기가치 · 자기능력에 관한 생각</td><td>• 자신의 특징에 대한 생각(예 : 밝은 성격, 잘 보살핌, 약속을 지킴 등)
• 이상적인 자기상(예 : 존경받는 사람이 되고 싶다, 영어를 잘하는 사람이 되고 싶다 등)
• 자기 부정적인 말, 죄책감 표명</td></tr>
<tr><td>신체감각 · 신체상에 관한 생각</td><td>• 컨디션 · 감각에 대해 느끼는 것(예 : 피곤하다, 컨디션이 좋다, 체력이 약해졌다, 춥다 등)
• 외모에 대한 견해(예 : 살쪄 있다, 키가 작다, 얼굴이 둥글다, 피부가 깨끗하다 등)
• 외모에 대한 평가나 희망(예 : 살을 빼고 싶다, 키 크고 싶다, 치열이 고르면 좋겠다, 수술자국을 숨기고 싶다 등)</td></tr>
</table>

(3) 해석·분석과 간호진단

자아인식-자아개념 사정에서 자주 접하는 간호진단을 **표 5-4**에 정리하였다.

자기가치 · 자기능력에 관한 생각에서 자주 접하는 진단으로는 '불안', '공포', '상황적 자존감 저하', '만성적 자존감 저하' 등이 있다. 걱정이나 자신이 없음을 말이나 몸으로 나타내는 반응에서는 '불안'이 있다고 생각할 수 있고, 현재 상황에 대처하는 능력이 없는 등 자기 부정적인 말을 하는 행동에서는 '상황적 자존감 저하'를 생각할 수 있으며, 자기 부정적인 말이나 사건에 대처할 수 없다고 자신을 평가하는 말을 장기간에 걸쳐 하는 행동에서는 '만성적 자존감 저하'를 생각할 수 있다('자존감'에 대한 상세한 내용은 p.65를 참조).

신체감각 · 신체상에 관한 생각에서는 질병이나 외상 또는 치료과정에서 생긴 신체의 기능이나 외모 변화나 상실에 대한 부정적인 말을 하거나 상처부위를 보지 않는 등의 행동을 통해 자기의 신체적 상태를 받아들이지 않고 신체상에 혼란을 일으킨다고 생각되는 경우 '신체상 혼란'으로 진단된다.

표 5-4 자아인식-자아개념 사정에 따른 간호진단

사정 시점	자주 접하는 간호진단
자기가치 · 자기능력에 관한 생각	불안, 공포, 희망 향상을 위한 준비, 절망감, 무력감, 무력감 위험, 고독감, 고독감 위험, 만성적 자존감 저하, 상황적 자존감 저하, 상황적 자존감 저하 위험, 상해 위험, 자아정체감 혼란
신체감각 · 신체상에 관한 생각	신체상 혼란

3. 가치–신념

가치관이나 신념은 인간의 성장 및 발달과정에서 발생하는 것으로, 사물을 보는 법이나 생각하는 법, 올바름이나 유효성에 대한 가치판단 등이 포함된다. 신념은 신앙심이나 확신에 기초하여 그 사람이 소중히 여기는 것이다. 가치나 신념은 그 사람이 중요한 의사결정을 내리거나 행동을 선택할 때의 지침이 된다.

(1) 사정 시점

가치–신념 양상을 확인하기 위해 대상자가 인생이나 생활을 영위하는 데 무엇을 소중히 여기는가에 초점을 맞추어 대상자가 믿고 있는 종교나 종교적 습관 유무와 내용, 질환이나 치료가 신앙이나 종교적 습관에 미치는 영향과 그에 동반하는 고뇌 유무를 사정한다. 또 대상자가 자신의 존재를 위협받는 상황에 놓임으로써 삶의 의미에 의문을 가지거나 신념이 흔들리는 감정을 품고 있지 않은지를 사정한다.

(2) 사정에 필요한 자료

가치–신념 사정에 필요한 **주관적 자료**와 **객관적 자료**를 **표 5–5**에 정리하였다. 믿고 있는 종교나 종교적 습관, 입원 · 치료에 의한 영향을 질문하고, 입원생활에서의 종교적 실천 상황이나 일상의 지원 상황에서 환자의 언동 등을 주의 깊이 관찰하여 영적인 고뇌 유무를 시사하는 말 등을 표출하고 있지 않은지 사정한다. 종교적 실천으로는 예배나 기도, 종교적 의식, 복장, 음식물 제한 등이 있다. 자신의 존재를 위협받는 경험에 동반하는 정서의 변화로서 화를 내거나 인생의 의미를 묻거나 타인과의 관계를 끊는 행동이 관찰되기도 한다.

표 5–5 가치–신념 사정에 필요한 주관적 자료와 객관적 자료

사정 시점	주관적 자료 (환자의 호소, 문진)	객관적 자료 (관찰, 신체검진, 검사결과)
가치관 · 신념과 행동의 일치 상태	• 믿고 있는 종교, 중요한 종교적 실천 • 입원 · 치료에 따른 종교 문제에 관한 말 • 도덕적 실천이 어렵다는 말이나 고뇌의 표현(무력감, 죄악감, 불만, 불안, 자기불신, 공포 등) • 자신의 존재가 위협받는 경험에 동반하는 정서 변화나 표현(화, 희망 결여/절망감, 인생의 의미, 소외감, 다른 사람과의 상호작용 거절을 나타내는 말 등)	• 종교적 실천 내용, 종교적 실천을 행하는 환경 • 일상행동의 변화, 대인관계의 변화 • 표정, 식사섭취 상황, 수면 상황

(3) 해석·분석과 간호진단

가치–신념 사정에서 자주 접하는 간호진단을 **표 5–6**에 정리하였다.

가치관 · 신념과 행동의 일치 상태에서는 질환이나 치료로 종교적 실천을 할 수 없게 되는 데 따른 정서적 고통의 호소가 있고, 신앙심이 손상되고 있다고 해석되는 경우 '손상된 신앙심'으로 진단할 수 있다. '내 인생에 어떤 의미가 있었을까?', '이렇게 힘든 생각을 하면서 왜 살아야 할까?' 등 삶의 의미나 고통의 이유 등을 묻거나 주위 사람과 정서적 거리를 두는 행동에서는 환자가 자신의 존재가 위협받는 경험을 하고 있다고 추측되며 '영적 고뇌'를 진단할 수 있다.

표 5–6 가치–신념 사정에 따른 간호진단

사정 시점	자주 접하는 간호진단
가치관 · 신념과 행동의 일치 상태	희망 향상을 위한 준비, 영적 안녕 향상을 위한 준비, 손상된 신앙심, 신앙심 손상 위험, 도덕적 고뇌, 영적 고뇌

4. 역할–관계

인간은 사회 속에서 다양한 역할을 가지고 타인과의 사이에서 상호 기대되는 역할을 자각하고 수행하면서 살고 있다. 예를 들어 40대 남성은 직장에서는 과장, 가정에서는 남편과 아버지 등의 역할을 하며, 나아가 아버지로서의 역할과 동반하여 자녀의 야구팀 감독이라는 역할을 하고 있을지도 모른다. 역할은 발달과제와도 밀접하게 관련하며 상황에 따라 변경되거나 추가되기도 하는데, 환자는 질병에 의해 병자 역할을, 임신부는 출산에 의해 어머니 역할을 획득하게 된다. 이들 역할을 원활하게 획득하는 사람이 있는가 하면 갈등이나 상실감을 느껴 잘 적응하지 못하는 사람도 있다('역할이론'과 '발달이론'에 대한 상세한 내용은 각각 p.67, p.69를 참조).

또 인간은 다른 사람을 사랑하고 존중하며 동시에 다른 사람으로부터 애정이나 존경을 받는 상호관계 속에서 안심감을 얻으면서 성장 및 발달하는 존재이다. 다른 사람과의 상호관계에서 주거나 받는 대상에는 애정이나 존경, 지식이나 기술, 금전이나 물질, 시간 등 다양한 것이 있다. 중요한 타인이란 대상자가 사랑하고 존경하며 소중하게 여기는 사람이며, 그 사람 또한 대상자를 사랑하고 존중하며 소중하게 여기는 관계에 있는 사람이다. 중요한 타인이 한 명이라고 한정할 수는 없다. 이 양상에서는 대상자의 역할 수행 방법이나 인간의 상호관계에 대해 사정한다.

(1) 사정 시점

역할-관계 양상을 확인하기 위해 우선 역할에 초점을 맞추어 ① 가족이나 사회에서의 대상자 역할과 그 수행행동을 사정한다. 인간관계의 수단으로서 중요한 의사소통에 초점을 맞추어 ② 의사소통능력이나 사회적 상호작용을 사정한다. 또한, ③ 관계성 상실에 동반하는 심신의 반응을 사정한다.

(2) 사정에 필요한 자료

역할-관계 사정에 필요한 **주관적 자료**와 **객관적 자료**를 **표 5-7**에 정리하였다. 가족이나 사회에서의 역할과 그 수행행동에 대해서는 대상자 자신의 가족이나 타인에 대한 행동과 함께 질병이나 입원하는 대상자를 대하는 가족의 자세에 대해서도 자료를 얻어 대상자의 역할과 타인과의 관계성을 사정한다('가족간호학에 활용되는 여러 이론'에 대한 상세한 내용은 p.72를 참조).

어떤 시점이든 타인과의 관계성이나 그 변화 및 상실에 동반하는 반응을 대상자와의 대화나 언동을 관찰함으로써 파악하고 이와 동시에 타인과 관계를 맺는 방법이나 그 장애에 동반해서 생기는 생리적 · 신체적 변화(식사 섭취상황의 변화, 체중감소, 수면장애 등), 발육장애 등의 객관적 자료에 대해 사정하는 것이 중요하다.

표 5-7 역할-관계 사정에 필요한 주관적 자료와 객관적 자료

사정 시점	주관적 자료 (환자의 호소, 문진)	객관적 자료 (관찰, 신체검진, 검사결과)
가족이나 사회에서의 역할과 그 수행행동	• 가족 구성, 중요한 타인과의 관계 · 연령 · 건강상태 • 환자의 질병 · 입원에 대한 가족의 자세 • 경제적 지원 여부, 일 · 학업의 내용과 역할 • 가족의 신체적 · 정서적 호소(피로, 수면장애, 분노, 우울, 불만, 신경질, 불안 등) • 자녀에 대한 애착 · 거절 · 경의 등의 말	• 가족이나 중요한 타인과 환자와의 관계성 · 내원 상황 • 가족의 간병행동 · 신체상황 · 체중변화 등 • 영유아의 행동장애 · 발육부전 · 건강상태 • 부모의 육아행동
의사소통능력, 사회적 상호작용	• 타인과의 관계성에 대한 호소, 만족감, 고독감 • 지남력 · 인지장애 유무, 호흡곤란감, 피로감	• 눈맞춤 여부, 말의 알아듣기 쉬움 • 실어/발성장애 유무 • 의사소통을 위한 다른 방법 • 다른 환자나 의료종사자와의 인간관계 • 기관절개, 기관삽관 등 발언에 영향을 미치는 처치
관계성 상실에 동반한 반응	• 권태감, 수면장애, 식욕저하, 불안, 분노, 비탄, 절망, 고뇌 등의 표현 • 고인에 대한 생각 표출, 자기비탄 • 불신감, 타인에 대한 무관심을 나타내는 말	• 활동수준의 변화, 패닉행동 • 수면, 표정, 무관심한 태도 • 면역기능 변화에 따른 증상

(3) 해석·분석과 간호진단

역할–관계 사정에서 자주 접하는 간호진단을 **표 5–8**에 정리하였다.

가족이나 사회에서의 역할과 그 수행행동에서는 자신이 해내야 할 역할을 부인하거나 기대에 맞지 않는 행동을 하거나 역할수행에 관한 불안을 표출하는 등의 자료를 얻은 경우 자기 역할에 효과적으로 적응할 수 없기 때문에 '비효과적 역할수행'을 진단할 수 있다.

의사소통능력, 사회적 상호작용에서는 눈맞춤이나 대화 소실, 사람 · 장소 · 시간에 관한 지남력장애가 있어 대화를 통한 의사소통에 장애가 생긴 경우 '언어적 의사소통장애'로 진단된다.

관계성 상실에 동반한 반응에서는 중요한 타인, 일이나 역할 등의 상실을 체험한 대상자에게 느린 활동, 주위에 대한 관심 저하, 불면, 식욕저하 등이 관찰되며 상실에 동반한 절망감이나 고뇌를 나타내는 말을 하는 경우 '비탄'으로 진단된다('비탄과정'에 대한 상세한 내용은 p.76을 참조).

표 5–8 역할–관계 사정에 따른 간호진단

사정 시점	자주 접하는 간호진단
가족이나 사회에서의 역할과 그 수행행동	부모 역할 갈등, 비효과적 역할수행, 가족과정 기능장애, 가족과정 손상, 돌봄제공자 역할 긴장, 부모 역할장애, 애착장애 위험, 비효과적 관계
의사소통능력, 사회적 상호작용	언어적 의사소통장애, 사회적 상호작용장애, 사회적 고립
관계성 상실에 동반한 반응	만성 비탄, 슬픔, 복합적 슬픔, 복합적 슬픔 위험

5. 대처–스트레스내성

외부에서 가해져 그 사람의 통합성을 위협하는 사건이나 자극을 스트레스원(stressor)이라고 하고, 스트레스원에 의해 생체에 변형이 생기는 것을 스트레스(stress)라고 한다. 스트레스는 살아가는 과정에서 모든 사람이 경험하며, 스트레스가 없는 사람은 없다. 스트레스원은 생리적 반응과 심리적 반응을 일으키는데, 이 반응에 의해 성장이 촉진되기도 하고 불안이나 갈등, 우울상태 등의 원인이 되기도 한다.

스트레스에 알맞은 조치를 취하는 과정을 대처(coping)라고 한다. 대처는 스트레스를 조절하기 위해 의식적으로 하는 행동으로, 개인의 삶의 방식, 가치관이나 신념 등에 영향을 받는다. 대처 방법에는 문제가 되는 사건을 이해하는 방법과 사건에 대한 견해나 자신의 기분을 바꿈으로써 정서 중심으로 대처하는 방법이 있다. 스트레스가 되는 사건에 대해 그 사람이 보통 어떤 대처방법을 취하는가가 그 사람의 대처 양상이다. 대처 양상에 따라 효과적인 성과를 얻을 수 있다면 스트레스원은 극복된다. 여기서는 그 사람의 평소 대처 양상과 스트레스내성을 사정한다('스트레스 · 대처이론, 위기이론'에 대한 상세한 내용은 p.78을 참조).

(1) 사정 시점

대처-스트레스내성 양상을 확인하려면 대상자가 스트레스에 어떤 대처행동을 취하며 그 유효성은 어떠한지를 사정해야 한다.

(2) 사정에 필요한 자료

대처-스트레스내성 사정에 필요한 **주관적 자료**와 **객관적 자료**를 **표 5-9**에 정리하였다. 주관적 자료로서 스트레스가 되는 사건에 관한 말이나 대처행동의 성과와 유효성에 관한 평가 등을 살핀다. 객관적 자료로서 대처행동의 종류와 실행 상황, 스트레스에 의한 반응이나 행동의 변화를 관찰한다.

표 5-9 대처-스트레스내성 사정에 필요한 주관적 자료와 객관적 자료

사정 시점	주관적 자료 (환자의 호소, 문진)	객관적 자료 (관찰, 신체검진, 검사결과)
스트레스에 대한 대처행동의 유효성	• 환경 변화에 대한 말 • 최근의 스트레스 · 걱정거리 • 스트레스에 대한 대처방법 • 권태감, 만족감 · 불만감, 수면상태 • 대처할 수 없었던 것을 말로 함 • 명백한 문제를 부정하는 말 • 현실감이 없는 말, 과민반응	• 약물 남용, 의사소통 양상의 변화 • 타인과의 관계(파괴적 행동, 확립할 수 없다 · 유지할 수 없다, 거만한 태도) • 자기에 대한 파괴적 행동, 집중력이 결여된 행동 • 치료 · 처치에 참가 상태

(3) 해석·분석과 간호진단

대처-스트레스내성 사정에서 자주 접하는 간호진단을 **표 5-10**에 정리하였다.

스트레스에 대한 대처행동의 유효성에서는 환자가 스트레스가 되는 사건에 대해 적절하게 문제해결을 할 수 없고, 자신이나 타인에 대한 파괴적 행동이 관찰되거나 약물남용 등의 행동이 관찰되어 대처행동이 효과적이지 않다고 해석되는 경우 '비효과적 대처'로 진단된다. 또 명백하게 존재하는 문제를 부정하거나 현실감 없는 말, 비판이나 경시에 대한 과민반응 등이 관찰되는 경우에는 '방어적 대처'를 진단할 수 있다. 또 어려운 상황이나 위기에 대해 긍정적으로 반응하는 능력이 저하되어 있는 상황은 '회복력 장애'를 진단할 수 있다('회복력'에 대한 상세한 내용은 p.81을 참조).

표 5-10 대처-스트레스내성 사정에 따른 간호진단

사정 시점	자주 접하는 간호진단
스트레스에 대한 대처행동의 유효성	대처 향상을 위한 준비, 비효과적 대처, 방어적 대처, 비효과적 부정, 심적 외상 후 증후군, 회복력 장애

학습과제

1. 건강지각–건강관리, 자아인식–자아개념, 가치–신념, 역할–관계, 대처–스트레스내성의 각 양상에 대해 사정 시점, 필요한 자료를 정리해보자.

CHAPTER

06 배경 이론

학습목표

1. 심리사회적 측면의 사정 배경이 되는 여러 이론에 대해 이해한다.

심리사회적 측면을 사정함에 있어서 그 배경이 되는 중범위 이론을 이해하면 유용하다. '건강지각-건강관리' 사정에서는 개인의 건강에 대한 생각이나 행동의 결정에 관련하는 건강신념모델, 계획적 행동이론, 질병궤도, 자기효능감 등의 이론이 도움이 되고, '자아인식-자아개념' 사정에서는 자아개념, 자존감에 대한 이해가 필요하다. 또 '역할-관계' 사정에서는 역할이론과 함께 발달이론, 가족간호학에서 활용되는 여러 이론, 비탄과정을 이해하면 도움이 되며, '대처-스트레스내성' 사정에서는 스트레스대처이론, 위기이론, 회복력을 이해하면 도움이 된다. 이 장에서는 이 배경 이론에 대해 요점을 정리하고 간호진단을 이끌어내기 위한 이론적 근거를 제시한다.

사정을 정확하기 하려면 근거에 따른 사정도구를 사용할 필요가 있다. 고든(Gordon)의 기능적 건강양상은 건강사정에 필요한 요소를 과학적으로 개발한 개념틀이다.

한편, NANDA-I 분류법의 목적은 간호진단을 분류하고 간호사가 간호진단을 이 분류(영역과 유형)에 따라 찾도록 돕는 데 있다. 이 두 가지는 비슷하지만, 차이점도 있다. 예를 들어 간호진단의 '불안'과 '공포'는 기능적 건강양상에서는 '자아개념' 사정에서 유도되고, NANDA-I에서는 '대처/스트레스내성'[1]으로 분류되어 있다. 또 '비탄'은 기능적 건강양상에서는 '역할-관계' 사정에서 유도되고, NANDA-I에서는 '대처/스트레스내성'으로 분류되어 있다. 이 장에서는 간호진단의 분류(영역과 유형)를 설명하는 데 NANDA-I를 활용하고 있으며, 혼동되기 쉬운 간호진단에 대해서는 기능적 건강양상의 개념틀을 활용하여 보충하였다. 또한, NANDA-I는 사정도구로서 고든의 기능적 건강양상의 사용을 권장하고 있다.

1) 고든의 기능적 건강양상에서는 '대처-스트레스내성', NANDA-I에서는 '대처/스트레스내성'이 채택되고 있으며 이 책에서는 그 기준에 따르고 있다.

1. 건강신념모델, 계획적 행동이론

1) 개요

건강행동이론인 **건강신념모델**(health belief model)은 1950년대 미국 사회심리학자인 호크바움(Hochbaum GM)과 로젠스토크(Rosenstock IM) 등이 검진에 대한 진료행동의 차이와 건강에 대한 신념을 연구하기 시작하면서 보고되었다. 그 후 1970년대에 들어서 베커(Becker MH) 등이 건강신념모델을 개발하였다. 베커 등에 의한 건강신념모델은 사람의 건강행동에 영향을 미치는 요인을 **개인요인**과 **사회환경요인**으로 나누고 그 연관성을 체계적으로 설명하였다는 점에 특징이 있으며, 질병 예방행동을 예측하는 모델과 환자(역할)행동을 예측하는 모델이 개발되어 있다.

건강신념모델과 마찬가지로 사람의 건강행동에 관한 이론 중 1980년대에 에이젠(Ajzen I)과 매든(Madden JT)이 개발한 **계획적 행동이론**(theory of planned behavior)이 있다. 이는 사람의 행동을 예측하는 모델로서 피쉬바인(Fishbein M)과 에이젠이 주장한 **합리적 행동이론**(theory of reasoned action)에, 행동에 대한 통제감이라는 개념을 추가하여 발전시켜 고안된 이론이다. 합리적 행동이론은 사람이 취하는 행동의 결정요인은 **행동의 의도**(intention)라고 보고 그 행동의 의도가 어떻게 결정되는지를 주관적인 사회규범과 행동에 대한 태도의 상대적인 중요성으로 설명하고 있다. 여기서 더 나아가 행동에 대한 자신의 통제감이 의도와 행동에 영향을 미친다고 본 것이 계획적 행동이론이다.

2) 이론의 구조와 주요 동향

(1) 건강신념모델

① 예방행동 예측에 관한 건강신념모델

질병을 예방하기 위해 타인에게 권장받은 보건행동을 실행할 가능성은 사람이 지각하는 '질병에 대한 위협의 강도'와 '예방적 행동을 함으로써 야기되는 유익성과 행동에 동반하는 장애의 차이'에 따라 결정된다. '질병에 대한 위협의 강도'는 건강을 손상시킬 위험성이나 자기 자신이 질병에 걸리기 쉬운 상태에 있다는 취약성, 또 신체적인 통증이나 불쾌감 외에 일상적으로 해내는 사회적 역할의 상실, 나아가 업무를 수행할 수 없거나 치료에 드는 비용부담에 따른 경제적 곤란 등, 질병에 의해 생기는 영향의 중대성 및 크기를 어느 정도 지각하는가를 말한다.

예를 들어 어떤 사람이 질병의 위협을 더 강하게 느끼고 예방행동에 동반하는 장애가 예방행동에 의해 초래되는 효과보다도 크다고 생각하는 경우에는 권장받은 예방적 행동을 실행할 가능성이 낮아지게 된다. 또 질병에 대한 위협의 크기에는 성별이나 연령과 같은 개인 특성이나 인격, 사회계층, 문화적 요인 등의 사회심리적 요인과 함께 **행동의 계기**(cues of action)로서 매스미디어가 전하는 질병에 관한 정보나 의료 전문가로부터의 조언, 질병에 관한 타인의 체험담 등이 영향을 미친다고 보고 있다.

② 환자(역할)행동 예측에 관한 건강신념모델

베커 등은 **예방적 건강신념모델**을 발전시켜 이미 질병에 걸린 환자가 의사에게 지시받은 치료나 요양을 실행할 가능성을 예측하는 모델을 구축하였다. 의학적 지시를 구하여 건강을 회복하고자 하는 강한 의지나 건강에 대한 높은 관심과 같은 자신의 **동기**(motivation) 외에, 의사가 지시하는 치료는 안전한지, 치료 효과는 있는지와 같은 '의사의 지시에 따른 행동이 질병의 위협을 감소시킬 가능성', 또 치료를 받음으로써 신체적 장애나 사회적 장애는 경감되는지, 재발은 피할 수 있는지와 같은 '질병의 위협을 감소하는 가치'의 평가, 나아가 치료기간이나 연령, 그리고 의료인과의 관계성이나 받게 될 의료에 대한 만족도 등을 고려해서 환자는 의사가 권하는 치료나 요양을 실행할지 종합적으로 결정한다.

(2) 계획적 행동이론

합리적 행동이론과 계획적 행동이론은 사람이 어떤 목적을 위해 취하는 행동에 이미 의사결정이 이루어졌다고 보는 개념에 바탕한다. 이 이론에서는 사람이 취하는 행동은 '의도'에 의해 결정된다고 보고 있으며, 행동을 결정하는 중요한 요인인 '의도'는 취한 행동으로 초래되는 결과에 대한 기대 · 신념과 결과에 대한 평가인 **'행동에 대한 태도'**, 그 사람에게 중요한 타인이 그 행동을 취하는 데 찬성하는지의 여부, 또 중요한 타인의 생각에 따르려고 하는 자기 기분의 강도인 **'주관적 사회규범'**, 여기에 행동을 제어할 수 있다는 감각과 자기 자신은 행동을 제어할 수 있다는 신념 · 생각인 **'행동에 대한 통제감'**이 더해져 결정된다. 그 밖에 개인의 나이나 성별, 직업, 교육, 종교, 인격 특성 등이 의도와 의도를 규정하는 3가지 요인에 간접적으로 영향을 미친다고 에이젠 등은 설명하였다.

건강행동과 관련하여 1980년대에 프로체스카(Prochaska JO)와 디크레멘트(DiClemente CC)가 발표한 **변화단계이론**이 있다. 이 이론은 건강행동의 변화에 관한 모델로, 건강행동으로의 변화를 무관심기, 관심기, 준비기, 실행기, 유지기의 5단계 과정으로 나누고 각 단계에서 행동변화를 일으키는 동기를 제시하였다(표 6-1).

무관심기(precontemplation)는 6개월 이내에 행동을 일으킬 마음이 없는 상태이고, **관심기**(contemplation)는 6개월 이내에 무언가 행동을 일으키려는 의도나 행동변화에 대한 생각을 가지고 있는 시기이다. **준비기**(preparation)는 1개월 이내에 행동을 일으킬 마음을 가지고 있으며, **실행기**(action)는 최근 6개월 이내에 분명히 행동이 변화한 단계이다. 그러나 실행기 단계에서는 행동이 변화한 것으로 간주하지 않는다. 행동이 변화한 후 6개월 이상이 경과하여 바람직한 행동이 지속되는 상태를 **유지기**(maintenance)라고 한다. 변화단계이론의 관심기, 준비기에 건강신념모델을 활용함으로써 기대되는 행동 또는 권장되는 행동을 하는 것의 이익이나 장애를 그 사람이 어떻게 인식하고 있는지를 파악하여 행동을 실행할 수 있도록 의료자에게 요구되는 지원을 고안할 수도 있다. 대상자의 행동을 이해하려면 건강행동에 관한 여러 이론을 활용하여 다각적인 시점에서 그 사람의 건강에 대한 생각과 의사결정을 파악할 필요가 있다.

표 6-1 변화단계이론

단계	내용
무관심기 (precontemplation)	6개월 이내에 행동을 바꾸려는 마음이 없다. ※ 이 단계에 있는 사람은 건강행동이 가져오는 결과에 대해 아무것도 모르고 있거나 충분한 자료를 가지고 있지 않다.
관심기 (contemplation)	6개월 이내에 행동을 바꾸려는 의도가 있다. ※ 이 단계에 있는 사람은 행동변화에 의해 발생될 장점에 대한 의식이 높아져 있지만 단점에도 민감하다.
준비기 (preparation)	1개월 이내에 행동을 바꾸려는 의도가 있다. ※ 이 단계에 있는 사람은 최근 1년 동안 건강교육교실에 참가하거나 책을 구입해서 읽는 등 어떠한 건강행동을 일으키고 있다.
실행기 (action)	행동을 바꾼 지 6개월 미만이다. ※ 이 단계에 있는 사람은 건강행동을 실행하여 일정 기간 잠재적 변화가 관찰되지만 예전으로 되돌아가기 쉽다.
유지기 (maintenance)	행동을 바꾼 지 6개월 이상 경과하였다. ※ 이 단계에 있는 사람은 행동변화를 계속할 수 있다고 확신하고 있으며 예전으로 되돌아갈 확률은 적다.

3) 건강신념모델과 NANDA-I의 간호진단

NANDA-I의 간호진단에서「건강증진」영역의 '위험성 있는 건강행위', '비효과적 건강유지', '비효과적 건강관리', '건강관리 향상을 위한 준비', '불이행',「삶의 원리」영역의 '가치/신념/행동일치성', '의사결정 향상을 위한 준비', '의사결정 갈등', '자주적 의사결정장애', '자주적 의사결정 향상을 위한 준비', '자주적 의사결정장애 위험', '도덕적 고뇌'와 같은 간호문제의 배경에는 그 사람의 건강에 대한 신념이나 건강행동을 파악하는 데 있어 의사결정이 관련된다는 점에서 볼 때 앞에서 설명한 건강행동에 관한 여러 이론을 이해하고 활용한다면 대상자의 건강문제를 정확하게 사정할 수 있다.

2. 질병궤도

1) 개요

만성질환은 평생 관리와 질병에 동반되는 다양한 문제에 대처하면서 '**질병과 함께 살아갈**' 필요가 있다. 만성질환에 걸린 사람은 질환이나 치료에 의한 신체기능의 상실, 사회적 역할 변경을 받아들이고 매일의 생활 속에서 질병과 함께 살아가야 한다. **질환**(disease)이 병리학적 진단명인 데 비해 **질병**(illness)은 사람이 질환이나 치료에 동반되는 고통을 체험하면서 생활하는 것을 의미한다. 의료인이 만성질환을 가진 환자에게 적절한 지원을 제공하려면 질환이나 치료에 관심을 기울이게 하는 것뿐만 아니라 환자가 질병과 함께 지금까지 어떻게 살아왔는지, 지금을 어떻게 살고 있는지, 그리고 앞으로 어떻게 살아갈 것인지를 이해할 필요가 있다.

코빈(Corbin JB)과 슈트라우스(Strauss A)는 **질병궤도**(illness trajectory) **개념모델**을 제시하고, 질병의 만성적 상태는 오랜 시간에 걸쳐 다양하게 변화해가는 하나의 과정(course)을 나타낸다고 설명하였다. 또 이 **질병의 과정**(illness course)은 방향을 정하거나 관리할 수 있다고 보았다. 만성질환자를 간호하는 데 있어 환자가 질병의 과정을 설정하고 삶의 질을 유지할 수 있도록 돕는 것이 중요하다.

2) 이론의 구조와 주요 동향

코빈과 슈트라우스가 개발한 질병궤도 개념모델의 주요 개념은 **궤도**(trajectory)이다. 궤도는 질병이나 만성 상황의 과정을 말하며 여러 가지 단계가 있다(표 6-2). **궤도 단계**(trajectory phases)는 질병의 만성 상황에 따라 다양하게 진행된다[**단계화**(trajectory phasing)]. 진행하는 방법은 환자 개개인에 따라 다르며 단계가 어떻게 진행하여 궤도를 남기는지는 과거를 되돌아봄으로써 이해할 수 있다.

예를 들어 급성 심근경색을 발병하여 입원해 있는 환자의 궤도를 더듬어보면, 발병 전에는 자각증상이 없어 염분이나 지방 섭취에 별로 신경 쓰지 않고 생활했지만(전궤도기), 갑작스러운 가슴통증을 체험하고(궤도발현기) 병원에 실려와 카테터 치료를 받은 후(위기기) 현재는 순환상태가 안정될 때까지 약물요법을 시행하면서 식사와 운동요법에 대해 학습하는 '급성기'에 있다고 할 수 있다.

만성질환자의 삶의 질 향상을 목표로 질병의 과정(course)을 설정하기 위해서는 단계가 어떻게 진행하는지, 앞으로 무슨 일이 일어날지, 그것이 얼마나 계속될지 등을 전망하는 **궤도 예상**(trajectory projection)을 할 필요가 있다. 급성 심근경색 발병 후 치료를 통해 순환상태가 안정된 환자의 경우 퇴원 후에도 식사 · 운동요법을 의도적으로 계속해서 심기능 저하를 일으키지 않고 지낼 수 있다면 안정기가 유지되지만, 업무에 몰두해서 질환 관리를 소홀히 하면 심부전 위험이 높아져 불안정기가 될 것으로 예상된다. 의료인과 환자와 가족의 궤도 예상은 반드시 일치하지 않기 때문에 각각의 예상을 확인하는 것이 중요하다.

궤도 계획(trajectory scheme)은 궤도 예상에 근거하여 과정을 더욱 좋은 방향으로 향하게 하기 위해 지금 있는 증상을 조절하고 부수하는 장애에 대응하는 것을 목표로 하여 수립되는 계획이다. 관리의 목표는 질병의 궤도 단계에 맞게 세운다. 예를 들어 위기기라면 생명을 위협하는 원인을 제거하고, 안정기라면 그 상태를 유지하며, 불안정기라면 안정된 상태로 되돌리는 것이 목표가 된다. 궤도 계획은 단계화에 동반하여 그때마다 목표와 간호 내용이 수정된다. 급성 심근경색을 발병하여 위기기에 있는 환자의 관리 목표는 생명을 구하는 것이다. 안정기가 되면 '식사 · 운동요법을 계속하면 심부전을 일으키지 않고 생활할 수 있다'고 하는 궤도 예상을 환자가 가족이나 의료인과 공유하여 치료요법을 지키면서 지금의 상태를 유지하는 것이 관리 목표가 된다.

표 6-2 질병궤도 개념모델의 궤도 단계

단계	정의
전궤도기	질병의 과정이 시작되기 전인 질병의 예방적 단계이며, 질병의 징후나 증상이 나타나지 않는 상태이다.
궤도발현기	질병의 징후나 증상이 관찰되며 진단 기간이 포함된다.
위기기	질병으로 인해 생명이 위협받는 상황이며 응급간호를 필요로 한다.
급성기	질병이나 합병증이 활동기에 있으며 그 관리를 위해 입원이 필요한 상황이다.
안정기	질병의 과정과 증상이 치료요법에 의해 제어되고 있는 상황이다.
불안정기	질병의 과정이나 증상이 치료요법에 의해 제어되고 있지는 않지만, 입원은 필요하지 않은 상황이다.
하향기	신체적, 심리적 상태가 진행성으로 악화하여 장애나 증상이 심해지는 상황이다.
사망기	앞으로 수주일, 수일, 수시간 안에 죽음에 이르는 상황이다.

3) 질병궤도와 NANDA-I의 간호진단

질병궤도 개념모델은 만성질환과 함께 살아가는 환자의 과거에서부터 현재까지의 궤도 단계를 이해하고 향후의 궤도 예상과 현재의 관리 목표를 검토하기 위한 개념틀이다.

따라서 간호진단과정에서는 우선 자료수집과 사정 시점으로서 질병궤도 개념모델을 활용하여 ① 환자의 과거에서부터 현재에 이르는 단계화, ② 현재의 단계에서 경험하는 증상이나 장애, ③ 관리과정에 참가하는 사람들의 궤도 예상, ④ 환자에게 필요한 치료와 간호를 포함한 궤도 계획과 그 수행상황, ⑤ 질병과 함께 살아가는 것에 대한 환자의 인식과 가족의 관여, ⑥ 일상생활활동을 수행하기 위해 환자가 하는 조정이나 고안 등에 대해 자료를 수집해서 사정한다.

다음으로 현재의 궤도 단계를 명확히 하고 NANDA–I의 영역에 적용해서 진단명과 간호계획을 검토한다. 예를 들어 급성 심근경색의 과거력이 있는 환자가 가정에서 관리를 충분히 하지 못해 심부전 징후를 나타내어 입원한 경우 불안정기에서 급성기로 진행한 상태로 사정하여 우선은 급성기 상태에 있는 심부전 관리(진단예 : 심박출량 감소)와 질환이나 치료로 영향을 받은 생활에 대한 대응(진단예 : 활동지속성 저하)에 대해 계획을 수립하고 간호를 수행한다. 그 후 심부전이 개선되어 심기능 저하의 원인이 되었던 생활습관을 재검토하는 상태가 된 경우에는 급성기에서 안정기로 진행하는 시기에 있다고 보고 안정기를 유지하기 위한 건강관리(진단예 : 비효과적 건강관리)에 대해 계획을 수립하고 간호를 수행한다.

이처럼 질병궤도 개념모델을 사용하는 경우 환자의 궤도 단계와 그 단계의 관리 목표를 명확히 설정하여 NANDA–I의 간호진단에 적용할 수 있다.

3. 자기효능감

1) 개요

심리학자인 반두라(Bandura A)에 따르면 인간의 행동을 결정하는 요인에는 '선행요인', '결과요인', '인지요인'의 3가지가 있으며, 이들 요인이 서로 얽혀 사람, 행동, 환경이라는 삼자간의 상호작용이 형성된다.

자기효능감(self–efficacy)은 '선행요인'의 기대기능 중 하나이며, 결과기대와 효력기대의 2가지 종류가 있다. **결과기대**란 자신이 이 행동을 함으로써 어떠한 결과를 얻을 수 있는가 하는 기대이다. **효능기대**란 좋은 결과를 가져오기 위한 적절한 행동을 과연 자신은 잘할 수 있는가 하는 기대이다. 이때 '자신에게는 좋은 결과를 가져오기 위한 행동을 적절히 취할 수 있다'고 하는 자신감(스스로 효능기대를 어느 정도 가지고 있는지를 인식하는 것)을 자기효능감이라고 한다. 자기효능감이 높을수록 적절한 행동을 할 가능성이 높아진다.

2) 이론의 구조와 주요 동향

자기효능감을 획득하기 위해서는 ① 수행행동의 달성, ② 대리적 경험, ③ 언어적 설득, ④ 정서적 환기의 4가지 요소에 작용하면 효과적이다.

수행행동의 달성은 과거에 어떤 행동을 해서 성공한 경험이 있으면 '이전에도 했으니 이번에도 할 수 있을 것이다'고 하는 자신감으로 이어지게 한다. **대리적 경험**은 자신과 같은 처지의 사람이 달성하는 모습을 보고 저 사람이 했다면 나도 할 수 있다고 생각하게 한다. **언어적 설득**은 타인으로부터 '너라면 할 수 있어'하고 설득되거나 인정받음으로써 나도 할 수 있다고 생각하는 것이다. **정서적 환기**는 어떤 행동을 하려고 할 때 손이 떨리거나 가슴이 두근거리는 등 생리적 반응 유무에 따라 행동의 달성 여부를 판단하게 되는데, 생리적 반응이 있으면 행동을 달성할 자신감의 상실로 이어진다.

간호에서는 대상자의 자료에서 위의 4가지 요인을 사정하고 중재를 검토할 필요가 있다. 예를 들어 수행행동의 달성에서는 높은 목표를 설정하는 것이 아니라 무리 없이 할 수 있는 목표를 설정하여 그 행동을 달성한다면 나도 할 수 있다는 자신감으로 이어질 것이다. 또 대리적 경험에서는 대상자와 같은 처지에 있는 사람의 성공 체험을 들음으로써 나도 할 수 있다는 자신감으로 이어질 것이다.

자기효능감을 측정하는 척도에는 사카노(Sakano) 등에 의해 개발된 일반적 자기효능감 척도(generalself-efficacy scale) 등이 있다. 간호에서는 생활습관병의 예방과 악화 방지에 필요한 생활습관을 획득하기 위해 자기효능감을 높이기 위한 중재 등이 이루어지고 있다.

3) 자기효능감과 NANDA-I의 간호진단

자기효능감은 NANDA-I의 간호진단에서 「건강증진」 영역의 '건강관리'에 적용할 수 있다. '비효과적 건강관리'는 식사나 운동, 복약관리 등의 진료계획을 조정하고 매일의 생활에 도입하기 어려운 상태에 있음을 뜻한다. 그 요인으로 치료계획의 내용을 이해할 수 없거나, 하고 싶어도 자신에게는 그 행동을 해낼 자신이 없다고 느끼는 데 있다.

4. 자아개념

1) 개요

자아개념(self-concept)이란 자신의 신체적 특징이나 성격 등에 관한 전체적인 인식을 말하며, '나는 ○○이다'와 같이 자신을 대상화(객관화)한 이미지이다. 간호이론가인 로이(Roy C)는 드리버(Driever MJ)의 정의를 인용해서 개인이 어떤 시점에서 자신에 대해 품는 이미지나 신념, 감정을 합친 것을 자아개념이라고 정의하고 내적 지각과 타인의 지각에 의해 형성된다고 설명하였다. 즉, 자아개념에는 타인이 자신을 어떻게 보는가에 관한 개인의 인식이 반영된다. 제임스(James W)는 이처럼 인식된 자아를 **사회적 자아**(social self)라고 하고 자아개념이 사회적으로 구성된다고 보았다.

2) 이론의 구조와 주요 동향

자아개념에 관한 연구의 선구자인 제임스는 자아를 **주아**(I; 아는 주체로서의 자아)와 **객아**(Me; 아는 객체로서의 자아)로 나누고, 다시 객아를 물질적 자아(material self), 사회적 자아(social self), 정신적 자아(spiritual self)로 나누어 설명하였다. 제임스 이후에도 자아개념을 다면적으로 파악하였으며 이 항목에서는 로이의 이론을 중심으로 설명한다.

로이는 자아개념에는 ① **신체적 자아**(physical self)와 ② **개인적 자아**(personal self)라는 하위 영역이 있다고 보았다. 또 신체적 자아는 신체감각(body sensation)과 신체상(body image)으로 구성되고, 개인적 자아는 자아일관성(selfconsistency), 자아이상(self-ideal), 도덕적 · 윤리적 · 영적 자아(moral-ethical-spiritual self)로 구성된다고 설명하였다.

(1) 신체적 자아

신체적 자아란 신체적인 특징이나 성(sexuality), 건강상태나 외모 등 신체적 존재로서 자신을 들여다보는 견해나 평가이다.

신체적 자아의 한 요소인 **신체감각**이란 '몸이 무겁다', '컨디션이 좋다'와 같이 자신의 신체가 본인에게 어떻게 느껴지는가 하는 관념이다. 한편, **신체상**이란 '오늘은 안색이 나쁘다', '나는 날씬하다'와 같이 자신의 신체가 본인에게 어떻게 보이는가 하는 관념이다. 또 **성**이란 이성에 대한 행동 · 경향 · 심리 · 충동 · 성적 매력 등 '성적인 것'을 의미하며 유전자에 의해 결정된 자웅성(sex)이나 사회제도나 규범에 의해 형태 지어진 사회적 범주로서의 성별(gender)과 구별된다.

(2) 개인적 자아

개인적 자아의 한 요소인 **자아일관성**이란 과거부터 현재, 그리고 미래의 자신이 동일한 자기라는 인식으로, '나는 성실하다', '나는 외향적이다'와 같이 계속적인 자기 속성의 인식을 표현하는 말로서 파악할 수 있다. **자아이상**이란 '나는 신뢰받는 간호사가 되고 싶다'와 같이 이루고 싶은 자신의 이미지이며, 자신이 무엇을 할 수 있는가 하는 자기의 평가와 관계한다. **도덕적 · 윤리적 · 영적 자아**는 그 사람의 윤리적 신조나 가치체계, 선악에 대한 신념, 자신이 어떤 인간인가 하는 자기의 평가이다.

(3) 자아정체감

신체적 자아, 개인적 자아, 자아일관성, 자아이상, 도덕적 · 윤리적 · 영적 자아는 서로 연관되어 통합되며 타인과는 구별된 '자신'을 형성하는데, 이것을 **자아정체감**이라고 한다. 사람은 자신이 어떤 사람인가를 파악하고 통일된 감각과 의미를 가지고 살려고(정신적 · 영적 통합) 하는 구체적인 욕구를 가진다. 이 욕구에 지장이 생기면 치유능력이나 건강유지에 필요한 행동에 영향을 미친다.

3) 자아개념과 NANDA-I의 간호진단

NANDA-I에서는 자아개념의 정의를 '총체로서 자아를 파악하는 법'으로 보고 「자아인식」 영역으로 분류하고 있다. 간호진단명에는 '희망 향상을 위한 준비', '절망감', '자아정체감 혼란', '자아개념 향상을 위한 준비', '신체상 혼란' 등이 있다.

'희망 향상을 위한 준비'와 '절망감'은 모두 '희망(hope)'에 진단의 초점을 맞추고 있다. '희망'은 자아이상에 가까워질 가능성을 느낄 때 가질 수 있다. '절망감'은 선택지가 거의 없거나 있어도 자신의 생각대로 선택할 수 없으며, 자신을 위해 에너지를 사용하지 못한다고 생각하는 주관적 상태로 정의된다. 예를 들어 회복을 위해 노력하고 있음에도 불구하고 기대와 달리 병상이 악화되고, 고통이나 어려움에 견디려고 해도 의지할 사람이 없고 견딜 에너지도 없다고 느낄 때 희망이 없다고 보고 절망감을 경험한다.

'신체상 혼란'은 마음속에 그려지는 자신의 모습과 형태가 혼란스러운 상태로 정의된다. 로이의 자아개념으로 말하면 '신체적 자아'의 진단명에 해당하며 신체상이나 신체감각에 대한 혼란 즉, 자신의 신체를 느끼고 보는 법이 자신이 생각하는 것과 다르기 때문에 혼란스러운 환자에게 진단된다.

성에 관한 간호진단은 '성기능장애', '비효과적 성양상'이나 생식에 관한 진단명이 있다. '성기능장애'는 성적 반응에 관해 성기능이 불충분한 상태일 때, '비효과적 성양상'은 자신의 성에 관해 걱정하는 기분을 표현하는 상태일 때 진단된다. 성에 관한 문제는 혼자 고민하는 환자도 적지 않다. 따라서 신체감각이나 신체상과 관련한 질병이나 치료가 시행될 때는 특히 의식적으로 사정해나갈 필요가 있다.

가치나 신념에 관한 간호진단에는 의사결정에 관한 진단, 도덕이나 신앙, 영적 신념에 관한 것이 있다. 건강과 관련된 목표를 달성하기 위한 지침을 자기 자신이 이해하고 선택할 수 있는 상태라면 '의사결정 향상을 위한 준비'라고 볼 수 있다. 한편, 방침을 선택하는 데 망설임이 생겨 의사결정에 고민하는 상태라면 '의사결정 갈등'이 진단된다. 또 자유로운 의사결정을 못해 만족하지 못하는 결정을 내리기 쉬운 상태인 경우에는 '자주적 의사결정장애 위험'이 진단된다. 의사결정에는 자아이상이나 자아일관성, 도덕적 · 윤리적 · 영적 자아 등의 자아개념이 영향을 미치며 결정된 의사의 결과가 또 자아개념에 영향을 미친다는 점을 이해하고 사정을 하는 것이 중요하다.

영성에 관한 간호진단에는 '영적 고뇌'나 '영적 안녕 향상을 위한 준비' 등이 있다. '영적 고뇌'는 자신, 타인, 세계 또는 초월적 존재와의 연결을 통해 삶의 의미를 경험하는 능력의 장애와 관련하여 고민하는 상태로 정의되며 인생이나 삶의 의미를 깊이 고민하는 상태로 볼 수 있다. 인생의 마지막 시기나 중요한 타인의 죽음, 신체 일부나 기능의 상실, 고독감, 다하지 못한 일이 있다는 인식 등에 의해 영적 고뇌가 생긴다는 점을 이해하고 이러한 환자가 삶의 의미와 희망을 가질 수 있도록 지원해 나갈 필요가 있다.

5. 자존감

1) 개요

본 연구의 선구자인 로젠버그(Rosenberg M)에 따르면 **자존감**(self-esteem)이란 자아상의 중추적인 개념으로, 자신이라는 특별한 대상에 대한 긍정적 또는 부정적 태도로 정의된다. 이것은 일상에서 자신이 한 행동 등에 대해 그때그때 '좋다', '좋지 않다'라고 평가하는 것과는 달리, 자기 존재에 대한 자신의 평가이다. 또 교육심리학자인 가지타(Kajita)는 **자존감**을 '자기 자신을 기본적으로 가치 있는 것으로 만드는 감각'이라고 정의하고 자신의 중요성을 실감할 수 있는 경우에만 의욕적이고 적극적일 수 있다고 보았다. 그 밖에도 자존감은 다양하게 정의되는데, 자기 자신의 가치에 대한 자기평가의 감정이라고 할 수 있다.

자존감에는 자신이 가진 평가기준에 따라 자기를 받아들이는 감정과, 타인과의 비교에서 생기는 감정이 있다. 자신에 대한 자존감을 높게 유지할 수 있으면 자신을 둘도 없는 존재, 가치 있는 존재로 평가할 수 있고 나아가 정신적으로 안정적이며 타인의 존재도 받아들일 수 있다. 하지만 자존감이 낮으면 있는 그대로의 자신을 받아들일 수 없어 자기부정, 자기불만족, 자기경멸 등 자신이 가치 있는 사람으로 느껴지지 않게 된다.

또한, 자존감은 자신에 대한 감정과 평가에 의해 생기는 것이기 때문에 자아개념 안에 포함된다. 자존감과 유사한 말에 '자기존중감'이나 '자부심'이 있는데, 자존감과 같은 의미로 사용된다.

2) 이론의 구조와 주요 동향

제임스(James W)는 『심리학 원리』라는 책에서 자존감을 '성공(success) ÷ 욕구(pretension)'라고 표현하였다. 이는 자존감이 욕구와 성공 수준에 의해 규정된다는 것을 의미하며 성공이 욕구 수준 이상이면 자존감은 높아진다고 보았다. 한편, 어떤 행위를 통해 얻은 성공이 욕구 수준을 밑도는 경우에는 자존감이 높아지지 않는다는 개념이다. 하지만 제임스의 이 개념에 대해 과연 욕구 수준을 낮추면 자존감은 높아지는가, 자존감은 성공과 욕구에만 의존하는가 하는 의문도 제시되고 있다.

로젠버그는 자존감에는 2가지의 다른 의미가 있다고 지적하였다. 하나는 개인이 '나는 매우 좋다(very

good)'고 느끼는 것과, 다른 하나는 '나는 이걸로 만족한다(good enough)'고 느끼는 것이다. 로젠버그는 '이걸로 만족한다'고 느끼는 정도가 자존감의 높이를 나타낸다고 보았다. 즉, 타인과 비교해서 자신의 가치를 느끼거나 우월감을 가지는 것이 아니라 자기 자신을 존경하고 가치 있는 인간으로 파악할 수 있는 정도가 자존감의 높이가 된다는 것이다. 한편, 자존감이 낮다는 말은 자신에 대해 존경의 마음을 갖지 않는 상태이며 자기부정이나 자기수치, 자기경멸 등 자신의 가치를 부정적으로 평가한 상태이다.

1965년에 로젠버그가 작성한 **자존감 척도**(Rosenberg self–esteem scale, RSES)는 자존감을 측정하는 데 자주 사용된다. 이 척도는 '나는 적어도 다른 사람과 동등하게 가치 있는 인간이라고 생각한다(I feel that I'm a person of worth, at least on an equal plane with others)' 등의 10항목으로 구성되며 '매우 그렇게 생각한다(Strongly agree)'에서 '전혀 그렇게 생각하지 않는다(Strongly disagree)'까지의 4단계로 대답하도록 구성되어 있다. 이 일차원적 의미나 번역을 둘러싸고 많은 연구가 이루어지고 있다.

그 밖에 자존감을 사회적 적응의 감정으로 생각하는 제니스(Janis IL)와 필드(Field PB)의 측정척도(23항목) 등도 간호연구에서 사용된다.

3) 자존감과 NANDA-I의 간호진단

NANDA–I의 간호진단에서 자존감은 자아개념이나 신체상과 함께 「자아인식」 영역으로 분류되어 있으며, 간호진단명에는 '만성적 자존감 저하', '만성적 자존감 저하 위험', '상황적 자존감 저하', '상황적 자존감 저하 위험'이 있다. '자존감 저하'란 질병이나 치료 등의 영향으로 예를 들어 신체기능의 변화나 상실로 지금까지 가능했던 것을 잘할 수 없게 되거나 사회적 역할이 변화하거나 자신의 가치관이나 이상과는 다른 행동을 어쩔 수 없이 해야 함으로써 자신은 가치가 없다고 자신을 평가하게 되는 것이다. 이러한 상황에 있는 환자에게서는 자신의 생각을 주장할 수 없는 태도, 무력감 호소, 자기 부정적인 표현 등이 관찰된다. '상황적 자존감 저하'는 어떤 현상을 통해 자기 가치의 부정적인 견해가 생긴 상태에 있는 환자에게 진단된다. 이에 대해 '만성적 자존감 저하'는 자기 자신의 가치나 능력에 대한 부정적인 자기평가가 장기간에 걸친 상태의 환자에게 진단된다. 자존감이 저하되는 요인에는 앞에서 설명한 기능장애나 신체상의 변화, 사회적 역할 변화, 가치관에 맞지 않는 행동, 상실 체험 등이 있다. 자존감이 만성적으로 저하되는 요인에는 상실에 잘 적응할 수 없거나, 애정이 부족하거나, 자신의 의견에 주위가 찬성해주지 않거나, 다른 사람으로부터 존경받고 있지 않다고 생각되거나, 거듭되는 실패 등이 있다.

질병이나 치료로 신체적, 심리사회적으로 다양한 변화를 경험하고 그로 인해 자신의 가치를 부정하고 자신의 가치를 낮게 평가하는 환자는 자기효능감도 저하되어 '나는 잘 대처할 수 없다'고 느끼게 된다. 그러한 환자에게는 자신을 긍정하는 일을 하게 하거나 직접 의사결정을 하도록 지원하여 환자가 자신을 '이걸로 만족한다'고 생각할 수 있게 하는 간호가 필요하다.

6. 역할이론

1) 개요

역할(role)이란 어떤 사회적 위치 또는 지위를 차지한 사람에 대해 그 위치나 지위에 어울리는 것으로서 대다수의 구성원이 기대하는 행동양식을 말한다. 이 역할에 대한 기대를 **역할기대**라고 한다. 역할과 역할기대에 의해 사람의 행동은 규정되고 평가를 받는다. 예를 들어 '간호사'라는 역할은 환자와 상대함으로써 부여된다. '간호사'로서의 역할이 부여되기 때문에 그에 어울리는 행동이 기대되며 '몸닦기', '주사투여'와 같이 일반적인 사람에게는 허용되지 않는 행위가 인정되는 것이다. 그와 동시에 그 역할기대에 반하는 행동을 한 경우, 예를 들어 환자를 비위생적으로 다루거나 환자에게 차가운 태도를 취하는 경우에는 부정적인 평가를 받게 된다.

역할에 대해 환자의 시점에서 생각해보자. 사람은 질병을 앓거나 상처를 입음으로써 예기치 못하게 갑자기 '환자'라는 역할을 부여받는다. '환자'가 됨으로써 생활 장소가 병원이라는 환경으로 바뀐다. 이 변화와 동반하여 이 사람은 이전 역할, 예를 들어 '어머니'나 'ㅇㅇ회사 부장'과 같은 역할을 부분적 또는 전면적으로 상실하고 '환자'라는 새로운 역할이 부여된다. '환자'가 됨으로써 가정이나 직장에서의 역할에서 멀어지는 일이 사회로부터는 허용되었다고 해도 환자 자신은 낙담이나 갈등과 같은 부정적인 심리상태에 빠지게 된다. 이처럼 **역할 상실**에 따른 부정적인 심리상태가 회복과정에 영향을 미칠 것으로 추측되기 때문에 간호사는 환자의 입원 전 역할에도 주의를 기울일 필요가 있다.

2) 이론의 구조와 주요 동향

역할이론의 창시자라고 불리는 사회학자 미드(Mead GH)는 상징적 상호작용론을 통해 역할의 개념을 설명하였다. **상징적 상호작용론**에 따르면 사람의 행위는 반드시 타인을 전제로 하여 상호 연관되어 이루어진다고 한다. 예를 들어 간호사의 행위는 환자와 의사라는 존재를 전제로 하고 있으며, 의사–간호사–환자라는 상호관계에서 이루어진다. 즉, 사람은 상호작용을 통해 타인의 의도와 태도를 받아들이고 타인이 기대하는 역할을 할 수 있으며, 그것이 더 확대되어 '일반화된 타인', 즉 사회가 기대하는 역할이 내면화된다고 한다.

이에 대해 문화인류학자 린턴(Linton R)은 어떤 지위에 있는 사람에게 어떤 역할이 있는지에 주목하고 지위에 부수한 행동양식의 관점에서 역할개념을 밝히려고 하였다. 여기서는 지위를 단위로 하여 사회구조가 구성되고 지위에는 그에 적합한 역할이 있다고 보았다. 즉, 사회에 어떤 역할이 있는지, 그것이 어떻게 조합되는지, 또 사회의 구성원은 그 역할들을 어떻게 수행하는지를 알면 그 사회의 기본적인 구조를 파악할 수 있다고 보는 것이다. 개인의 역할행동을 설명하는 데 있어 이 2가지 주요한 개념은 상호 보완적인 관계에 있다.

여기서는 역할이론을 구성하는 중요한 개념인 역할행동과 역할갈등을 설명한다.

(1) 역할행동

역할행동(role action)이란 어떤 위치 또는 지위에 있는 사람이 역할에 맞게 구체적으로 나타내는 행동을 말한다. 역할행동은 역할지각을 통해 획득되며 그것이 수행되면 실행된 역할이라고 부른다. **역할지각**(role perception)이란 자신이나 타인의 역할이 무엇인지를 인지하거나 어떠한 역할기대가 부여되고 있는지를 인지하는 것을 말한다.

(2) 역할갈등

역할갈등(role conflict)이란 동일인에게 기대되는 역할과 실제 역할이 모순되는 상황을 말한다. 사람은 여러 개의 역할을 가진 경우가 많다. 예를 들어 직장에서는 '간호사'로서의 역할을 수행하는 사람이 가정에서는 '아내' 또는 '어머니'의 역할을 한다. 일이 바빠서 일과 가정의 균형이 무너진 경우 아내 또는 어머니의 역할을 부분적으로 단념해야 하며 여기서 역할갈등이 생긴다. 이처럼 역할이 지각된 단계에서 사람은 종종 역할갈등에 빠진다. 갈등이 해결되어 역할이 실행되면 그 집단에서의 개인의 권리와 의무가 수행된 결과로 이어져 심리적 만족감도 얻을 수 있다.

이와 같이 역할이론을 간호실무에 활용하려면 대상자가 가정이나 사회에서 어떠한 역할을 맡고 있었는지, 그 역할에는 어떠한 기대가 있었는지, 그 역할을 실행할 수 있는지, 갈등을 느끼고 있지 않은지 등에 대한 자료를 수집하고 사정하는 것이 중요하다.

3) 역할이론과 NANDA-I의 간호진단

NANDA-I의 간호진단에서 역할은「역할관계」영역으로 분류되어 있으며, 간호진단명에는 '부모역할 갈등', '비효과적 역할수행'이 있다.

'부모역할 갈등'은 부모가 경험하는, 위기에 반응한 역할의 혼란과 갈등을 말한다. 부모역할 갈등 상태에 있는 사람에게서는 일상적인 돌봄이나 양육의 중단, 가정에서 자녀의 신체적 · 정서적 욕구에 대응하지 못한다고 하는 부모의 걱정이나 생각의 표출 등이 관찰된다. 부모역할 갈등에 관련하는 요인에는 중증도나 돌봄 환경 등의 변화에 따른 자녀와의 분리, 침습이나 제한을 동반하는 치료법에 대한 두려움, 빈번한 통원 등이 있다.

'비효과적 역할수행'은 행동과 자기표현의 양상이 주위 상황 · 규범 · 기대에 맞지 않는 상태를 말한다. 비효과적 역할수행 상태에 있는 사람에게서는 역할갈등, 혼란, 부인 및 불만 등이 관찰된다. 비효과적 역할수행에 관련하는 요인에는 비현실적인 역할기대, 신체상의 변화, 불충분한 지원체제 등이 있다.

7. 발달이론

1) 개요

측정 가능한 키나 몸무게와 같이 신체의 형태가 커지는 **발육**이나 장기 또는 신체기능이 성인 수준에 도달하는 **성숙**에 대해 **발달**(development)이란 신체기능뿐만 아니라 심리사회적인 기능이 더 고차원적으로 변화하는 것을 말한다. **발달이론**(developmental theory)이란 연령 증가에 동반하는 행동, 지적 기능의 특징이나 변화, 개인이나 집단에서의 발달적 변화 차이 등 연구를 통해 밝혀진 지식을 체계적으로 기술하고 설명하는 이론이다. 대상자를 생활자로서 전인적으로 이해하고 지원하는 데는 발달이론이 유용하다.

2) 이론의 구조와 주요 동향

발달이론은 영아기, 유아기, 학령기, 사춘기, 청년기, 성인기, 노년기처럼 시기에 따라 다른 발달 특징이 관찰되는 월령이나 연령으로 구분한 **발달단계**로서 표현되는 경우가 많다. 각 발달단계에는 앉고 걷고(대운동) 물건을 쥐고 잡는(미세운동) 등의 신체운동기능 발달, 인지기능, 정서, 대인관계나 사회에서의 자기(자아) 발달을 나타내는 심리사회적 발달 등이 포함된다. 그런 까닭에 발달은 발육이나 성숙보다도 다양하고 복잡한 개념이며, 생물학적 요인과 함께 다양한 환경요인, 개인의 경험이나 학습이 서로 영향을 미치면서 변화한다.

일반적으로 발달에는 다음과 같은 특징이 있다.

① 방향성이 있다(두부에서 미부, 중추에서 말초).
② 단순에서 복잡한 수준으로 변화한다.
③ 중요한 시기가 있다.
④ 공통성과 개별성이 관찰된다.
⑤ 연속적 변화뿐만 아니라 질적 변화를 동반하는 비연속적인 측면이 있다.

신체운동기능의 발달에 대해서는 소아간호 관련 도서를 참고하기 바라며 이 항목에서는 주로 인지기능의 발달과 심리사회적 발달 이론에 대해 설명한다.

(1) 인지기능의 발달

피아제(Piaget J)는 인간이 **환경과의 상호작용**을 통해 획득하는 **인지기능**에 초점을 맞춘 발달이론을 전개하였다. 그의 이론에서는 영아기의 반사나 감각, 성장에 동반하여 획득하는 다양한 동작, 사고나 표상의 형태를 **스키마**(도식, schema)라고 한다. 인간은 환경을 인지하고 환경에 의한 자극을 받아들이며 더 나아가 환경과의 작용을 통해 사물이나 타인을 자신의 이미지로서 받아들이고(**동화**) 환경에 맞게 자신의 스키마를 변화시켜(**조절**) 인지기능을 발달시켜간다. 상자 뚜껑을 여는 동작(스키마)을 할 수 있게 된 아이가 병 안에 들어 있는 과자를 찾아 그 병을 관찰하거나 만지면서 어떻게든 뚜껑을 열려고 하며(환경과의 상호작용) 결국에는 뚜껑을 돌려서 열 수 있었다(환경에 맞는 스키마의 변화)고 하는 것도 일례이다.

피아제의 인지기능 발달이란 동화와 조절에 의한 새로운 스키마의 획득이나 변화를 의미하며, 감각운동을 중심으로 한 것에서 동작의 내면화나 모방이 가능해지는 단계로 진행한다. 유아들이 즐기는 엄마놀이는 함께 생활하는 가족이나 그림책, 영상 등 미디어를 통해 유아 나름대로 이미지(**표상적 사고**)한 역할이나 행동을 표현하는 놀이이며, 이 단계에서는 타인의 입장에 서서 생각하기는 어렵다(**자기중심성**). 그러나 학령기가 되면 눈앞의 사물을 논리적으로 파악하여 분류하거나 순서를 정하고 사물의 수나 길이, 무게에 대한 사고를 할 수 있게 된다(**구체적 조작기**). 나아가 학령기 후반 이후가 되면 추상적 사고 하에 가설을 세우거나 개념을 끼워 맞춰 예측이나 추론을 할 수 있게 되며 성인의 인지기능과 가까워진다(**형식적 조작기**).

(2) 심리사회적 발달

정신분석학 입장에서 영유아기 이후의 성적 심리적 발달을 논한 프로이트(Freud S)에 대해 그 문하의 한 사람이었던 에릭슨(Erikson EH)은 연령 증가에 동반하여 신체기능은 쇠퇴해도 타인과의 관계나 사회 속에서 인간은 발달한다는 관점에서 **심리사회적 발달이론**을 전개하였다. 에릭슨에 따르면 탄생에서부터 성장, 노화, 죽음에 이르는 인간의 생애주기에는 8가지 발달단계가 있으며, 최종적으로 자신을 수용하고 다음 세대에 대한 책임을 다해야 하는 원숙기인 노년기를 향한다(**표 6-3**).

각 발달단계에는 고유 순서로 특히 중요한 요소가 있으며 개인을 둘러싼 중요한 타인과 문화, 사회와의 관계 속에서 갈등이 생기기 쉬운 특유의 **심리사회적 위기**가 있다. 심리사회적 위기는 생애주기에서 발달과정의 분기점이며, 다음 발달로 넘어가는 계기가 된다. **표 6-3**에 나타내듯이 인간은 위기 경험을 통해 '짝'을 이루는 긍정적 감각과 부정적 감각 사이에서 균형을 취하면서 다음 발달단계로 진행해간다.

예를 들어 영아기에는 양육자를 중심으로 한 대인관계나 사회 속에서 자기를 긍정하고 부모나 자신을 둘러싼 세계를 신뢰하는 '기본적 신뢰'를 획득하는 것이 발달과제이다. 때로는 자신이 받아들여지지 못하고 또는 타인을 긍정할 수 없는 경험에 의해 '불신'을 품게 될지도 모른다. 그러나 위기를 해결하기 위해 '기본적 신뢰'만 획득하면 되는 것은 아니다. '불신'을 웃도는 '기본적 신뢰'를 얻어야 하며, 자신이 존재해서 좋다고 하는 감각과 중요한 타인에 대한 신뢰를 얻음으로써 건강한 영아기의 발달단계로 향할 수 있다. 이처럼 인간은 각 단계의 갈등을 경험하고 위기를 극복함으로써 인간적 성향(ethos)을 획득한다.

한편, '기본적 신뢰'의 획득은 영아기에 완결되는 것이 아니며 그 후 청년기나 성인기에 타인과의 관계가 잘 맺어지지 않았을 때 '불신'을 극복하기 위해 '기본적 신뢰'를 다시 획득해야 하는 과제가 생긴다. 이러한 발달과정에서 인간은 발달의 여러 요소를 일관성 있는 그 사람다움으로서 통합하면서(**정체성 형성**) 전체적으로 발달해간다.

표 6-3 에릭슨에 의한 자아의 발달단계에서 심리사회적 위기와 인간적 성향

발달단계	심리사회적 위기	갈등을 통해 획득되는 인간적 성향
Ⅰ 영아기(생후 1년 무렵)	기본적 신뢰 대 기본적 불신	희망
Ⅱ 유아기 초기(2~3세)	자립성 대 수치와 의혹	의지
Ⅲ 유희기(4~5세)	자주성 대 죄악감	목적
Ⅳ 학동기	근면성 대 열등감	적격
Ⅴ 청년기	정체성(동일성) 대 정체성 확산	충성
Ⅵ 전성인기	친밀 대 고립	사랑
Ⅶ 성인기	생식성(차세대 계승성) 대 정체	돌봄
Ⅷ 노년기	통합(전체성) 대 혐오와 절망	지혜

(3) 발달과제이론

하비거스트(Havighurst RJ)는 교육적 · 사회적 수준에서 인간의 발달과제를 생각하고 연령단계별로 사회적응 목표를 나타내었다. 발달과제이론에서는 인간의 생애를 크게 6단계로 나누고 각 단계의 발달과제를 7~8개 들었으며(표 6-4), 개인이 학습해야 하는 여러 발달과제는 사회에서 건전한 성장을 가져온다고 보았다. 발달과제는 각자 생애의 다양한 시기에 생기며 개인은 과제를 성취하면 안정이 되고 그 이후의 과제로 진행할 수 있지만, 과제를 실패하면 사회에서 인정받지 못하고 그 이후의 과제달성도 어려워진다고 한다. 이들 발달과제는 신체적 성숙, 사회의 기대, 개인의 요구나 가치에 관한 것이며, 실제적이고 사회기술적이면서 동시에 시대의 가치관이나 사회경제상태 등을 반영한다.

표 6-4 하비거스트의 발달과제(요약)

발달단계	연령	발달과제
제1단계 : 영유아기	0~5세	수면 · 식사의 생리적 리듬, 보행, 말하는 것, 배설, 선악의 구별 학습 등
제2단계 : 아동기	6~12세	신체기능, 성역할, 교우관계 학습, 읽기 · 쓰기 · 계산의 기본적 능력 발달, 도덕 · 양심의 발달 등
제3단계 : 청년기	13~20세	자신의 신체구조 이해와 유효한 사용, 남녀교제, 논리체계의 이해와 책임 있는 행동, 부모로부터의 정서적 독립, 결혼과 가정생활에 대한 준비 등
제4단계 : 성인 초기	20대	취직, 배우자 선택과 행복한 생활, 육아, 가정관리, 시민으로서의 책임, 사회적 네트워크 형성
제5단계 : 성인 중기	30~60대	아이가 사회로 나가는 것을 도움, 돌봄, 어른의 여가 충실, 배우자와의 인간적 결합, 직업 수행, 사회적 · 시민적 책임 달성, 중년기의 생리적 변화 적응
제6단계 : 노년기	65세 이상	신체적 쇠퇴 적응, 퇴직과 수입 변화에 대한 대응, 퇴직 후 배우자와의 생활 학습, 배우자의 죽음에 대한 적응, 고령자 동료와의 친화관계, 사회적 역할 수용 등

3) 발달이론과 NANDA-I의 간호진단

NANDA-I의 간호진단에서 발달은 「성장/발달」 영역으로 분류되어 있으며, 간호진단명에는 '발달지연 위험', '불균형적 성장 위험'이 있다.

'발달지연 위험'이란 사회적 행동, 자기조정행동, 인지기능, 언어기능, 대운동기능, 미세운동기능 가운데 하나 이상의 영역에서 25% 이상 지체가 일어나기 쉽고 건강을 손상할 우려가 있는 상태를 말한다. 이 상태는 신체면의 발육 또는 장기의 성숙이 충분하지 않은 '불균형적 성장 위험'과도 밀접하게 관계한다.

앞에서 설명했듯이 발달의 다양한 측면은 인간의 신체기능이나 생활행동, 질병을 받아들이는 법, 타인과의 관계성이나 역할, 자아개념이나 가치관, 성의 이상적 모습과도 밀접하게 관계하고 있다. 따라서 건강의 유지증진이나 회복과정을 저해하는 요인이나 강도를 파악하기 위해 대상자의 발달 사정은 반드시 필요하다. 이를 위해서는 건강장애에만 주목하는 것이 아니라 발달이론을 활용하여 대상자의 발달 특성을 파악하고 그 사람답게 건강한 생활을 보낼 수 있도록 지원하는 것이 중요하다.

8. 가족간호학에서 활용되는 여러 이론

가족간호학에서 주로 활용되는 이론에는 가족발달이론, 가족시스템이론, 가족스트레스대처이론이 있는데, 각각 발달이론, 시스템이론, 스트레스대처이론의 개념에서 발전시킨 것이다.

1) 개요

(1) 가족발달이론

가족발달이론이란 가족을 하나의 생명체로 파악하여 개인과 마찬가지로 발달한다고 하는 개념이다. 가족에는 가족 구성원 개개인의 사생활과 가족으로서의 발달단계가 공존하기 때문에 가족 구성원은 개인의 발달과제를 달성하면서 가족의 발달과제도 달성해야 한다. 가족의 발달단계에 대해서는 다양한 개념이 있는데, 듀발(Duvall) 등은 ① 신혼기 가족, ② 양육기 가족, ③ 학령전기 가족, ④ 학령기 가족, ⑤ 청소년기 가족, ⑥ 진수기 가족, ⑦ 중년기 가족, ⑧ 노년기 가족의 8단계로 나누고 기본적인 발달과제를 정리하였다.

(2) 가족시스템이론

가족시스템이론이란 시스템이론을 바탕으로 가족을 파악한 개념으로, 가족을 하나의 사회시스템으로 보고 가족 구성원에 의한 상호작용의 변화를 과정으로서 설명하는 이론이다. 가족시스템이론에서는 가족을 다음과 같이 생각한다.

① 가족에는 부모, 자녀와 같은 계층성이 있고, 부모는 자녀를 양육해야 하는 역할기대가 있다.
② 가족 전체의 기능은 가족 구성원의 기능을 단순히 합한 것보다 크다.
③ 가족 구성원의 변화는 가족 전체에 영향을 미친다.
④ 가족시스템은 외부나 내부의 변화에 대응해서 안정 상태를 유지하려고 한다.
⑤ 가족 구성원 한 사람의 행동은 차례대로 가족 구성원의 반응을 일으킨다.

(3) 가족스트레스대처이론

가족스트레스대처이론은 스트레스대처이론을 바탕으로 가족이 스트레스 상황에 놓였을 때 어떻게 대처하는지를 나타낸 이론이다.

가족스트레스대처이론은 힐(Hill R)이 제시한 '롤러코스터 모델'과 'ABCX 모델'을 바탕으로 미국의 가족사회학에서 확립되었다. 그 후 맥커빈(McCubbin HI)에 의해 '이중 ABCX 모델'이 개발되었다.

① 롤러코스터 모델

롤러코스터 모델은 가족이 스트레스원이 되는 사건을 만나 위기상태에 빠졌을 때의 회복과정을 시간 경과와 함께 설명한 것이다. 이시하라(Isihara)는 힐의 모델을 발전시켜 수정판을 제시하였다(그림 6-1). 충격을 받은 가족은 가족위기에 빠져도 균형화 기능에 의해 '조직해체-회복-재조직화'라는 롤러코스터와 같은 과정을 거쳐 적응에 이른다고 하는 개념이다. 예를 들어 어머니가 입원하면 가사나 육아와 같은 가족기능이 저하되는데, 입원기간이 짧으면 어머니의 퇴원으로 원래의 가족기능 수준까지 되돌아가기도 하지만, 입원기간이 길어지면 가족기능을 되돌리는 데 많은 시간이 걸리거나 원래의 수준까지 되돌아가지 못하는 경우도 있다. 즉, 해체의 심각성이나 회복에 걸리는 시간, 회복 수준은 가족에 따라 달라짐을 나타낸다.

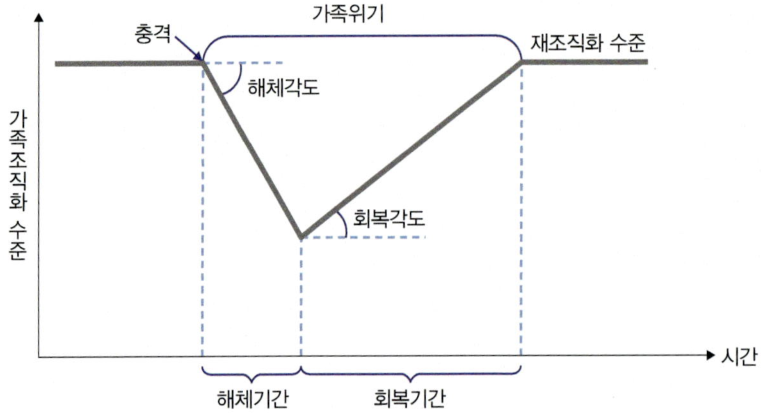

그림 6-1 롤러코스터 모델 수정판

② ABCX 모델

ABCX 모델은 가족위기상태의 발생요인과 관련하여 시간축과 함께 그림으로 나타내어 설명한 것이다(**그림 6-2**). 스트레스원(a), 기존 자원(b), 스트레스원 인지(c)가 서로 관련하여 가족은 위기(X)에 빠진다고 보았다. 사건 등의 스트레스원이 가족위기를 초래하는 것은 아니며 세 요인이 서로 관련된 결과로서 위기에 빠진다는 개념이다. 스트레스원의 강도나 길이, 대처자원의 많고 적음, 사건의 수용 정도에 따라 달라진다. 예를 들어 어머니의 입원이라는 사건이 일어나더라도 확대가족으로 조부모와 함께 살고 있고(기존 자원이 풍부) 입원을 휴양의 계기로 받아들이는(긍정적인 인지) 가족과, 핵가족(기존 자원이 결핍)으로 입원을 부담스럽게 받아들이는(부정적인 인지) 가족 간에는 위기가 달라짐을 나타낸다.

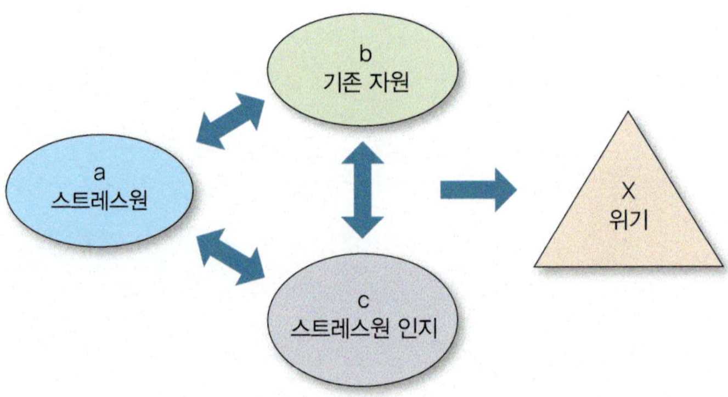

그림 6-2 ABCX 모델

2) 이론의 구조와 주요 동향

(1) 가족발달이론

가족발달이론은 경제학, 농촌사회학, 아동심리학 등 많은 학문 영역에서 탄생된 이론이다. 이러한 배경에서 버제스(Burgess EW)나 월러(Waller W)는 가족이 개개인의 가족원 발달과제에 미치는 영향을 검토하여 가족발달이론의 토대를 구축하였다.

(2) 가족시스템이론

가족간호학 영역에서는 1970년대부터 시스템 개념이 사용되었으며 특히 생물학자 베르탈란피(Bertalanffy L)의 일반시스템이론 개념은 간호 영역에 침투하여 로이(Roy C)나 로저스(Roges CR)의 사상에 영향을 끼쳤다. 이러한 흐름 속에서 가족간호학 중 간호시스템이론은 중심적인 개념이 되었다.

(3) 가족스트레스대처이론

생리학자 셀리에(Selye H)의 스트레스이론은 심리학이나 사회학에 큰 영향을 미쳤고, 1960년대에는 힐이 가족시스템에 응용하여 롤러코스터 모델과 가족스트레스대처이론을 고안하였다. 그 후 맥커빈 등이 자세히 검토하여 **이중 ABCX 모델**, 나아가서 **가족순응적응반응모델**로 발전하였다.

3) 가족간호학의 여러 이론과 NANDA-I의 간호진단

NANDA-I의 간호진단에서는 가족간호학의 여러 이론이 「역할관계」 영역으로 분류되어 있다.

「돌봄제공자 역할」 영역의 '돌봄제공자 역할긴장', '돌봄제공자 역할긴장 위험'은 가족스트레스대처이론을 바탕으로 돌봄제공자의 역할 수행에 관련된 어려움을 나타내는 문제이며, 가족의 스트레스원, 대처능력 등의 자원, 스트레스 인지 상황을 사정할 필요가 있다. 또 가족발달이론을 바탕으로 주요 돌봄제공자의 양육역할 수행에 관련된 어려움을 '부모역할 장애', '부모역할 장애 위험'으로 들고 있다.

「가족관계」 영역의 '애착장애 위험'은 가족발달이론을 바탕으로 부모와 자녀와의 상호작용과정이 손상될 위기가 있는 상태를 나타낸다. 양육기 가족의 취약성을 이해한 다음 가족의 발달단계를 사정할 필요가 있다. 또 가족시스템이론을 바탕으로 가족기능을 '가족과정 기능장애', '가족과정 손상', '가족과정 향상을 위한 준비'로 들고 있다. 정서적 기능, 건강관리기능과 같은 가족기능에 대해 사정할 필요가 있다.

「역할수행」 영역에서는 가족시스템이론을 바탕으로 불충분한 동반관계를 초래하는 문제를 '비효과적 관계', '비효과적 관계 위험'으로 들고 있다. 가족역할수행 문제에는 '부모역할 갈등', '비효과적 역할수행', '사회적 상호작용장애'가 있다. 역할과중이나 역할갈등이 없는지 등 역할수행 상태를 사정하는 것이 중요하다.

9. 비탄과정

1) 개요

비탄(grief)이란 가족, 애완동물, 집, 일, 역할 등 그 사람이 소중히 여기는 대상을 잃음으로써 생기는 심신의 반응을 말한다. **비탄과정**이란 그러한 상실 사실을 인정하고 새로운 생활을 재구축해 가는 과정이다. 워든(Worden JW)은 상실 체험에 동반하는 반응을 비탄, 상실 후에 생기는 과정을 **애도**(mourning)라고 하였다. 비탄 반응은 다양한 형태를 취하며 나타나기 때문에 자신의 건강문제 밑바탕에 비탄이 있다고는 생각하지 못하는 경우가 있다. 심리적 반응으로 슬픔, 분노, 죄책감, 불안, 우울, 고독감, 피로감, 무력감, 안도감, 자책, 죽음을 믿지 않음, 기억력이나 집중력 저하 등이 관찰된다. 신체적 반응으로 흉부 압박감, 식욕부진, 숨참, 신체에 힘이 들어가지 않는 증상 등이 관찰된다. 또 분노를 동반하는 공격적인 행동, 고인을 떠올리게 하는 것의 회피나 우울을 동반한 은둔형 외톨이 등의 사회적 반응을 일으킨다.

비탄 반응은 개인차가 있으며 사람에 따라 나타나는 반응도 다르다. 이러한 반응은 일시적이며 병적인 것은 아니다. 비탄과정의 종료를 말해주는 한 가지 기준은 고인을 고뇌 없이 떠올릴 수 있게 되는 것이다. 대부분은 1년 정도 지나면 고인이 없는 새로운 생활에 적응하게 된다. 그러나 친한 관계에 있던 사람을 잃는 경우에는 슬픔에서 회복되는 데 2년이라도 부족한 경우가 있어 개인차가 크다. 친한 사람의 죽음을 경험하여 비탄 반응이 심하고 1년(아이는 6개월) 이상 경과한 경우를 **복잡성 비탄**이라고 하며 약물요법이나 정신요법 등의 치료 대상이 된다.

2) 이론의 구조와 주요 동향

슬픔의 문제를 처음으로 학문적 입장에서 다룬 프로이트(Freud S)는 '멜랑콜리(우울감, melancholy)'를 명확히 하기 위해 증상이 유사한 '애도(mourning)'와 비교하였다. 프로이트는 애도는 사랑하는 사람이나 조국, 자유, 이상 등 추상물의 상실에 대한 반응으로, 정상적인 생활태도에서의 이탈을 동반하지만 일정 시간이 지나면 극복되는 정상적인 반응으로 보았다.

퀴블러-로스(Kübler-Ross E)는 200명 이상의 말기 환자와 대화를 통해 **죽음의 수용과정**에는 '부정과 고독', '분노', '타협', '우울', '수용'의 5단계가 있다고 밝혔다(그림 6-3).

사별 시의 비탄 반응에 대해 보울비(Bowlby J)는 ① 죽음을 전해들은 직후에는 죽음을 받아들이지 못하는 '무감각', ② 상실한 사람을 되찾으려는 '사모와 탐구', ③ 죽음이 바꿀 수 없는 사실임을 인정하고 절망하는 '혼란과 절망', ④ 자신의 생활을 계속해야 함을 받아들이게 되는 '재건'의 4가지 단계를 거친다고 보았다.

워든은 수용과정에는 상실 체험자가 행동을 일으킬 필요가 있다고 보고 다음과 같이 4가지의 과제로서 파악하였다. ① 상실의 사실을 받아들인다, ② 분노 · 죄책감 · 불안과 무력감 · 슬픔 등의 감정을 인정하고 표현한다, ③ 고인이 없는 생활에 적응한다, ④ 고인에 대한 감정을 재조정한다.

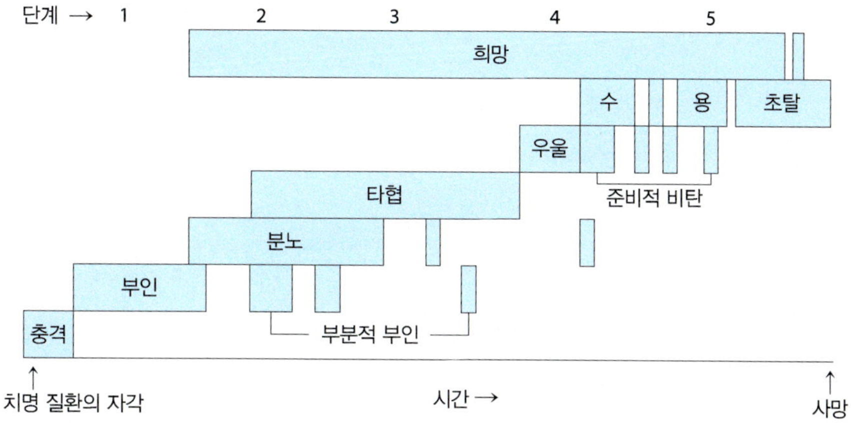

그림 6-3 죽음의 수용과정

이들에 공통하는 사실은 상실을 체험한 사람이 직선적으로 회복을 향하는 것이 아니라 어느 정도 순서에 따라 때로 되돌아가면서 회복해간다는 것이다.

한편, 니마이어(Neimeyer RA)는 비탄과정은 연속적인 것이 아니라 간격을 두고 일정 주기로 느끼는 것과 행동하는 것의 2가지 과정을 왕복하면서 진행한다고 보았다. 또 비탄을 상실 체험에 동반하는 반응과 함께 변화의 재적응까지를 포함한 능동적인 과정으로서 파악하였다.

3) 비탄과정과 NANDA-I의 간호진단

NANDA-I의 간호진단에서 비탄은 「대처/스트레스내성」 영역의 '대처반응'으로 분류되어 있으며 간호진단명에는 '비탄', '복합적 비탄', '복합적 비탄 위험'이 있다.

'비탄'이란 실제 상실, 예측되는 상실 또는 지각한 상실을 정서적 · 신체적 · 영적 측면의 복잡한 반응을 취하면서 매일의 생활에 포함시키는 과정이다. 비탄과정에 있는 사람은 분노나 불안 등 감정적 반응 이외에 인생에서의 역할 기능저하나 고인이 경험한 증상의 추체험, 면역기능저하나 수면양상의 변화 등이 관찰된다.

정상적인 '비탄'에 대해 '복합적 비탄'은 소중한 사람의 사후에 슬픔이 표준적인 기대대로 진행되지 않고 기능장애가 일어나는 상태이다. 비탄이 복합적으로 바뀌는 요인에는 소중한 사람의 죽음, 사회적 지원의 결여, 정서불안정 등이 있다.

비탄을 어떻게 표출하는지, 비탄을 장기화시키는 요인이나 과도한 반응을 일으키는 요인은 없는지를 사정하여 그러한 요인을 없애거나 줄이도록 지원한다. 입원이나 치료에 따른 역할 변화, 신체의 일부 상실, 중요한 타인의 죽음 등 다양한 비탄을 예측할 필요가 있다. 고든의 기능적 건강양상에서는 '비탄'을 '역할–관계 양상'으로서 다루고 있다.

10. 스트레스 · 대처이론, 위기이론

1) 개요

스트레스(stress)는 '스트레스가 쌓인다'처럼 정신적 긴장상태를 '스트레스'라고 표현하거나 '~가 스트레스다'처럼 정신적 긴장상태를 초래하는 자극을 '스트레스'라고 표현하기도 한다. 사전에는 '스트레스란 각종 외부 자극이 가해졌을 때 심신에 생기는 기능 변화'라고 정의되어 있다.

라자루스(Lazarus RS)는 심리적 스트레스를 인간과 환경의 관계로 보고 '부담이 되거나 그 사람의 자원을 넘거나 안녕을 위협하는 것으로서 개인이 평가하는 것'이라 정의하고, 같은 상황이라도 스트레스가 많다고 판단할지 아닐지는 개인이 스트레스원(상세한 내용은 나중에 설명)과의 관계를 어떻게 해석하느냐에 따라 달라진다고 하였다.

대처(coping)는 스트레스원으로 평가된 것에 잘 대응하기 위해 기울이는 노력으로, 라자루스는 '자신의 힘만으로는 어떻게 할 수 없다고 여겨지는 특정한 외적, 내적 요구를 적절하게 처리하려고 끊임없이 변화하는 인지적, 행동적 노력'이라고 보았다.

위기(crisis)는 '힘든 일이 될지도 모르는 위태로운 때나 경우'이며, 의료에서는 생명이나 신체기능, 정신기능에 심각한 문제가 있을 때를 위기로 간주한다. 카플란(Caplan G)은 위기를 '불안이 과도한 상태로 상실에 대한 위협, 상실이라는 어려움에 직면해서 그에 대처할 만한 자신의 능력이 충분하지 않고 그 스트레스를 대처하는 데 바로 사용할 수 있는 방법이 없을 때 체험하는 것'으로 정의하였다.

2) 이론의 구조와 주요 동향

(1) 스트레스이론

셀리에(Selye H)는 스트레스를 '생체 내의 모든 비특이적 변화로 구성된 특이한 증후군으로 나타난 상태'로, '스트레스를 야기하는 것'을 **스트레스원**으로 보았다. 신체반응을 나타내는 **생리적 스트레스**의 개념이다. 이에 대해 라자루스와 포크만(Folkman S)으로 대표되는 **심리사회적 스트레스론**에서는 인간과 환경의 관계에서 스트레스를 설명하였다(그림 6-4). **스트레스원**(환경자극)이 개인에게 스트레스가 되려면 스트레스 발생의 선행 요인으로서 '개인 요인'과 '환경 요인'이 있어야 하고 여기에 개인이 스트레스원을 스트레스가 많은 자극으로 평가하여(**일차적 평가**) 자신이 가진 능력이나 자원을 활용해도 스트레스원에 대처하기 어렵다고 평가(**이차적 평가**)한 경우 **심리적 스트레스**가 된다. 일차적 평가란 스트레스원에 의해 자신 속의 무언가가 위태로워진다고 느꼈을 때 그것이 자신과 무관계한 것인지, 무해-긍정적인지, 스트레스가 많은지(위해 · 상실/위협/도전)를 인지하는 것이고, 이차적 평가란 그 상황에 적응하기 위해서는 무엇이 가능한지, 대처 효과는 기대할 수 있는지 등을 평가하는 것이다. 이 평가 결과에 따라 **대처행동**이 이루어진다.

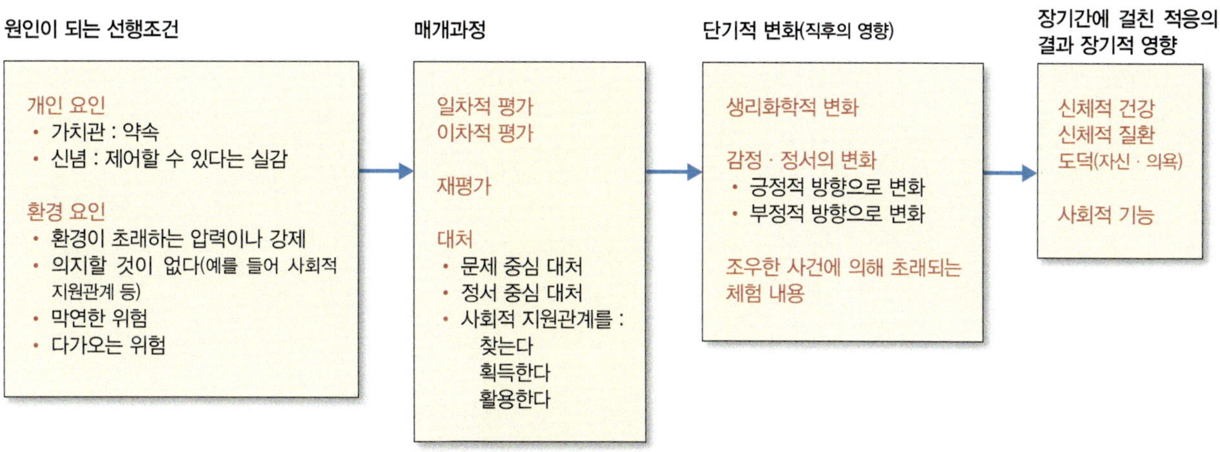

그림 6-4 스트레스, 대처와 적응에 관한 이론적 기틀

일차적 평가에는 ① 무관계, ② 무해-긍정적, ③ 스트레스가 많음(위해 · 상실/위협/도전)이 있다.
이차적 평가에는 무엇이 가능한지, 자신은 어떠한 대처수단을 가지고 있는지, 대처 효과는 기대할 수 있는지가 있다.

(2) 스트레스·대처이론

라자루스는 대처에는 문제 중심 대처와 정서 중심 대처의 2가지 전략이 있다고 보았다. **문제 중심 대처**는 스트레스가 많은 상황을 제어할 수 있다고 평가했을 때 우세해지며, 문제의 소재를 명확히 하거나 초래될 이익과 손실을 저울질하는 것이다. **정서 중심 대처**는 스트레스가 많은 상황을 제어하기 어렵다고 평가했을 때 우세해지며 불안을 경감하기 위해 '하찮은 일'을 생각하려고 하는 등 스트레스를 느끼는 방법을 바꾸거나 상황이 의미하는 내용의 해석을 바꾸는 것이다.

대처에 의한 결과에는 단기적 영향과 장기적 영향이 있다. 단기적 영향은 생리학적 신체의 변화, 감정 · 정서의 긍정적 또는 부정적 변화, 조우한 사건에 의해 초래되는 체험이 있으며, 장기적 영향에는 신체적 건강, 질환, 정신적 안녕, 사회적 기능이 있다.

(3) 위기이론

임상에서는 위기이론을 바탕으로 위기과정을 모식적으로 나타낸 위기모델이 유용하다. 현재 위기의 시간적 과정을 기술한 것이나 문제해결형 등 많은 모델이 제시되고 있으며, 야마세이(Yamasei)는 임상에서 모델을 활용할 경우 구축된 배경, 모델을 적응할 수 있는 사례, 토대가 된 이론이나 개념을 이해하고 활용해야 한다고 보았다. 아길레라(Aguilera DC)의 위기모델은 **문제해결형**이다(그림 6-5). 아길레라는 심리적인 불균형 상태가 지속된 결과를 위기로 보았다. 그리고 불균형을 회복시키는 작용을 하는 **'균형유지요인'**(사건 지각, 대처기제, 사회적 지지)의 유무에 따라 위기에 빠질지 그렇지 않을지가 결정된다고 보았다. 간호중재를 진행하기 위해서는 균형유지요인에 주목한 자료수집, 위기회피 및 위기개입을 위한 사정, 균형유지요인을 적절하게 기능시키기 위한 문제점 명확화, 간호계획수립, 수행 · 평가를 진행해야 한다.

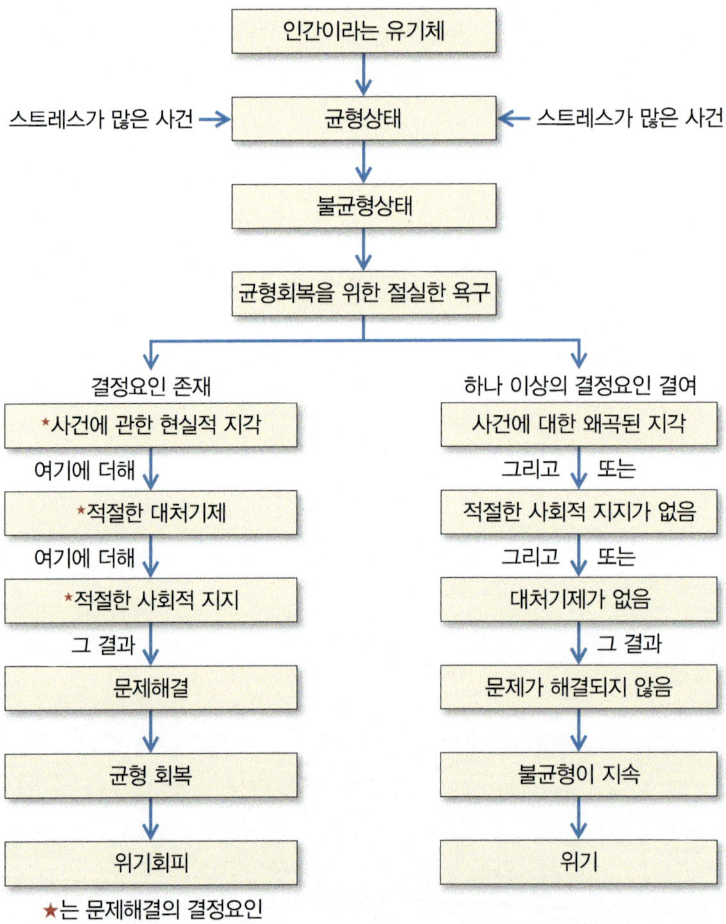

그림 6-5 스트레스가 많은 사건에서 문제해결 결정요인의 영향

3) 스트레스, 대처, 위기와 NANDA-I의 간호진단

스트레스와 대처는 「대처/스트레스내성」 영역으로 분류되어 있다. '외상 후 증후군'은 외상을 초래하는 사건을 만나 그 압도적인 사건에 마음의 상처를 입어 현재도 부적응 반응을 일으키고 있는 상태이다. '환경변화스트레스증후군'은 이사(장소 변경)라는 환경자극의 스트레스가 심리사회적인 혼란을 일으킨 상태이다. 이들 '외상 후 반응'은 스트레스 인지 개념으로 보면 이해하기 쉽다.

'비효과적 대처', '방어적 대처' 등의 대처반응은 라자루스 등의 스트레스 · 대처이론을 활용하면 이해하기 쉽다. 스트레스가 많다고 인지하고(일차적 평가) 자신은 제어하기 어렵다고 파악하여(이차적 평가) 정서 중심 대처를 취한 경우 문제해결에는 이르지 않는다. 실행된 대처가 건강이나 질환에 미치는 영향이 본인에게 바람직하지 않거나 또는 삶의 질을 저하시키는 경우 등에 진단된다. 효과가 없는 대처는 스트레스가 경감되지 않을 뿐만 아니라 문제해결의 실패와 주위로부터의 낮은 평가로 자기의 가치관 저하나 무력으로도 이어져 스트레스가 심해지는 악순환에 빠지기 쉬우며 지원이 필요한 상황이다.

대처반응에는 그 밖에 '불안', '공포'가 있다. 불안은 건강범위 내가 아닌 불안을 가리키며 자율신경계의 반응을 동반한 불쾌 · 공포의 감정이다. 스트레스가 많은 사건 때문에 불안이 더 심해지면 자신에게 일어난 일을 적절하게 지각하지 못해 위기에 빠진다. 아길레라 등의 위기개입을 활용하여 균형유지요인의 사정에 바탕한 간호사의 지원을 통해 위기회피를 기대할 수 있다. 또한, 고든의 기능적 건강양상에서는 '불안', '공포'를 '자아인식–자아개념 양상'으로 파악하고 있다.

「대처/스트레스내성」 영역에 있는 간호진단은 스트레스 · 대처이론이나 위기이론을 이해하면 자료수집의 시점, 진단 후의 간호중재를 이해하기 쉽다.

11. 회복력

1) 개요

회복력(resilience)은 '회복탄력성', '극복력', '순응성' 등 다양한 말로 표현된다. 1970년 무렵부터 정신의학이나 심리학 등의 영역에서 사용되고 있으며 어려운 상황에서 회복해가는 힘을 말한다.

회복력에 대해 심리학자인 루터(Rutter M)는 심각한 위험성에도 불구하고 적응적인 기능을 유지하려는 현상으로 정의하였다. 그 후 많은 연구자가 정의를 내리고 있으나 아직 정해진 바는 없다.

2) 이론의 구조와 주요 동향

미국심리학회에서는 회복력을 구성하는 요소로 ① 현실적으로 계획을 달성해나가는 힘, ② 자신을 긍정적으로 파악하고 자신의 능력을 신뢰할 수 있는 힘, ③ 의사소통능력과 문제해결능력, ④ 강한 감정이나 충동을 관리할 수 있는 힘의 4가지를 들고 있다.

기존에는 회복력에 대한 연구가 중대한 어려움이나 역경 상황에 초점이 맞추어져 있었지만, 최근에는 누구나 경험하는 일상생활의 스트레스가 대상이 되는 경우가 많다.

간호에서는 예를 들어 마비 등으로 지금까지의 생활을 하지 못하게 될 정도로 어려운 상황에 놓인 환자나 그 가족을 만나게 된다. 간호사는 환자나 가족의 회복력 상황을 판단하고 그 회복력을 높일 수 있는 간호중재를 검토할 필요가 있다.

3) 회복력과 NANDA-I의 간호진단

NANDA-I의 간호진단에서 회복력은 「대처/스트레스내성」의 「대처반응」 영역으로 분류되어 있다. 간호진단명에는 '회복력장애', '회복력 향상을 위한 준비', '회복력장애 위험'이 있다.

'회복력장애'란 어려움이나 위기 상황에서 회복하는 힘, 다시 일어서는 힘이 저하되어 있는 상태를 가리킨다. 회복력장애를 일으키는 요인에는 빈곤이나 부모의 정신장애 등 심각한 역경 상황을 들 수 있다.

학습과제

1. 이 장의 중범위 이론을 활용하여 CHAPTER 07에 제시되는 사례의 심리사회적 측면 자료를 어떻게 사정할 수 있을지 주변 사람과 이야기해보자.

CHAPTER

07 사례로 보는 계통적 사정

학습목표

1. 사례를 통해 대상자의 계통적 사정방법을 이해한다.

1. 자료와 사정

실제 사례를 통해 구체적으로 계통적 사정을 진행해보자. 사정에서는 우선 각 양상의 자료에 근거하여 비정상 소견의 유무를 사정하고, 나아가 다른 양상의 관련 자료에서 비정상의 원인이나 요인을 사정하여 간호중재의 필요성을 검토한다. 각 양상의 현재 자료에 비정상 소견이 없는 경우에도 이 단계에서 바로 '문제없음'으로 결론 내리지 말고 다른 양상의 관련 자료에 위험인자가 없는지 사정하는 것이 중요하다.

예를 들어 근력저하나 관절가동범위 제한 때문에 자력으로 체위변경이 불가능한 상태가 일정 기간 계속되는 대상자의 경우 현재는 피부가 좋은 상태라고 하더라도 적절한 간호중재를 하지 않으면 욕창이 형성될 위험이 있다. 즉, '영양–대사 양상'의 현재 자료로서 피부에 발적 등의 비정상 소견이 없더라도 '활동–운동 양상'의 근력저하나 관절가동범위 제한 때문에 자력으로 체위변경을 할 수 없다는 자료에서 '영양–대사 양상'의 간호진단으로서 '욕창 위험'을 명확히 하여 예방을 위한 간호중재 계획을 수립해야 한다.

한정된 시간 내에 모든 양상의 자료를 충분히 얻지 못하는 경우가 많다. 또 심리사회적 측면의 자료는 신뢰관계가 형성되어 있지 않으면 대상자가 표현하지 않는 부분도 있다. 진단에 필요한 자료가 불충분한 양상에 대해서는 진단을 유보하고 더 많은 자료수집에 노력한다.

사정 결과는 간호진단으로서 간호중재를 해야 하는 문제, 그 진단의 근거가 되는 자료, 문제의 관련 인자(원인 · 요인) 또는 위험인자를 간결하게 나타낸다.

2. 사례

(1) 자료와 계통적 사정

양상에 따라 계통적으로 자료를 종합하여 사정한 내용과 가설(임시진단)을 표 7–1에 정리하였다.

- **환자** : A 씨, 50세 남성, 회사원(휴직 중)
- **병명** : 뇌출혈(cerebral hemorrhage; 뇌간출혈)
- **입원 시 상태** : 우측 상하지마비, 자력의 체위변경 불능, 체간실조(좌위의 균형이 취해지지 않음), 언어(구음) 장애, 보행장애, 연하장애
- **현병력** : 3월 2일 아침, 의식이 없는 것을 가족이 발견하여 구급차로 병원에 실려 왔다. 뇌출혈(뇌간출혈) 진단으로 보존적 치료를 받았다. 6월 21일 재활훈련을 목적으로 당원으로 전원하였다.

입원 시 사정 [6월 22일(입원 2일째)에 수립]

표 7–1 A 씨의 사정

	기본적 사정 시점과 주요 자료	사례 전개 예	
		A 씨의 자료	사정 [가설(임시진단)]
건강지각–건강관리 양상	개인의 건강관리를 위한 활동 • 과거력, 현병력, 약물 등의 자기관리 상황 • 일과, 운동습관, 흡연 · 음주습관 등 • 건강관리에 관한 생각 · 의욕 • 질병 · 검사 · 치료에 관한 자각/인식 • 치료에 대한 기대, 자기관리에 대한 의욕 • 치료계획을 위한 적절한 행동 선택 • 위험에 대한 예방행동을 취하는 방법 등	• 45세 검진에서 고혈압을 지적받았지만 치료하지 않고 방치함 • 입원 전에는 흡연습관이 있었으며 입원 후에는 '이 기회에 금연하겠다'고 필담 • 치료나 훈련에는 의욕적으로 반응함 • 저염 지도에 대해서는 '간이 센 음식이 좋다'며 고개를 가로젓음(필담) • 혼자서 휠체어를 움직여 벽에 부딪힌 적이 있었다는 동작을 함	고혈압을 지적받고 방치한 일이나 저염 지도에 대한 반응 등을 볼 때 건강관리에 대한 과제가 있음. 그러나 현재는 식사량이 적어 식사지도는 경과를 보면서 계획하기로 함. 또 우측 상하지마비 · 체간실조 등이 있어 휠체어 조작에 위험이 관찰되기 때문에 낙상이나 외상 위험에 주의하고 대상자 자신도 예방행동을 취하도록 지원할 필요가 있음 [낙상 위험]

(계속)

	기본적 사정 시점과 주요 자료	사례 전개 예	
		A 씨의 자료	사정 [가설(임시진단)]
영양-대사 양상	**영영의 섭취와 소비 균형** • 섭취 식품과 양, 식사시간과 횟수, 기호, 식사 만족감, 포만감, 공복감 • 권태감, 피로감, 활동량 • 체격, 키, 몸무게, 지방두께, BMI 등의 측정치 • 근긴장, 검사결과(TP, Alb, Hb 등) 등	• 키 : 176cm • 몸무게 : 68kg(발병 전 : 71kg) • 보통식 • 식사량은 1/2∼2/3, '조금씩 먹을 수 있게 되었다'(필담) • 간이 센 음식을 좋아함 • TP 6.4g/dL, Alb 3.9g/dL, Hb 14.3g/dL • BMI 22	BMI는 기준범위 내에 있지만, 식사 섭취량이 적고 체중감소가 3kg이며 TP, Alb 수치가 다소 낮은 점에서 영양상태 저하의 위험이 있어 질병 회복, 재활훈련 촉진을 위해서도 경과관찰이 필요함
	수분의 섭취와 배설 균형 • 수분섭취량, 보충량, 부종, 체중의 변화 • 근력저하, 호흡부잡음, 호흡곤란, 두근거림 • 의식상태 등, 혈압, 맥박, 맥압, 심음 • 배뇨 횟수와 상태, 잔뇨감, 배변 횟수와 상태 • 구토 횟수와 양, 배액관 등에서의 배액 • 섭취량–배설량 균형, 검사결과(Hct) 등	• 물 마시다가 사레드는 경우가 있어 마시지 않으려고 함 • 배뇨 횟수 3∼4회/일 • 1회량 400∼600mL • 1일 소변량 1,500mL	물을 마시지 않고 소변 횟수가 적은 점 등에서 체액부족이 의심되지만, 자료가 불충분하기 때문에 수분섭취량이나 피부 상태, 소변비중, Hct 등의 자료를 더 수집하기로 함
	피부와 점막의 통합성 • 피부 가려움, 통증, 피부의 색 · 거침 · 부종 · 미란 · 습진 등 • 구내통, 건조감, 미각변화 • 구강점막의 색, 구내염, 설태, 치통, 치은통, 시림 • 손발톱(색, 청색증 등), 모발 등	• 우측 상하지마비, 자력으로 체위변경 불능 • 신체청결 시 천골부 발적이 관찰되지만, 체위변경 후 사라짐 • 통증을 묻는 질문에 고개를 가로저음 • 구강점막에는 이상 없음 • 설태 없음	피부 · 점막의 통합성에 장애는 없지만, 위험인자로서 우측 상하지마비 때문에 자력으로 체위변경을 할 수 없고 TP, Alb 수치가 다소 낮기 때문에 욕창이 생기기 쉬운 상태에 있음 [욕창 위험]
	체온조절 • 열감, 냉감, 오한, 체온 등	• 체온 : 36.5℃ • 냉감 · 오한 등의 호소 없음 • 연하장애	발열 등은 없고 체온조절에 문제는 없음. 연하장애가 있으면 흡인성 폐렴을 일으키기도 하므로 계속해서 경과관찰을 하기로 함
	음식 섭취에 영향을 미치는 연하기능 상태 • 저작 · 연하곤란감, 사레 • 구강 내 음식물의 정체 여부와 부위 등	• 뇌출혈(뇌간출혈) • 수분섭취 시 사레드는 경우가 있어 조심스럽게 마시고 있음 • 걸쭉함을 주면 사레드는 일이 적음	뇌출혈에 의한 편마비가 있음. 수분섭취 시 사레가 들고 석션(suction)을 필요로 하며 음식물의 흡인이 있는 점에서 연하장애가 있다고 볼 수 있음 [연하장애], [흡인 위험]

(계속)

	기본적 사정 시점과 주요 자료	사례 전개 예	
		A 씨의 자료	사정 [가설(임시진단)]
배변 양상	**대변의 배설기능** • 배변 횟수와 규칙성, 완하제 사용 여부 • 변의 상태, 변의, 잔변감, 변실금 • 복부팽만감, 복통, 복부압통 • 장음, 복명, 복부종괴 촉지 • 복부 고창음 · 둔탁음, 검사결과(복부 X선) 등	• 배변 횟수 1회/5~6일, 단단한 변 • 발병 전 배변 횟수 : 1회/2~3일 • 완하제(산화마그네슘 1.5g)를 취침 전 복용 • 글리세린관장을 하기도 함 • 오늘로서 변이 5일간 없고 복부 긴장감이 있음, '힘을 줘도 나오지 않는다'(필담)며 괴로워하는 얼굴 • 복부가스가 있음, 장음은 다소 약함, 변실금 없음	장음이 저하해 있고 배변 횟수가 감소한 점, 단단한 변인 점, 배변에 완하제나 관장이 필요한 점에서 변비로 진단됨, 고혈압에 미치는 영향, 뇌출혈의 재발 예방을 위해서도 배변관리가 필요함 [변비]
	소변의 배설기능 • 배뇨 횟수, 배뇨시간의 양상 • 소변의 상태(색, 혼탁), 요의, 잔뇨감 • 요실금 유무, 하복부 긴장감 • 검사결과(요단백 등) 등	• 배뇨 횟수 3~4회/일 • 1회 소변량 400~600mL • 하루 소변량 1,500mL • 요실금 없음 • 요단백 등은 관찰되지 않음 • BUN 12.7mg/dL, Cr 0.8mg/dL	하루 배뇨 횟수는 적지만 하루 소변량은 기준범위 내에 있으며, 신장기능의 검사소견에 이상은 없음, 배뇨 횟수가 적은 점에서는 체액부족의 가능성을 생각할 수 있기 때문에 섭취량–배설량 균형에 관한 자료를 더 수집하기로 함
활동–운동 양상	**일상의 생활활동** • ADL, IADL의 자립도 • 관절가동범위 제한, 자세 불안정 • 협조한 운동, 근력 • 활동 시 숨참, 피로감, 권태감, 호흡 · 혈압 · 맥박 등의 변화 • 활동의욕, 일상을 보내는 방법 등	• 식사 : 완전도움, 주먹밥은 왼손을 이용하여 자력으로 먹을 수 있음 • 목욕 : 완전도움 • 옷 입기/미용 : 양치질 · 옷 갈아입기 보조 • 배설 : 침대 위 배설 • 이동 : 완전도움, 한손으로 휠체어를 사용하지만 치우치는 경우가 있음 • 자세 : 자력으로 측와위를 취할 수 없음, 앉은 자세를 유지할 수 없음 • 재활훈련 : 물리요법, 작업요법, 언어요법을 매일 시행	우측 편마비가 있어 음식 섭취, 목욕, 옷 입기, 배설, 이동활동 모두의 자립도가 낮고 자가간호가 전면적으로 저하되어 있음, 일상생활의 지원과 함께 ADL 확대를 위한 지원 필요성이 있음 [신체 기동성 장애], [침상 기동성 장애], [이동장애], [좌위수행장애], [휠체어 기동성 장애], [음식섭취 자가간호결핍], [목욕 자가간호결핍], [옷 입기 자가간호결핍], [배설 자가간호결핍]
	여가활동 • 여가활동의 종류와 빈도 • 활동 시의 표정, 기분이나 따분함에 관한 말 • 입원 전의 여가활동 · 취미 등	• TV 등은 보지 않음, 라디오는 없음 • 언어장애로 인해 동실자와의 대화는 없음 • 기분이나 무료함에 관한 호소는 없음	여가활동에 관해 본인이 어떻게 받아들이는지에 대한 자료가 부족하기 때문에 자료를 더 수집하기로 함

(계속)

	기본적 사정 시점과 주요 자료	사례 전개 예	
		A 씨의 자료	사정 [가설(임시진단)]
활동-운동 양상	**호흡 · 순환** • 호흡수 · 깊이 · 리듬, 호흡곤란, 노력호흡 • 호흡음 · 폐음, 기침, 가래, 청색증 • 맥박, 혈압, 복통, 피로감 • 검사결과(동맥혈가스분석, 복부 X선 등) 등	• 호흡 : 10~15회/분, 흉복식호흡, 리듬 규칙적, 호흡곤란 없음, 노력호흡 없음 • 수분섭취 시 사레들림 • 호흡음 청명, 청색증 없음 • 입원 시 맥박 : 64회/분 • 입원 시 혈압 : 140/86mmHg • 피로감 없음 • 흉부 X선 이상소견 없음	호흡에는 이상소견이 없지만, 수분섭취 시 사레가 들기 때문에 호흡상태에 대해서는 계속해서 경과관찰이 필요함, 혈압은 다소 높기 때문에 마찬가지로 경과를 관찰하기로 함
수면-휴식 양상	**필요한 수면 · 휴식이 취해지고 있는가** • 입면 곤란/수면유지 곤란 호소 • 수면에 대한 만족감/숙면감 • 정신집중을 할 수 없음, 초조감, 권태감, 환각 • 수면습관(취침 · 기상시간, 규칙성) • 휴식 · 이완에 관한 말 등	• 수면 : 야간 순회 시에는 코를 골고 있으며 불면 호소는 없음, 재활훈련 후에 자는 경우가 있지만, 말을 걸면 일어남 • 집중력이 결여된 행동은 보이지 않음	불면은 없고 수면을 방해하는 명백한 위험인자도 없음
인지-지각 양상	**시각 · 청각 등 감각의 인지장애** • 감각(시각, 청각, 촉각, 미각, 후각) 기능의 변화 • 자극에 대한 반응 변화 • 일상행동의 변화 등	• 감각 변화의 호소 없음 • 일상행동에도 감각장애에 의한 변화는 보이지 않음(간호사의 말에 시선을 맞추어 끄덕이는 등의 대응을 할 수 있음)	감각의 이상소견은 없고 명백한 위험인자도 없음
	지각이나 그 관리방법에 따른 안위손상 • 통증, 오심 · 불쾌감, 근긴장 변화 • 통증 완화방법에 대한 생각 • 호흡 · 혈압 · 맥박의 변화 등	• 통증이나 오심의 호소는 없음 • 호흡 : 10~16회/분, 맥박 : 64회/분, 혈압 : 140/86mmHg	안위가 손상되고 있다는 호소는 없고 고통을 일으키는 명백한 위험인자도 없음
	의식, 기억, 의사결정 등의 인지능력 • 지남력, 흥분, 건망이나 기억력의 변화 호소 • 의식수준, 언어의 명확함 · 의미의 적절함 • 이해력, 기억력 등	• 뇌간출혈 • 지남력장애는 없고 의식 명료 • 구음장애가 있지만, 필담 등의 응답 내용에 이상은 없음	현재로는 인지능력에 장애가 없지만, 주위로부터의 자극도 적기 때문에 계속해서 의식 및 혈압이나 언어장애 정도를 관찰하기로 함
자아인식-자아개념 양상	**자기가치 · 자기능력에 관한 생각** • 자신의 특징에 대한 생각 • 이상적인 자아상, 자기 부정적인 말 • **신체감각 · 신체상에 관한 생각** • 컨디션 · 감각에 대해 느끼고 있는 것 • 외모에 대한 생각이나 평가 · 희망 **기분 · 정서 상태** • 기분이나 정서에 관한 말, 상실감, 고뇌 • 식욕 변화, 불면, 표정, 대화 감소 • 일상행동이나 대인관계의 변화 등	• 입원 시 필담 : '뇌출혈로 마비가 있지만 휠체어로 간단한 일은 할 수 있으면 좋겠다. 이대로는 퇴원할 수 없다' • 현재 상황에 대한 부정적인 말이나 표정은 보이지 않음 • '재활훈련은 힘들지만 열심히 하겠다. 처음과 비교하면 조금은 움직일 수 있게 되었다'고 필담	현재 마비가 있는 자신의 상태에는 만족하고 있지 않지만, 그에 대한 부정적인 표현보다도 재활훈련이나 치료에 대한 의욕이 보이기 때문에 경과관찰과 함께 현 상황이 초조함이나 자기개념의 저하로 이어지지 않도록 배려할 필요가 있음

(계속)

	기본적 사정 시점과 주요 자료	사례 전개 예	
		A 씨의 자료	사정 [가설(임시진단)]
역할–관계 양상	**가족이나 사회에서의 역할과 그 수행행동** • 가족 구성, 중요한 타인의 관계 · 연령 · 건강상태 • 대상자의 질병 · 입원에 대한 가족의 자세 • 경제적 지원 유무, 일 · 학업 내용 • 가족의 신체적 · 정서적 호소 • 가족에 대한 말 등	• 가족 : 아내 45세(무직), 어머니 74세, 아버지 77세, 장남 20세(대학생) 모두 건강 • 면회 : 아내가 거의 매일 찾아옴 • 직업 : 회사원(휴가), '조금은 모아 둔 돈이 있지만 언제까지고 쉬고 있을 수 없다'고 필담. 아내는 '아르바이트를 찾고 있지만 잘 찾아지지 않는다'고 간호사에게 말함 • '아내에게 고맙다'고 필담	가족관계는 좋고 아내의 지원도 얻고 있으며 역할관계에 관한 부정적인 말도 없음. 현 단계에서 경제적 문제는 없지만, 재활훈련의 경과에 따라 재검토하기로 함
	의사소통능력, 사회적 상호작용 • 타인과의 관계성에 대한 호소, 만족감 • 고독감, 지남력 · 인지장애 유무 • 눈맞춤 유무, 언어장애 유무 • 의사소통을 위한 다른 방법 • 다른 대상자나 의료종사자와의 인간관계 • 기관절개 등 대화에 영향을 미치는 처치 등	• 구음장애가 있고 소리를 내서 대답하는 일은 별로 없음 • 머리를 가로젓거나 손가락질 정도 • 필요에 맞게 필담하지만, 주위와 적극적으로 관계하려고 하지 않음 • 언어청각사의 훈련에는 의욕적 • '말을 할 수 있게 되면 좋겠다'며 필담	구음장애가 있어 본인도 대화할 수 없는 것에 고통을 느끼고 있는 점에서 의사소통이 이루어지도록 대응하여 주위와의 관계 협소화나 자기개념의 저하로 이어지지 않도록 지원할 필요가 있음
	관계성 상실에 동반한 반응 • 권태감, 수면장애, 식욕저하 • 고뇌 등의 표현, 고인에 대한 생각 표출 • 자기비탄, 활동수준의 변화 등	• 관계성 상실은 발생하지 않음 • 관계성 변화에 대한 말은 없음	앞에서 설명했듯이 대화에 대한 표현도 있기 때문에 계속해서 경과 관찰을 하기로 함
성–생식 양상	**성에 관한 느낌** • 성행동의 변화나 어려움 호소 • 중요한 타인과의 관계 변화 호소 등	• 성에 관한 호소는 없음	현 단계에서는 표면화되고 있지 않지만, 질병의 회복과 함께 자료를 수집하기로 함
	성 · 생식 기능의 변화 • 성적 역할의 변화에 관한 말 • 성적 만족감 변화에 관한 말 • 성기능에 관한 말 • 여성의 경우는 월경 · 임신 · 출산 등	• 50세 남성, 회사원 • 아이는 20세 아들이 1명 있고, 아내, 부모의 5인 가족 • 성적 역할 등에 관한 말은 없음	성인이 된 아들이 있으며 현재는 성 · 생식 기능에 관한 말을 하지 않지만, 장년기이므로 향후 자료를 수집하기로 함
대처–스트레스내성 양상	**스트레스에 대한 대처행동의 유효성** • 환경 변화에 대한 말, 걱정거리 • 스트레스에 대한 대처방법, 만족감 · 불만감 • 수면상태, 현실감이 없는 말 • 의사소통 양상의 변화 • 타인과의 관계, 자기에 대한 파괴적 행동 • 집중력이 결여된 행동, 치료에 대한 참가 등	• 치료나 훈련에 의욕적으로 대처하고 있음 • '생각처럼 움직이지 못하고 말하지 못해 화가 날 때도 있지만, 초조해 해도 어쩔 수 없다고 생각한다'며 필담	마비나 언어장애에 대한 스트레스는 있지만, 본인 나름대로 정서적 대처와 재활훈련에 노력하는 대처행동을 취하고 있음

(계속)

	기본적 사정 시점과 주요 자료	사례 전개 예	
		A 씨의 자료	사정 [가설(임시진단)]
가치-신념 양상	가치관 · 신념과 행동의 일치 상태 • 믿고 있는 종교, 중요한 종교적 실천 • 고뇌의 표현, 정서 변화나 말 • 일상행동의 변화, 대인관계 변화 • 식욕 변화, 불면, 표정 등	• 특별히 믿는 종교나 종교적 실천은 없음(현재 신체상황에 관한 자료, 식사 · 수면 등의 자료는 상기와 동일)	종교상의 문제는 없음, 현재의 자기에 대한 고뇌 표현은 없지만, 우측 상하지마비, 언어장애가 관찰되는 점에서 계속해서 관찰하기로 함

(2) 분석·통합과 간호진단

A 씨의 가설(임시진단)과 그 근거가 된 자료를 NANDA-I의 간호진단 정의와 대조하고 또 그 연관성과 우선순위를 정리 및 통합한 과정은 다음과 같다(표 7-2).

표 7-2 A 씨의 계통적 사정에서 가설(임시진단)과 확정진단

가설(임시진단)	확정진단
[문제초점형 간호진단] 변비, 신체 기동성 장애, 침상 기동성 장애, 이동장애, 좌위수행장애, 휠체어 기동성 장애, 음식섭취 자가간호결핍, 목욕 자가간호결핍, 옷 입기 자가간호결핍, 배설 자가간호결핍, 연하장애 [위험형 간호진단] 욕창 위험, 낙상 위험, 흡인 위험	#1 변비 #2 신체 기동성 장애 #3 욕창 위험 #4 목욕 자가간호결핍 #5 흡인 위험

#1 변비

우선적으로 해결해야 하는 문제로서 '#1 변비'를 진단하였다. 평소(발병 전 1회/2~3일)와 비교해서 배변 횟수가 1회/5~6일로 감소하였고, '힘을 주어도 나오지 않는다'는 배변곤란을 호소, 단단하고 건조한 변의 배출을 동반하며, 복부 긴장감이 있고, 장음이 감소하고 있는 증상 · 징후가 '변비'의 간호진단 정의와 일치하는 점에서 확정되었다. 이 상태는 본인의 고통도 크고 변비로 인한 힘주기가 혈압을 상승시켜 뇌출혈의 재발 위험을 높이기 때문에 우선적으로 해결할 필요가 있다고 판단하였다.

#2 신체 기동성 장애

자력으로 의도적인 신체운동이나 사지운동을 할 수 없는 상태이기 때문에 '#2 신체 기동성 장애'로 진단하였다. 뇌출혈에 의한 신경장애, 좌측 반신마비 때문에 자력으로 체위변경을 할 수 없는 증상 · 징후를 동반하는 점에서 확정되었다. 가설에서 든 '침상 기동성 장애', '좌위수행장애', '이동장애', '휠체어 기동성 장애', '보행장애'는 '신체 기동성 장애'에 기인하는 상태이며, 재활훈련을 통해 '신체 기동성 장애'가 개선되면 이들의 개선도 기대할 수 있기 때문에 '신체 기동성 장애'로 통합하였다. 입원 목적이 재활훈련이기 때문에 '신체 기동성 장애'의 우선도가 높다고 판단하였다.

또한, 가설에서 든 '낙상 위험'에 대한 예방책은 '신체 기동성 장애'나 '자가간호결핍'에 대한 간호중재도 계획하고 있기 때문에 '낙상 위험'은 문제로 들지 않았다.

#3 욕창 위험

'욕창 위험'도 뇌혈관장애의 과거력에 의한 '신체 기동성 장애'가 원인이지만, 현 단계에서는 기동성이 저하해 있으며 체위변경을 보조하지 않으면 2시간 이상의 부동상태가 계속되고, Alb 수치가 낮으며, 천골부에 발적이 생긴 과거력이 있는 등 주의해야 할 위험인자가 많아서 '#3 욕창 위험'을 확정진단하였다.

#4 목욕 자가간호결핍

마찬가지로 '신체 기동성 장애'로 인해 자신의 신체를 관리하기 위한 활동을 수행할 능력이 저하되어 '음식섭취 자가간호결핍', '목욕 자가간호결핍', '옷 입기 자가간호결핍', '배설 자가간호결핍'이 생겼다. 이 가운데 '음식섭취 자가간호결핍'은 주먹밥 등의 메뉴 고안과 배식 지원으로 섭취능력이 증가 경향에 있기 때문에 문제로 삼지 않았다. 또 '옷 입기 자가간호결핍'은 '목욕 자가간호결핍'에 대한 간호중재 계획에 포함시키고, '배설 자가간호결핍'도 '변비'의 간호중재 계획에 포함시켜 간호할 예정이기 때문에 이들은 문제로 삼지 않고 각각의 간호 내용을 간호진단의 간호중재 계획에 편성하였다. 따라서 자가간호결핍 가설 가운데 '#4 목욕 자가간호결핍'만 확정진단하였다.

#5 흡인 위험

A 씨는 뇌혈관장애 때문에 물을 삼킬 때 사레가 드는 '연하장애'가 발생하여 이 상황이 위험인자가 되어 '흡인 위험' 상태에 있다. 뇌간출혈에 의한 연하장애는 간호중재로 해결하기는 어렵고 여러 직종의 의료전문가로 구성된 팀접근이 필요하다. 여기서는 흡인을 예방하는 음식섭취 시의 간호가 중요하기 때문에 '#5 흡인 위험'으로 확정진단하였다.

(3) 간호진단(PES)과 간호중재 계획

[문제초점형 간호진단]에서 '변비', [위험형 간호진단]에서 '욕창 위험'을 선정하여 간호진단(PES)과 간호중재 계획의 구체적 사례를 표 7-3에 정리하였다.

표 7-3 A 씨의 간호진단(PES)과 간호중재 계획

<table>
<tr><th>간호진단(PES)과 목표설정</th><th>간호중재 계획(O-P, T-P, E-P)</th></tr>
<tr><td>P : #1 변비
E : 신체 활동량 저하
소화관운동 저하
식사섭취량 · 수분섭취량 부족
복압을 가하기 어려운 배설체위
S : 배변 횟수 감소(1회/5~6일)
단단하고 건조한 변 배출
'힘을 줘도 나오지 않는다'(배변곤란 호소)
복부 긴장감이 있음
장음 감소

[목표설정] (기대되는 S의 변화)
• 배변 횟수 증가(1회/2~3일)
• 보통변~무른변 배출
• 가벼운 힘주기로 배변 가능(혈압상승 없음)
• 복부 긴장감이 없음
• 장음이 4~12회/분으로 회복</td><td>O-P주)
• 배변 횟수, 변의 상태과 양, 배변곤란감 유무, 복부팽만감 유무와 정도, 장음
• 활동량과 내용, 식사섭취량과 내용, 수분섭취량
• 배설지원 의뢰상황이나 말(필담, 표정 등)
• 배설 시 복압이 가해지기 쉬움
T-P
1. 신체활동량을 늘림
• 침대에서 할 수 있는 재활훈련을 검토
2. 소화관운동 촉진, 자연적인 복압으로 유지
• 기상 시 수분섭취 촉진
• 신체청결 시 허리찜질
• 침대에서 배설 시에는 상체를 올려 복압을 쉽게 가하게 함
3. 식사섭취량, 수분섭취량을 늘림
• 일품요리에 맛을 더하는 등 방법을 고안
• 걸쭉함을 주어 흡인을 방지하고 수분을 쉽게 섭취할 수 있게 함
• 식사 전 10시, 15시에는 차를 준비
• 재활훈련 후 등에 수분 섭취를 재촉</td></tr>
<tr><td></td><td>E-P
• 변비와 고혈압 및 뇌출혈의 관계, 배변관리의 중요성을 설명
• 복부마사지 방법을 지도
• 반찬도 균형 있게 섭취하도록 지도
• 수분섭취 필요성을 지도
• 배설을 참지 않도록 지도</td></tr>
<tr><td>P : #3 욕창 위험
E : 가동성 저하에 동반한 부동상태 지속
욕창 과거력에 동반한 피부 취약성
Alb 저하(영양상태 저하)
※위험형 간호진단에 S(증상 · 징후)는 없음

[목표설정] (나은 상태의 유지)
• 욕창이 생기지 않음</td><td>O-P
• 천골부 등 욕창 호발부위의 피부상태
• 침대에서의 몸 움직이는 법, 동일 체위의 지속상태
• 식사섭취량, TP, Alb, 체중의 변동
T-P
1. 동일 부위를 지속적으로 압박하지 않음
• 2시간마다 체위변경을 함
• 천골부에 압력이 가해지지 않도록 푹신한 베개 등 고안
2. 취약한 피부에 대한 마찰 · 응력(피부 쓸림)을 방지
• 체위변경 시 피부가 쓸리거나 당겨지지 않도록 주의
E-P
• 동일 부위의 압박이 욕창의 원인이 됨을 설명</td></tr>
</table>

주) : 관찰에서는 증상 · 징후의 변화를 살핌으로써 목표달성 상황을 평가하는 것이 중요하다. 이와 함께 원인 · 요인, 위험인자의 변화를 관찰하는 것도 잊지 않도록 한다.

학습과제

1. 이 사례의 사정을 바탕으로 대상자에게 어떠한 간호중재를 할 수 있는지 나열해보자.

Health Assessment

PART Ⅲ

신체사정

CHAPTER 08

신체사정 총론

학습목표

1. 신체사정 기본 술기의 개요를 이해한다.
2. 활력징후 측정방법과 사정의 개요를 이해한다.

1. 신체검진의 기본 술기

신체검진(physical examination)의 기본 술기는 시진, 촉진, 타진, 청진으로 구성되며, 일반적으로 문진을 통해 수집한 자료를 검증하거나 새로운 자료를 입수하기 위해 시행한다.

이 장에서는 각 검진에 공통하는 기본 술기에 한하여 설명하며, 계통별 신체검진에 대해서는 PART III Chapter 09~Chapter 17을 참조하기 바란다.

1) 신체검진을 위한 준비

신체검진을 시작함에 앞서 간호사는 검진에 공통되는 기본 술기를 숙지하고, 환경을 정비하여 대상자가 안심하고 검진을 받을 수 있도록 한다.

(1) 검사환경 준비

① 검진에 필요한 공간 확보

사생활을 확보하고 조도 1,000lux 정도, 온도 25℃, 습도 60% 전후로 조절하며 소음이 없고 진찰대가 갖추어져 있는 진찰실 또는 대상자의 병실에서 검진할 수 있도록 한다.

② 검진에 사용하는 진찰도구 준비 (그림 8-1)

진찰도구는 청결하고 고장이 없으며 바로 사용할 수 있도록 사전점검을 하여 물품을 보충하고, 대상자에게 직접 닿는 진찰도구의 소독과 보온에 유의한다.

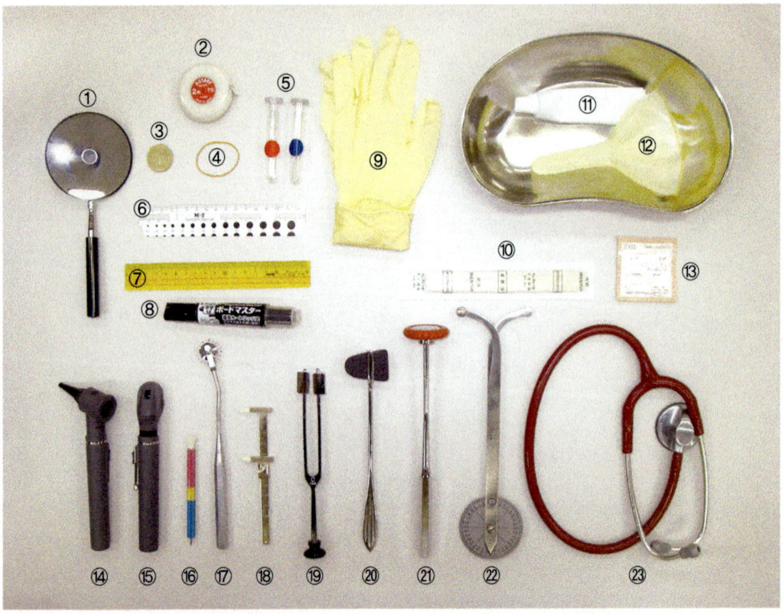

① (손잡이가 있는) 반사경, ② 줄자, ③ 동전, ④ 고무줄, ⑤ 검체용기, ⑥ 동공계, ⑦ 자, ⑧ 마킹펜, ⑨ 일회용 장갑, ⑩ 설압자, ⑪ 윤활제, ⑫ 손가락장갑, ⑬ 소독솜, ⑭ 이경, ⑮ 검안경, ⑯ 연필, ⑰ 룰렛 지각계, ⑱ 노기스, ⑲ 음차, ⑳ 타진용 해머, ㉑ 타진용 해머, ㉒ 각도계, ㉓ 청진기

그림 8-1 신체검진에 사용하는 주요 진찰도구

(2) 대상자 배려

① 검진항목의 설명과 동의

대상자에게 신체검진 시행항목의 목적, 방법, 소요시간 등을 설명하여 동의를 구하고, 설명하면서 대상자의 긴장감과 불안감이 경감하고 있는지를 동시에 파악한다. 또 대상자의 부담을 최소화하기 위해 적절한 자세와 체위를 취할 필요가 있다는 점, 검진에서는 수건 등을 사용하여 신체의 노출이나 보온에 유의해서 시행한다는 점을 설명한다.

② 적절한 의사소통

대상자의 표정이나 행동을 파악하면서 대상자가 긴장을 풀고 안심할 수 있도록 말을 걸어 대상자가 다음 동작을 원활하게 할 수 있도록 진행한다.

(3) 간호사 준비

① 검진항목의 진행방법 결정

검진의 필요성을 확인한 단계에서 검진항목의 기본적 지식과 정확한 술기를 확인한다. 대상자의 전신 상태에 맞추어 부담을 고려하여 검진항목의 우선순위와 진행방법을 결정한다.

② 손씻기와 손 보온에 유의

감염 예방을 위해 손씻기를 하고 필요에 따라 앞치마, 마스크, 장갑을 착용한다. 또 타진이나 촉진에서 대상자의 피부에 직접 접촉할 때 간호사의 손이나 청진기 등이 차갑지 않도록 보온에 유의한다.

2) 시진

신체소견을 의료전문가의 눈으로 관찰하여 파악하는 가장 기본적인 기법이며, 간호사의 눈으로 신체 각 부위의 특징이나 비정상 소견 유무를 확인하여 간호의 방향성을 판단한다. 필요한 자료를 얻기 위해서는 관찰 시점을 명확히 하여 순서를 정리해둘 필요가 있다. 또 시진은 촉진이나 타진, 청진과 함께 진행하는 경우가 많다.

(1) 필요물품

- 마찰식 알코올 손 소독제(alcohol hand sanitizers; 환자와 직접 접촉하기 전후에 사용)
- **측정용** : 줄자(tape measure), 노기스, 자
- **확대시용** : 루페(lupe), 확대경(magnifying glass)
- **시야 확보** : 설압자(tongue depressor), 펜라이트(penlight), 머리반사경(head mirror), 비경(nasal speculum), 이경(ear speculum)
- 곡반(puspan)

(2) 시진방법

① 대상자 입실 시부터 체격, 체형·영양, 보행·자세, 말투 등에서 전신 상태 파악

- **체격** : 크레치머(Kretschmer) 분류 – 세장형(가늘고 긴 형태), 투사형(근육과 골격이 발달한 형태), 비만형
- **체형 · 영양** : 마른형, 중간형, 비만형

비만도(body mass index, BMI) 산출

- 표준체중 : (키 m)^2 × 22
- 비만도 : (몸무게 kg) ÷ (키 m)^2

BMI 판정기준

BMI	판정
< 18.5	야윔
18.5≦~<25	**정상**
25≦~<30	비만 1도
30≦~<35	비만 2도
35≦~<40	비만 3도
40≦	비만 4도

- **보행** : 보행 시의 안정성, 보폭, 속도 등을 관찰한다. 병적 보행으로 많은 에너지를 소비하는 보행을 파행(절뚝거림, claudication)이라고 한다.

병적 보행의 종류

종류	특징		주요 장애와 질환
마비성 보행	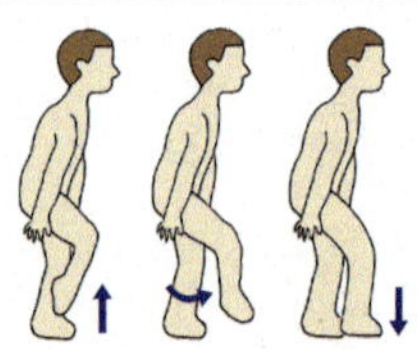	발끝이 먼저 착지하는 학 모양의 보행	소아마비 등의 말초신경장애
경성 보행	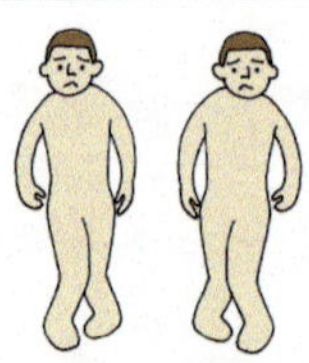	거위보행, 가위보행	뇌성마비나 뇌혈관장애 등의 중추신경장애
실조성 보행	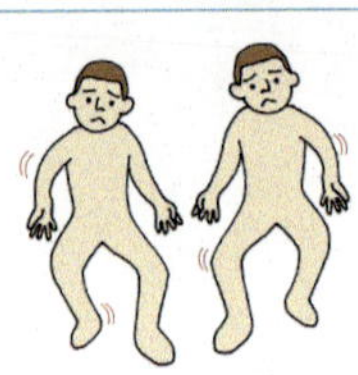	발 붙여 걷기, 비틀거리는 보행	소뇌질환, 척수성 질환

종류		특징	주요 장애와 질환
트렌델렌버그 보행	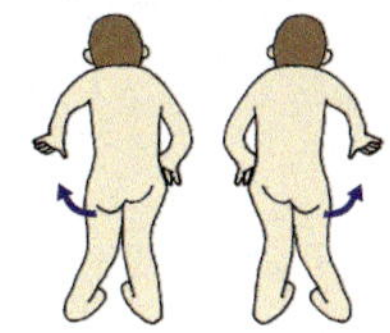	다리 길이에 차이가 있어서 짧은 쪽 다리를 앞으로 내디딜 때마다 같은 쪽 어깨가 내려가는 보행	선천성 고관절탈구
간헐성 보행	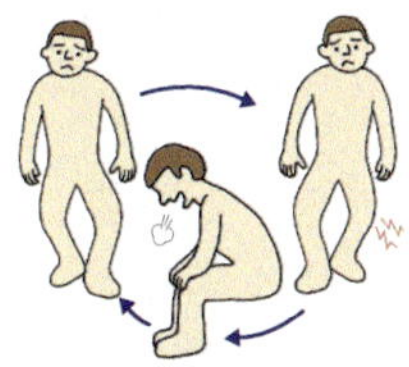	보행하면 통증이 생겨서 보행을 회피하는 보행, 회피보행	좌골신경통, 하지의 통증성 질환

※ 그 밖에도 뇌혈관장애의 편마비에서 관찰되는 원호보행(환측 하지가 신전되기 때문에 환측 하지의 고관절이 밖으로 원을 그리는 듯한 보행), 추체외로장애의 파킨슨병에서 관찰되는 돌진보행(전경자세를 취하며 보폭이 좁고 걷기 시작하면 앞으로 돌진하는 듯한 보행)이 있다.

- **자세** : 척추의 병적 만곡(전만 : 요배, 후만 : 원배, 측만 등, 자세한 내용은 p.235를 참조), 선 자세 시의 안정성(전후 좌우의 기울기), 전경자세 등을 관찰한다.
- **말투** : 질문에 대한 대답, 상대방의 눈을 보고 말하기 등을 통해 지적 수준과 대인관계를 어떻게 취하는지 등을 관찰한다.

② 문진을 하면서 얼굴모습, 체표면의 피부·점막의 색조나 탄력성, 냄새 등을 파악 (그림 8-2)

- **얼굴모습** : 얼굴의 마비나 부종, 마음에 걸리는 표정을 관찰한다.

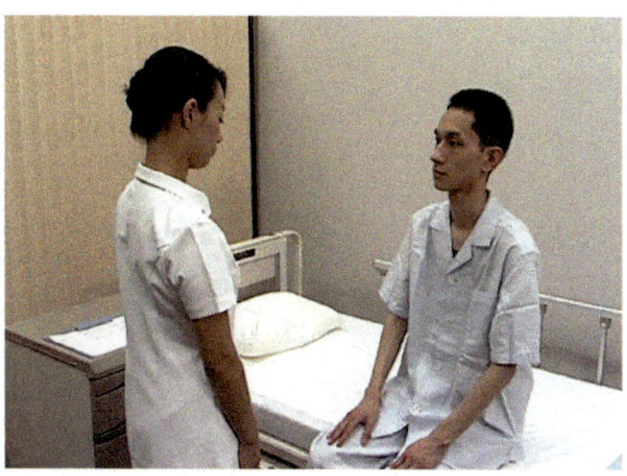

그림 8-2 시진의 예

특징적인 얼굴

종류	특징	주요 질환
고심하는 얼굴	통증 등의 고통이 심해 얼굴을 찌푸리는 표정을 하고 있다.	심근경색, 급성 복막염 등의 급성 질환
무관심한 얼굴	주위에 무관심하고 활기가 없는 표정을 하고 있다.	패혈증, 고열이 나는 질환
가면얼굴	가면처럼 표정이 결핍되고 눈 깜박임이 감소한다.	파킨슨병, 파킨슨증후군
달덩이얼굴	얼굴이 둥글고 볼이 붉으며 솜털이 짙고 털이 많다.	쿠싱증후군
부종얼굴	얼굴 전체가 창백하고 부어 있으며 안검열(눈꺼풀틈새)이 좁다.	갑상선기능저하증, 신증후군
편마비얼굴	얼굴 절반이 마비되어 있어서 안검하수, 구각하수가 관찰된다.	뇌혈관장애

- **피부 · 점막의 색조** : 외부로 노출되어 있는 피부와 점막을 중심으로 관찰한다.

주요 피부 · 점막의 색조와 질환

색조	주요 질환
안구결막이나 피부의 황달	간 · 담낭 · 담관 및 췌장 질환
안검결막이나 안색 창백	패혈증
구순, 구순 주위, 손발톱의 청색증	중증 호흡부전, 선천성 심장질환, 헤모글로빈 이상
선홍색 피부	일산화중독
갈색 피부	애디슨병
피부의 반점	타박상, 혈소판 저하, 자반병

- **냄새** : 체취나 구취, 소변 · 대변, 상처 냄새, 약품 냄새 등 보통과 다른 냄새를 감지한다.

주요 냄새와 질환

냄새	주요 질환
메틸메르캅탄 냄새	간부전
아세톤 냄새	당뇨병
페닐아세트산 냄새	페닐케톤뇨증
알코올 냄새	급성 알코올중독, 알코올의존증
가래 냄새	감염
구토물의 변 냄새	장폐색

③ **구강, 치아, 혀, 인두, 편도, 비강, 외비도, 눈의 상태를 펜라이트나 설압자, 액대경을 사용하여 파악**
(구강 · 인두 등에 대해서는 p.147, 201, 감각기에 대해서는 p.140~148을 참조)

(3) 기록

- 신체검진 기록 용지에 기록한다.
- 비정상 소견이 있는 경우에는 부위, 크기, 상태, 좌우차 등 기준에서 어떠한 문제가 있는지를 기록한다.
- 시간에 따른 변화도 기록한다.

3) 촉진

손으로 신체를 만져 신체소견을 파악하는 술기이며, 만진 것이 본래 인체에 있는 것(장기, 혈관, 뼈, 근육 등)인지, 아니면 다른 것(종양, 종괴, 체액저류 등)인지를 판별하여 장기의 비대나 위축을 파악한다.

촉진은 체표면 촉진과 내장 촉진으로 크게 나뉜다.

- **체표면 촉진** : 시진을 통해 발견한 비정상 소견을 확인하기 위해 시행하며 크기, 형태와 성질, 경도, 가동성 등을 파악한다. 또 온도각(온각, 냉각)도 파악한다.
- **내장 촉진** : 주로 복부내장을 파악한다. 간, 비장, 담낭은 비교적 표면 가까이에서 만져지기 때문에 가볍게 촉진한다(**표면 촉진**). 위, 결장, 췌장, 신장, 방광 등은 복부 깊은 곳에 있기 때문에 압박을 가해 촉진한다(**심부 촉진**). 심부 촉진은 장기를 아프게 하는 경우가 있으므로 반드시 필요할 때만 시행한다.

(1) 필요물품

- 마찰식 알코올 손 소독제(alcohol hand sanitizers)
- **구강, 외부생식기 진찰, 삼출액이 있는 상처부위** : 일회용 장갑, 마스크, 앞치마
- **항문** : 일회용 장갑과 손가락장갑, 윤활제, 마스크, 앞치마
- 상처의 상태에 따라 세정제, 소독제, 붕대재료, 소독기재 세트
- 곡반(puspan)

(2) (복부) 촉진방법 (그림 8-3)

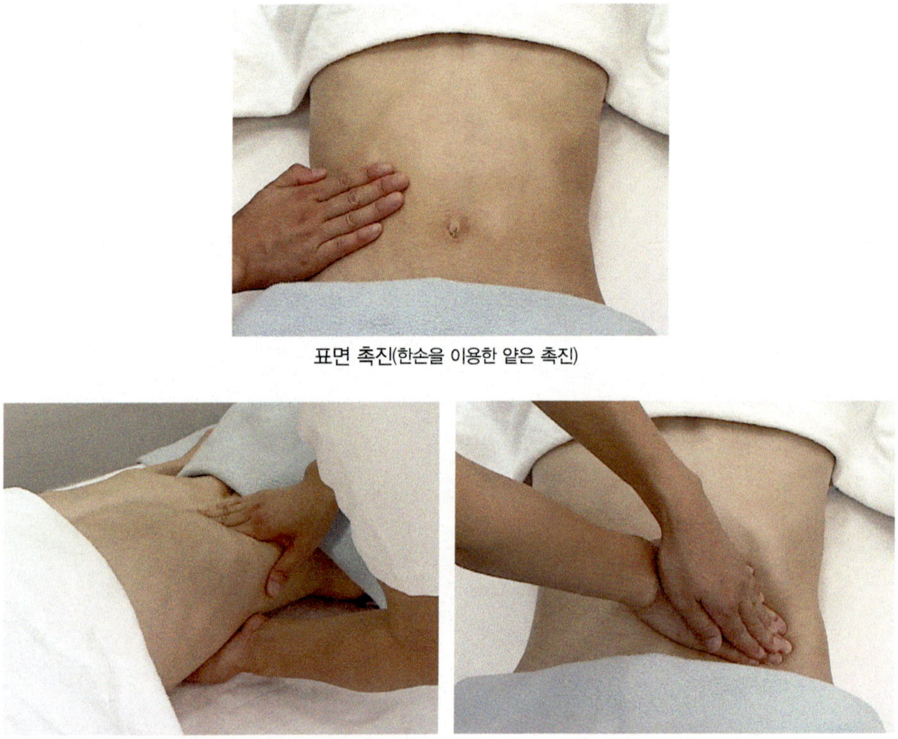

표면 촉진(한손을 이용한 얕은 촉진)

심부 촉진(양손 사이에 끼우는 촉진)

심부 촉진(양손을 겹치는 촉진)

그림 8-3 촉진의 3가지 방법

① 복부 체표면 진찰

- 손 소독 후 대상자의 복부를 노출시킨다.
- 간호사의 손바닥을 비벼 따뜻하게 데운다.
- 복부의 체표면을 한손을 이용하여 가볍게 촉진한다(표면 촉진).
- 오른손(주로 쓰는 손) 검지에서 약지 바닥으로 복부 전체를 가볍게 압박하면서 차츰 옆으로 이동하며 병변 가장자리나 내장 가장자리를 탐색하고, 가장자리를 확인했다면 그 부분을 가볍게 쓰다듬어 크기, 형태, 경도를 파악한다. 또 심호흡을 시키고 손으로 가볍게 압박해서 가동성을 확인한다.

② 복부 내장 진찰

- 얕은 부분에 있는 내장 촉진(표면 촉진)을 종료한 후 손가락 또는 손바닥으로 세게 압박하면서 촉진한다(심부 촉진).
- 심부 촉진은 양손으로 하는 경우가 많으며, 양손 사이에 끼우는 방법과 양손을 겹치는 방법이 있다.

- 체위를 바꾸어 비장은 오른쪽 누운 자세에서 촉진하며, 신장이나 간은 선 자세에서 촉진하면 파악하기 쉽다.
- 압통이나 비정상 소견이 있는 경우에는 맨 마지막에 진찰함으로써 정상부위에 영향을 미치지 않도록 한다.
- 자세하게 소견을 관찰할 때는 가장 민감한 손끝 바닥을 이용한다. 또 손등은 온도를 확인하는 경우에 사용한다.
- 촉진 종료 후 대상자의 옷을 단정하게 정리하고 손 소독을 한다.

③ 시진이나 문진에서 구강, 피부·점막, 외부생식기, 항문 등에 비정상 소견이나 장애가 있는 경우에는 촉진을 더 진행 (구강, 피부 · 점막에 대해서는 p.125, 201, 외부생식기, 항문에 대해서는 p.215, 284, 285를 참조, 이 항목에서는 삼출액이 있는 상처부위의 촉진에 대해 설명)

- 손 소독 후 앞치마, 마스크, 일회용 장갑을 착용한다.
- 거즈를 벗기고 상처부위의 크기 · 깊이 · 색, 삼출액의 양 · 색 · 냄새 등을 시진으로 확인한 후 상처부위를 가볍게 압박해서 경도, 종창, 열감, 통증 유무를 확인한다.
- 삼출액의 양과 감염 징후(발적, 종창, 발열, 통증) 여부에 맞게 소독 방법과 붕대 재료를 선택한다.
- 오염된 장갑을 벗고 손 소독 후 새로운 장갑으로 갈아 끼고 세척(소독)하고 거즈를 교환한다.
- 장갑을 벗고 손 소독을 한 후 대상자의 옷을 단정하게 정리한다.
- 앞치마, 마스크를 벗고 손 소독을 한다.

(3) 기록

- 신체검진 기록 용지에 기록한다.
- 비정상 소견이 있는 경우에는 부위, 크기, 상태, 가동성, 경도, 온도각(온각, 냉각), 통증 유무 등 기준에서 어떠한 문제가 있는지를 기록한다.
- 상처부위의 경우에는 상처의 크기 · 깊이 · 색, 삼출액의 양 · 색 · 냄새, 감염 징후 여부를 기록한다.

4) 타진

손가락이나 도구로 신체를 가볍게 두드려 소리(청음, 고창음, 둔탁음)나 진동의 울림을 통해 신체 내부의 상태를 파악하는 기법이다.

직접 손가락이나 기구로 신체를 가볍게 두드리는 **직접 타진법**과 손가락이나 기구와 대상자의 체표면 사이에 무언가를 통하는 **간접 타진법**이 있다. 보통은 후자가 이용된다.

(1) 필요물품

- 마찰식 알코올 손 소독제(alcohol hand sanitizers)
- 타진용 해머(hammer)
- 소독솜(alcohol sponge)
- 곡반(puspan)

(2) 타진방법 (그림 8-4)

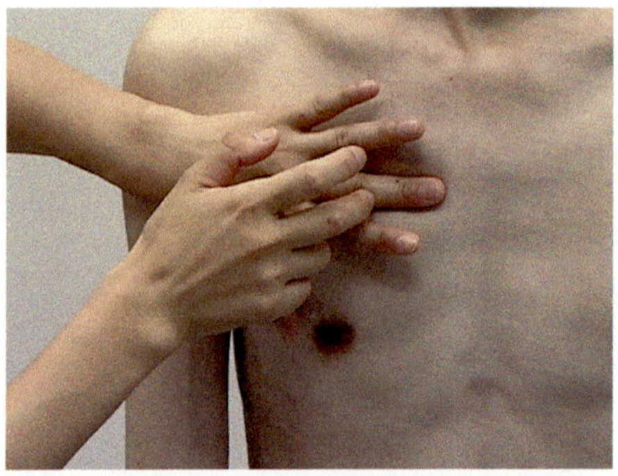

오른손 중지 끝으로 왼손 중지의 중절골(제1관절과 제2관절 사이)을 가볍게 두드린다.

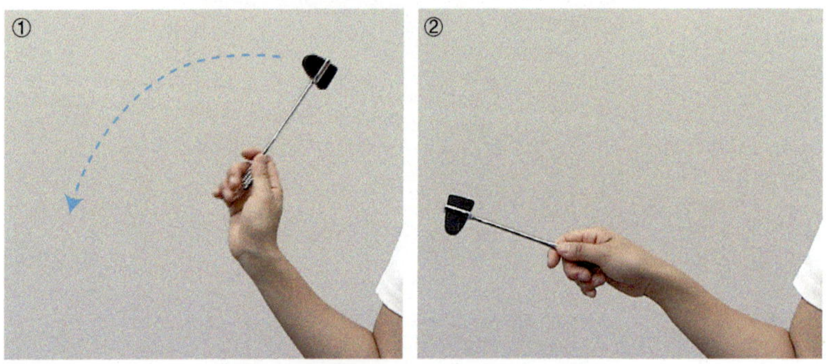

타진용 해머 사용법 : 손목의 스냅을 이용한다.

그림 8-4 타진방법

- 손 소독 후 대상자의 흉복부를 노출시킨다.
- 간호사의 손바닥을 서로 비벼 따뜻하게 데운다.
- 손가락을 사용한 타진은 왼손(잘 쓰지 않는 손) 중지의 중절골(제1관절과 제2관절 사이)을 편 후 오른손 중지 끝으로 가볍게 두드려서 진행한다. 이때 왼손의 중지는 목적 부위에 약간 강하게 대고 다른 4개의 손가락은 체표면에서 떨어뜨리며, 오른손의 중지 끝으로 1~2번 두드린 후 체표면에서 신속하게 떨어뜨려 소리나 진동을 확인한다.
- 타진음은 크게 '청음', '고창음', '둔탁음'으로 나뉘며 공기를 함유할수록 소리는 커진다.

타진음의 종류

종류	특징
청음(resonance)	폐 영역에서 들린다.
고창음(tympany)	공기를 함유한 위와 결장에서 들린다. 고창음에는 소리의 질(진동수)에 높낮이가 있으며 공기를 많이 함유하는 위 부분의 소리는 낮고(진동수가 낮음), 반대로 공기가 적은 결장 부분의 소리는 높다(진동수가 높음).
둔탁음(dullness)	'절대적 둔탁음'과 중간적인 '비교적 둔탁음'으로 나뉘며, 절대적 둔탁음은 공기를 전혀 함유하지 않는 대퇴골 위에서 들린다. 비교적 둔탁음은 심장, 간 등 내장장기에서 들린다.

- 폐의 상태에 따라 소리의 지속 정도가 달라지며 폐기종에서는 '장음', 폐부종에서는 '단음'이 된다.
- 정확하게 타진함으로써 다음 소견을 판단할 수 있다.

타진 소견

경계 파악	소리	구체적 부위
체내에 있는 공기	청음, 고창음	폐, 위 · 결장
내장과 공기의 경계	비교적 둔탁음과 청음 · 고창음	심장과 폐, 횡격막과 폐, 간과 결장의 인접 부위
공기와 비정상적인 액체의 경계	고창음과 절대적 둔탁음	흉수나 복수 저류 부위
가스의 이상저류	과공명음 공명음(청음) 항진	폐기종, 기관지천식의 폐 과팽창 기흉, 장폐색, 공기연하증 등 장내가스의 비정상적 저류

- 타진용 해머를 사용하는 타진은 반사 검사(p.266)를 참조하기 바란다.
- 대상자의 옷을 단정하게 정리해주고 손 소독을 한다.

(3) 기록

- 신체검진 기록 용지에 기록한다.
- 부위, 위치, 소리의 종류 등을 기록하고 비정상 소견이 있는 경우에는 어떠한 문제가 있는지를 기록한다.

5) 청진

청진기를 사용해서 체내에서 발생하는 혈류(심음), 기류(호흡음), 연동(장음)을 청취하고 정상음인지, 비정상음인지를 판단하여 신체소견을 파악하는 기법이다.

(1) 필요물품

- 마찰식 알코올 손 소독제(alcohol hand sanitizers)
- 청진기(stethoscope) (그림 8-5)
- 소독솜(alcohol sponge)
- 곡반(puspan)

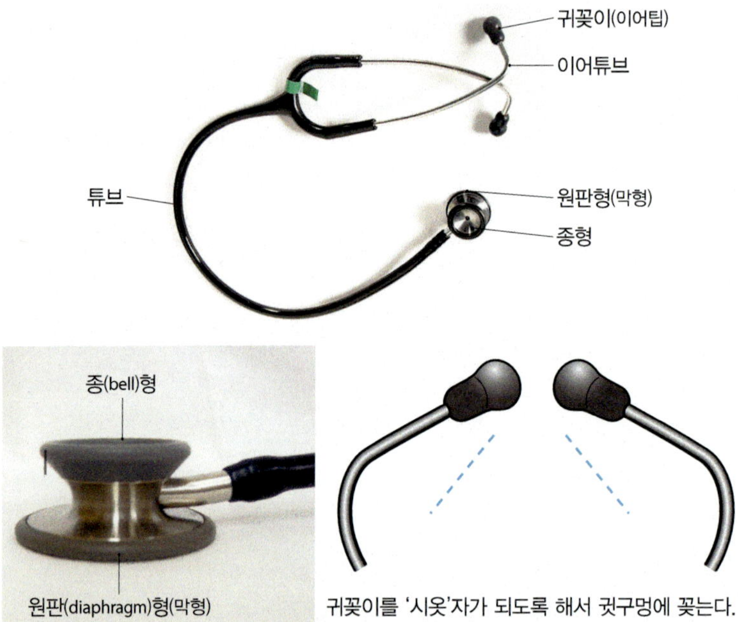

그림 8-5 청진기의 구성

(2) 청진방법

- 사전에 심음, 호흡음, 장음의 정상음과 비정상음을 확인해둔다.
- 손 소독을 하고 대상자의 흉부 또는 복부를 노출시킨다.
- 청진기는 접촉부위를 따뜻하게 데운 다음 대상자에게 갖다 댄다.
- 호흡음과 장음은 높은 음이기 때문에 청진기의 원판(diaphragm)형(막형)으로 듣지만, 심음이나 복부 혈류음(비정상적인 경우에 들림) 등의 낮은 음인 경우에는 종(bell)형으로 바꾸어 듣는다.

원판형(막형)과 종형의 차이

	원판형(막형)	종형
특징	고음 성분의 청취에 적합하다.	모든 성분을 청취할 수 있지만, 특히 저음 성분을 청취할 때 사용한다.
방법	원판형은 청진기 가장자리의 자국이 피부에 약간 남을 정도로 압박하여 막과 피부 사이에서 스치는 소리가 나지 않도록 한다.	종형을 세게 누르면 피부가 막 작용을 하게 되어 저음성분이 약해지기 때문에 원판형보다 피부에 부드럽게 밀착시킨다.

- 심음이나 호흡음은 늑간에 청진기를 대고 듣는다.
- 제시된 부위의 소리를 들으려면 신속하게 늑간이나 늑골을 세어 적절한 부위에 청진기를 갖다 댈 필요가 있으므로 평소 흉부 청진을 할 수 있도록 연습해둔다.
- 장음은 복부를 4분할(경우에 따라서는 9분할) 하여 결장의 연동음을 듣는다.

(3) 기록

- 신체검진 기록 용지에 기록한다.
- 부위, 위치, 소리의 종류 등을 기록하고 비정상 소견이 있는 경우에는 어떠한 문제가 있는지를 기록한다.

2. 활력징후의 측정과 사정

활력징후(vital sign, V/S)는 생명징후라고도 불리며 인간이 생명활동을 영위하고 있음을 나타내는 지표이다. 임상적으로는 인간의 생사와 밀접하게 관계가 있는 '체온', '맥박', '혈압', '호흡', '의식'을 가리킨다.

이들 활력징후는 생명체의 물질대사에 관여하고 있으며 각각 어떠한 기능을 하는지 전체를 파악해서 정확하게 측정하여 사정할 필요가 있다.

- **체온**(body temperature) : 물질대사의 결과로 생기며 평상시 체온에서 효소가 가장 활발하게 기능을 하면서 물질대사가 원활하게 이루어진다.
- **맥박 · 혈압**(pulse · blood pressure) : 혈액 순환에 관계하며 물질대사에 필요한 열, 영양소 · 산소를 조직으로 운반하고 물질대사의 결과 생긴 노폐물 · 이산화탄소를 조직으로부터 받아들여 배설기관(장, 신장, 폐)으로 운반한다.

- **호흡**(respiration) : 물질대사에 필요한 산소를 외부로부터 폐로 받아들이고 순환시킨 다음 물질대사의 결과 생긴 이산화탄소를 폐로부터 배출한다.
- **의식**(consciousness) : 뇌조직에 필요한 영양소와 산소의 공급, 물질대사의 결과 생긴 노폐물이 배설되어 정상적인 뇌 · 신경계 활동이 유지된다. 뇌에는 각 신체기능의 중추가 있으며 인간 행동의 지표계통으로서 기능한다.

그 밖에도 물질대사에 관여하는 지표에는 다음과 같은 것이 있다.

- **식사** : 물질대사에 필요한 6대 영양소를 섭취한다. 비타민은 물질대사를 원활하게 하는 것으로, 체내에서 합성할 수 없기 때문에 외부로부터 흡수할 필요가 있다. 또 신체의 60%는 수분으로 구성되며 대사산물은 수분에 녹아 소변 중으로 배설되기 때문에 수분 흡수 · 배출의 균형 유지는 물질대사에 중요하다.
- **배설** : 물질대사의 결과 생긴 노폐물을 신장(소변), 장(대변), 폐(이산화탄소)를 통해 배설한다. 대사산물을 배설하기 위해 필요한 소변으로서 최저 500mL가 필요하다.
- **활동** : 3대 영양소의 물질대사 결과 생긴 에너지를 바탕으로 여러 활동을 한다.
- **휴식(수면)** : 물질대사의 결과 생긴 노폐물의 처리, 에너지 축적, 성장호르몬이나 회복호르몬의 분비를 촉진한다.

1) 체온 측정

(1) 목적

신체의 심부체온을 전자체온계[1]를 사용해서 간접적으로 측정하여 물질대사가 원활하게 이루어지고 있는지를 추정한다. 체온 변화를 관찰함으로써 질병의 진단, 치료 효과, 예후 판정에 도움이 된다.

(2) 방법

전자체온계를 사용하여 액와(구강, 직장)온도를 측정한다. **액와 < 구강 < 직장** 순으로 심부체온에 가까운데, 흔히 액와온도법으로 많이 측정한다.

1) 수은체온계는 파손되기 쉽고 유독물질인 수은에 닿을 위험성이 높아서 사용하지 않는다.

체온 측정법의 종류

	액와(axillary)	구강(oral)	직장(rectal)
체온계 접촉법	체간 45° 아래에서 액와동맥(겨드랑동맥)을 향해 센서를 삽입해서 겨드랑이를 붙인다.	비스듬하게 위에서 설소대 옆에 센서를 대고 입술로 체온계를 문다.	왼쪽으로 누운 자세에서 센서에 윤활제를 바르고 소아는 3~4cm, 성인은 4~5cm를 삽입한다.
측정시간	10분	5분	3분
주의사항		의식이 없는 대상자에게는 금기	항문질환이 있는 대상자에게는 금기. 삽입 깊이는 항문관의 길이를 기준으로 한다.

※ 체온계는 부위별 전용 체온계를 사용한다.

(3) 사정

① 체온

39℃ 이상	고열
38~38.9℃	중등도열
37~37.9℃	미열
36~36.9℃	**평열**
35~36℃	(저체온)*
35℃ 이하	저체온

* 체온은 개인차가 있으며 35℃대인 사람도 있다.

② 열형의 종류

	계류열(continued fever)	이장열(remittent fever)	간헐열(intermittent fever)
열 변화의 특징	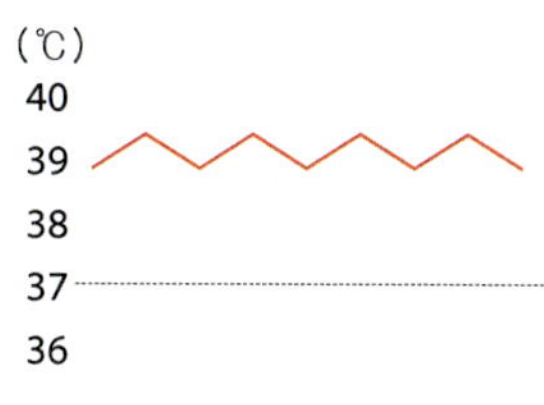		
정의	하루 차이가 1℃ 이내의 고열이 계속된다.	하루 차이가 1℃ 이내이며, 낮아져도 37℃ 이하로 내려가지 않는다.	하루 차이가 1℃ 이상이며 평열로 돌아왔다가(또는 평열이 계속) 다시 발열이 있다.
주요 질환	폐렴, 수막염, 장티푸스	패혈증, 진행성 암(악성종양) 말기, 감염병	말라리아

2) 맥박 측정

심장이 수축함으로써 혈관의 주기적 확장이 일어나고 혈관벽에 물결 모양으로 전달되어 말초동맥에 도달한다. 심장의 수축기와 일치하여 주기적인 혈관의 확장이 일어난다. 이것을 **맥파**(pulse wave)라고 하는데, 맥파는 눈으로 보거나 손으로 만질 수 있다. 맥파는 체표면 가까운 곳에 있는 동맥에서 **맥박**(pulse)으로 느낄 수 있다(그림 8–6).

보통은 '맥박수 = 심박수'이지만, 부정맥이 있으면 맥박수와 심박수가 일치하지 않는 경우도 있으므로 이때는 맥박수와 심박수를 모두 측정하도록 한다.

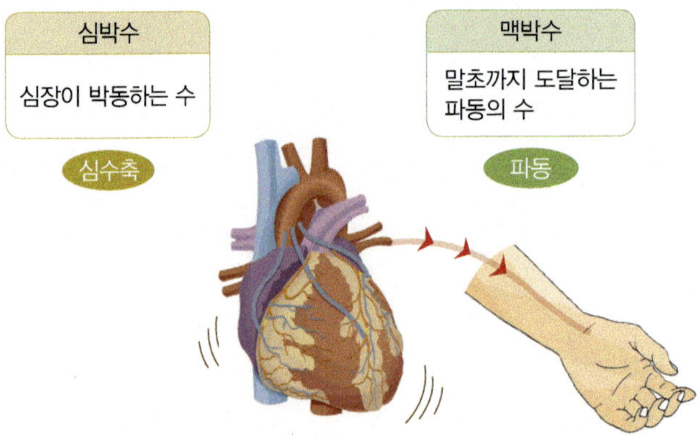

그림 8–6 맥박의 원리

(1) 목적

심장이나 혈관의 상태와 순환을 파악한다.

(2) 방법

- 일반적으로는 요골동맥(radial artery)에서 측정한다.
- 요골동맥과 평행하게 측정자의 세 손가락(검지, 중지, 약지) 바닥을 **약간 세우듯이** 살짝 갖다 댄다(그림 8–7). 맨 처음에는 균등하게 힘을 주어 수와 리듬이 규칙적인지, 불규칙적인지를 측정한다.
- 다음으로 심장쪽 두 손가락으로 요골동맥에 압력을 가해 말초쪽 손가락으로 박동이 전달되는지의 여부로 맥박의 대소, 탄력성을 파악한다.
- 1분간 측정해서 맥박수, 리듬, 맥박의 크기, 긴장도 등을 관찰한다.
- 좌우와 상하에서 차이는 없는지 양쪽 팔다리를 모두 측정한다.

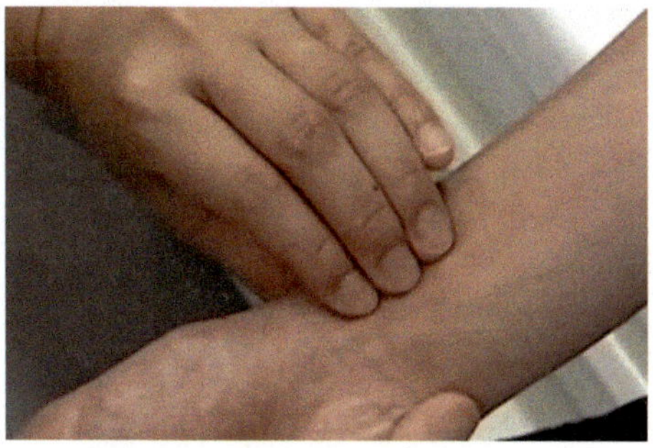

그림 8-7 맥박 측정(요골동맥의 예)

(3) 사정

① 맥박수

50회/분 이하	서맥
60~80회/분	**기준치**
100회/분 이상	빈맥

② 리듬

리듬	
정맥(regular pulse)	맥박이 규칙적인 리듬으로 만져진다.
부정맥(arrhythmia)*	맥박의 리듬이 어떠한 원인으로 흐트러져 있다.
부정맥의 종류	
기외수축(extrasystole)	맥박 1개가 건너뛰거나 불규칙해진다. 일과성인 경우에는 걱정할 필요가 없다.
발작성 상실성 빈맥 (paroxysmal supraventricular tachycardia, PSVT)	갑자기 맥박이 빨라지거나(100~200회/분) 답답함이나 두근거림 등의 불쾌한 증상을 호소한다.
심방세동(atrial fibrillation, AF)	맥박이 불규칙하고 심박출량이 충분하지 않기 때문에 두근거림이나 숨가쁨을 호소한다. 비효율적인 심박동을 반복하기 때문에 혈전이나 심부전에 빠지기 쉬우며, 맥박수와 함께 심박수도 측정하여 차이가 있는지 관찰하고 심전도로 확인할 필요가 있다.
심실빈맥(ventricular tachycardia, VT) **심실세동**(ventricular fibrillation, VF)	심장에서 혈액이 거의 박출되지 않는 위험한 부정맥이다. 한시를 다투는 위험한 상태로 전기쇼크 등의 응급처치가 필요하다.
동부전증후군(sinus node dysfuncion, SNND) **방실차단**(atrioventricular block, AV block)	맥박이 느려지는 부정맥이다. 맥박이 40회/분 이하로 상당히 느리고 수초간 멈추기도 한다. 심박출량이 적기 때문에 실신발작을 일으켜 쓰러진다. 심장박동기 적용 대상이다.

* 부정맥이 있는 경우 심박수도 측정하고 심전도를 관찰한다.

③ 맥박의 성질

크기	
대맥	심장에서의 1회 박출량이 많고 큰 박동이 만져진다. [고혈압]
소맥	심장에서의 1회 박출량이 적고 작은 박동이 만져진다. [심장쇠약, 쇼크 시]
경도(긴장도)	
경맥	단단한 느낌의 긴장된 맥이 만져진다. [고혈압, 동맥경화]
연맥	부드러운 느낌의 맥이 만져진다. [저혈압, 빈혈, 심장쇠약]

3) 호흡 측정

(1) 목적

조직의 가스교환이 원활하게 이루어지고 있는지를 외호흡으로부터 측정한다.

(2) 방법

호흡을 측정하고 있다는 사실을 의식하지 못하게 하여 1분간 호흡수, 호흡형, 깊이를 측정한다.

(3) 사정

① 호흡수

12회/분 이하	서호흡
16~20회/분	**기준치**
24회/분 이상	빈호흡

② 호흡의 성질

호흡형	
흉복식호흡 (costo-abdominal respiration)	정상으로 가장 일반적이다. 깊게 숨을 들이마실 때 흉식과 복식을 함께 하는 호흡을 말한다.
흉식호흡(costal respiration)	정상, 흉곽(외늑간근) 운동에 따른다. 숨을 들이마실 때 가슴이 부풀고 어깨가 올라간다. 여성에게 많다.
복식호흡(abdominal respiration)	정상, 횡격막 운동에 따른다. 숨을 들이마실 때 복부가 부푼다. 남성, 소아, 고령자에게 많다.
깊이	
호흡의 형태와도 관련이 있는데, 흉복식호흡 > 복식호흡 > 흉식호흡 순으로 깊고, 흉식호흡은 얕은 호흡이 되기 쉽다.	

③ 비정상호흡의 분류

	호흡수	깊이	호흡형	주요 원인
빈호흡(tachypnea)	24회 이상	변화 없음		발열, 폐렴
서호흡(bradypnea)	12회 이하	변화 없음		수면 중, 뇌압항진
과호흡(hyperpnea)	변화 없음	증가		과환기증후군
감호흡	변화 없음	감소		호흡근마비, 마취 · 수면제에 의한 호흡억제
다호흡	증가	증가		과환기증후군, 폐혈전색전증, 인플루엔자, 고열 시
소호흡	감소	감소		임종 시
무호흡(apnea)	0	0		임종 시, 수면무호흡증후군
체인스톡스호흡 (Cheyne–Stokes respiraion)	부정기적	깊고 얕음을 반복		뇌출혈 · 뇌경색(대뇌, 간뇌 수준), 임종 시
비오호흡 (Biot's respiration)	일정하지 않음	일정하지 않음		뇌경색, 뇌외상, 수막염
쿠스마울호흡 (Kussmaul respiration)	다양 (규칙적)	증가 (비정상적으로 깊음)	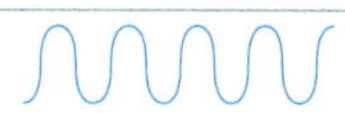	당뇨병, 요독증

4) 혈압 측정

(1) 목적

좌심실이 박동할 때마다 혈액을 대동맥으로 내보내기 위한 압력(관류압)을 혈압(blood pressure)이라고 한다. 혈압은 심박출량과 말초혈관저항의 합으로 나타내기 때문에 혈압을 측정하면 심장의 펌프기능과 혈관의 탄력성을 파악할 수 있다. 또 수축기혈압과 확장기혈압의 차인 맥압(pulse pressure)을 통해 심장기능의 상태를 추측할 수 있다.

(2) 방법

우선 전자혈압계 또는 무수은혈압계를 사용해서 상완동맥(위팔동맥, brachial artery)에서 측정한다. 전자혈압계는 수축기혈압과 확장기혈압이 동시에 표시된다. 무수은혈압계는 촉진법과 청진법의 두 방법으로 측정할 수 있다(그림 8-8).

- 처음 혈압측정을 하는 대상자의 경우에는 먼저 **촉진법**으로 측정한다. 요골동맥의 맥박이 만져지지 않게 되는 지점에서 20~30mmHg 커프압을 더 높게 올려 1심박 2~4mmHg의 속도로 하강시킨다.

이때 맨 처음 맥박이 잡힌 지점이 **수축기혈압**(systolic blood pressure)이며, 이 지점의 눈금을 읽는다. 촉진법으로는 수축기혈압만 측정할 수 있다.

- **청진법**의 경우에는 팔오금부위의 상완동맥에 청진기를 대고 촉진법에서 측정한 값보다 20~30mmHg 커프압을 높게 올려 1심박 2~4mmHg의 속도로 하강시킨다. 이때 맨 처음 박동소리가 들린 지점이 수축기혈압이이며, 이 지점의 눈금을 읽는다. 그대로 계속해서 천천히 하강시켜 박동음이 아예 들리지 않게 된 지점이 **확장기혈압**(이완기혈압, diastolic blood pressure)이며, 이 지점의 눈금을 읽는다.
- 혈압은 운동, 식사, 정신적 긴장 등에 따라 변동하므로 변동이 있는 경우에는 심호흡을 10회 정도 시켜서 이완시킨 다음 측정한다.
- 혈압은 좌우와 상하의 차이가 있으므로 특히 순환기 질환이 있는 대상자의 경우에는 양쪽을 모두 측정한다.

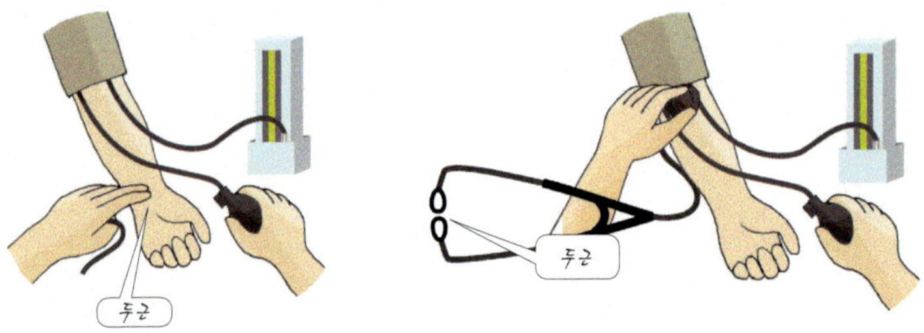

촉진법
수축기혈압(기준)을 측정한다.

청진법
수축기혈압과 확장기혈압을 측정한다.

그림 8-8 촉진법과 청진법

(3) 사정

① 성인의 혈압 분류(mmHg)

		수축기혈압		확장기혈압
정상혈압*		<120	그리고	<80
주의혈압		120~129	또는	80~84
고혈압전단계(prehypertension stage)		130~139	또는	85~89
고혈압(hypertension)	1기	140~159	또는	90~99
	2기	≧160	또는	≧100
수축기단독고혈압		≧140	그리고	<90

* 심뇌혈관질환의 발병 위험이 가장 낮은 최적 혈압

[2018년 고혈압 진료지침]

- 또한, 임상적으로는 수축기혈압이 100mmHg 이하를 저혈압, 80mmHg 이하를 쇼크 상태로 간주하므로 대상자의 평소 혈압에 유의한다.

② 맥압(pulse pressure)

정상맥압	신생아 20mmHg 전후, 성인 50mmHg 전후
맥압의 확대	대동맥판폐쇄부전증, 그레이브스병(확장기혈압 저하) 동맥경화증(수축기혈압 상승)
맥압의 축소	심부전, 임종 시(수축기혈압 저하)

5) 의식 측정

(1) 목적

자신과 주위의 일을 어느 정도 알고 있는지 그 수준을 판정하여 뇌간 망상활성화계의 기능(대뇌피질에 감각자극을 투사)과 대뇌피질의 활동수준을 측정한다.

(2) 방법

글래스고혼수척도(Glasgow Coma Scale, GCS)를 사용하여 측정한다. 글래스고혼수척도는 가장 일반적이고 보편적인 의식 사정도구로, 의식상태 및 전반적인 대상자 상태를 평가하기 위해 자극에 대한 행동반응을 기록한 것이다. 개안반응, 언어반응, 운동반응의 세 요소에서 얻은 합계 점수로 의식수준을 평가한다.

(3) 사정

- 점수가 낮을수록 의식상태가 나쁘다.

  예 통증자극에 반응(E2), 언어반응 없음(V1), 통증자극을 손으로 없애려고 함(M5)
  이 경우에는 E2, V1, M5로, 합계 15점 중 8점으로 표기한다.

글래스고혼수척도(GCS)

E 개안반응(eye opening response)	
4	자발적으로 눈을 뜸
3	부르면 눈을 뜸
2	통증자극에 눈을 뜸
1	눈을 뜨지 않음
V 언어반응(verbal response)	
5	지남력 있음
4	혼동된 말
3	부적당한 말
2	이해할 수 없는 말
1	없음
M 운동반응(motor response)	
6	명령에 따름
5	통증자극부위에 손발을 가져감
4	도피적으로 팔다리를 구부림
3	팔다리가 비정상적으로 구부러짐
2	팔다리가 펴짐
1	전혀 움직이지 않음

※ E, V, M의 점수를 합계하며 표준치는 15점, 깊은 혼수나 뇌사인 경우는 3점이다.

6) 활력징후의 기록 및 보고

- 보통은 T, P, R, BP, 의식 또는 의식, T, P, R, BP 순으로 자료를 정리한다.

  예 T 36.5℃(액와온도법), P 76회/분(부정맥 없음, 긴장 양호), R 16회/분(흉복식호흡, 리듬 일정), BP 124/80mmHg(좌측 상완, 주의혈압 범위), 대답도 분명히 잘 하며 의식은 명료함

학습과제

1. 신체검진의 4가지 방법에 대해 설명해보자.
2. 친구의 활력징후를 정확하게 측정하고 상태를 잘 파악할 수 있는 보고와 기록에 대해 생각해보자.

CHAPTER

09 피부계

학습목표

1. 피부계의 구조와 기능을 설명할 수 있다.
2. 대상자와의 면담을 통해 피부계와 관련된 주관적 자료를 사정한다.
3. 정확한 신체사정을 통하여 피부계의 정상과 비정상 소견을 구분하고 객관적 자료를 수집, 원인이나 관련 요인을 검토하여 간호중재에 활용한다.

1. 구조와 기능

피부계의 사정을 통해 욕창(p.121) 등 피부 병변의 조기발견이 가능하다. 또한, 피부와 피부부속기를 관찰하면 전신상태, 신체 내부의 질환에 대한 자료를 얻을 수 있다.

1) 구조 (그림 9-1)

신체를 덮는 피부(표피, 진피, 피하조직)와 피부부속기(한선, 피지선, 손발톱, 털)를 합쳐서 **피부계**(integumentary system)라고 한다.

(1) 피부

피부는 **표피**(epidermis)와 **진피**(dermis)로 구성되며, 진피 아래층에는 **피하조직**(피부밑조직, hypodermis)이 있다. 피하조직은 주로 피하지방으로 구성된다.

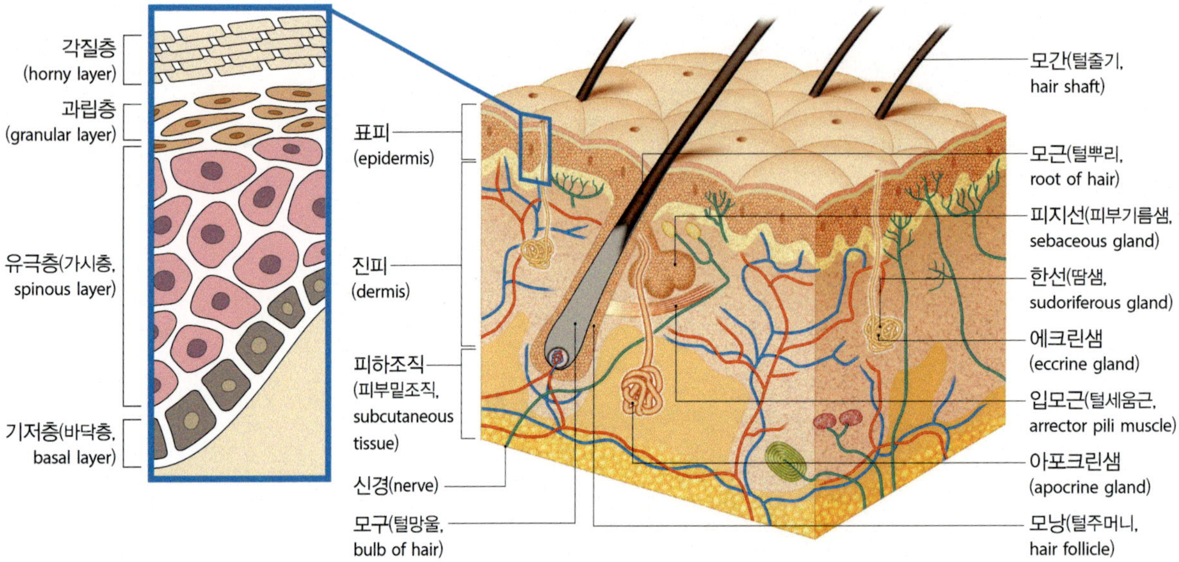

그림 9-1 피부의 단면도

① 표피(epidermis)

- 표피는 중층편평상피로 이루어지며 표층에서부터 순서대로 각질층(horny layer), 과립층(granular layer), 유극층(가시층, spinous layer), 기저층(바닥층, basal layer)으로 구성된다.
- 표피의 세포는 최하층인 기저층의 각화세포가 분화되어 표층으로 밀려올라가 각질층에서 인설(때, p.125)로서 탈락한다. 이 기간은 약 30~40일이다.
- 표피를 구성하는 세포의 95%는 각화세포이며 각질(keratin)이라는 경단백질(scleroprotein)을 생산하여 세포 외형을 유지한다.
- 기저층의 멜라닌세포(melanocyte)가 멜라닌(melanin)을 생성하여 자외선으로부터 기저층 각화세포의 핵을 차단한다.
- 표피에는 혈관이 존재하지 않는다.

② 진피(dermis)

- 진피는 기저막을 경계로 표피와 구분되어 있다.
- 진피는 교원섬유, 탄력섬유 및 기질로 채워져 있다.
- 진피는 혈관이 풍부하며 한선(땀샘, sweat gland)과 피지선(피부기름샘, sebaceous gland)이 있고 촉각, 압각, 온도각, 통각의 감각수용기가 있다.

(2) 피부부속기

① 한선(땀샘, sweat gland)

- 한선은 **에크린한선**(에크린땀샘, eccrine sweat gland)과 **아포크린한선**(부분분비땀샘, apocrine sweat gland)의 2종류가 있다.
- 에크린한선은 수가 많고 광범위하게 분포한다. 진피 내에 존재하며 직접 피부 표면으로 수분이 풍부한 투명 분비물을 배설한다.
- 아포크린한선은 액와, 유두, 외음부에 분포한다. 냄새가 나는 점액성 분비물을 생성하며 모낭(털집, hair follicle) 내로 분비물을 배설한다.

② 피지선(피부기름샘, sebaceous gland)

- **피지선**은 모공을 지나 표피로 열린다. 털이 없는 체부(음경의 귀두, 소음순, 유방의 유두 등)에는 독립피지선이 있다.
- 피지선 아래쪽에 있는 입모근(털세움근, arrector pili muscle)은 교감신경의 지배를 받으며, 근육이 수축하면 모근(털뿌리, root of hair)이 기립하여 피부 표면에 닭살이 돋고 피지선에서 기름이 분비된다.

③ 손발톱(nail) (그림 9-2)

- 손발톱은 손발가락 끝의 등면에 있는 각질의 판으로, 표피가 특수하게 분화한 것이다.
- **조체**(손발톱몸통, nail body; 외부로 노출되어 있는 부분)의 기저부분은 피부의 주름에 덮여 있으며 조근(손발톱뿌리, nail root)이라고 불린다.
- 조체 아래에 있는 혈관이 풍부한 부드러운 층을 **조상**(손발톱바닥, nail bed)이라고 하며, 조체가 무색투명한 경우에는 조상의 색상을 외부에서 관찰할 수 있다.
- 손발톱은 조상 표면에서 조근에 가까운 영역에서 세포분열을 일으켜 성장하며 그 부분은 하얀 반월로서 관찰되는 경우가 많다.

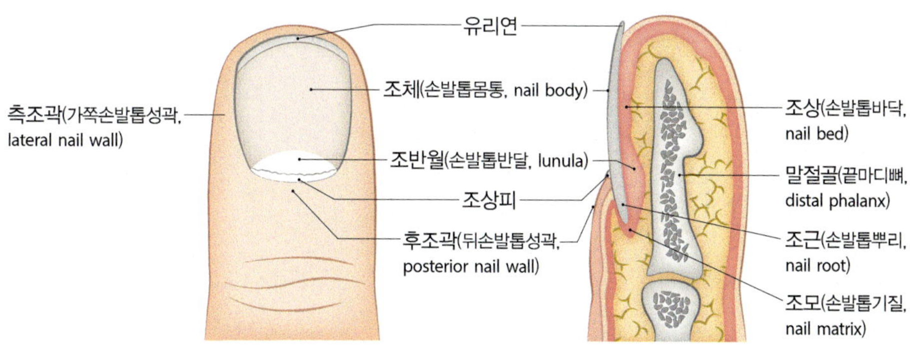

그림 9-2 손발톱의 단면도

④ 털(hair) (그림 9-1, 9-3)

- **털**은 손바닥이나 발바닥, 음부의 일부를 제외하고 거의 온몸에 있다.
- 털은 모간과 표피가 관 모양으로 들어간 모낭(털집, hair follicle)으로 구성되며, 모낭 끝에 위치하는 모구(털망울, bulb of hair)의 모유두(털유두, hair papilla)가 영양을 흡수하고 모기질(털바탕질, hair matrix)에서 세포가 분열해서 하루 약 0.2mm씩 모근(털뿌리, root of hair)이 자란다.

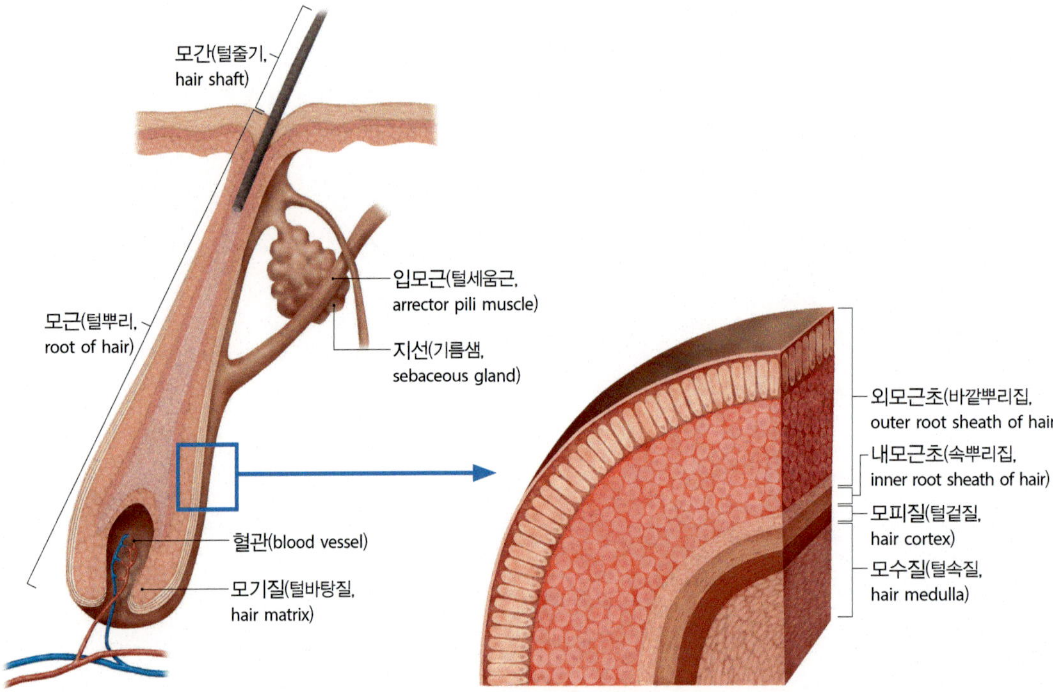

그림 9-3 털의 단면도

2) 기능

① 보호기능

- 피부는 외부와 체내의 경계를 이루며 생체 내부를 지키는 장벽으로서 기능한다. 외부의 이물질이나 세균, 화학적 자극이나 물리적 자극, 온열, 한랭, 건조, 자외선으로부터 신체를 보호한다. 또 체내에서 체액이 누출되는 것을 막고 있다.
- 진피를 구성하는 섬유조직에 의해 피부의 장력이 유지되며, 유연성과 탄력성에 의해 장벽으로서 기능한다.
- 피부의 멜라닌(색소)이 자외선으로부터 신체를 보호한다. 한편, 피부에서 자외선의 에너지를 흡수함으로써 비타민 D가 합성된다.
- 피지선에서 분비되는 피지는 피부의 습윤을 유지하는 기능을 한다. 또 표피를 약산성(pH 4.5~6)

으로 유지하여 병원미생물의 증식을 억제한다.

- 손발톱은 손발가락의 끝을 보호한다.
- 털은 외상이나 태양광선을 차단하여 체표를 보호한다. 속눈썹은 이물질로부터 눈을 보호하고 코털은 기도로 이물질이 침입하는 것을 막는다.

② 체온조절기능

- 피부에서는 체온조절이 이루어지고 있는데, 모세혈관의 혈액량과 수분의 배설량을 조절하고 열의 발산을 조절하여 체온을 일정하게 유지시킨다.
- 기온이 낮은 환경에서는 털을 세움으로써 열의 생산을 촉진한다.

③ 감각기능

- 피부의 감각수용기를 통해 외부에서 가해진 촉각이나 압력, 온도, 통증 등의 자극을 받아들이고 그 정보를 중추신경에 전달한다.

④ 배설기능

- 한선을 통해 수분이나 염분, 요소 등을 배설한다.

3) 피부병변

(1) 피진

- **피진**(exanthem)이란 피부에 나타나는 다양한 증상을 일컫는 말로, 습진(eczema)이 대표적이다. 원인으로 알레르기, 전신성 질환, 피부과 질환, 의원성 등이 있다(표 9-1).

표 9-1 피진의 원인과 특징

원인	특징
알레르기	전신으로 확대되는 두드러기가 관찰되는 경우가 많다.
전신성 질환	교원병이나 감염병 등 특징적인 발진이 관찰된다.
피부과 질환	피부 질환에 의해 피진이 관찰된다.
의원성(약진)	약물의 영향으로 피진이 관찰된다.

(2) 화상

- **화상**(burn)은 열에 의한 외상으로, 조직손상을 일으킨다. 또 혈관 내 단백질변성 등에 의해 혈전형성을 일으켜 모세혈관 내 울혈이 발생하여 광범위한 염증이 야기된다.
- 화상의 정도는 **피부의 손상 정도**에 따라 크게 3가지로 분류된다(표 9-2). 또 성인에서는 9의 법칙(그림 9-4)을 사용해서 부상 부위에서 **화상면적**을 추정한다.

표 9-2 화상의 분류

정도		증상
I도 화상		진피화상으로 부상부위의 피부에 발적만 있으며, 반흔을 남기지 않고 치유된다. 통증이 있다.
II도 화상	표재	수포가 형성되는 것으로, 수포바닥의 진피가 적색을 띠고 있다. 보통 1~2주에 상피화하여 치유된다. 통증이 있다.
	심부	수포가 형성되는 것으로, 수포바닥의 진피가 백색으로 빈혈상을 띤다. 3~4주에 치유되지만, 비후성 반흔을 남길 가능성이 있다. 감각둔마를 일으킨다.
III도 화상		피부 전층의 괴사로, 백색 또는 갈색 피혁처럼 피부가 완전히 탄화된다. 치유에 1~3개월 이상 소요된다. 반흔을 남긴다. 통증은 느끼지 못한다.

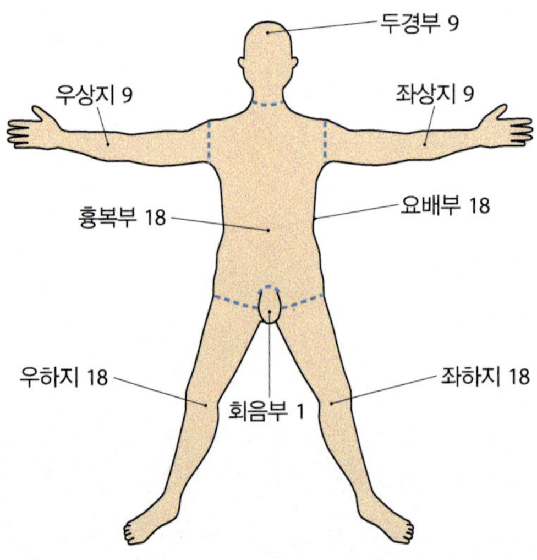

그림 9-4 9의 법칙
두경부 · 좌상지 · 우하지를 9%, 흉복부 · 요배부 · 좌하지 · 우하지를 18%, 회음부를 1%로 계산한다.

(3) 욕창

- 신체에 가해진 외력은 뼈와 피부 표층 사이 연부조직의 혈류를 저하 또는 정지시킨다. 이 상황이 일

정 시간 지속되면 조직은 비가역적인 저혈성 장애[1]에 빠져 **욕창**(decubitus ulcer)이 발생한다.

- 욕창을 사정하는 도구로 **브래든 척도**(Braden scale)가 많이 활용된다(표 9–3).
- 브래든 척도는 6가지 항목(감각지각, 습기, 활동, 가동성, 영양상태, 마찰/전단력)으로 구성되며 점수의 범위는 6~23점이다.

표 9–3 브래든 척도

항목	1점	2점	3점	4점
감각지각	전혀 없음	매우 제한	약간 제한	장애 없음
	의식이 저하되거나 진정제로 인해 통증자극에 대해 전혀 반응 없거나 신체 대부분의 감각이 떨어짐	통증자극에 대해서만 반응함, 신음하거나 안절부절못하는 것 외에는 불편감을 호소하지 못하거나 신체의 1/2 이상의 감각이 떨어짐	구두로 요구를 표현하거나 불편감을 느끼거나 몸을 돌릴 필요가 있을 때마다 하는 것은 아님, 또는 하나나 둘의 사지에서 감각이 떨어짐	구두로 요구를 표현할 수 있으며 감각기능 장애가 전혀 없음
습기	지속적으로 습함	습함	때때로 습함	거의 습하지 않음
	땀, 소변 등으로 피부가 계속 습한 상태임, 몸을 돌리거나 움직일 때마다 축축함	항상은 아니나 자주 습한 상태임, 적어도 8시간마다 린넨을 교환해야 함	하루에 한 번 정도 린넨을 교환할 정도로 습한 상태임	피부가 거의 습하지 않음, 정해진 간격으로 린넨을 교환해도 됨
활동	침상안정	앉아서 생활	가끔 보행	자주 보행
	계속 침대에 누워 있어야 함	보행능력이 없거나 매우 제한됨, 몸을 지탱할 수 없거나 의자나 휠체어로 옮길 때 도움이 필요함	낮 동안에는 때때로 걸으나 짧은 거리만 가능함, 대부분을 의자나 침대에서 보냄	적어도 하루에 두 번 정도는 산책할 수 있음
가동성	전혀 없음	매우 제한	약간 제한	제한 없음
	도움 없이는 몸이나 사지를 전혀 움직이지 못함	가끔은 몸이나 사지를 움직이나 자주 혼자서 많이는 아님	혼자서 약간씩이나 자주 움직임	도움 없이 자주, 크게 자세를 바꿈
영양상태	불량	부적절	적절	양호
	제공된 음식의 1/3 이상을 먹지 못함, 금식, 5일 이상 정맥주사	보통 제공된 음식의 1/2 정도를 먹음, 유동식, 경관 유동식	대부분 식사의 반 이상을 먹음, 경관 유동식, 완전 비경구 영양	제공되는 음식을 대부분 먹음, 고기 또는 유제품을 하루에 4번 혹은 그보다 많이 섭취함, 가끔 간식도 섭취함, 보충제 필요 없음

(계속)

1) 동맥이 협착하거나 막힘으로써 동맥혈류량이 감소하는 장애

항목	1점	2점	3점	4점
마찰/전단력	문제 있음	잠재적 문제 있음	문제 없음	
	이동하기 위해 중등도에서 최대의 도움이 필요함, 침요에 몸을 마찰시키지 않고 들어 올릴 수 없음, 종종 침대나 의자에서 미끄러져 전적인 도움이 필요함, 근경직 · 근수축 · 불안으로 인해 거의 항상 마찰이 발생	약하게 움직이거나 최소한의 도움이 필요함, 움직이는 동안 피부가 침요 · 의자 · 벨트 등과 마찰하며 약간 미끄러짐, 대부분 침대나 의자에서 자세를 잘 유지하나 가끔 미끄러짐	침대나 의자에서 스스로 움직일 수 있고 움직이는 동안 몸을 들어 올릴 수 있음, 항상 침대나 의자에서 자세를 잘 유지할 수 있음	

※ 저위험 : 15~18점, 중위험 : 13~14점, 고위험 : 10~12점, 초고위험 : 9점 이하

(4) 부종

- **부종**(edema)이란 피하조직에 물이 고인 상태이다. 심장, 신장 등 장기의 기능저하나 저영양, 약물 부작용에 의해 발생한다(p. 178 참조). 부종은 분포와 발생기전에 따라 **표 9-4**, 성질에 따라 **표 9-5**로 나뉜다.

표 9-4 분포와 발생기전에 따른 분류(전신성 · 국소성)

		혈관 내 정수압 상승	혈장교질삼투압 저하	혈관투과성 항진	림프흐름 장애
기전		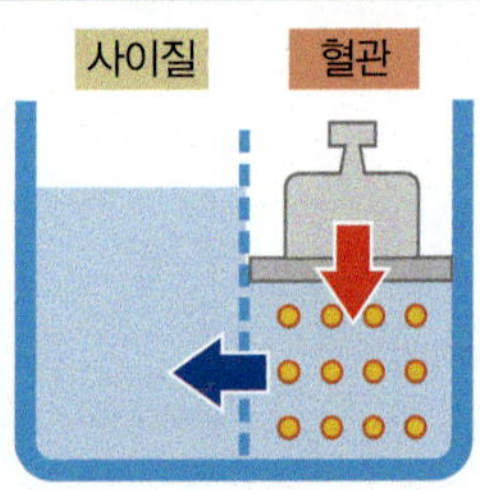	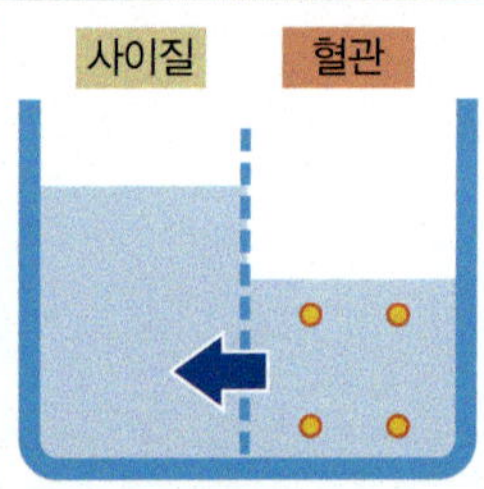	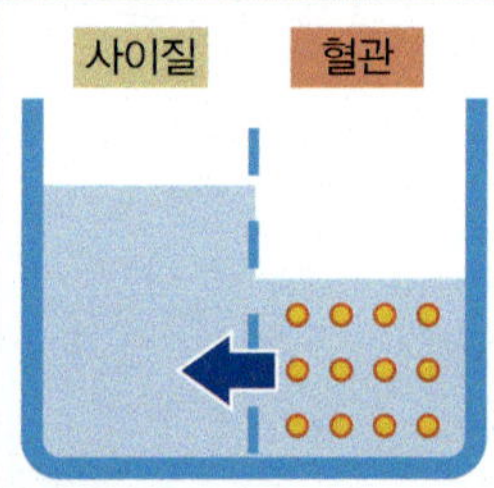	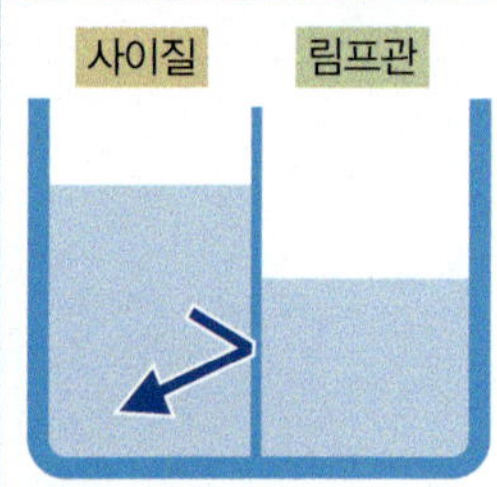
		바깥으로 향하는 구동력인 정수압이 상승하여 여과량이 증가한다.	교질삼투압의 저하로 혈관 내에 수분이 잘 고이지 않게 되어 수분이 사이질로 여과되는 양이 증가한다.	혈관투과성의 항진으로 수분이 사이질로 누출되는 양이 증가한다.	사이질액을 회수하는 림프흐름의 장애로 수분이 고인다.
질환	전신성 부종	울혈성 심부전, 신부전	신증후군, 간경화, 갑상선기능저하증, 영양실조	혈관염, 급성 신장염	
	국소성 부종	심부정맥혈전증, 상대정맥증후군		국소염증, 알레르기	악성림프종, 사상충증, 림프절 절제 후

표 9–5 성질에 따른 분류(함몰성 · 비함몰성)

	함몰성 부종		비함몰성 부종
병태	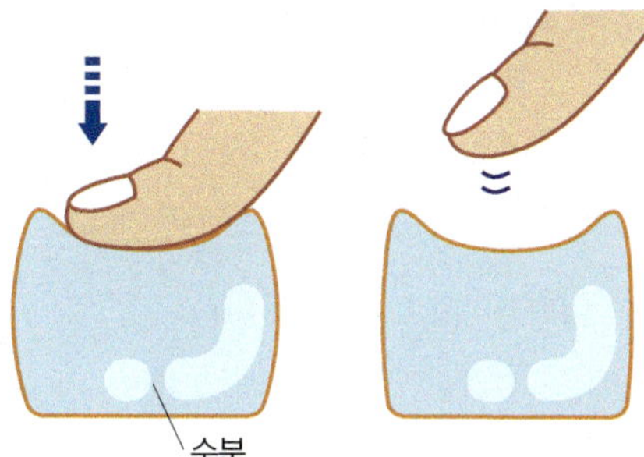 수분만 사이질에 고여 있어서 자국이 남는다.		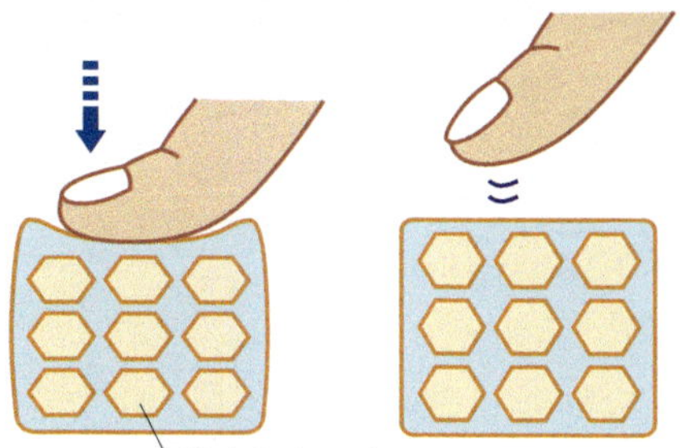 수분과 함께 점액다당류, 단백질 등의 혈장 유래 물질이 축적되거나 염증세포가 침윤하여 자국이 상당히 빨리 되돌아온다.
질환	자국 회복이 40초 이내	자국 회복이 40초 이상	갑상선기능저하증, 국소 염증 등
	저알부민혈증	심부전, 신부전 등	

2. 사정방법

1) 검진순서

필요물품

- 일회용 장갑(필요에 따라 착용), 크기를 측정하는 자

준비

① 환경 준비

- 피부색은 최대한 자연광에서 관찰한다. 관찰에 적합한 조도를 확보한다.
- 피부를 노출해도 추위를 느끼지 않는 실내 환경을 갖춘다.
- 커튼으로 구분하는 등 사생활 보호에 배려한다.

② 설명과 동의

- 대상자에게 검사의 목적과 방법을 설명하고 동의를 구한다.

③ 간호사와 대상자 준비

- 간호사는 대상자의 상태에 따라 필요하면 일회용 장갑을 착용한다(감염성 피부질환이 있는 경우, 삼출액이 관찰되는 경우 등).
- 관찰 부위를 노출시킬 때에는 우선 대상자에게 설명하고 대상자를 보조한다.

문진

① 건강력

- 나이
- 약물 사용상황, 알레르기 유무, 현재 앓고 있는 질환(피부증상과의 연관성 유무)
- 애완동물과의 접촉, 생활환경, 직장환경 등의 환경인자
- 식사, 수면, 청결, 배설 등의 생활습관인자
- 스트레스 등의 심리적 인자

② 자각증상

- 통증, 가려움 등의 유무, 부위, 발생시간, 지속시간, 정도 등

시진

관찰내용	정상	비정상 ([ ] 안은 생각할 수 있는 병태 · 질환예)	
피부색	• 자연스러운 피부색 • 색조의 국소적인 변화 없음	청색증(산소와 결합해 있지 않은 환원헤모글로빈 농도가 증가하고 혈중산소 농도가 저하되어 있음)	
		황달(혈액 빌리루빈 농도가 증가하고 빌리루빈이 피부나 점막 등의 조직에 침착되어 있음)	
		창백(모세혈관이 수축하고 혈류량이 감소되어 있음) [고도의 빈혈]	
		홍반, 발적, 홍조(모세혈관이 확장해 있는 상태)	
		자반(적혈구가 혈관 밖으로 노출되어 있음)	
		백반(표피 내의 멜라닌세포 소실)	
		색소반(멜라닌의 양과 존재하는 깊이의 변화)	
피진 유무	• 편평함 (융기되어 있지 않음)	구진(1~6mm의 약간 융기한 발진) 결절(구진보다 큰 융기성 병변) 종괴(결절보다 훨씬 큰 것)	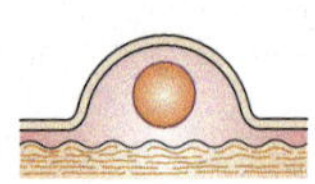
		수포(혈청, 피브린, 세포성분 등의 내용을 포함하는 것) 농포(수포 내용에 백혈구가 섞여 농성이 된 것)	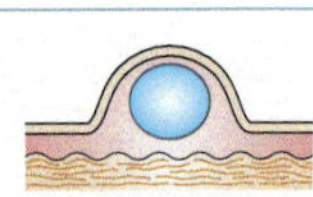
		낭종(진피 내의 공간에 내용물을 포함한 것)	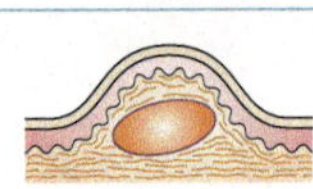
		팽진(국한성 부종, 내용물은 주로 액체성분)	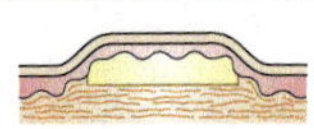

(계속)

관찰내용	정상	비정상 ([ ] 안은 생각할 수 있는 병태 · 질환예)
피진 유무	• 편평함 (함몰되어 있지 않음)	표피박리(소파 등으로 생긴 진피의 결손) 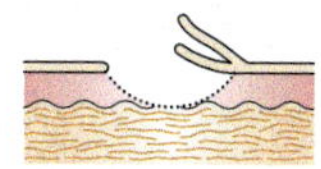
		미란(수포 등의 포막이 터져 생긴 진피 기저막까지의 조직결손)
		궤양(진피에서 피하조직에 이르는 조직의 결손) 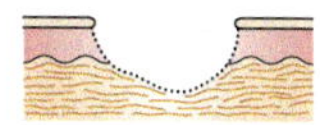
		농양(진피 또는 피하에 백혈구가 섞여 농성이 된 것이 저류) 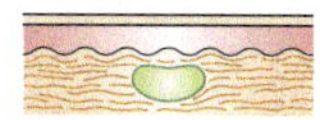
		균열(표피 심층 또는 진피에 달하는 깊은 틈새) 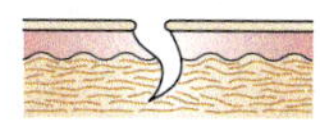
		인설(각화한 세포가 박리되어 피부에 부착한 것) 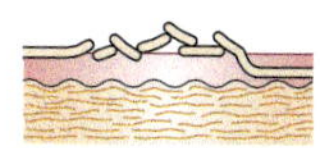
		가피(피부 표면에 삼출액 등이 굳어 고착) 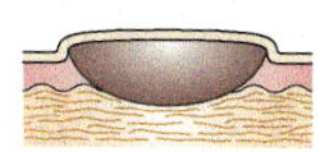
		반흔(진피 또는 피하조직에 이르는 조직의 결손이 회복되어 치환된 것) 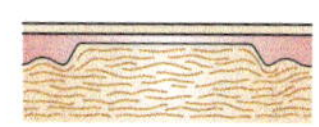
		위축(피부가 얇아져 표면이 평활 또는 주름상이 된 것) 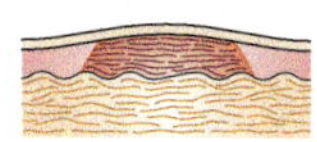
손발톱의 색조, 형상	• 옅은 핑크색 • 단단함, 매끈함 • 조갑과 후조곽의 각도가 약 160°	• 조상이 창백, 청자색 • 조체가 백색, 황색 [조백선 가능성] • 부드럽지 않음, 박리되어 있음, 갈라져 있음, 홈이 있음, 손발톱의 비후, 변형 [내성손발톱, 감입손발톱] • 조갑과 후조곽의 각도가 180° 이상 [곤봉손가락] 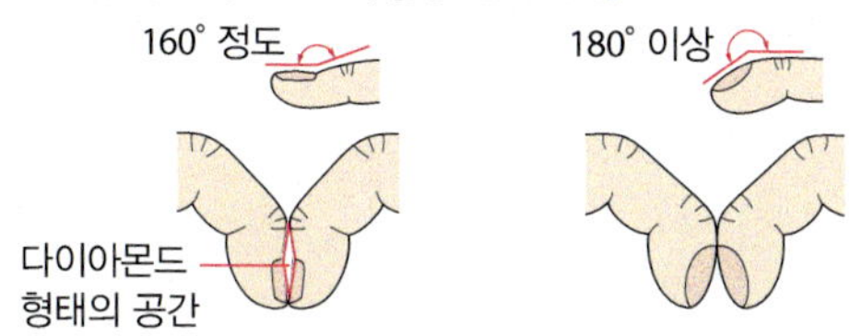 **정상** 중지 손톱을 갖다 대면 정상에서는 다이아몬드 형태의 공간이 생긴다. **곤봉손가락** 곤봉손가락에서는 조갑과 후조곽의 각도가 180° 이상이 된다.
모발 · 체모의 상태	• 균등한 분포 • 윤기, 탄력이 있음	• 탈모, 대머리 • 윤기, 탄력이 없음

① 피부색, 피진 유무

- 노출된 부위의 피부를 머리끝에서 발끝까지 관찰한다. 손은 손등과 손바닥을 관찰한다.
- 피진이 있는 경우 색, 형태, 크기, 깊이를 관찰한다.
- 필요에 따라 옷을 벗게 하여 관찰한다.

② 손발톱의 색조, 형상

- 손발톱을 관찰한다. 조상과 조체는 정면에서, 조갑과 후조곽의 각도는 옆에서 관찰한다.

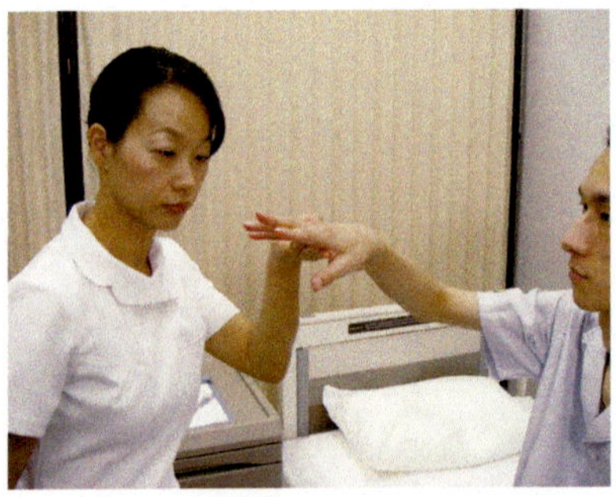

손발톱의 형태를 관찰한다.

③ 모발 · 체모의 상태

- 모발과 체모를 관찰한다.

촉진

관찰내용	정상	비정상 ([ ] 안은 생각할 수 있는 병태 · 질환예)
피부의 온도 습윤 감촉 긴장 · 탄력성	• 따뜻함 • 적당한 습윤 • 매끈함 • 피부를 잡았다가 놓으면 바로 되돌아감	• 차가움 [말초순환장애, 빈혈 등] • 뜨거움 [전신의 발열, 국소 염증] • 건조, 과도한 습윤(발한) • 매끈하지 않음, 울퉁불퉁함 • 바로 돌아가지 않음(긴장 · 탄력성 저하) 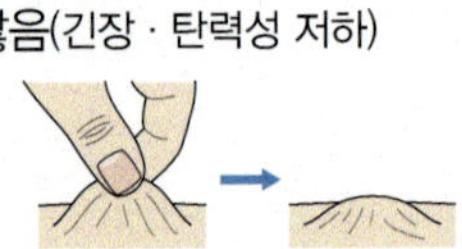
부종의 유무와 정도	• 부종 없음	• 부종이 있음 1+ : 자국 깊이 2mm 정도, 약간 자국이 확인 2+ : 자국 깊이 4mm 정도, 명백하게 자국이 확인 3+ : 자국 깊이 6mm 정도, 정맥 · 뼈 · 관절이 불명료 4+ : 자국 깊이 8mm 정도, 보면 바로 알 수 있는 고도의 부종

① 피부의 온도, 습윤, 감촉, 긴장 · 탄력성

• 간호사의 손등을 대상자의 피부에 대어 피부온도, 습윤, 감촉을 관찰한다.

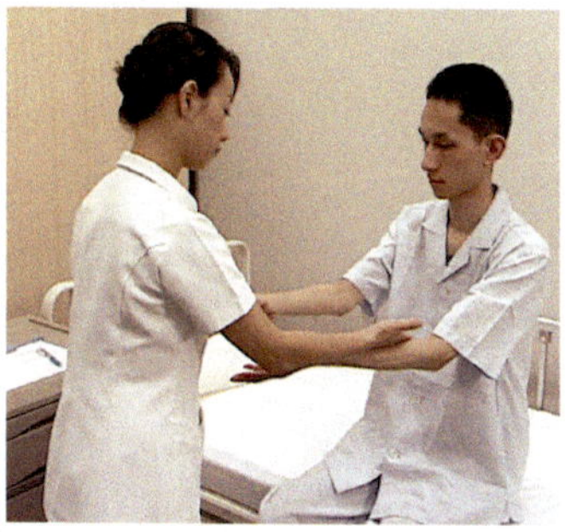

손등을 대고 온도, 습윤, 감촉을 관찰한다.

• 간호사는 대상자의 양 손등 또는 전완의 피부를 당겼다가 놓아 피부의 긴장감을 관찰한다.

② 부종의 유무와 정도

• 두 다리의 경골 전면이나 발등을 손가락으로 눌러 자국이 생기는지를 확인한다. 자국이 남는 경우에는 그 깊이를 측정하며, 좌우차를 확인한다.

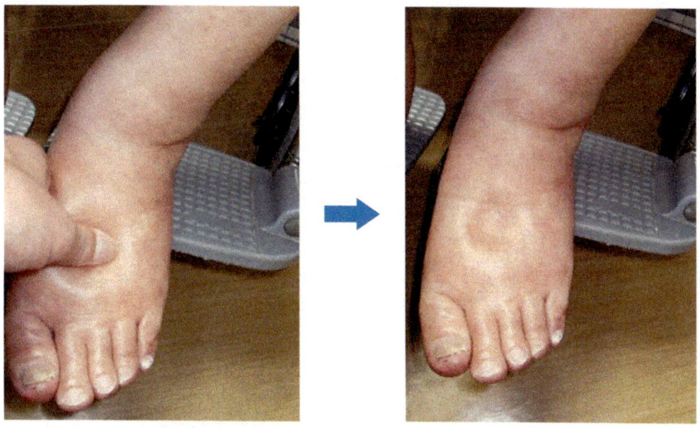

발등을 눌러 자국이 생기는지 관찰한다.

피부계 신체검진의 핵심

- 별개의 검진으로서가 아니라 다른 신체계통을 검진하면서 피부도 함께 관찰하도록 한다.
- 문진을 통해 비정상 소견이 없다고 판단된 경우 옷에 덮여 있는 부분의 관찰은 청결 보조 시 등 피부가 노출될 때 시행한다.
- 문진을 통해 비정상의 가능성이 있는 경우에는 그 부위의 피부를 노출시켜 관찰한다.

2) 기록

- 발진은 전문용어를 사용하여 표현하고 부위, 형태, 크기, 수 등 관찰한 내용을 기록한다. 시간 경과에 따른 변화를 알 수 있도록 기록한다.
- 좌우차 유무, 차이점을 기록한다.
- 소양감, 통증 등의 자각증상, 치료 내용 등도 기록한다.

■ 기록예

- 안색과 손발톱색은 창백하고 좌측 전완에 냉감이 있다.
- 좌측 전완에 지름 1cm의 수포가 있다.

3) 검진결과와 간호수행

- 비정상 소견이 관찰된 경우 전신적인 변화에 동반한 징후일 가능성이 있다면 활력징후를 측정하여 전신 상태를 관찰하고 조속히 팀 리더나 의사에게 보고한다.
- 비정상 소견이 관찰되어 전문적인 진료가 필요한 경우에는 의사의 진단을 받도록 조정한다.
- 소양감, 통증 등 고통스러운 증상에 대해 대처한다.
- 비정상 소견이 관찰된 경우 계속적으로 관찰하여 변화를 관찰한다.
- 화상이나 욕창에 대해서는 지침에 근거하여 간호중재를 한다.

학습과제

1. 순서에 따라 피부계의 상태를 검진해보자.
2. 어떠한 상태일 때 비정상 소견이 관찰되는지 질환의 지식과 통합하여 생각해보자.

CHAPTER 10

특수감각계(눈, 귀, 코, 혀)

학습목표

1. 특수감각계(눈, 귀, 코, 혀)의 구조와 기능을 설명할 수 있다.
2. 대상자와의 면담을 통해 특수감각계와 관련된 주관적 자료를 사정한다.
3. 정확한 신체사정을 통하여 특수감각계의 정상과 비정상 소견을 구분하고 객관적 자료를 수집, 원인이나 관련 요인을 검토하여 간호중재에 활용한다.

1. 구조와 기능

사람이 안전하게 생활할 수 있는 것은 특수감각을 통해 외부 상황을 적절하게 파악하여 신속하게 대응할 수 있기 때문이다. 특수감각이란 눈에 의한 **시각**, 귀에 의한 **청각 · 평형각**, 코에 의한 **후각**, 혀에 의한 **미각**을 말하며, 독립된 **감각수용기**(sensory receptor)로부터 얻는 감각을 가리킨다.

1) 눈

(1) 구조

- 눈은 외안부(바깥안구부분)와 내안부(속안구부분)로 구성된다.

① 외안부 (그림 10-1, 10-2)

- **외안부**는 안검(눈꺼풀, palpebra), 결막(conjunctiva), 누기(눈물기관, lacrimal apparatus), 첩모(속눈썹, eyelash), 미모(눈썹, eyebrow) 등의 안구를 보호하는 **부속기**(adnexa)와 안구운동을 하는 **외안근**(바깥눈근육, extraocular muscle)으로 구성된다.

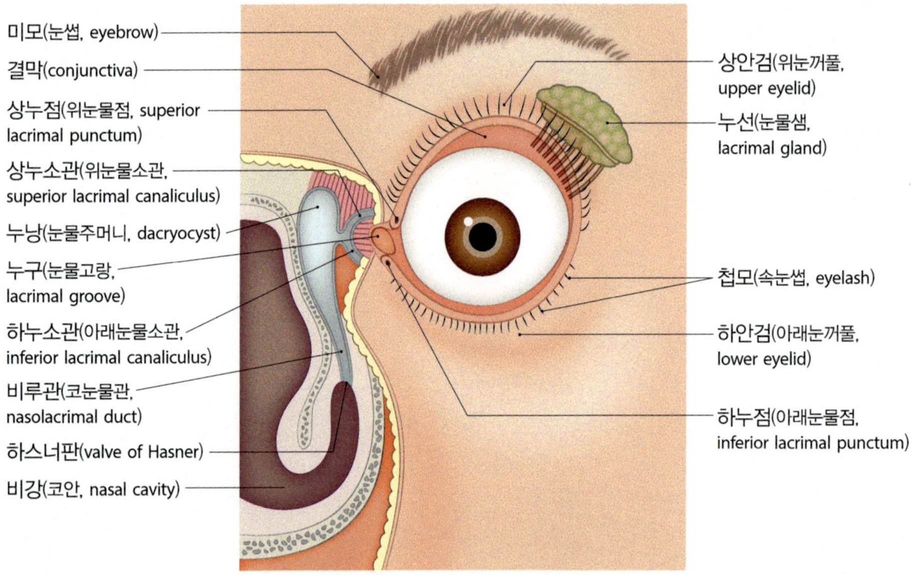

그림 10-1 외안부(좌안)

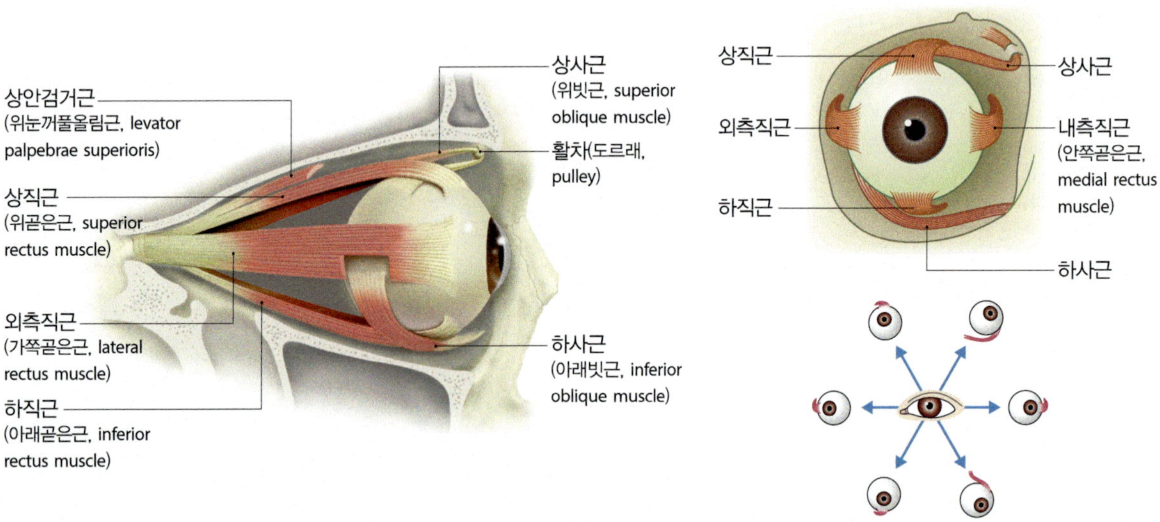

그림 10-2 외안근(좌안)

- 안구는 외안근에 의해 사물을 주시할 수 있다. 외안근은 안구를 가쪽으로 향하게 하는 외측직근(가쪽곧은근, lateral rectus muscle), 안쪽으로 향하게 하는 내측직근(안쪽곧은근, medial rectus muscle), 위쪽 안으로 향하게 하는 상직근(위곧은근, superior rectus muscle), 아래쪽 안으로 향하게 하는 하직근(아래곧은근, inferior rectus muscle), 아래쪽 바깥으로 향하게 하는 상사근(위빗근, superior oblique muscle), 위쪽 바깥으로 향하게 하는 하사근(아래빗근, inferior oblique muscle)의 6가지가 있다. 외직

근은 외전신경(갓돌림신경, abducent nerve), 상사근은 활차신경(도르래신경, trochlear nerve), 나머지는 동안신경(눈돌림신경, oculomotor nerve)의 지배를 받는다.

② 내안부 (그림 10-3)

- **내안부**는 **안구**(eye ball)와 **시신경**(optic nerve)으로 구성된다.
- 안구는 지름 2cm 정도의 구체이며, 공막(흰자위막, sclera)이 안구의 외벽을 구성하며 안구의 형태를 유지한다.
- 안구 전면의 공막은 안구결막(눈꺼풀결막, palpebral conjunctiva)에 덮여 있으며 눈물로 청정하게 유지된다. 안구결막은 홍채(iris)를 덮는 투명한 각막(cornea)과 연결된다.
- 각막, 수정체(crystalline lens), 초자체(유리체, vitreous body)에는 혈관이 없고 투명하다.
- 시신경유두(optic disk)에는 시각세포가 존재하지 않으며, 주시한 15° 외측 위치에 시신경유두의 위치와 대응하는 생리적 맹점인 마리오트맹점(Mariotte's blind spot)이 있다.
- 시신경유두에서 5mm 정도 바깥쪽에 추체세포가 풍부한 황반(macula)이 있으며 그 중심의 패인 부분을 중심와(중심오목, central fovea)라고 한다.

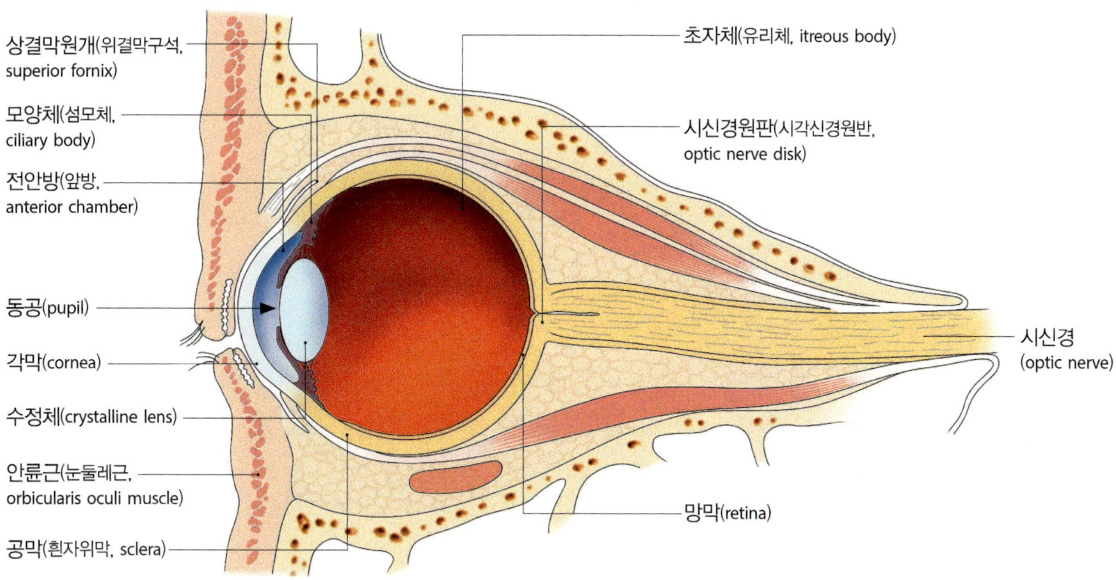

그림 10-3 내안부

(2) 기능

① 외안부

- 안검과 첩모는 강한 빛이나 바람, 먼지로부터 안구를 보호한다.
- 누선(눈물샘, lacrimal gland)에서 생산된 눈물은 깜박임에 의해 안구 표면을 적시며 상하의 누점(눈

물점, lacrimal punctum)에서 누소관(눈물소관, lacrimal canaliculus), 누낭(눈물주머니, dacryocyst), 비루관(코눈물관, nasolacrimal duct)으로 흡수되어 비강(코안, nasal cavity)으로 배설된다.

- 눈물에는 기름이나 항균작용이 있는 단백질이 함유되어 있어 안구 표면을 건조나 세균 침입으로부터 보호한다.

② 내안부

- 전방(앞방, anterior chamber)은 각막이나 수정체에 영양을 공급하는 방수(aqueous humor)로 채워져 있으며 우각(linea angle)에서 방수를 배출하여 안압을 조절한다.
- 홍채는 빛의 양을 조절하는 조리개의 역할을 한다. 밝은 곳에서는 부교감신경의 지배를 받는 동공괄약근(동공조임근, iris sphincter)이 수축하고, 어두운 곳에서는 교감신경의 지배를 받는 동공산대근(동공확대근, dilator pupillae muscle)이 수축함으로써 홍채 중간의 검은 동공을 축소 또는 확대하여 눈 안으로 들어오는 빛의 양을 바꾼다.
- 수정체는 렌즈의 역할을 하며, 모양체근이나 모양체소대(섬모체띠, ciliary zonule)의 수축 및 이완을 통해 두께를 바꾸어 초점을 맞춘다. 이에 따라 실제보다 작고 상하좌우가 뒤바뀐 상이 만들어진다(그림 10-4).
- 초자체는 투명한 젤리 모양의 물질로, 수정체에 의해 만들어진 상을 망막으로 비추기 위한 거리를 유지한다.
- 망막은 초자체를 통과한 상을 비춘다. 광수용기는 망막에 있는 시각세포(visual cell)이며, 시각세포에는 밝은 곳에서 작용하여 적 · 청 · 녹색을 감지하는 추체세포(원뿔세포, cone cell)와 어두운 곳에서 작용하여 빛을 감지하는 간체세포(막대세포, rod cell)가 있다.
- 중심와는 사물을 주시할 때의 시야 중심이 되며 가장 높은 시력인 중심시력을 얻을 수 있다.
- 좌우의 시신경은 시각교차에서 교차하지만, 코쪽 시야에서 들어오는 영상은 망막 바깥측에 상을 비추어 시각교차에서 교차하지 않고 그대로 후두엽의 1차 시각영역으로 투사된다. 한편, 귀쪽 시야에서 들어오는 영상은 망막 안쪽에 상을 비추어 시각교차에서 교차한 후 반대쪽 뇌로 투사된다(그림 10-5).
- 1차 시각영역에서 들어온 시각정보는 인접한 시각연합영역(visual association area)에서 의미 있는 시각정보로서 인식된다.

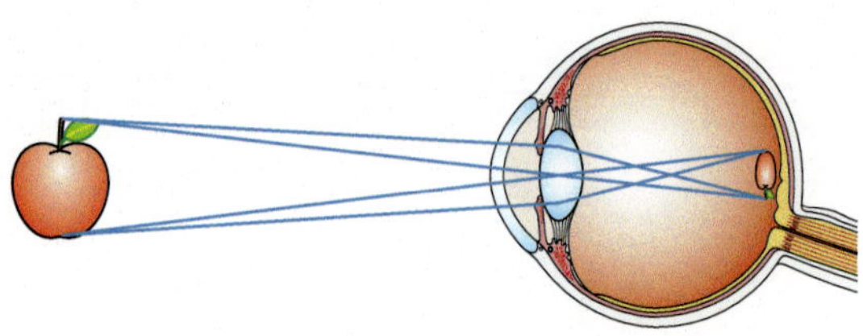

그림 10-4 망막에 맺힌 상

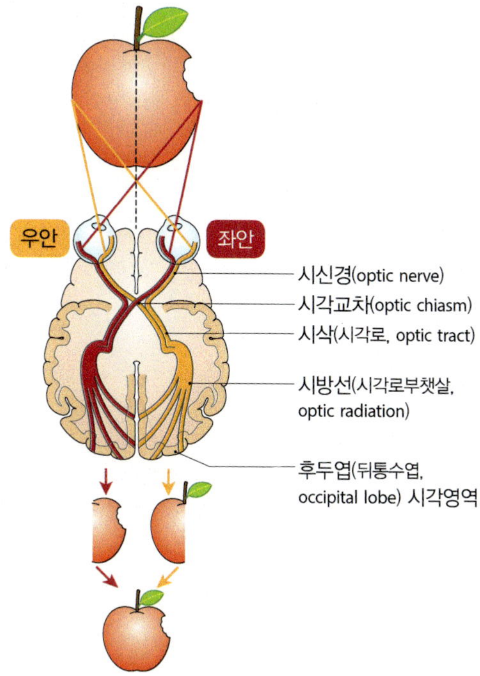

그림 10-5 시각전달로

2) 귀

(1) 구조 (그림 10-6)

- 귀는 집음과 전음기능을 하는 **외이**(바깥귀, external ear)와 **중이**(가운데귀, middle ear), 감음기능을 하는 **내이**(속귀, inner ear)로 구성된다.

① 외이(바깥귀, external ear)

- **외이**는 이개(귓바퀴, auricle)와 외이도(바깥귀길, external acoustic meatus)로 구성된다.
- 외이도는 구부러져 있으며 입구에는 취모(솜털, lanugo hair)가 있어 이물질의 침입을 방어한다.
- 이도선(귀지샘, ceruminous gland)에서의 분비물과 각화한 상피가 하나가 되어 귀지로서 배설된다.

② 중이(가운데귀, middle ear)

- 외이와의 경계인 고막(eardrum)은 외이도에 대해 내이 쪽으로 비스듬하게 위치한다.
- **중이**는 이관(귀관, auditory tube)을 통해 상인두와 연결된다.
- 고실(mesotympanum) 내의 이소골[척추골(망치뼈, malleus), 침골(모루뼈, incus), 등골(등자뼈, stapes)]은 관절로 연결되어 있다.

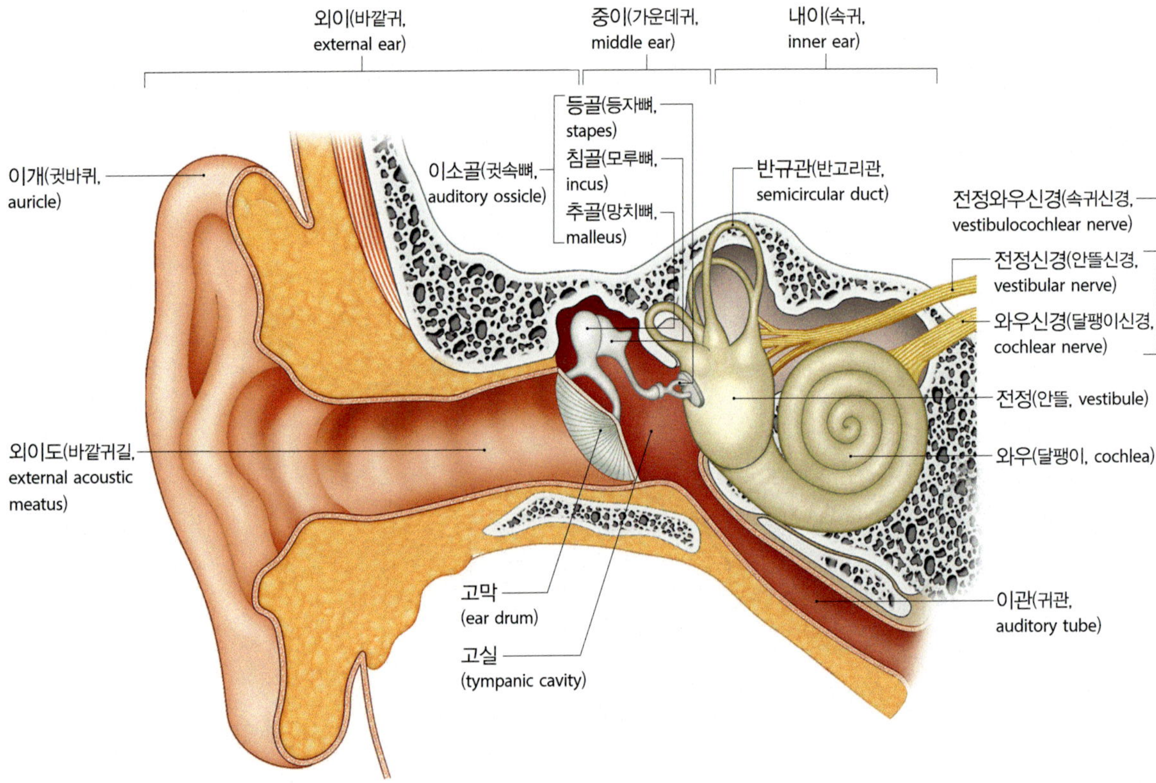

그림 10-6 귀의 구조

③ 내이(속귀, middle ear)

- **내이**는 측두골(관자뼈) 안에 들어 있으며 와우(달팽이, cochlea), 전정[구형낭(둥근주머니, saccule), 난형낭(타원주머니, utricle)], 반규관[전반규관(앞반고리관, anterior semicircular duct), 후반규관(뒤반고리관, posterior semicircular duct), 외측반규관(가쪽반고리관, lateral semicircular duct)]으로 구성된다(그림 10-7).
- 와우에는 등골에서 전해지는 진동을 받아들이는 전정창(안뜰창, fenestra vestibularis)과 중이의 공기와 와우의 외림프를 나누는 와우창(달팽이창, fenestra cochlea)이 있다.
- 전정에 있는 주머니 모양의 구형낭과 난형낭 안에는 평형반(macula statica)이 있다. 평형반에는 유모세포(털세포, hair cell)가 배열되어 있으며 이 위에 이석(귀돌, ear crystal)이 올라가 있다.
- 3개의 반규관은 서로 직각으로 위치하며 각각 끝에 팽대부가 있고 내부에 팽대부릉(팽대능선, ampullary crest)이 있다. 여기에도 유모세포가 있다.

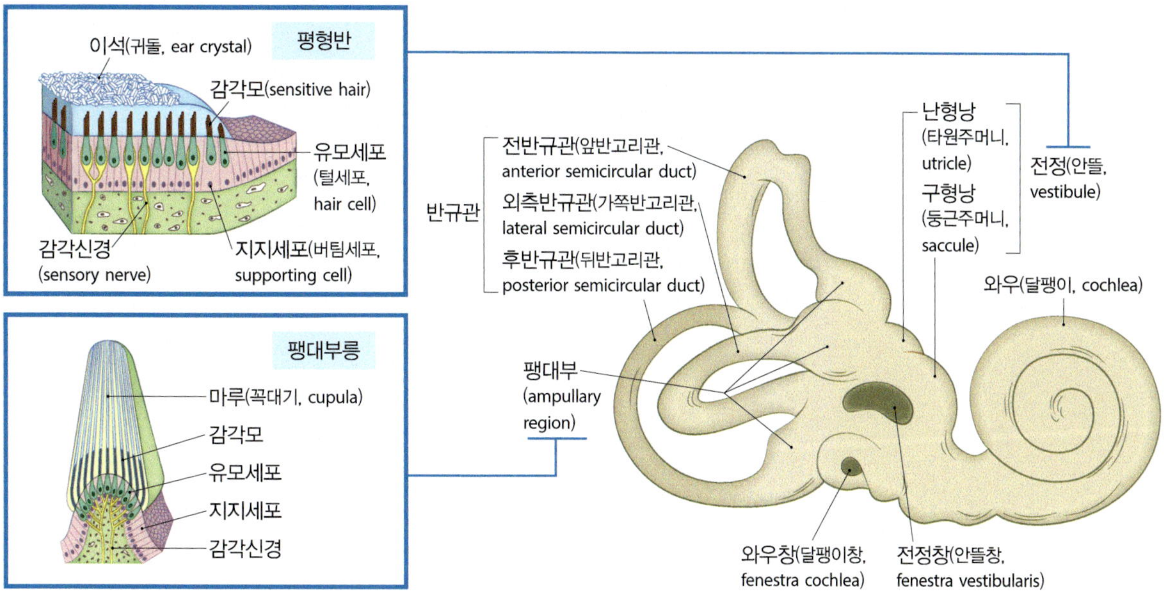

그림 10-7 내이

(2) 기능

① 외이

- 외이는 집음기로서의 역할을 하며 소리를 모아 고막으로 전달한다(그림 10-8).

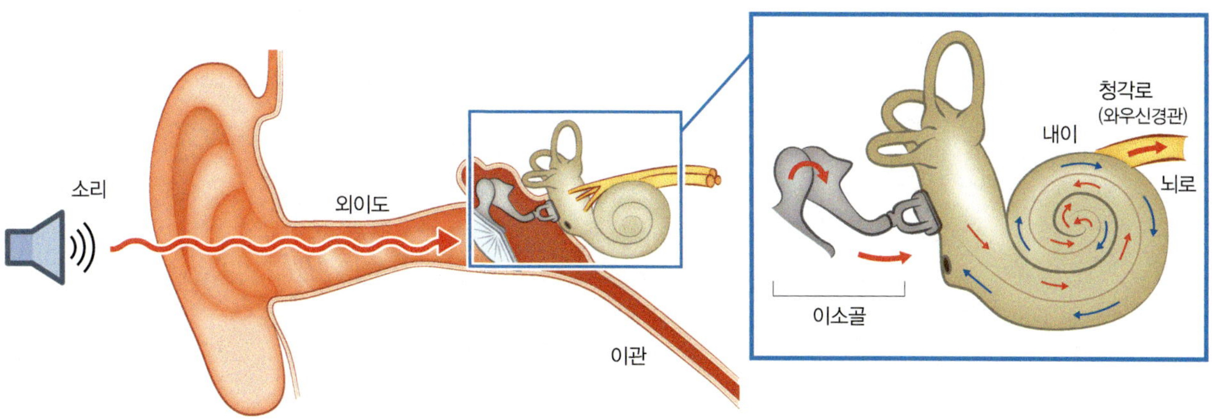

그림 10-8 소리의 전달방법

② 중이

- 고막이 내이 쪽으로 비스듬하게 패임으로써 음파를 쉽게 받아들인다(공기전도).
- 이관은 연하(삼키기)나 하품 시에 열려 외기압과 고실압이 같은 압력이 된다.
- 고막에서 등골까지가 진동할 때 음압이 증강되어 내이로 전달된다(골전도).

③ 내이

- 음파는 와우의 청각수용기에서 받아들여지며, 청각로를 지나 측두엽의 청각영역으로 전달된다.
- 전정은 정적인 평형각수용기이며, 신체운동에 의해 내부의 평형반에 있는 유모세포의 털이 쓰러짐으로써 수평인지 수직인지의 위치를 검지한다(그림 10-7).
- 3개의 반규관은 동적인 평형각수용기이며, 신체의 움직임이 반규관에 가해지면 내림프에 흐름이 생겨 팽대부릉에 있는 유모세포의 털이 쓰러져 신체의 3차원적인 움직임을 감지한다.

3) 코

(1) 구조 (그림 10-9)

- 뼈와 연골의 벽에 의해 비강(코안, nasal cavity)이 구성된다.
- 비강 위쪽은 얇은 골판인 사판(벌집체판, cribriform plate)에 의해 대뇌 전두엽과 접한다. 후각세포의 축삭인 후사(fila olfactoria)가 후각점막상피에 분포하며 사판의 가는 구멍을 지나 후구(후각망울, olfactory bulb)로 연결된다.
- 코는 비중격(코사이막, nasal septum)에 의해 좌우로 나뉘며, 코피가 잘 나는 키셀바하부위(Kiesselbach's area)가 있다.

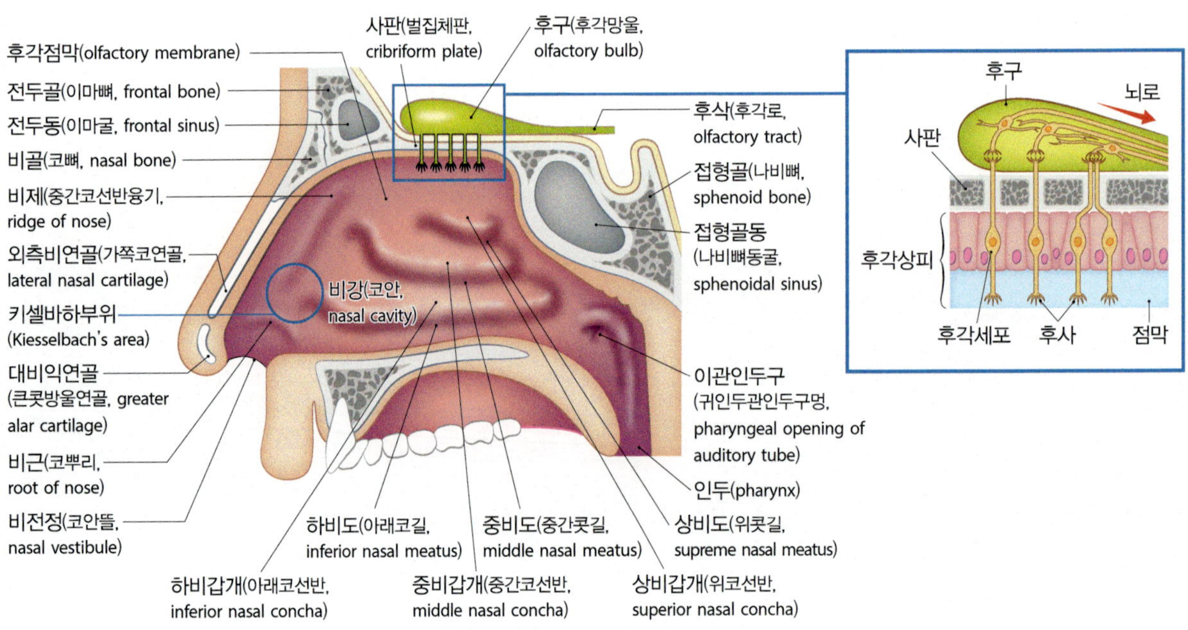

그림 10-9 코의 구조

(2) 기능

- 비강은 점막으로 덮여 있으며 흡기(들숨)에 대한 가온 · 가습과 후각, 구음기능을 한다.
- 후각세포의 후각수용기는 비중격 상부인 상비갑개(위코선반, superior nasal concha)에 분포하며, 냄새 물질에 의해 화학적 변화가 일어나면 냄새 정보는 후각신경에서 후구로 전달되어 대뇌피질의 후각 영역으로 보내진다.

4) 혀

(1) 구조 (그림 10-10)

- 혀의 전면에는 4종류의 유두가 있다. 후각수용기인 미뢰(맛봉오리, taste bud)는 심상유두(버섯유두, fungiform papilla) 상부와 유곽유두(성곽유두, circumvallate papilla) 측벽, 엽상유두(잎새유두, foliate papilla)에 존재한다. 사상유두(실유두, filiform papilla)에는 미뢰가 없고 촉각수용기가 있다.
- 미뢰는 혀 외에 구개나 인두, 볼 안쪽에도 존재한다.

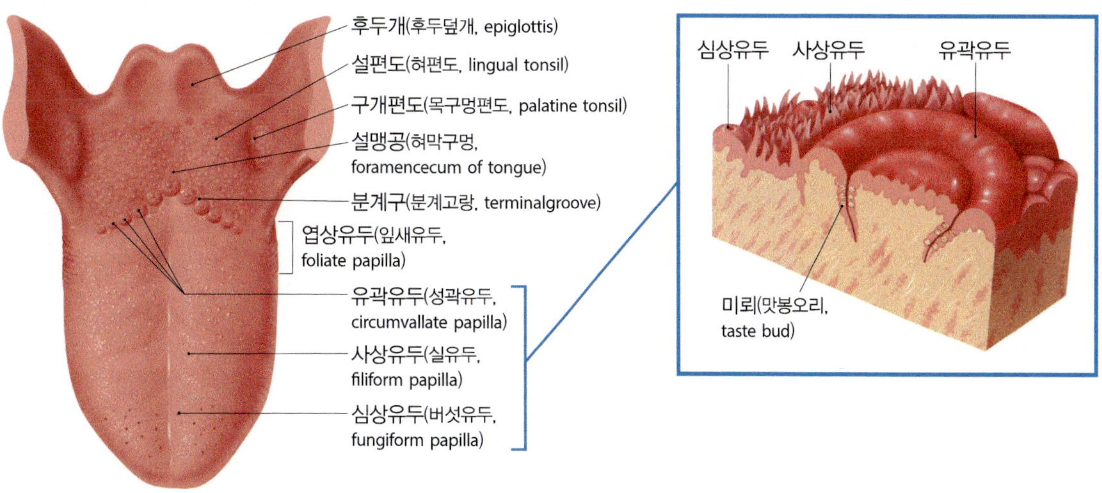

그림 10-10 혀의 구조

(2) 기능

- 구강 내로 수용성 미각물질이 들어와 타액(침)에 녹으면 미공(맛구멍, taste pore)을 통해 미뢰 안에 있는 미각세포로 정보가 전달되고, 미각세포에서 활동전위가 발생하여 미각의 신경섬유로 전달된다.
- 혀의 앞 2/3는 안면신경(얼굴신경, facial nerve), 혀의 뒤 1/3은 설인신경(혀인두신경, glossopharyngeal nerve), 인두는 미주신경(vagus nerve)의 지배를 받으며, 이 신경들을 경유해서 연수(숨뇌), 시상, 대뇌

피질의 미각영역에 정보가 도달하면 미각이 인식된다(그림 10-11).

- 연수에 도달한 미각정보가 자율신경으로 전달되면 타액 분비나 미각성 발한이 항진된다.

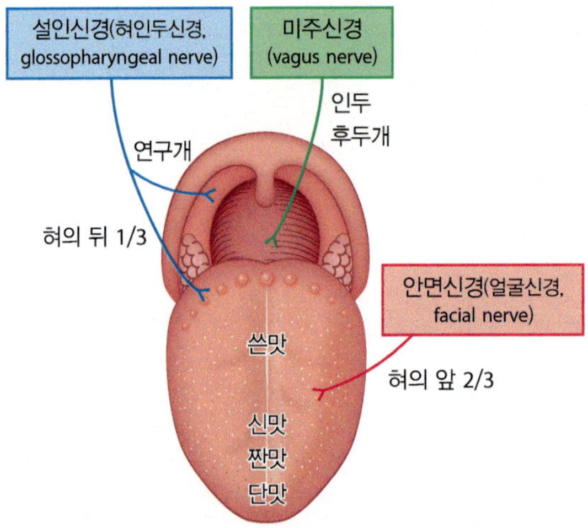

그림 10-11 미각과 뇌신경 지배

2. 사정방법

1) 검진순서

필요물품

- **눈** : 펜라이트(penlight), 검안경(ophthalmoscope)
- **귀** : 이경(otoscope), 음차(tuning fork)
- **코** : 냄새가 나는 액체(커피, 레몬, 향수 등)
- **혀** : 일회용 장갑, 설압자, 면봉, 식염수, 사탕물, 물

준비

① 환경 준비

- 소음이 없는 조용한 곳에서 시행한다.
- 직사광선이 없고 자연광에 가까운 조명 아래에서 시행한다.
- 온도와 습도를 적절하게 유지하고 긴장감 없는 실내 분위기를 만든다.

② 설명과 동의

- 대상자에게 검진의 목적과 방법(기기 사용, 혀를 내미는 동작의 협력 등)을 설명하고 동의를 구한다.

③ 간호사와 대상자 준비

- 간호사는 감염 예방에 유의하고 장갑을 착용한다.
- 대상자는 앉은 자세를 취한다.
- 시력측정 이외에는 안경이나 콘택트렌즈를 벗도록 대상자에게 협력을 구한다.
- 의치를 벗도록 대상자에게 협력을 구한다.

문진

- 증상 유무, 발현시기 · 시간, 발현상황, 지속시간, 상태나 강도 등의 시간적 변화와 그 요인, 좌우차 유무, 외상 유무, 수술 여부, 당뇨병 유무, 생활습관
- **눈** : 사물이 보이는 방식(시력, 시야협착), 안개(무시), 눈앞에 무언가 날라 다님(비문증), 눈의 건조(눈건조증), 어두우면 잘 보이지 않음(비타민 A 결핍증), 눈물이 남(유루), 눈부심(차명), 눈꺼풀의 위화감(안검하수, 안검경련, 안검종창), 안통, 눈이 거끌거림(이물질, 첩모내반), 시력교정 여부
- **귀** : 소리가 들리는 방식(청력), 이명, 귀지, 어지러움, 귀통증
- **코** : 콧물의 색, 코피, 통증, 냄새가 나는 방식(후각), 부비강염의 과거력
- **혀** : 맛이 느껴지는 방식(미각), 통각, 출혈, 종괴
- 눈, 귀, 코, 혀 순으로 검진한다.

(1) 눈

시진

관찰내용	정상	비정상 ([ ] 안은 생각할 수 있는 병태 · 질환예)
두위	• 좌우대칭	• 머리가 기울어 있거나 턱의 위치가 높거나 낮으며 두위에 좌우차가 있음 • 사시가 있으면 보상적으로 두위가 기움 [안성 사경]
눈썹 위치	• 위치가 좌우대칭	• 좌우차 있음 • 안검하수가 있으면 보상적으로 눈썹이 올라가기도 함 [안검하수]
안검 상태	• 위치가 좌우대칭 • 안열의 크기가 좌우대칭 • 부종, 발적, 종창, 통증, 하수는 없음 • 속눈썹은 내반해 있지 않음	• 좌우차 있음 • 안열 확대(달림플징후) 있음 [갑상선호르몬의 분비과잉] • 발적, 종창, 통증 있음 [염증], 종창 있음 [갑상선 기능저하], 안검하수 [교감신경계 장애] • 속눈썹이 내반해 있음

(계속)

관찰내용	정상	비정상 ([ ] 안은 생각할 수 있는 병태 · 질환예)
안검 상태		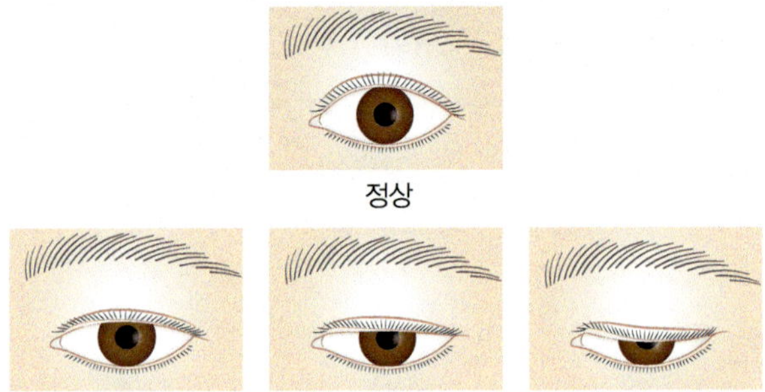 정상 경증 / 중등증 안검하수 / 중증
각막 · 수정체 상태	• 각막에 상처 없음 • 발적, 통증 없음 • 수정체가 투명	• 각막에 상처 있음 [각막궤양] • 발적, 통증 있음 [염증] • 수정체가 백탁해 있음
누기 상태	• 유루 없음 • 발적, 종창, 통증, 분비물 없음	• 유루가 있음 • 발적, 종창, 통증, 분비물 있음
안검결막 · 안구결막 상태	• 안검결막은 적색 • 안구결막은 백색 • 발적 · 통증 없음	• 안검결막이 창백 [빈혈] • 안구결막에 출혈반이 있음 • 발적, 통증 있음 [결막염]

① 두위, 눈썹 위치, 안검 상태, 각막 · 수정체 상태, 누기 상태

- 대상자에게 똑바로 앞을 보게 하여 시진을 진행한다.

② 안검결막 · 안구결막 상태

- 위아래의 눈꺼풀을 손으로 뒤집어 안검결막과 안구결막을 노출시킨다.

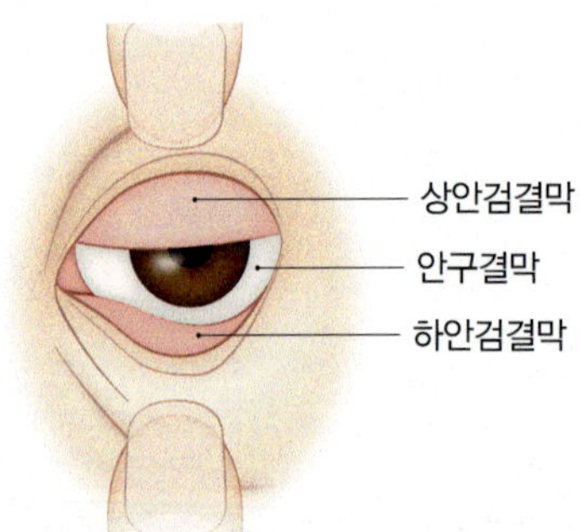

눈꺼풀을 뒤집어 결막을 노출시킨다.

측정

관찰내용	정상	비정상 ([ ] 안은 생각할 수 있는 병태 · 질환예)
안구 위치	• 하방시에서 상안검이 홍채에 걸림(안구돌출 없음)	• 하방시에서 상안검 아래에 흰자가 보임(안구돌출 있음) [갑상선기능항진증] 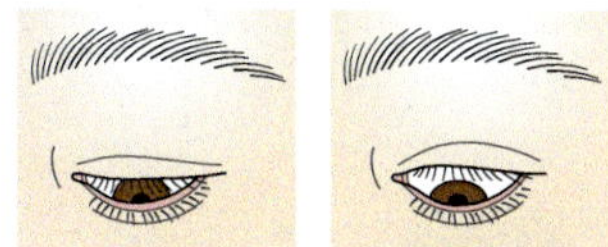 정상 안구돌출
움직임	• 사시 없음(좌우 모두 정중앙에 위치) (펜라이트의 빛이 동공의 같은 부위로 들어감) • 수평운동 : 외전에서 각막의 외연이 외안각에 도달해 있음, 내전에서 동공 내연이 누선을 연결하는 선에 도달해 있음 • 수직운동 : 상전에서 검은 눈 아래에 흰자가 보임, 하전에서 각막 상연이 내외안각을 연결하는 선에 도달하지 않음 • 사물이 이중으로 보이지 않음	• 사시 있음 (펜라이트의 빛이 정중앙에서 벗어남) • 안구의 운동제한이 있음 • 양쪽이 연동하여 움직이지 않음 [뇌혈관질환] • 복시
동공 · 홍채 상태	• 원형으로 좌우대칭 • 대광반사 있음 • 폭주반사 있음	• 좌우 비대칭, 축동 · 산동 있음 • 대광반사 소실(p.267 참조) • 폭주반사 소실
시력 · 시야 상태	• 신문 등 주변 사물의 글자를 읽을 수 있음 • 시야는 상방 60°, 하방 75°, 비측 60°, 이측 100° • 어두워도 보임 • 직선이 똑바로 보임	• 주변 사물의 글자를 읽을 수 없음 [근시, 원시, 난시] • 시야협착 [녹내장] • 시야결손 [망막박리, 안저출혈] • 복시 [뇌혈관질환] • 어두우면 보이지 않음 [비타민 A 결핍증] • 직선이 구부러져 보임 [황반변성증] 예 : 모눈종이 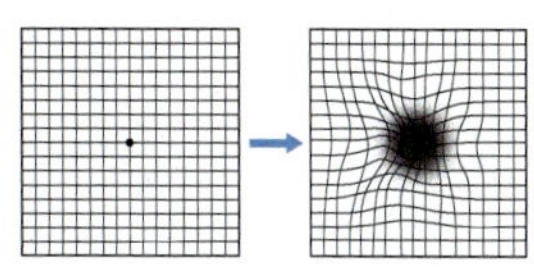
안저 상태	• 시신경유두는 원형으로 분홍색 • 시신경유두에 부종은 없음 • 혈관에 협착은 없음(망막동맥은 적색, 망막정맥은 암적색) • 망막에 출혈이나 백반은 없음 • 적색반사 있음	• 시신경유두가 백색 [시신경위축] • 시신경유두에 부종 있음 • 혈관에 협착이 있음 [동맥경화나 고혈압] • 망막에 출혈이나 백반이 있음 [당뇨병] • 적색반사 소실 [망막박리]

① 안구 위치, 움직임

- 30~40cm 떨어진 곳에서 두 눈의 중앙에 펜라이트를 비추고 대상자에게 펜라이트의 빛을 보도록 지시한다. 두 눈 모두 동공의 같은 부위에 빛이 들어가는지를 관찰한다.
- 대상자는 앉은 자세를 취하고, 간호사는 대상자에게서 45cm 정도 떨어져 맞은편에 앉는다. 대상자에게 똑바로 앞을 향하게 하여 간호사의 손을 눈으로 쫓도록 지시한다. 손가락을 우선 좌우로 움직이고, 그 다음 상하로 움직인다. 눈의 움직임을 관찰한다.

② 동공 · 홍채 상태

- 대상자 옆에 그늘이 생기지 않도록 서서 동공계를 사용해서 동공의 지름을 측정한다.
- 대광반사에 대한 상세한 내용은 p.267을 참조하기 바란다.

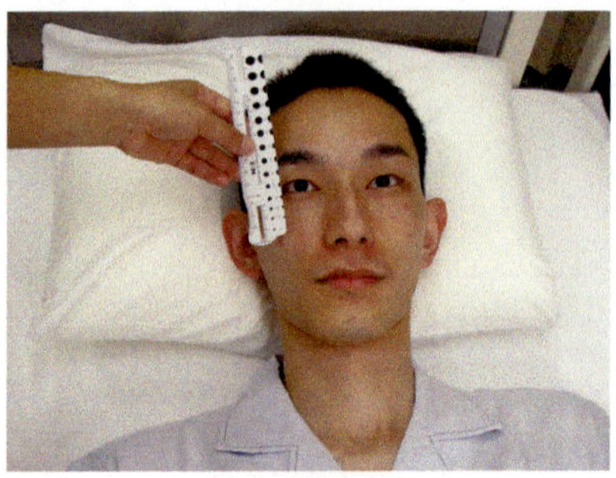

동공을 측정한다.

③ 시력 · 시야 상태

- 간호사는 대상자에게서 60cm 정도 떨어져 맞은편에 앉아 시선을 맞춘다.
- 간호사는 손가락을 움직여 반원을 그리듯이 대상자의 시야 바깥에서 안으로 다가간다.
- 대상자는 한쪽 눈으로 간호사의 손가락 끝이 보인 지점에서 움직이는 간호사의 손가락을 가리키게 한다.
- 상방, 측방, 하방을 모두 조사한다.
- 모눈종이를 보여주고 변형이 없는지 대답하게 한다.

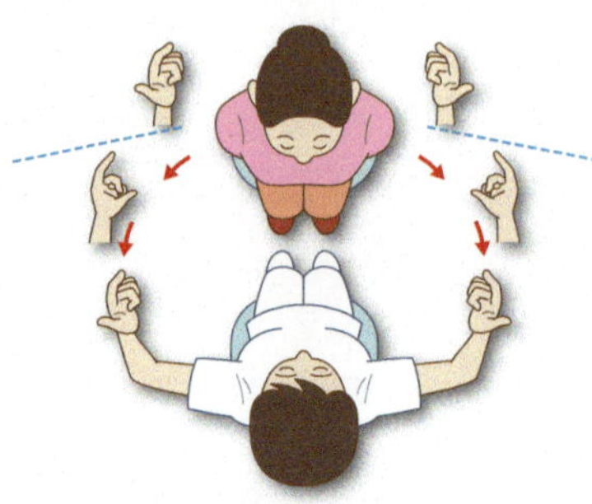

시야상태를 확인한다.

④ 안저 상태

- 대상자는 앉은 자세에서 긴장을 풀고 먼 곳을 보도록 지시한다.
- 검안경의 광량과 렌즈를 선택하여 조절한다.
- 대상자의 머리를 고정하고 코가 닿지 않도록 해서 대상자와 같은 쪽의 눈으로 관찰한다.
- 동공에 빛을 모아 안저에서의 적색반사를 확인한다.
- 빛을 비춘 채 대상자에게 다가가 렌즈를 차츰 0으로 되돌려 혈관을 관찰한다.
- 혈관이 두꺼워지는 방향을 쫓아 시신경유두, 황반, 망막을 관찰한다.

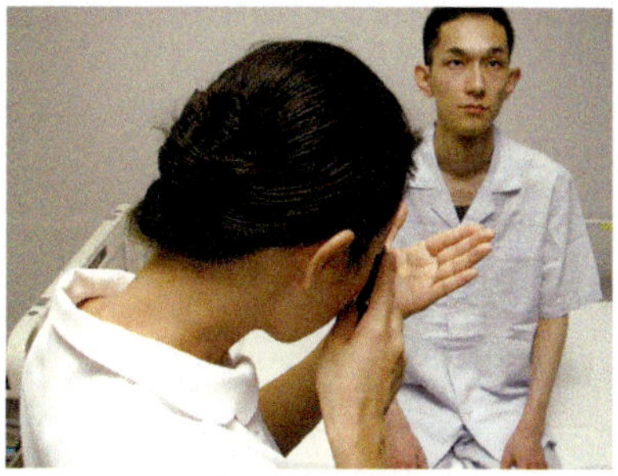

검안경을 조절한다.

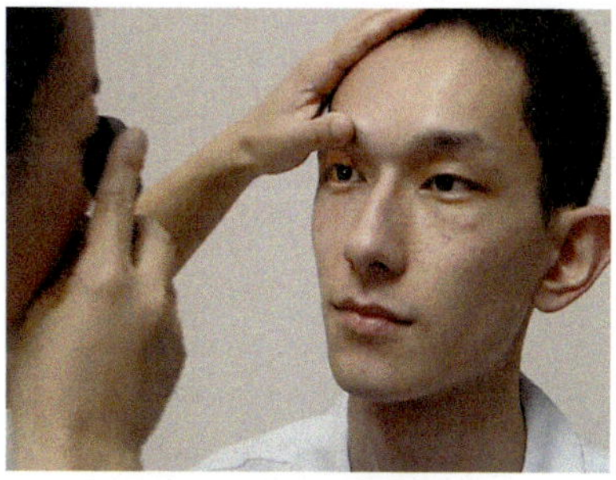

적색반사를 확인한다.

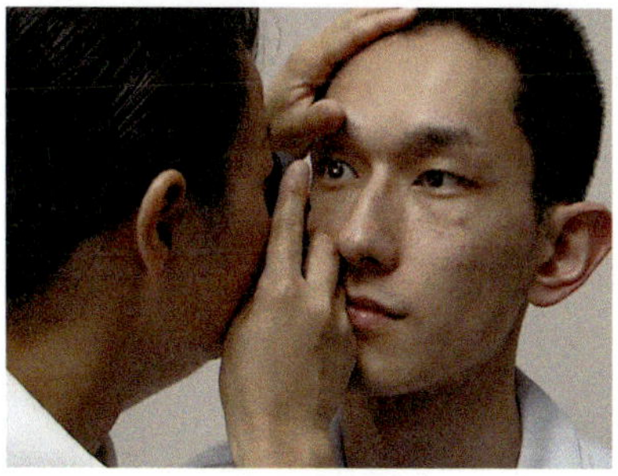

안저를 관찰한다.

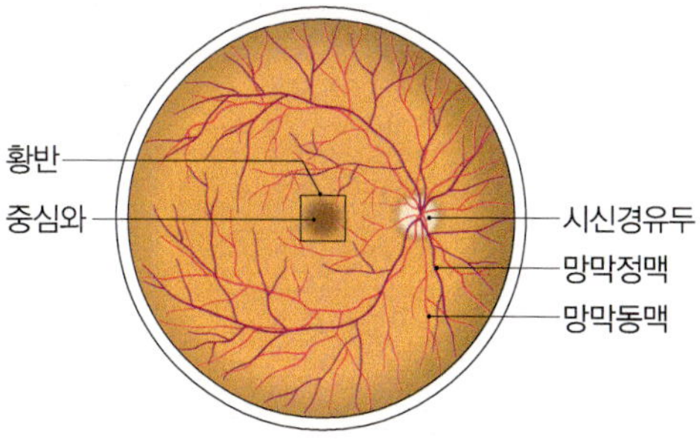

정상적인 안저(좌안)

검안경 각 부위의 명칭

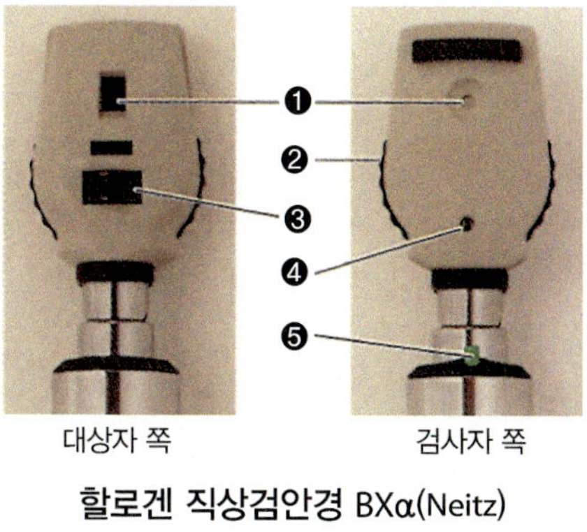

할로겐 직상검안경 BXα(Neitz)

⊙ 검안경 각 부위의 명칭 (계속)

명칭	사용법
❶ 관찰구멍	• 검사자의 눈에 최대한 가까이하여 관찰한다. • 아래 절반에서 빛이 나온다.
❷ 보정렌즈반 (시력조정다이얼)	• 검안과 피검안의 굴절 이상 합계를 보정하기 위해 렌즈를 선택한다. • 검지로 회전시켜 초점을 맞춘다. • ┌ 적색은 오목렌즈(– 렌즈) ⇨ 근시(myopia)에 이용한다. • └ 녹(흑)색은 볼록렌즈(+ 렌즈) ⇨ 원시(hyperopia)에 이용한다.
❸ 필터회전반	• 용도에 따라 관찰구멍의 색과 형태 등을 바꿀 수 있다. • 보통은 large spot(크고 밝은 원)을 이용한다.
❹ 보정렌즈 표시창	• 렌즈의 보정 정도를 확인할 수 있다.
❺ 스위치와 광량조절	• 대상자가 견딜 수 있을 정도의 최대한 밝은 광량으로 검사한다.

(2) 귀

⊙ 측정

관찰내용	정상	비정상 ([ ] 안은 생각할 수 있는 병태 · 질환예)
청력	• 좌우차 없음 • 들을 수 있는 최소 청력치는 0dB(자연의 바람 소리는 약 0~20dB), 속삭이는 목소리(약 25dB)가 들림	• 좌우차 있음 • 속삭이는 소리가 들리지 않음
린네검사	• 공기전도시간 > 골전도시간으로, 그 차이가 2배 이상	• 전음성 난청 : 공기전도시간 < 골전도시간 • 감음성 난청 : 공기전도시간 > 골전도시간으로 그 차이가 2배 미만
웨버검사	• 두 귀가 동일하게 들리며 좌우차 없음	• 전음성 난청 : 환측 측면에서 들림 • 감음성 난청 : 건강측 측면에서 들림

① 청력

• 대상자의 비스듬한 후방 30cm 정도에 서서 속삭인 후 소리가 들리는지 그 내용을 대답하게 한다. 다른 쪽도 마찬가지로 진행한다.

② 린네검사(Rinne test)

• 음차를 수근골(손목뼈)에 살짝 부딪쳐 진동시킨 후 유양돌기(꼭지돌기) 위에 대고 진동음이 들리지 않게 되면 신호하게 하여 그 시간(골전도시간)을 측정한다.

• 신호가 있으면 그대로 귀 옆으로 가지고 가서 소리가 들리지 않게 되는 시간(공기전도시간)을 측정한다.

③ **웨버검사**(Weber test)

- 음차를 수근골에 살짝 부딪쳐 진동시킨 후 대상자의 머리 중앙이나 이마 중앙에 대고 어디에서 들려오는지(어느 쪽이 더 크게 들리는지)를 묻는다.

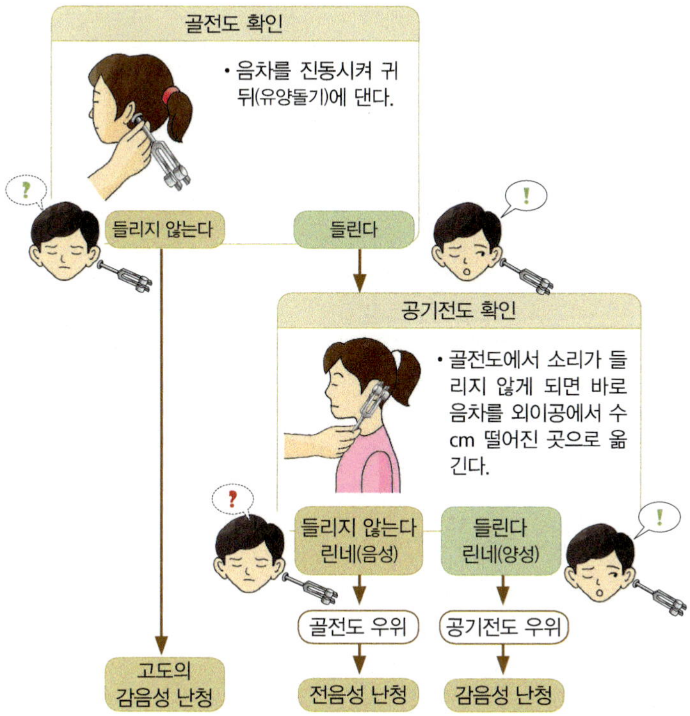

린네검사

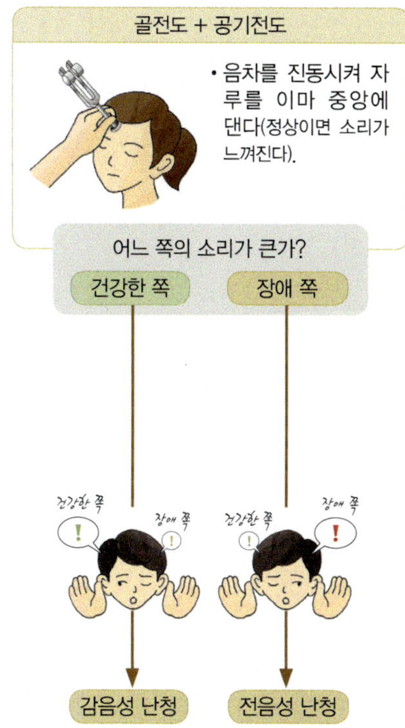

웨버검사

(3) 코

시진 / 측정

관찰내용	정상	비정상 ([ ] 안은 생각할 수 있는 병태 · 질환예)
외비 상태	• 위치와 형태가 좌우대칭 • 발적, 열감, 통증, 종창 없음 • 종괴 없음	• 좌우 비대칭 [종양, 외상, 골절] • 휜코, 안장코 [선천성, 외상, 매독] • 발적, 열감, 통증, 종창 있음 [염증] • 종괴 있음 [종양]
비강 상태	• 콧물 없음 • 코막힘 없음 • 코피 없음 • 협부의 형태가 좌우대칭	• 콧물 있음 [비염, 부비강염] • 코막힘 있음 [감염, 알레르기, 혈관운동성 비염, 비중격만곡증, 비폴립] • 코피 있음 [외상, 염증, 악성종양, 이물질] • 협부 종창, 둔통 있음 [부비강염, 상악동암]
후각 상태	• 냄새를 구별함	• 편측 또는 양측 모두 냄새를 구별하지 못함 [후각기관, 후각전도로 장애]

① **외비 상태, 비강 상태**

- 문진, 시진, 목소리의 청진으로 사정한다.
- 비경(rhinoscope)으로 비강의 점막 색조, 하비갑개 · 중비갑개의 종창 유무, 콧물의 성질 등을 관찰한다(상비갑개는 비경으로 관찰할 수 없고 후비경검사를 해야 함).

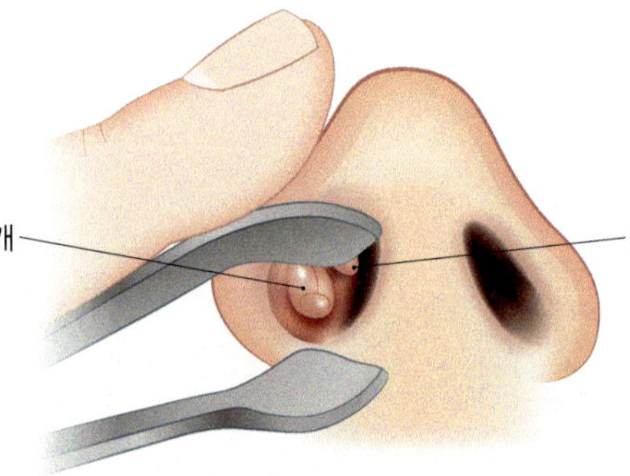

비경을 이용하여 비강을 관찰한다.

② **후각 상태**

- 냄새가 나는 액체를 몇 종류 준비하여 눈을 감은 상태에서 각각을 적신 면봉을 콧구멍에 가까이 갖다 대어 냄새의 종류를 맞추게 한다.

(4) 혀

시진 / 측정

관찰내용	정상	비정상 ([ ] 안은 생각할 수 있는 병태 · 질환예)
혀 상태	• 표면이 분홍색으로 설태는 적음 • 발적, 통증, 열감, 종창 없음 • 궤양, 종괴 없음	• 표면이 백색 [설태] 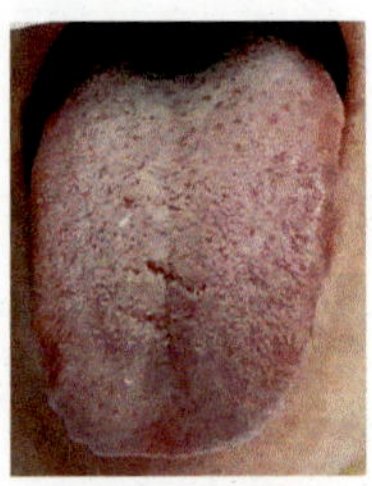 • 발적, 통증, 열감, 종창 있음 [염증] • 궤양, 종괴 있음 [궤양, 설암]
혀 움직임	• 상하좌우로 움직임	• 운동제한 있음 [뇌혈관질환, 설암]
미각 상태	• 맛을 구별함	• 맛을 구별하지 못함 [아연부족, 설태]

① 혀 상태

• 물에 적신 설압자로 혀를 누르면서 펜라이트로 구강 안을 비춰 혀 표면과 안쪽까지 꼼꼼히 관찰한다.

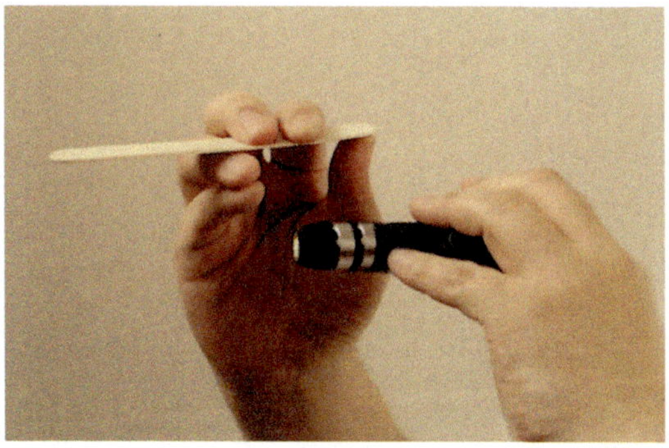

잡는 법

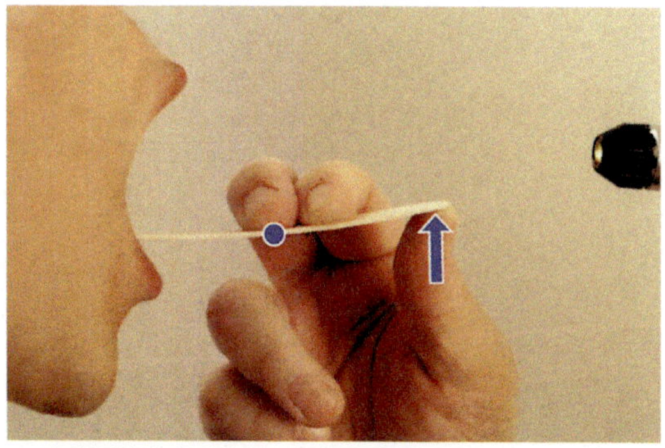

엄지를 설압자 아래쪽, 검지와 중지를 설압자 위쪽에 두고 지렛대원리를 이용하여 가볍게 누른다.

설압자와 펜라이터를 이용하여 혀를 관찰한다.

② 혀 움직임

• 지시에 따라 혀를 상하 좌우로 움직이도록 대상자에게 협력을 구한다.

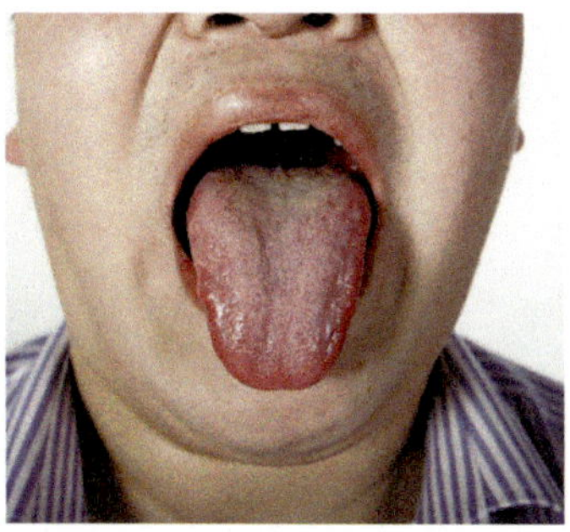

표면

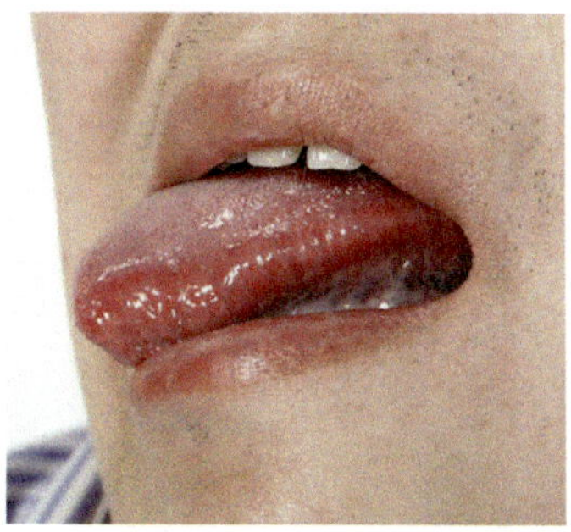

옆면

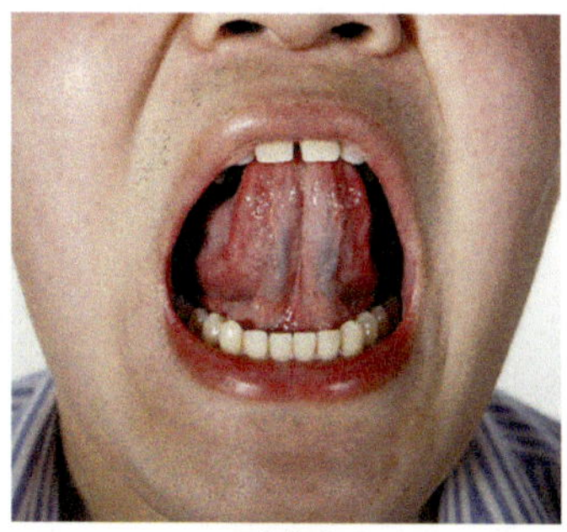

아랫면

혀의 움직임을 관찰한다.

③ 미각 상태

• 식염수, 단물, 물을 면봉에 묻힌 후 혀 전방에 갖다 대어 맛의 종류를 맞추게 한다.

특수감각계 신체사정의 핵심

- 특수감각에서 비정상 소견의 원인이 중추신경에 있는지 말초신경에 있는지를 탐색한다.
- 특수감각은 환경에 순응하기 쉽고 자율신경의 영향을 잘 받기 때문에 대상자가 안심하고 검진을 받을 수 있도록 배려하고 신속하게 검사를 마치도록 한다.
- 갑자기 증상이 악화하는 경우에는 응급처치가 필요한지를 판단한다.

2) 기록

- 좌우차 · 종괴 · 분비물 · 출혈 유무와 상세 내용(부위, 상태, 양이나 크기)을 기록한다.
- 안검하수의 유무와 정도를 기록한다.
- 시야장애, 시력장애의 유무와 정도를 기록한다.
- 안저를 관찰한 후에는 그림으로 그리고 문장으로도 기록한다.
- 증상의 발생부터 현재까지의 경과도 반드시 기록한다.

3) 검진결과와 간호수행

- 새로운 증상이 나타나거나 악화한 경우에는 신속하게 의사에게 보고하여 치료 필요성을 검토한다.
- 대상자의 시력이나 사물이 보이는 방식에 따라 체험하는 세계가 다르다는 사실을 배려하여 간호한다.
- 특수감각이 식사에 미치는 영향을 고려하여 유지되고 있는 감각을 잘 활용하도록 지원하고 문화적이고 즐거운 식사와 적정한 영양 상태를 유지할 수 있도록 중재한다.
- 특수감각의 상태에 따라 환경 적응과 타인과의 의사소통을 촉진하고 대상자의 사회성을 유지할 수 있도록 중재한다.
- 낙상, 사고의 위험에 유의하고 예방한다.
- 특수감각기관은 구강과 연결되어 있기 때문에 구강관리에 유의한다.

학습과제

1. 순서에 따라 눈, 귀, 코, 혀의 상태를 검진해보자.
2. 어떠한 상태일 때 비정상 소견이 관찰되는지 질환의 지식과 통합하여 생각해보자.

CHAPTER

11 호흡기계

학습목표

1. 호흡기계의 구조와 기능을 설명할 수 있다.
2. 대상자와의 면담을 통해 호흡기계와 관련된 주관적 자료를 사정한다.
3. 정확한 신체사정을 통하여 호흡기계의 정상과 비정상 소견을 구분하고 객관적 자료를 수집, 원인이나 관련 요인을 검토하여 간호중재에 활용한다.

1. 구조와 기능

1) 구조

- **흉곽**(가슴우리, thoracic cage)은 제1~12흉추(등뼈, thoracic vertebrae), 제1~12늑골(갈비뼈, ribs), 흉골[흉골병(복장뼈자루, manubrium of sternum), 흉골체(복장뼈몸통, xiphoid process, mesosternum), 검상돌기(칼돌기, xiphisternum)]로 구성된다(**그림 11-1**). 흉골병과 흉골체가 결합하는 곳은 전방으로 돌출해 있으며 **흉골각**(복장뼈각, sternal angle)이라고 불린다.
- 우폐(오른허파, right lung)는 상엽 · 중엽 · 하엽, 좌폐(왼허파, left lung)는 상엽 · 하엽으로 나뉜다.
- **폐**(허파, lung)의 위치는 전흉부의 경우 상부는 쇄골(쇄골중간선 위), 하부는 제6늑골(쇄골중간선 위)에서 제8늑골(액와중간선 위)에 있다. 배부의 경우 제7경추 극돌기(가시돌기, spinous process)에서 제10흉추 극돌기에 있다(**그림 11-2**).
- 전흉부는 상엽, 배부는 하엽의 비율이 많이 차지한다.
- **기관**(trachea)은 흉골각 위치에서 좌우로 나뉘며(배부에서는 제4흉추 극돌기), 우측 주기관지(오른주기관지, right main bronchi)는 좌측 주기관지(왼주기관지, left main bronchi)보다 굵고 수직으로 하강한다(우 25°, 좌 45°의 각도).

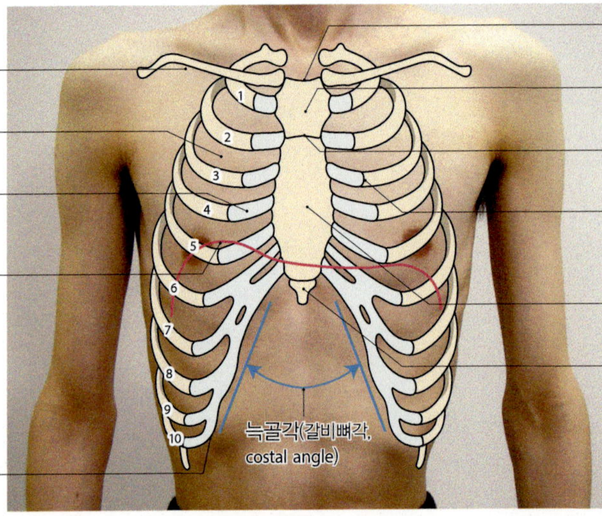

전흉부

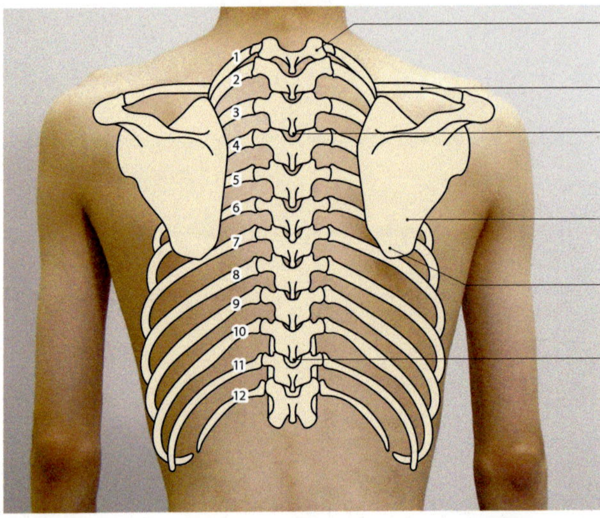

배부

그림 11-1 흉곽을 구성하는 골격

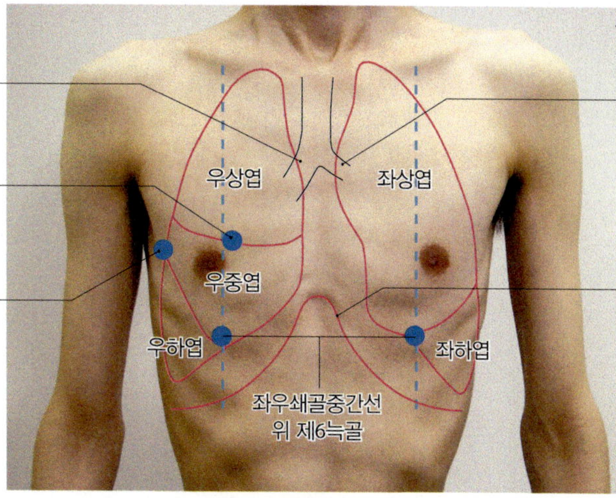

전흉부

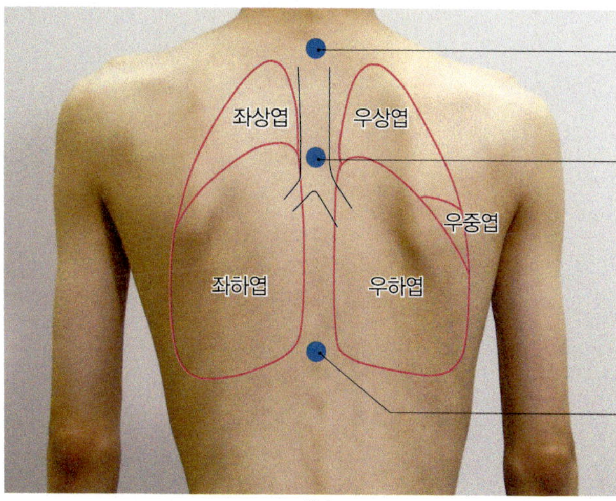

배부

- **부위 구분법**(전흉부)
  ① 흉골각 옆의 제2늑골을 기준으로 늑골을 헤아린다.
  ② 늑골은 휘어 있기 때문에 늑골을 따라 각 수직선이 교차하는 장소에 스티커를 붙인다.
- **부위 구분법**(배부)
  ① 목을 구부렸을 때 첫 번째의 돌기가 제7경추 극돌기이고, 그 아래의 돌기가 제1흉추 극돌기이다.
  ② 극돌기를 찾기 어려울 때는 견갑골하각이 제7늑골과 겹쳐 있으므로 제7흉추 극돌기를 기준으로 제10흉추 극돌기까지를 헤아린다.

그림 11-2 폐와 폐엽의 위치

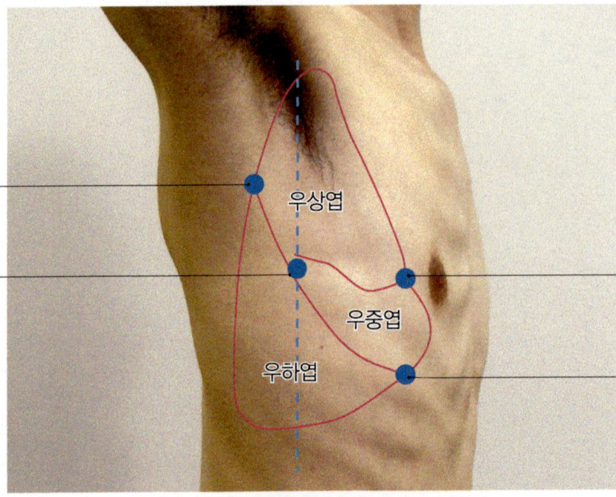

측흉부 : 우폐

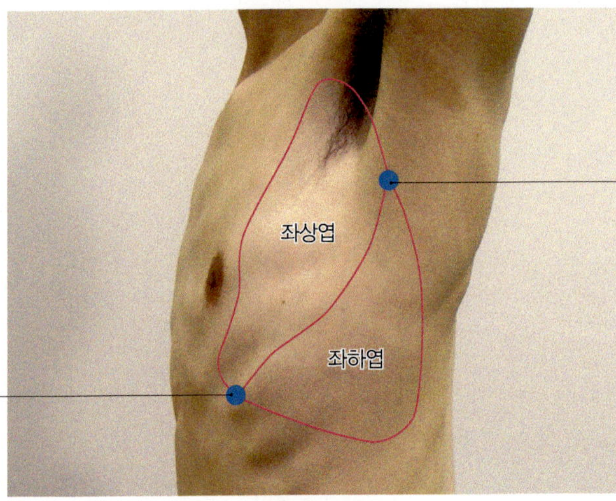

측흉부 : 좌폐

그림 11-2 폐와 폐엽의 위치 (계속)

2) 기능

- **호흡**(respiration)은 환기 · 확산 · 혈류의 과정에 의해 이루어진다.
- 호흡은 폐포(허파꽈리, alveoli)에서 이루어지는 가스교환(외호흡)과 조직에서 이루어지는 혈액과 조직의 가스교환(내호흡)으로 크게 나뉜다.
- 호흡은 연수(숨뇌)에 있는 호흡중추의 제어 하에 **호흡근**[늑간근(갈비사이근, intercostal muscle), 횡격막(가로막, diaphragma)]의 작용으로 발생하는 흉강 내 음압에 의한 흡기(들숨, inspiration)와 그 후에 이어지는 호기(날숨, exhalation)를 통해 산소 흡입과 이산화탄소 배출이 이루어진다.
- 호흡근은 수의근이기 때문에 의식적으로 호흡을 빠르게 하거나 느리게 할 수 있지만, 보통 무의식적으로 정기적인 호흡이 이루어진다.

- **흉식호흡**(갈비호흡, costal respiration)에서는 외늑간근(바깥갈비사이근)의 전후지름 · 좌우지름이 확대 또는 축소되고, **복식호흡**(배호흡, abdominal respiration)에서는 횡격막이 안정 시 1cm 전후, 심호흡 시 5~7cm 상하 운동을 한다.
- 호흡의 약 70%는 횡격막운동으로 이루어진다.
- **폐활량**(vital capacity)은 성인의 경우 3,000~5,000mL이고 **1회 환기량**은 500mL이다.
- 호흡운동으로 흡입한 공기는 기관-기관지-세기관지-폐포를 통과하는데, 기도의 굵기에 따라 공기의 진동음은 달라진다.
- 우측 주기관지는 굵고 수직으로 하강하기 때문에 **흡인물**은 우폐(특히 중엽)에 고이기 쉽다.
- 호흡중추는 신경성 조절과 화학성 조절에 의해 흥분성이 유지되고 있는데, 그중에서 이산화탄소 농도에 가장 영향을 받는다.
- **폐**는 자율신경(autonomic nerve)과 횡격막신경(가로막신경, phrenic nerve)의 지배를 받는다.
- **기관지**(bronchus)는 교감신경에 의해 확장하고 부교감신경에 의해 수축한다.
- 폐순환의 혈관저항은 교감신경에 의해 증가하고(혈관수축), 부교감신경에 의해 감소한다(혈관확장).

2. 사정방법

1) 검진순서

필요물품

- 청진기, 소독솜, 마킹펜(피부연필), 자, 담요

준비

① 환경 준비

- 실온(22~24℃)을 유지하고 소음이 없는 조용한 곳에서 검진한다.

② 설명과 동의

- 대상자에게 검사의 목적과 방법(상반신 탈의, 신체를 만짐, 발성 및 심호흡의 협력 등)을 설명하고 동의를 구한다.

③ **대상자 준비**

- 배설을 끝내둔다.
- 상반신을 탈의하고 담요를 덮어 사생활을 보호한다.
- 등받이가 없는 의자에 앉는다(앉은 자세를 취하기 어려운 경우에는 옆 누운 자세에서 시행).
- 발열이 있는 경우 보온에 유의한다.

문진

① **건강력**

- 나이
- 호흡기, 순환기, 혈액질환 등의 유무
- 직업적 노출(분진, 가스, 연기), 환경오염(배기가스, 석면), 흡연력, 알레르기, 스트레스

② **자각증상**

- 발현시기 · 시간, 발현상황, 지속시간, 상태, 강도, 양 등
- **기침** : 급성 또는 만성인지, 건성 또는 습성인지, 발현시간과 지속시간
- **가래** : 장액성, 점액성, 농성, 혈성 등의 상태, 백색, 황색, 다갈색, 적색 등의 색상, 빈도 또는 양
- **흉통** : 급성 또는 만성인지, 지속성, 반복성 구별
- **호흡곤란** : 급성 또는 만성인지, 발작성 구별, 휴존스(Hugh-Jones) 분류에서의 수준(표 11-1)

표 11-1 휴존스(Hugh-Jones) 분류

I도	보행 · 계단 오르내리기는 건강한 사람만큼 할 수 있다.
II도	보행은 건강한 사람만큼 할 수 있지만, 언덕 · 계단은 건강한 사람만큼 하지 못한다.
III도	평지라도 건강한 사람만큼은 걷지 못하지만, 자신의 속도라면 1.6km 이상 걸을 수 있다.
IV도	쉬면서 걷지 않으면 50m 이상 걸을 수 없다.
V도	대화 · 옷 입고 벗기에도 숨이 차며, 숨이 차서 외출할 수 없다.

시진

관찰내용	정상	비정상 ([ ]은 생각할 수 있는 병태 · 질환예)
호흡수 호흡깊이 리듬 패턴	• R = 12~20회/분 • 흉복식 • 규칙적 • 흡기 1 : 호기 3 : 휴지 1	빈호흡 · 서호흡 · 과호흡 · 감호흡 · 다호흡 · 소호흡 · 천호흡, 노력호흡(비익호흡, 입오므리기호흡, 견호흡, 늑간 · 쇄골함몰호흡, 하악호흡 등), 주기성 호흡(비오호흡, 체인스토크스호흡)
흉곽 척주	• 흉곽 전후 : 좌우 = 1 : 2 • 흉골 : 매끈함 • 똑바름	• 흉곽과 척주의 변형 있음 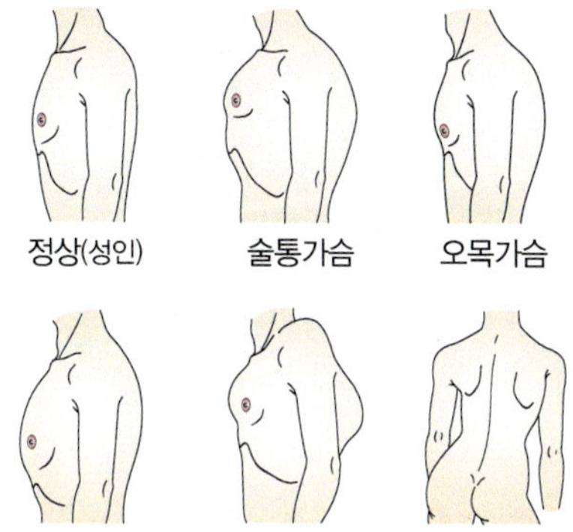
흉곽운동	• 좌우대칭	• 편측 흉부 운동제한 [기흉], 흡기 시 국소적 늑간팽윤 [정맥류]
피부색	p.125 참조	• 청색증 유무
손발톱 상태	p.126 참조	• 곤봉손가락 유무

① 호흡상태(호흡수, 깊이, 리듬, 패턴)

• 호흡운동을 관찰한다.

② 흉곽(형태, 운동)

• 외형을 관찰한 후 심호흡을 하게 한다.

③ 기타

• 청색증(p.125 참조), 곤봉손가락(p.126 참조) 유무를 관찰한다.

촉진

관찰내용	정상	비정상 ([ ]은 생각할 수 있는 병태 · 질환예)
흉곽 확장	• 심호흡 시 두 엄지 간격이 5cm • 좌우대칭	• 흉곽 확장 4cm 이하 [구속성 폐장애, 흉수저류, 흉막유착] • 좌우 불균형 [늑골손상, 흉막염]
음성전도	• 폐 영역 전체에서 촉진할 수 있으며 좌우대칭	• 감약 [기흉, 흉수저류] • 증강 [무기폐]

① 흉곽 확장

● **전흉부**

- 늑골궁을 따라 두 엄지를 'ㅅ'자 모양으로 두고 네 손가락과 손바닥으로 흉곽을 감싼다.
- 이어서 두 엄지를 안쪽으로 모아 두 엄지 사이에 피부가 접히도록 만든다.
- 대상자에게 심호흡을 시켜 엄지 사이의 벌어짐 정도와 손바닥의 움직임을 관찰한다.

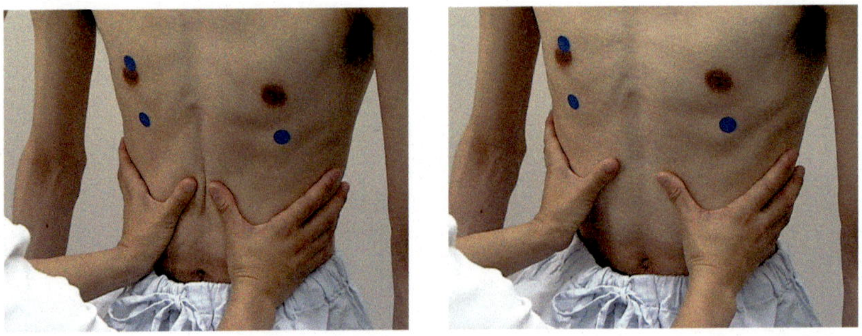

흉곽을 감싼 후 심호흡을 하게 한다.

● **배부**

- 제10늑골의 주행에 일치하도록 두 엄지를 'ㅅ'자 모양으로 두고 네 손가락과 손바닥으로 흉곽을 감싼다(이하 전흉부와 동일).

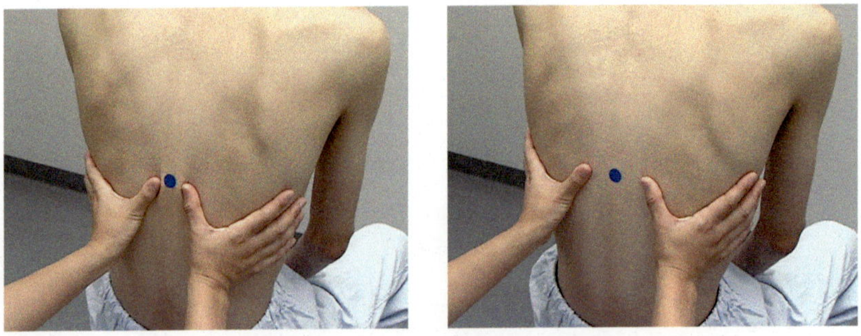

흉곽을 감싼 후 심호흡을 하게 한다.

② 음성전도

- 전흉부 · 배부 모두 폐를 3등분하여 손바닥 하부를 좌우 동시에 살짝 갖다대고 1곳씩 천천히 '하–나'하고 소리 내게 한다.

주의 : 척측면을 사용하는 경우에는 좌우 교대로 같은 높이에서 시행한다.

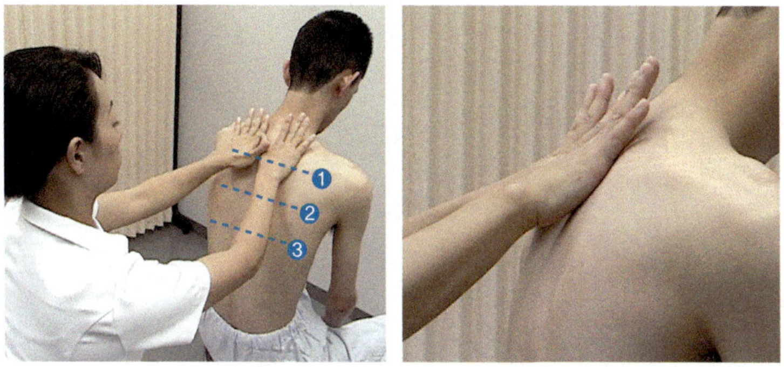

손바닥 하부를 사용하여 확인한다.

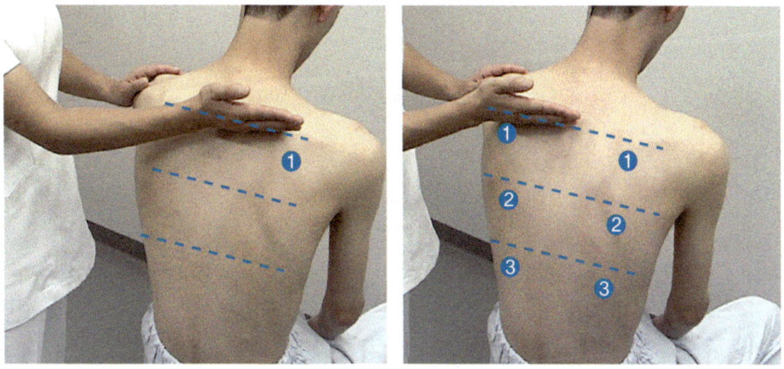

척측면을 사용하여 확인한다.

타진

관찰내용	정상	비정상 ([ ]은 생각할 수 있는 병태 · 질환예)
폐엽 타진음	• 청음(공명음) • 좌우차 없음	• 둔탁음 [폐렴, 흉수저류], 과공명음 [기흉, 폐기흉]
횡격막 가동범위	• 남성 5~6cm, 여성 3~4cm • 좌우차 없음	• 하강부족 [복수저류], 부동 · 좌우차 있음 [횡격막마비]

- **청음**(공명음, resonance) : 정상적인 폐를 타진했을 때 나는 소리로, 동굴에서 나는 소리처럼 들린다.
- **둔탁음**(dullness) : 뼈, 근육, 심장, 간, 액체가 고여 있는 상태의 소리로, 둔한 소리가 들린다.
- **고창음**(tympany) : 폐 · 위 · 장 내에 고여 있는 기체의 소리로, 북소리처럼 들린다.
- **과공명음**(hyperresonance) : 폐기종 등 폐의 과팽창이나 공기연하증(aerophagia), 장폐색 등에 의한 장내가스의 이상저류에서는 공명음이 항진한 소리로서 들린다.

① 폐엽 타진음

● 전흉부

- 오른쪽 제4늑골(우상엽 · 우중엽 경계의 기준), 제6늑골(폐저부의 기준)의 위치를 확인해둔다(그림 11-2, p.152참조).
- 늑간에 중지의 타진부를 수직 또는 수평으로 두고 좌우 교대로 5cm 간격으로 타진한다.

주의 : 전흉부 타진에서는 여성의 경우 대상자가 직접 유방을 안쪽으로 모으게 한다.

주의 : 심장, 간, 위 등의 장기 위치에 따라서도 나는 소리가 다르다.

● 측흉부

- 제3흉추 극돌기(우상엽 · 우하엽 경계의 기준), 제6늑골의 위치를 확인하고 우측부의 경우는 제4늑골, 제5늑골의 위치도 확인해둔다(그림 11-2, p.153 참조).
- 팔을 든 상태에서 한쪽을 타진하고 끝나면 다른 쪽을 시행한다.

● 배부

- 제7흉추 극돌기(폐상부의 기준), 제3흉추 극돌기, 제10흉추 극돌기(폐저부의 기준)를 확인해둔다(그림 11-2, p.152 참조).
- 늑간에 중지의 타진부를 수직 또는 수평으로 두고 좌우 교대로 5cm 간격으로 타진한다.

주의 : 배부 타진에서는 견갑골을 피한다.

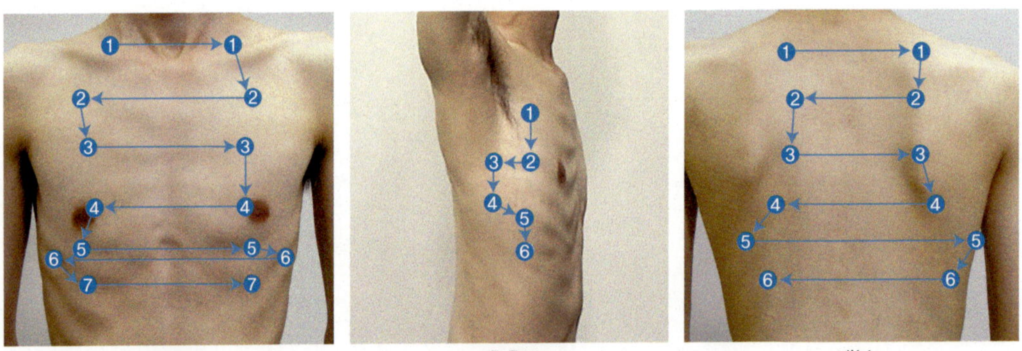

전흉부 측흉부 배부

순서에 따라 각 부위의 타진음을 확인한다.

② 횡격막 가동범위

- 배부에서 좌우 교대로 시행한다. 제10흉추 극돌기(폐저부)를 확인한다.
- 대상자에게 숨을 힘껏 내뱉고 멈추게 하여(최대호기 시) 견갑선 위를 상하로 타진하여 공명음과 탁음의 경계에 마킹펜으로 표시한다.
- 이어서 대상자에게 숨을 힘껏 들이마신 후 멈추게 하여(최대흡기 시) 아래쪽으로 타진하여 공명음과 탁음의 경계에 마킹펜으로 표시한다.
- 표시의 상하차, 좌우차를 자로 측정한다.

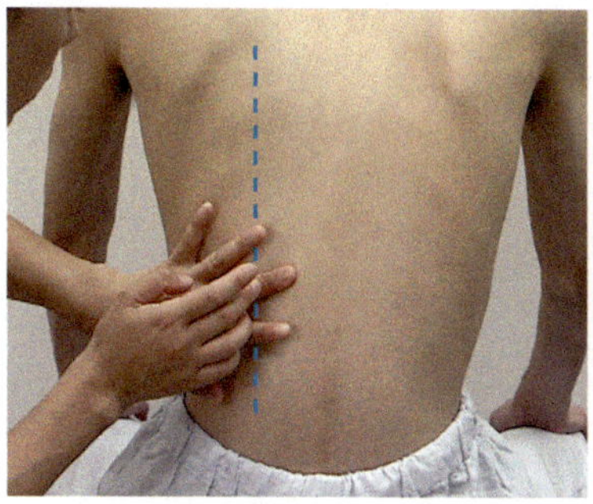

① 타진(최대호기 시)

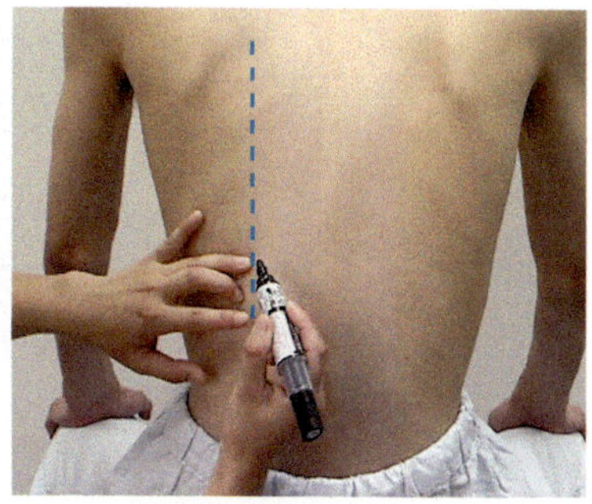

② 공명음과 탁음의 경계에 표시

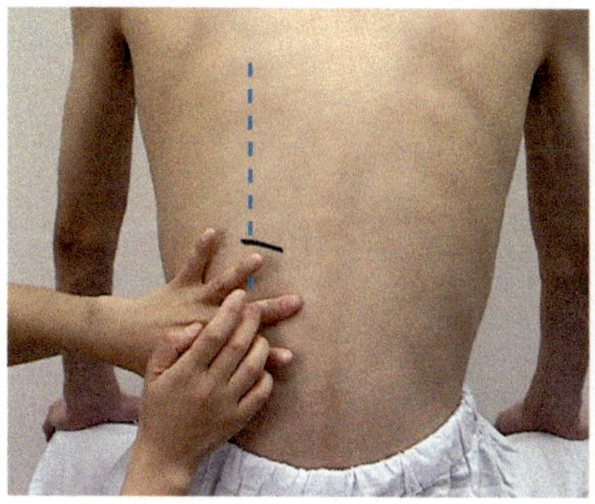

③ 타진(최대흡기 시)

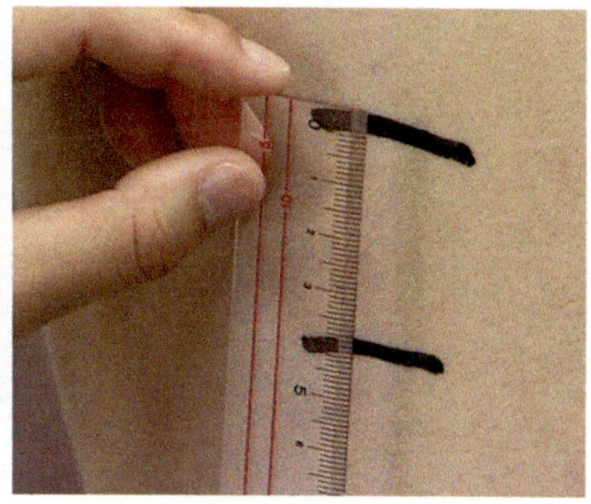

④ 측정

횡격막의 가동범위를 측정한다.

청진

관찰내용	정상	비정상 ([ ]은 생각할 수 있는 병태 · 질환예)
호흡음	• 기관호흡음, 기관지호흡음, 기관지–폐포호흡음, 폐포호흡음	• 호흡음 감약 · 소실 [무기폐, 기흉, 흉막염, 흉수저류] • 이소성 호흡음* [폐렴, 흉수저류, 무기폐, 폐부종] • 폐성 부잡음 연속성 음 [천식, 기관지염, 폐렴] 천명음(wheeze) : 쌕– 건성 수포음(rhonchi) : 가–가– 단속성 음 [울혈성 심부전, 폐부종, 폐렴, 폐섬유증] 수포음(coarse crackles) : 부글부글 염발음(fine crackles) : 지직지직 • 비폐성 부잡음 흉막마찰음 : 기– [흉막염, 폐경색]
음성전도	• '오, 오'하고 들림 • 좌우차 없음	• 산양소리 [흉수저류], 작은 소리 [기흉] • 좌우차 있음

* 이소성 호흡음 : 폐포에 분비물이 있으면 본래는 들리지 않는 기관지호흡음이 들린다. 소리는 액체를 지나면 크게 들리기 때문에 발생한다.

① **호흡음**

- 대상자에게 입을 살짝 벌리고 천천히 심호흡을 반복하게 하여 청진기의 막형을 한곳에 대고 흡기와 호기의 호흡음을 듣는다.
- 가장 먼저 기관호흡음, 기관지호흡음, 기관지-폐포호흡음, 폐포호흡음을 확인한다.
- 그 후 청진 및 타진의 위치와 순서에 따라 좌우대칭으로 전흉부 · 측흉부 · 배부를 청진한다(p.158 타진을 참조).

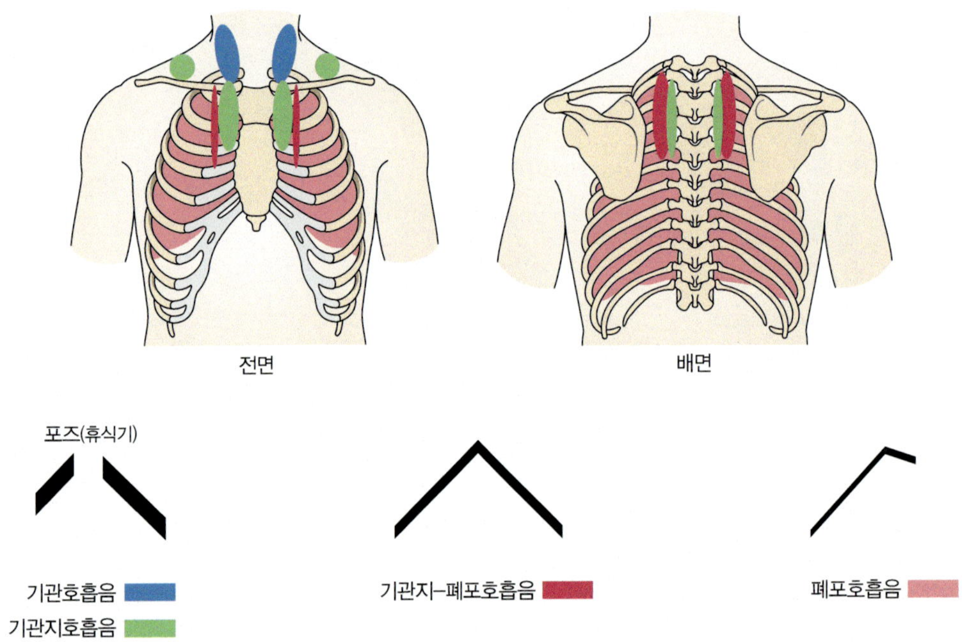

부위별 정상 호흡음

② **음성전도**

- 청진의 음성전도에서 비정상 소견이 의심되는 배부의 이상부위에 청진기를 대고 '하-나'하고 소리를 내게 하여 청진하다.

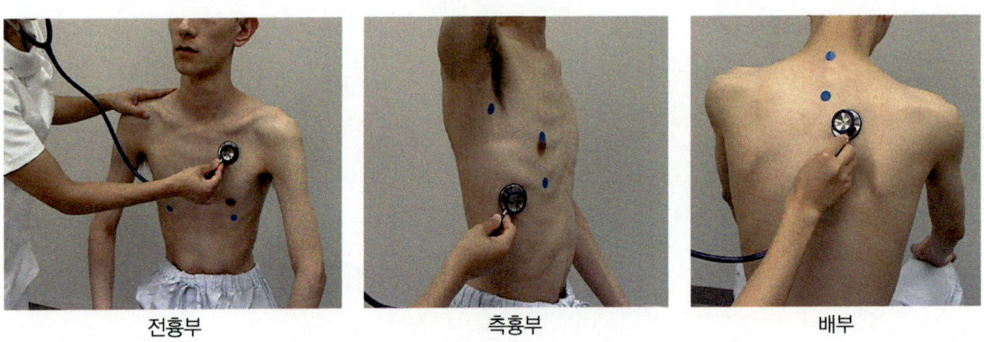

이상부위에서 음성전도를 측정한다.

호흡기계 신체사정의 요점

- 보통 검진은 문진, 시진, 촉진, 타진, 청진 순으로 진행하지만, 흉복부의 경우는 촉진의 영향을 많이 받기 때문에 촉진 전에 청진과 타진을 먼저 시행한다.
- 건강력, 자각증상(기침, 가래, 흉통, 호흡곤란), 검사결과(SpO_2, 동맥혈가스분압, Hb, 폐활량)를 참고하여 병태를 예측해서 검진한다.
- 각 검진에서 전흉부, 측흉부, 배부의 순서를 정하고 좌우대칭으로 관찰해 나간다. 또 병변 부위가 확실한 경우에는 건강측과 환측, 상하를 비교하면서 시행한다.
- 가슴털 때문에 이상음을 내는 경우에는 물에 살짝 적셔서 마찰을 줄인다.
- 체력이 저하되어 정밀한 검사를 견디지 못하는 대상자의 경우 전흉부 · 배부에서 약 6곳을 청진한다.
- 촉진, 타진, 청진 시에는 심호흡을 시키기 때문에 과환기 징후에 주의하고 필요에 따라 휴식하게 한다.

2) 기록

- 호흡수, 호흡형태, 노력호흡 유무를 기록한다.
- 비정상 소견이 있는 경우 어느 부위에서 정상범위를 어떻게 벗어나 있는지를 명기한다.
- 필요하면 그림으로 나타낸다.
- 시간에 따른 변화를 기록한다.

■ 기록예

- R 20회/분, 흉복식, 호흡음 청명
- R 24회/분, 표재성, SpO_2 94%, 우중엽 제4~5늑간에 연속성 음(염발음) 청취, 흉부 X선 결과 폐렴으로 진단됨
- 약해진 호흡음 청취, 우상엽의 무기폐는 체위변경, 심호흡 후 개선 경향 있음

3) 검진결과와 간호수행

- 비정상 소견이 관찰된 경우 팀 리더나 의사에게 보고한다.
- 호흡상태의 악화가 예측되는 경우 의사에게 필요한 검사, 처치, 치료법을 확인한다.
- 가래가 고여 있으면 흡인세트를 준비하고 필요 시 약물 지시를 받는다(기관지확장제, 거담제, 흡인제 등).
- 울혈성 심부전이 있으면 호흡곤란이 관찰되므로 상반신을 올리고 의사에게 치료방침을 확인한다.
- 흉수가 고여 있는 경우에는 촉진이나 타진을 통해 흉수저류 부위 및 높이를 판별한다.
- 흡인 전후에는 청진을 통해 가래의 저류 유무나 흡인 효과를 사정한다.

- 폐흡인 우려가 있을 때에는 연하음을 확인하고 전폐 영역을 청진한다.
- 수술 후 호흡음을 확인하고 폐렴이나 무기폐 등의 합병증을 예방한다.
- 거동을 못하는 대상자의 경우 매일 호흡상태를 관찰하고 청진을 하여 침강성 폐렴을 예방한다.
- 호흡곤란이 있는 경우 체위를 고려한다(기좌위 등을 취하여 호흡면적을 유효하게 한다).
- 필요에 따라 체위배액, 배담법, 호흡법을 유도한다.
- PaO_2, $PaCO_2$, SpO_2 등의 데이터를 확인하여 일상생활활동 범위를 지도한다.

학습과제

1. 순서에 따라 호흡상태를 검진해보자.
2. 어떤 상태일 때 호흡기계의 비정상 소견이 관찰되는지 질환의 지식과 통합하여 생각해보자.

CHAPTER

12 순환기계

학습목표

1. 순환기계의 구조와 기능을 설명할 수 있다.
2. 대상자와의 면담을 통해 순환기계와 관련된 주관적 자료를 사정한다.
3. 정확한 신체사정을 통하여 순환기계의 정상과 비정상 소견을 구분하고 객관적 자료를 수집, 원인이나 관련 요인을 검토하여 간호중재에 활용한다.

1. 구조와 기능

1) 구조

(1) 심장

- **심장**(heart)은 성인의 주먹 크기로, 제2~5늑간에 놓여 있고 흉골우연에서 좌측 쇄골중간선상에 위치한다.
- 심장의 윗부분인 **심저부**(base)는 대략 제2늑간, 아랫부분인 **심첨부**(apex)는 제5늑간 높이에 있으며(그림 12-1) 우심방(오른심방, right atrium), 우심실(오른심실, right ventricle), 좌심방(왼심방, left atrium), 좌심실(왼심실, left ventricle)의 4개 공간으로 구성된다(그림 12-2).
- 심방과 심실, 심실과 동맥 사이에는 4개의 판막(valve)이 존재하며 혈액은 우심방에서 **삼첨판**(오른방실판막, tricuspid valve)을 지나 우심실로, 우심실에서 **폐동맥판**(허파동맥판, pulmonary valve)을 지나 폐에 이르러 가스교환을 한다. 그리고 폐정맥에서 좌심방, 좌심방에서 **이첨판** 혹은 **승모판**(mitral valve)을 지나 좌심실로 들어가며, **대동맥판**(aortic valve)을 지나 전신으로 박출된다(그림 12-2).

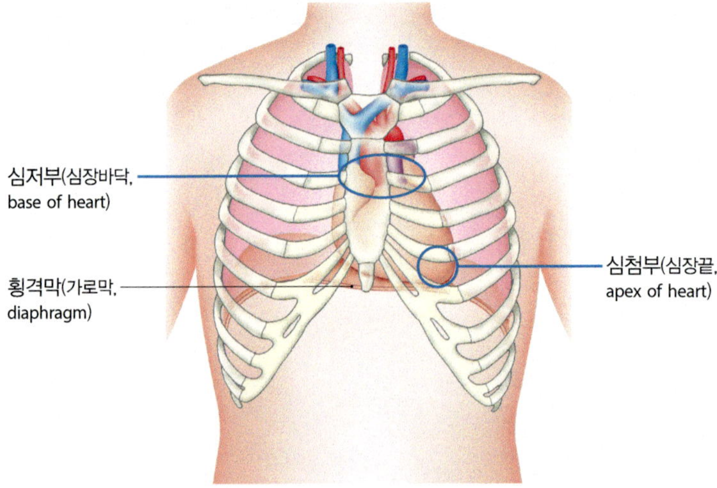

그림 12-1 심장과 흉곽의 위치관계

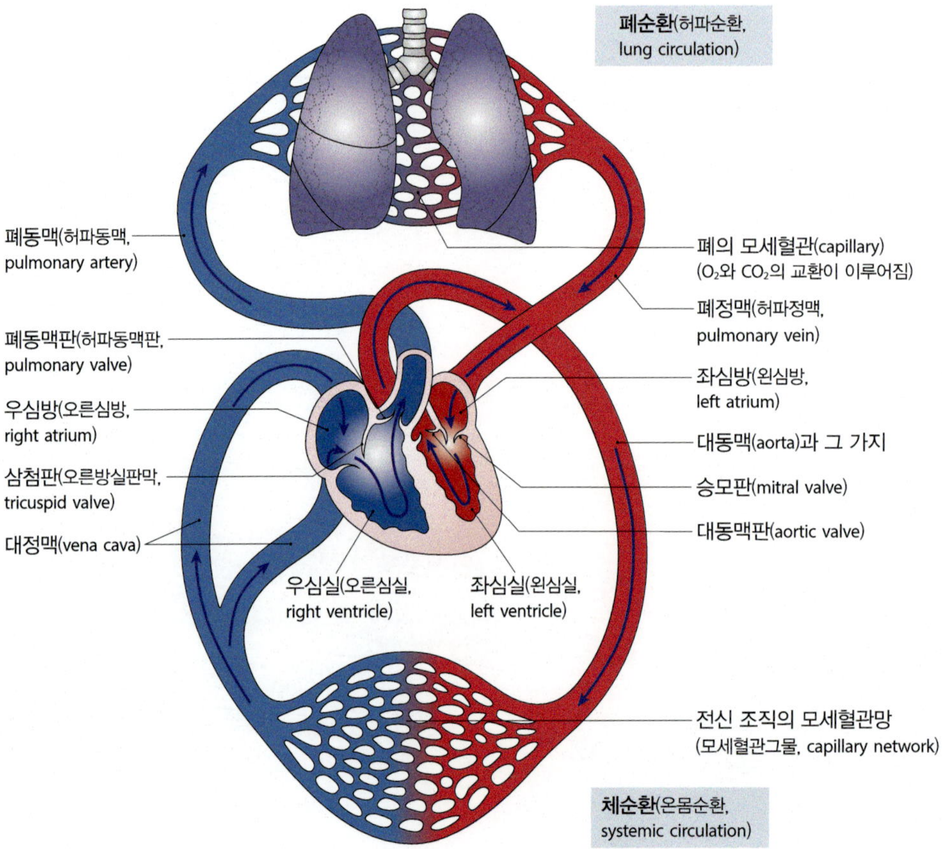

그림 12-2 혈액순환(폐순환과 체순환)

(2) 혈관

- **혈관**(blood vessel)은 **동맥**(artery)과 **정맥**(vein), 그것을 잇는 **모세혈관**(capillary)으로 구성된다(그림 12-3, 12-4).

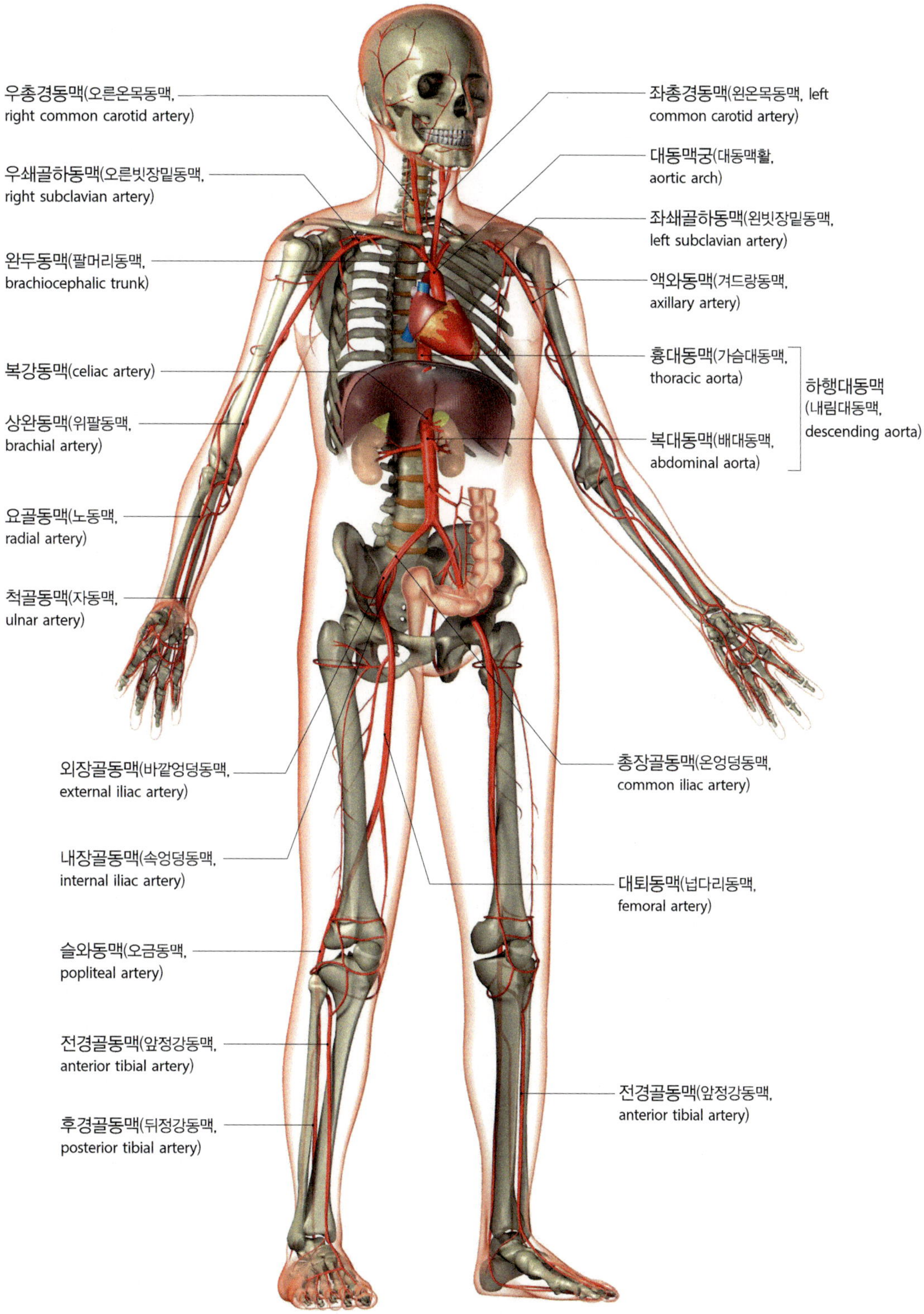

그림 12-3 인체의 주요 동맥

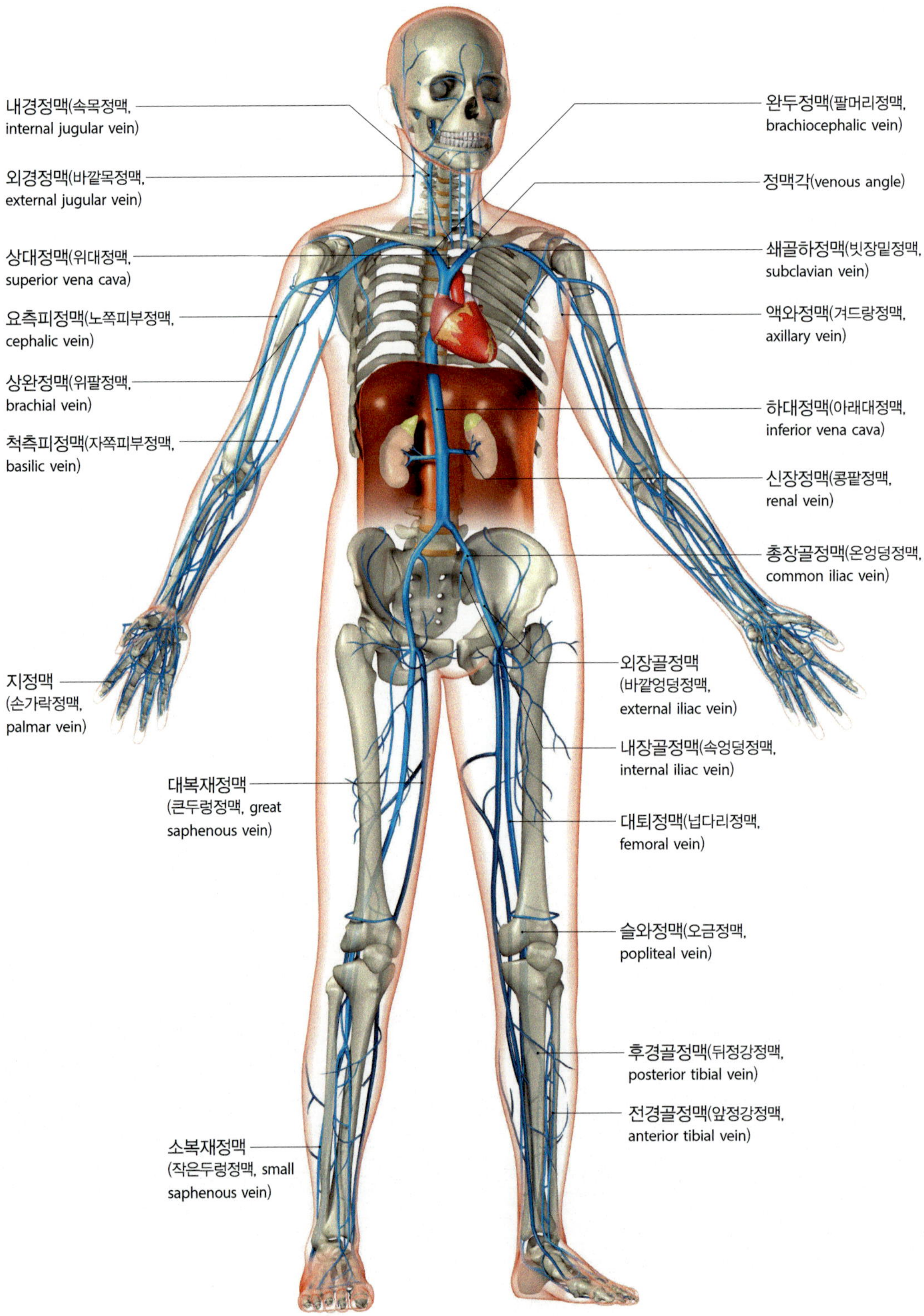

그림 12-4 인체의 주요 정맥

- 심장에 영양을 공급하는 혈관을 **관상동맥**(심장동맥, coronary artery)이라고 하며, 좌관상동맥(왼심장동맥)과 우관상동맥(오른심장동맥)이 있다. 좌관상동맥은 다시 좌전하행지(왼앞내림가지, left anterior descending branch)와 좌회선지(왼휘돌이가지, left circumflex branch)로 나뉜다.
- 동맥은 대동맥에서 반복해서 분지하여 세동맥(arteriole)이 되며, 세동맥은 모세혈관에 이른다. 동맥은 내막, 중간막, 외막의 3층으로 구성되며, 탄력성이 있어 심근의 수축으로 생성된 강한 압력을 그대로 수용한다. 동맥은 자극에 반응하여 혈관을 수축 또는 이완하면서 혈압을 유지한다.
- 모세혈관에서 간질액(사이질액, interstitial fluid; 조직액)과 물질교환이 이루어진 후 세정맥(venule)에 이르며 점차 굵은 대정맥이 된다. 산소가 충분한 혈액은 동맥에서 모세혈관으로 영양소를 전달하며 세정맥은 모세혈관으로부터 대사산물을 돌려받는다.
- 정맥은 동맥에 비해 혈관벽이 얇지만 확장성이 좋아 심장의 부하를 줄여야 하는 경우 여분의 혈액을 저장한다. 각 정맥 혈관 안에는 역류를 방지하기 위한 **정맥판**(venous valve)이 존재한다(그림 12-5). 정맥판은 다리에 잘 발달해 있다.

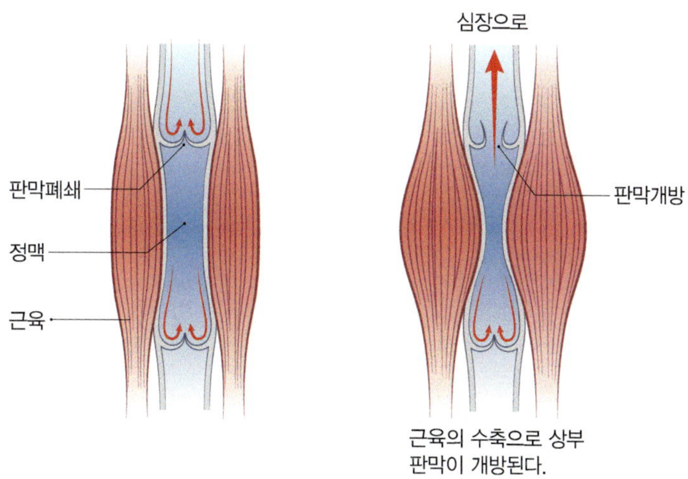

그림 12-5 정맥판

(3) 림프

- **림프**(lymph)란 림프액을 가리키며, 림프액의 통로를 **림프관**(lymphatic vessel)이라고 한다.
- 림프관은 정맥 분포와 유사하며 벽은 얇고 정맥과 마찬가지로 판막이 있다. 림프관에는 곳곳에 림프액의 여과장치인 **림프절**(lymph node)이 있다.
- 림프계는 림프관, 림프절 및 비장(지라, spleen), 흉선(가슴샘, thymus gland), 편도(tonsil) 등의 림프성 기관으로 구성된다(그림 12-6).
- 우상지, 두부 및 흉부 오른쪽 절반의 림프액은 우림프본간(오른림프관줄기, lymphatic trunk)으로 유입하여 우쇄골하정맥(오른빗장밑정맥, right subclavian vein)으로, 나머지 신체 부분의 림프액은 흉관(가슴림프관, thoracic duct)으로 유입하여 좌쇄골하정맥(왼빗장밑정맥, left subclavian vein)으로 유입한다.

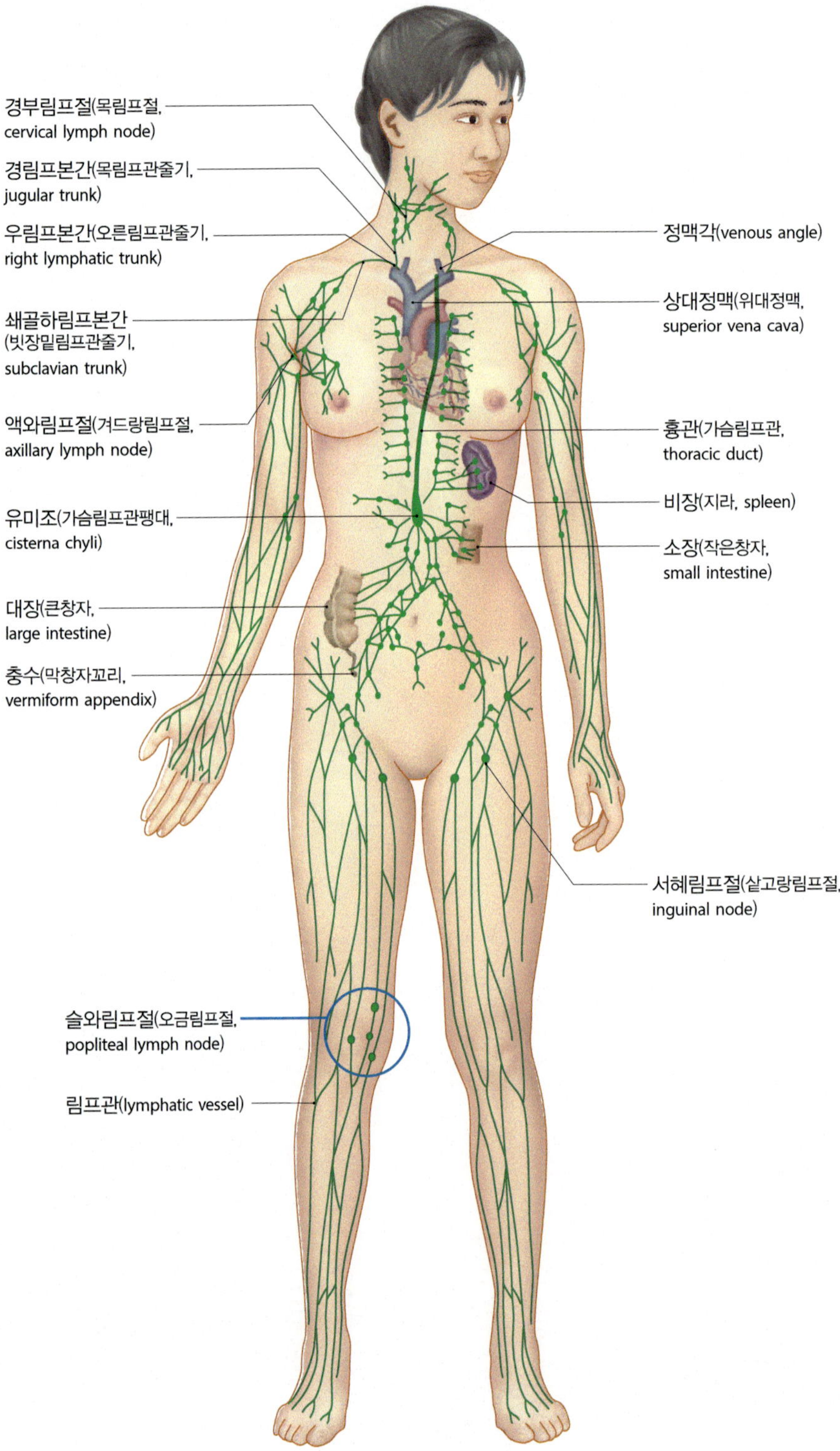
경부림프절(목림프절, cervical lymph node)
경림프본간(목림프관줄기, jugular trunk)
우림프본간(오른림프관줄기, right lymphatic trunk)
쇄골하림프본간 (빗장밑림프관줄기, subclavian trunk)
액와림프절(겨드랑림프절, axillary lymph node)
유미조(가슴림프관팽대, cisterna chyli)
대장(큰창자, large intestine)
충수(막창자꼬리, vermiform appendix)
정맥각(venous angle)
상대정맥(위대정맥, superior vena cava)
흉관(가슴림프관, thoracic duct)
비장(지라, spleen)
소장(작은창자, small intestine)
서혜림프절(샅고랑림프절, inguinal node)
슬와림프절(오금림프절, popliteal lymph node)
림프관(lymphatic vessel)

그림 12-6 림프계

2) 기능

(1) 심장

- 심장은 혈관을 순환시키는 펌프의 역할을 한다.

(2) 혈관

- 혈관은 혈액의 통로이다.
- 좌심실에서 박출된 동맥혈에는 생명유지에 필요한 산소나 영양소, 전해질, 호르몬 등 많은 물질이 함유되어 있다. 이들 물질은 조직액(체액)에 섞여 모세혈관을 통해 신체의 모든 조직세포로 운반된다.
- 물질대사의 결과 생성된 이산화탄소나 노폐물을 함유한 조직액은 그 약 90%가 모세혈관으로 되돌아와 정맥을 지나 우심방으로 유입된다.
- 그 후 폐순환(허파순환, lung circulation)을 통해 가스교환을 하며 다시 좌심실에서 전신으로 동맥혈이 박출된다.

(3) 림프

- 림프계는 혈관계와 독립되어 있으며, 조직강으로부터 과도한 체액을 혈류 내로 되돌려준다.
- 조직액의 약 10%는 모세혈관 주위에 있는 림프관에 흘러들어 가며 최종적으로는 심장으로 되돌아온다.
- 림프절은 그곳을 통과하는 림프액을 여과하여 병원체와 같은 미세입자나 암세포를 제거함으로써 질병 예방의 역할을 담당한다.

2. 사정방법

1) 검진순서

필요물품

- 종(bell)형과 원판(diaphragm)형이 모두 있는 청진기, 혈압계, 펜라이트, cm 단위의 자, 초시계, 담요, 작은 베개

준비

① 환경 준비

- 오한은 대상자를 불편하게 하며 떨림은 심음을 방해하므로 실온(22~24℃)을 유지하고 소음이 없는 조용한 곳에서 검진한다.
- 감염 예방을 위해 손을 씻고, 따뜻하게 하여 대상자의 안위를 도모한다.

② 설명과 동의

- 대상자에게 검진의 목적과 방법(가슴 앞부분 노출, 신체 접촉, 앉은 자세나 누운 자세를 취한다는 점 등)을 설명하고 동의를 구한다.

③ 대상자 준비

- 방광을 비우도록 한다.
- 가슴 앞부분 노출 시 담요를 덮어 사생활을 보호하고 보온한다.
- 대상자를 앉은 자세나 상체를 30~45° 높인 바로 누운 자세를 취하도록 한다.

문진

① 건강력

- 나이, 심혈관계 질환, 당뇨, 신부전, 감염병, 림프종, 악성종양, 아동기에 류마티스성 열 또는 원인 모를 성장통 등의 과거력 유무, 외상, 심장수술 또는 혈관수술, 수혈 경험 유무, 흡연력, 음주, 영양, 운동습관, 스트레스, 약물 등

② 자각증상의 발현시기, 발현상황, 지속시간, 상태, 강도, 동반증상 등

- 흉통, 심계항진, 호흡곤란, 좌위호흡, 기침, 실신, 피로감 증가, 야뇨증, 부종, 체중 변화, 팔다리 저림감이나 통증, 냉감, 림프절의 통증이나 부종, 발열 등

③ 가족력

- 고혈압, 당뇨, 심혈관계 질환, 비만, 악성종양 대상자 유무

측정 / 시진 / 촉진

관찰내용	정상	비정상 ([ ]은 생각할 수 있는 병태 · 질환예)
혈압	• 성인 혈압	• 수축기혈압 80mmHg 이하 [쇼크]

성인의 혈압 분류(mmHg)

		수축기혈압		확장기(이완기)혈압
정상혈압*		<120	그리고	<80
주의혈압		120~129	또는	80~84
고혈압전단계		130~139	또는	85~89
고혈압	1기	140~159	또는	90~99
	2기	≧160	또는	≧100
수축기단독고혈압		≧140	그리고	<90

* 심뇌혈관질환의 발병 위험이 가장 낮은 최적혈압

[2018년 고혈압 진료지침]

관찰내용	정상	비정상
주요 동맥촉진 (맥박수, 리듬 및 강도, 양측 맥박 비교)	• 맥박수 : 성인에서 60~80회/분(운동선수 등 심폐기능이 단련되어 있는 사람은 서맥이 되는 경향이 있음)	• 과도한 운동, 흡연, 불안으로 인한 맥박수 증가는 정상이지만 성인에서 60회/분 이하(서맥), 100회/분 이상(빈맥)은 비정상임
	• 리듬 : 규칙적이고 맥박의 간격이 같음	• 리듬이 불규칙 [심장의 자극전도계 이상이나 심박출량 저하], 중복리듬(거의 같이 뛰는 두 번의 맥박)이 있음 (리듬이 불규칙한 경우 심첨맥박과 요골맥박을 동시에 측정하여 맥박결손 확인)
	• 강도 : 쉽게 촉지되며 부드럽게 박동함, 양측 맥박이 대칭적이며 어느 동맥이든 좌우차 없이 촉진할 수 있음 정상 강도 2+	• 아주 강한 박동 또는 약한 박동, 최대박동 지연, 맥박에 좌우차 있음 [촉지부위보다 중추측 혈관협착] 강도 0 = 없음 1+ = 사라지거나 약하게 박동 3+ = 충분한 박동 4+ = 강한 박동, 과잉반동
피부색	• 상 · 하지의 피부는 손상이 없고 탄력적이며, 인종에 맞는 적절한 색으로 양측이 대칭적임	• 피부색이 창백, 발적, 암자색 • 종창, 궤양, 정맥류 있음
융기 · 함몰 유무	• 전흉부의 융기 · 함몰 없음	• 하지정맥류 있음 (장시간 서서 일하는 업무나 임신으로 정맥환류가 저해되어 정맥판막의 기능이 손상되었기 때문에 정맥혈이 정체하여 하지의 정맥혈관이 튀어나와 있음)

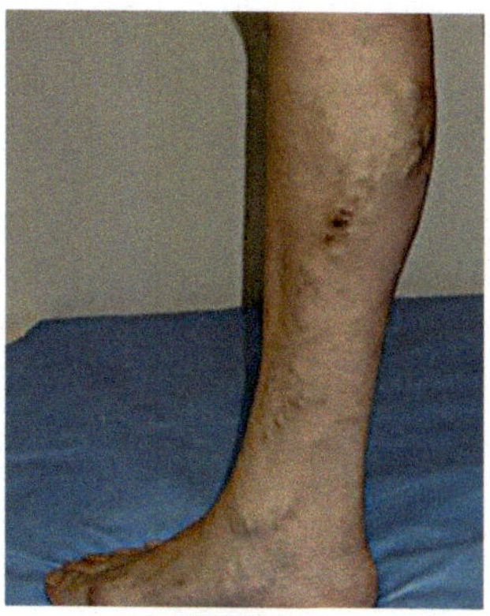

하지정맥류

(계속)

관찰내용	정상	비정상 ([ ]은 생각할 수 있는 병태 · 질환예)
피부온도	• 상 · 하지의 온도는 양측에서 따뜻함	• 피부온도에 이상이 있음 • 주로 하지가 창백하거나 암적색으로 냉감이 있고 끝부분에 궤양이나 괴저가 생기는 경우가 있음 [폐쇄성 동맥경화증] • 주로 발목이나 종아리의 혈관이 구불구불 튀어나와 있고 그 부분이 단단해져 있음, 주변이 발적해서 열감이 있음, 부종을 동반하기 쉬움 [혈전성 정맥염]
손발톱의 색조 · 형태	• 색조는 분홍색으로 조상 부위 종창 없음 • 곤봉손가락 없음	• 청색증 있음 [저산소상태] (다만 저산소상태라도 헤모글로빈양의 저하가 있으면 청색증은 잘 나타나지 않음) • 곤봉손가락 있음 [만성적 저산소상태] 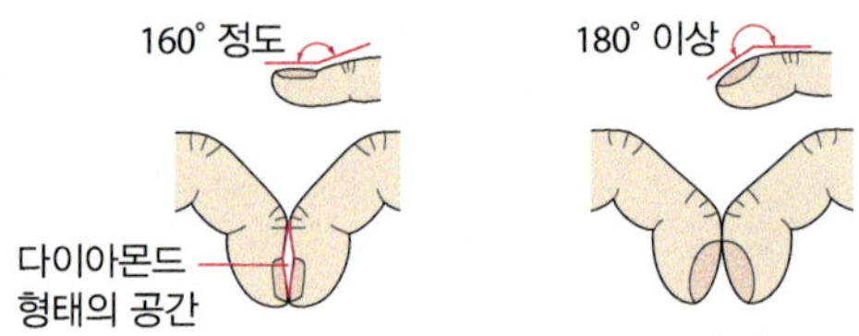 정상 중지 손톱을 갖다 대면 정상에서는 다이아몬드 형태의 공간이 생긴다. 곤봉손가락 곤봉손가락에서는 조갑과 후조곽의 각도가 180° 이상이 된다.
모세혈관 재충혈시간	• 조체를 눌렀다가 뗐을 때 색이 회복하는 데 1~2초 정도 소요됨	• 조체의 색이 회복하는 데 시간이 걸림 [관류장애]
경정맥 맥박	• 바로 누운 자세에서 오른쪽 경정맥의 박동이 관찰됨 • 앉은 자세에서 경정맥 맥박이 보이지 않음 • 상체를 45° 올린 상태에서 흉골각에서 박동점까지의 수직거리가 4.5cm 이하가 되거나 박동이 보이지 않게 됨	• 바로 누운 자세에서도 박동이 관찰되지 않음 [탈수나 출혈 등 순환혈액량 감소] • 상체를 45° 올린 상태에서 경정맥의 박동이 있으며 흉골각에서 박동점까지의 수직거리가 5cm 이상 됨 [심부전]
심장 진동	• 만져지지 않음	• 대동맥판영역, 폐동맥판영역, 삼첨판영역, 승모판영역의 어딘가에서 박동이 만져짐 [판막증, 심방중격결손증, 폐고혈압]
심첨맥박	• 아동과 비교적 야윈 경우 이외는 박동이 관찰되는 일이 적음 • 좌측 쇄골중간선의 제5늑간 위에서 약간 안쪽으로 만져지며 그 폭이 2cm 이내 • 짧고 부드러운 박동	• 좌전하흉부에서 박동이 관찰됨 • 좌측 쇄골중간선의 제5늑간 위보다 왼쪽 아래로 벗어나 만져지며, 그 폭이 2cm 이상, 너무 강하거나 지속시간이 긺 [좌심비대나 확장, 발열, 갑상선기능항진증]
부종	• 부종 없음	• 부종 있음 [심부전, 순환장애, 염증, 악성종양, 저단백, 림프성 부종]
림프절 촉진	• 촉진에서는 만져지지 않음 (건강해도 완두콩 크기에서 팥 크기의 림프절이 만져지는 경우가 있는데, 그 경우 표면은 매끄럽고 부드러우며 편평하여 압통은 없음. 가동성이 풍부하며 림프절 간의 유착은 없음)	• 결절이 만져지며 또 결절이 커지고 통증, 결절부위의 피부에 종창이나 열감이 있음 [감염, 림프절염] • 결절이 만져지고 또 결절이 커지며 여러 개의 림프절이 붓기 시작함, 단단하고 가동성이 없음, 단 단단함이나 통증을 동반하지 않는 경우도 있음 [악성종양]

① 혈압

- **혈압**은 보통 상완동맥에서 측정한다(처음 측정 시 양팔에 측정하여 수치 비교).
- 동일한 대상자에게서 측정하는 부위, 시간, 체위를 최대한 일정하게 한다.
- 대상자가 어지러움의 과거력이 있거나 항고혈압제를 복용하는 경우 누웠을 때, 앉아 있을 때, 서 있을 때의 혈압과 심박수를 비교한다.

② 주요 동맥촉진

- 맥박수는 보통 요골동맥에서 측정한다.
- 전신의 동맥 중 천측두동맥(얕은관자동맥, superficial temporal artery), 총경동맥(온목동맥, common carotid artery), 액와동맥(겨드랑동맥, axillary artery), 상완동맥(위팔동맥, brachial artery), 요골동맥(노동맥, radial artery), 대퇴동맥(넙다리동맥, femoral artery), 슬와동맥(오금동맥, popliteal artery), 후경골동맥(뒤정강동맥, posterior tibial artery), 족배동맥(발등동맥, dorsalis pedis artery)을 촉진할 수 있다.
- 대퇴동맥, 슬와동맥, 후경골동맥, 족배동맥은 바로 누운 자세에서 촉진한다.

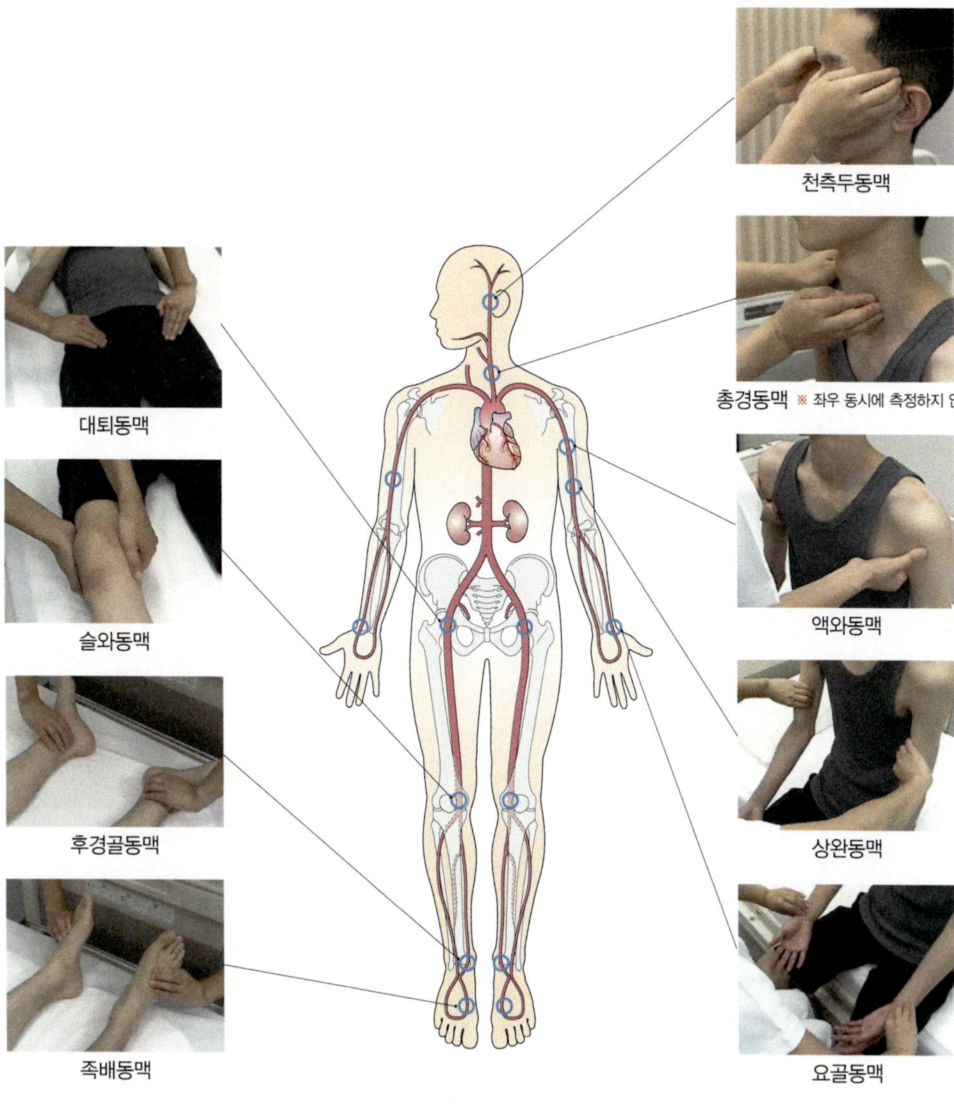

동맥촉진 가능 부위

- 총경동맥을 제외하고는 좌우 동시에 촉진하며 맥박의 긴장상태와 좌우차 유무를 살핀다.

주의 : 갑상연골 높이에 있는 경동맥동(압수용체)을 압박하면 혈압저하, 서맥에 의해 실신을 일으킬 수도 있으므로 총경동맥을 촉진할 때는 목 하반부의 기관과 흉쇄유돌근 사이에서 한쪽씩 시행하고 압박을 세게 가하지 않는 것이 중요하다.

- 좌우차가 있는 경우에는 긴장이 약한 쪽의 중추측 혈류장애가 의심되기 때문에 중추측 동맥의 좌우차 유무를 살핀다. 예를 들어 우상지의 요골동맥이 좌측보다 약하지만, 상완동맥에 좌우차가 없는 경우에는 우상지의 상완동맥에서 요골동맥의 혈관에 협착 등의 혈류장애를 초래하는 병변이 의심된다.
- 혈관병변을 일으키기 쉬운 대상자(당뇨병 대상자 등)에서는 족배동맥이나 요골동맥을 촉진해서 말초혈관장애 유무를 확인한다.
- 대퇴동맥을 천자하는 치료나 검사(심장카테터검사 등) 후에는 족배동맥을 촉진해서 혈류장애 유무를 확인한다.
- 말초동맥을 촉진할 수 없는 쇼크 시에는 총경동맥이나 대퇴동맥을 촉진한다.

③ 피부색, 융기 · 함몰 유무, 피부온도

- 검사하는 부위별로 관찰한다.
- 피부온도는 손등을 사용하며 양쪽을 동시에 사정한다.

④ 손발톱의 색조 · 형태

- 손발가락 끝의 팽대, 조곽 부위(손톱이 시작되는 피부부분)와 조체의 각도를 관찰하여 곤봉손가락 유무를 확인한다.

⑤ 모세혈관 재충혈시간

- 조체를 2~3초간 압박하고 손톱이 창백해졌을 때 압박을 멈춘다.
- 조체의 색이 회복되는 시간을 측정한다.

⑥ 경정맥 맥박

- 검진자는 대상자 우측에 선다.
- 대상자의 상체를 30~45° 높인 바로 누운 자세를 취하게 하고 우경정맥을 관찰한다.
- 대상자에게 고개를 좌측으로 조금 돌리도록 요청한다.
- 펜라이트를 비스듬하게 위에서 접선 방향으로 빛을 비추면 알기 쉽다.
- 정맥인지 알기 어려울 때는 쇄골 부근에서 정맥이라고 생각되는 혈관을 압박하면 알 수 있으며, 만약 정맥이라면 압박한 부위보다 머리쪽 혈관이 확장된다.
- 우심방압이 정상일 때 바로 누운 자세에서 경정맥의 확장이 관찰되는데, 상체를 올리면 확장이 사라진다.
- 상체를 올려도 확장이 관찰될 때는 우심방압이 상승되었음을 나타낸다.
- 상체를 45° 올리고 흉골각에서 박동점까지의 수직거리를 측정한다.

- 상체를 45° 올렸을 때의 흉골각에서 박동점까지의 거리에 5cm를 더한 값(측정치 + 5cm)이 우심방압(기준치 5~10cmH_2O)을 반영한다.

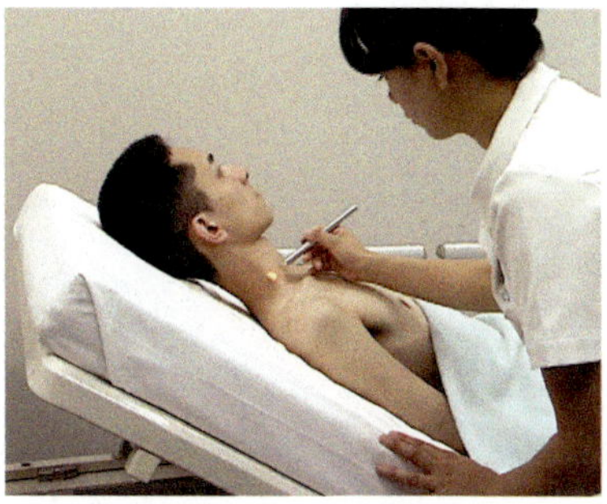

상체를 45° 올린다.

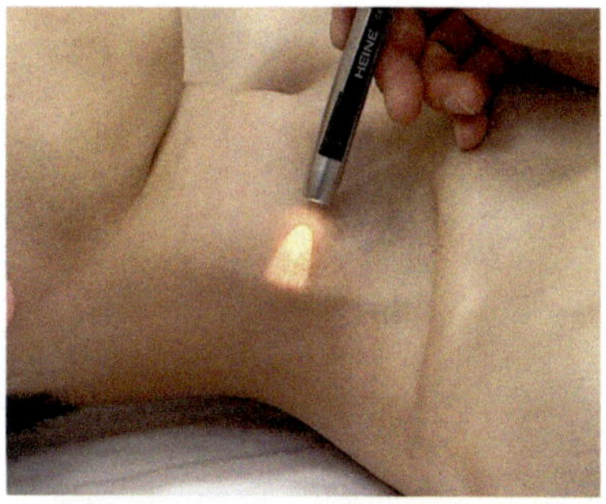

펜라이트를 사용해서 경정맥을 찾는다.

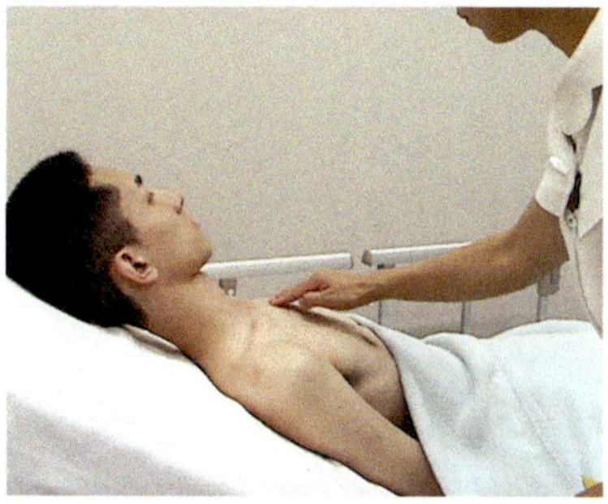

흉골각을 찾는다.

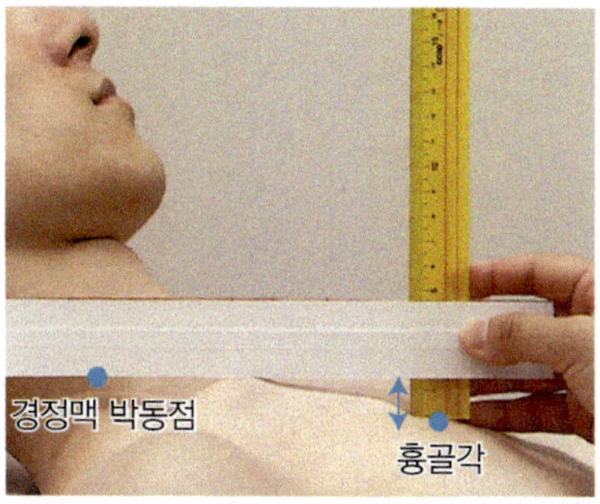

흉골각에서 경정맥의 박동점을 측정한다.

⑦ 심장 진동

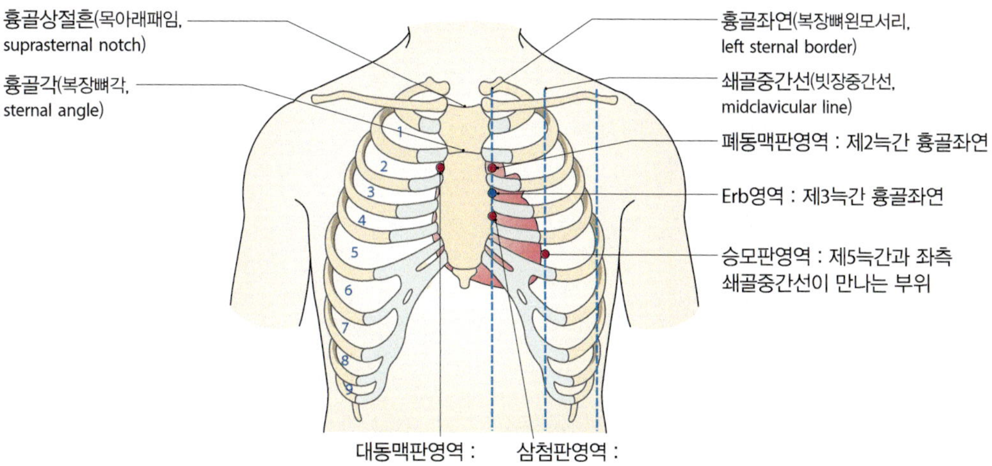

촉진 · 청진부 구분법

- 앉은 자세나 바로 누운 자세에서 시행한다. 손바닥의 네 손가락이 시작되는 부근으로 각 판막영역을 촉진한다.
- 흉골상절흔에서 아래 5cm에 흉골각이 있으며 그 바로 옆이 제2늑골, 그 아래가 제2늑간이다.
- 흉골각을 찾기 어려울 때는 쇄골 바로 아래가 제1늑간인 점을 이용한다.

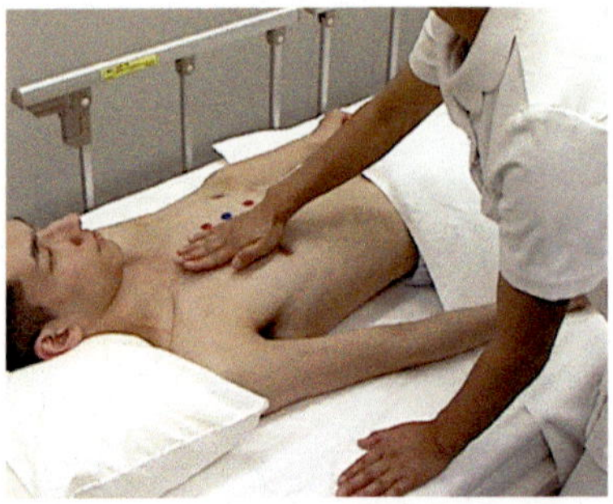
대동맥판영역

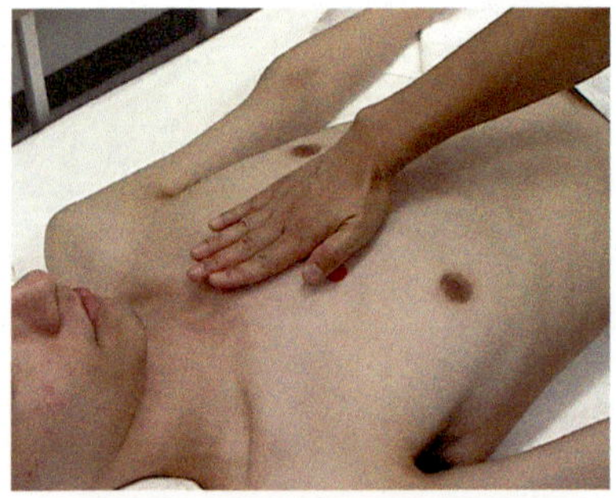
폐동맥판영역

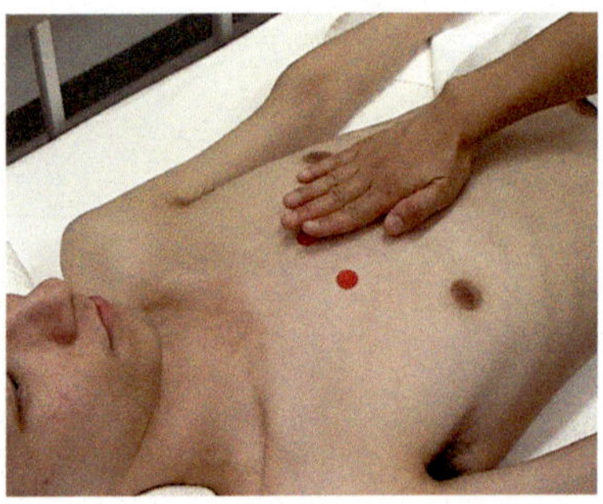
삼첨판영역

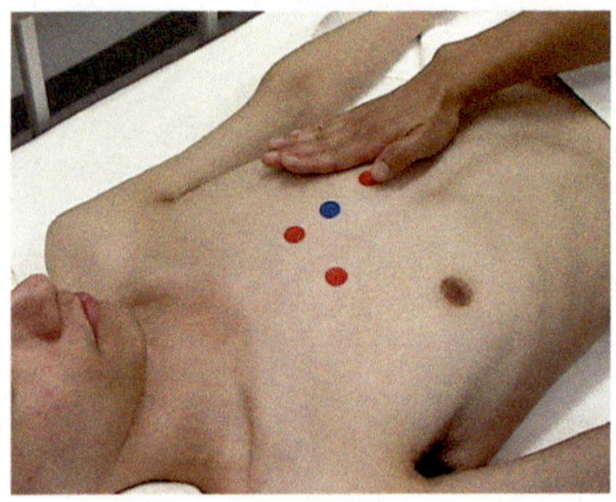
승모판영역

각 판막영역을 촉진하여 심장 진동을 확인한다.

⑧ 심첨맥박의 시진 · 촉진

- 시진은 앉은 자세나 바로 누운 자세에서 시행하며, 검진자는 대상자 우측에 선다.
- 전흉부, 특히 흉골좌연의 흉벽에 움직임이 있는지를 관찰한다.
- 시진이 어려울 때는 오른쪽에 쿠션 등을 대어 약간 왼쪽으로 누운 자세를 취해 심첨부를 흉벽에 가깝게 한 상태에서 시행한다.
- 펜라이트로 좌측면에서 왼쪽 제5늑간 방향에 비추면 심첨맥박을 찾기 쉽다.
- 촉진은 바로 누운 자세에서 시행한다.
- 간호사의 검지, 중지, 약지를 좌측 쇄골중간선 위 제4, 5, 6늑간에 올리고 심첨맥박이 만져지는 부위, 범위, 강도를 관찰한다(3 finger technique).
- 심첨맥박이 만져지지 않는 경우에는 손가락을 겨드랑이 방향으로 더 이동시켜 박동 유무를 확인한다.

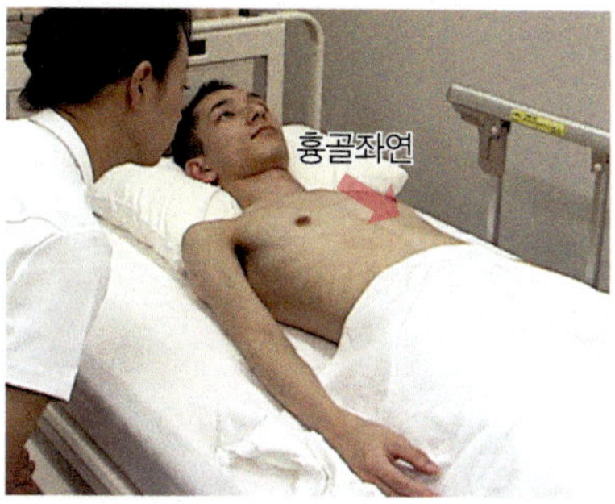

흉골좌연을 관찰한다.

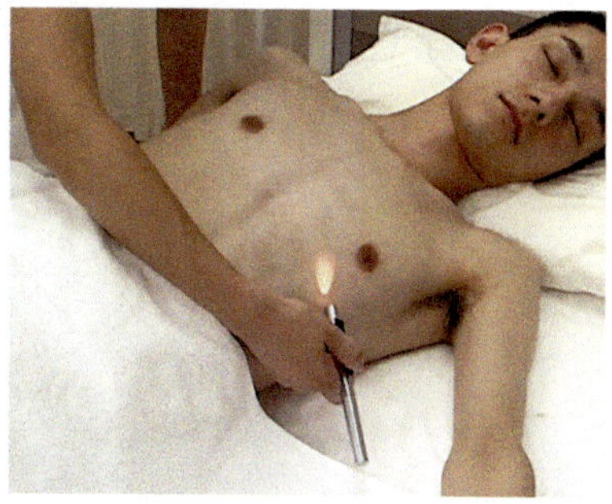

펜라이트를 비추면 심첨맥박을 찾기 쉽다.

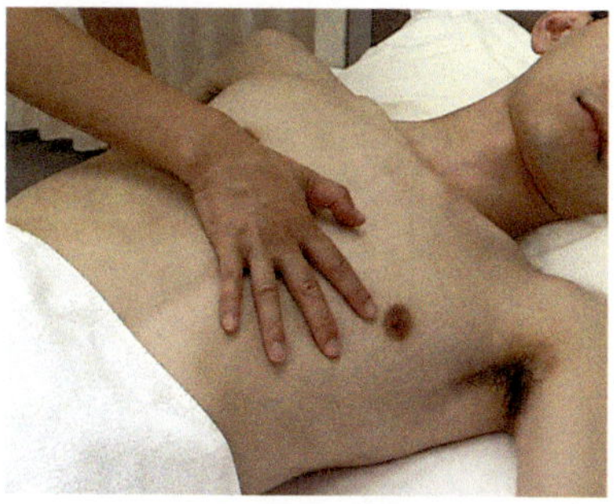

촉진으로 심첨맥박을 확인한다.

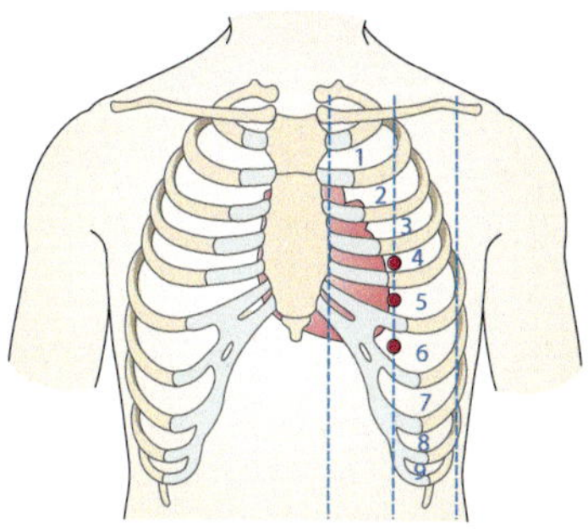

⑨ 하지의 시진 · 촉진

- 하지의 청색증 유무, 피부색, 발등 · 발목 · 종아리의 피부 팽창이나 광택 유무, 궤양이나 괴저 유무, 정맥류 유무를 관찰한다.
- 함몰성 부종은 경골(정강뼈) 앞면 또는 발등을 약 10초간 손가락으로 세게 눌러서 그 부위가 함몰되는지를 살핀다(부종의 종류는 p.123 참조).
- 육안으로 판단할 수 없더라도 촉진을 통해 함몰이 확인되는 경우가 있다.

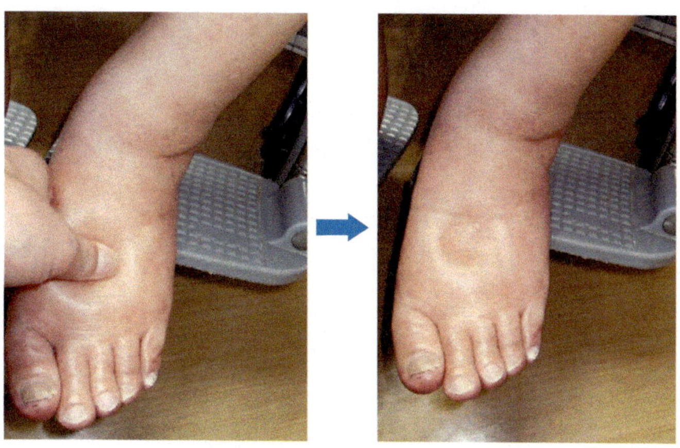

발등을 눌러 부종을 확인한다.

울혈성 심부전에 의한 3+의 부종(p.128 참조)

- 정맥계를 검진하기 위해 대상자를 서 있도록 하고 눈에 보이거나 확장된 구불구불한 정맥이 있는지 확인한다.
- 동맥의 결함이 의심되면 다리를 탁자에서 30cm 정도 들어 올린 후 정맥의 배액을 위해 약 30초간 흔들어 확인한다.
- 대상자를 침상 가장자리에 앉도록 한 후 양측 다리색을 비교하고 색이 회복되는 데 걸리는 시간을 측정한다.

⑩ 림프절 촉진

- 손가락 1~3개를 사용하여 원을 그리듯이 촉진한다. 두부, 경부, 액와부, 서혜부 순으로 진행한다.
- 림프절에서 비정상 소견이 관찰된 경우에는 해당 림프절에 림프가 유입되는 부근의 신체소견을 다시 관찰한다.
- 림프절을 촉진할 때는 크기와 형태, 경계, 움직임, 단단한 정도, 압통 유무를 사정한다.

● 두경부

- **후두림프절**(뒤통수림프절, occipital lymph node) : 외후두융기와 유양돌기 사이 부근을 촉진한다.
- **이개후림프절**(귓바퀴뒤림프절, retroauricular lymph node) : 유양돌기 위 또는 그 바로 아래를 촉진한다.
- **후경림프절**(뒤목림프절, posterior cervical lymph node) : 촉진하는 반대쪽을 향해 흉쇄유돌근과 승모근, 쇄골에 둘러싸인 부분(후경삼각)을 촉진한다.
- **쇄골상림프절**(빗장위림프절, supraclavicular node) : 살짝 고개를 숙여 쇄골에 검지 또는 검지와 중지를 대고 손끝으로 파듯이 쇄골 뒤쪽을 촉진한다.
- **이개전림프절**(귓바퀴앞림프절, preauricular lymph node) : 귓불에서 앞(코 방향)을 향해 검지 바닥면을 회전시키듯이 촉진한다.
- **편도림프절** : 하악각 아래를 촉진한다.
- **악하림프절**(턱밑림프절, submandibular lymph node) : 살짝 고개를 숙여 하악각과 턱끝 중간 부근을 손가락 끝으로 악하골을 향해 촉진한다.
- **이하림프절**(턱끝밑림프절, submental lymph node) : 살짝 고개를 숙여 턱끝 뒤쪽 2~3cm를 손가락 끝으로 하악골을 향해 촉진한다.
- **표재성 경부림프절**(얕은목림프절, superficial cervical lymph node) : 흉쇄유돌근 위를 촉진한다.
- **심경부림프절**(깊은목림프절, deep cervical lymph node) : 흉쇄유돌근을 엄지와 검지로 잡듯이 해서 흉쇄유돌근의 뒤쪽 림프절을 촉진한다. 심경부림프절의 촉진은 일반적으로 고통을 동반하기 때문에 한쪽씩 진행한다. 촉진하는 쪽으로 고개를 살짝 기울이면 흉쇄유돌근이 이완되어 촉진하기 쉬워진다.
- **쇄골하림프절**(빗장밑림프절, subclavian node) : 쇄골 하부를 촉진한다.

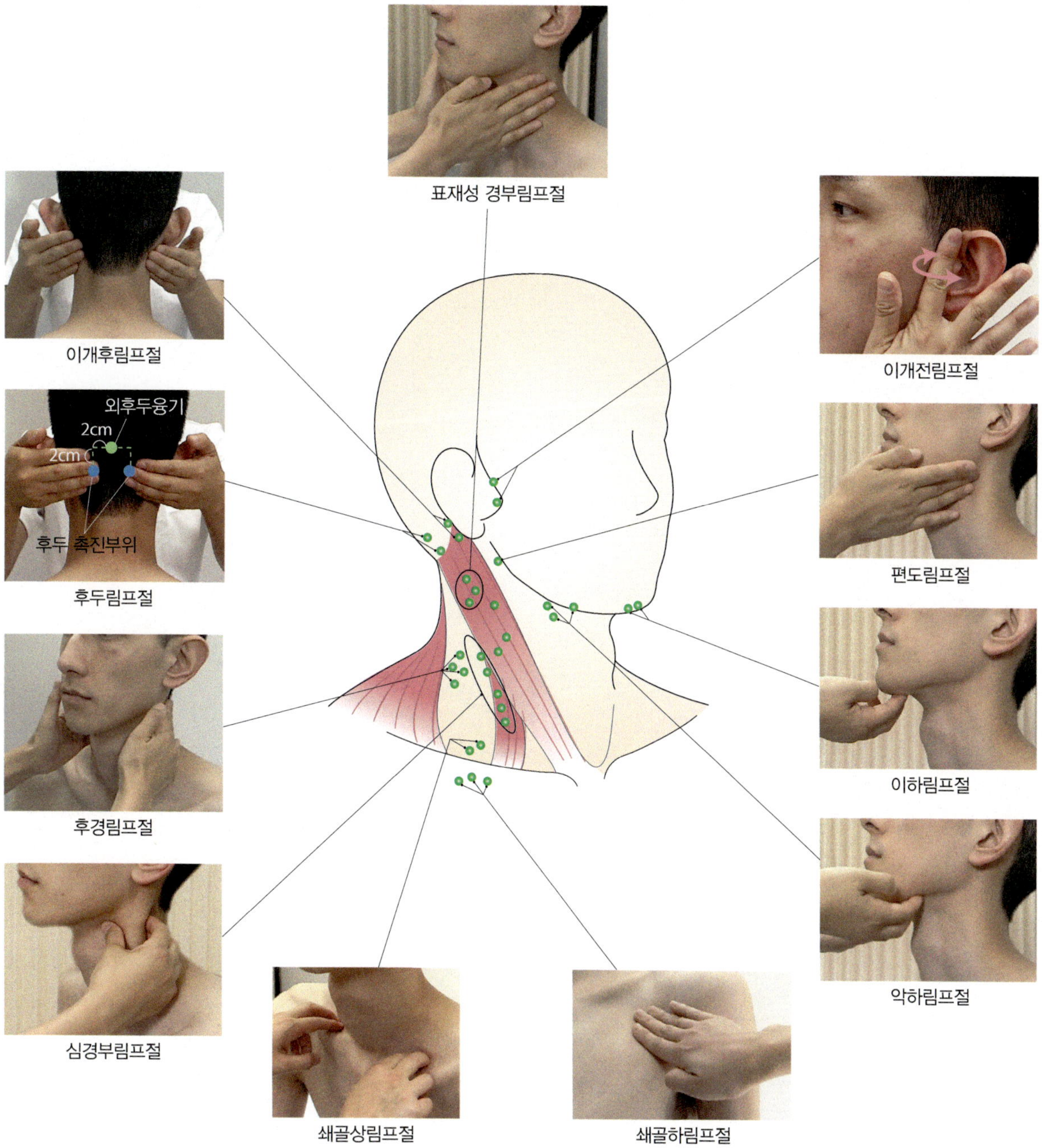

두경부의 림프절을 촉진한다.

- **액와부**

- **액와림프절**(겨드랑림프절, axillary lymph node) : 전액와림프절, 중심액와림프절, 후액와림프절, 외측액와 림프절을 촉진한다.
- 대상자의 촉진하는 쪽의 팔을 받치고 오른손 손가락 2~4개를 사용해서 촉진한다.
- 중심액와림프절은 액와 중심의 가장 깊은 부위에 손끝을 넣듯이 촉진한다.
- 전액와림프절은 액와측에서 전액와주름(흉근)으로 전방을 향해, 후액와림프절은 후액와주름으로 후방을 향해 촉진한다. 외측액와림프절은 액와 중심에서 상완 내측을 따라 촉진한다.

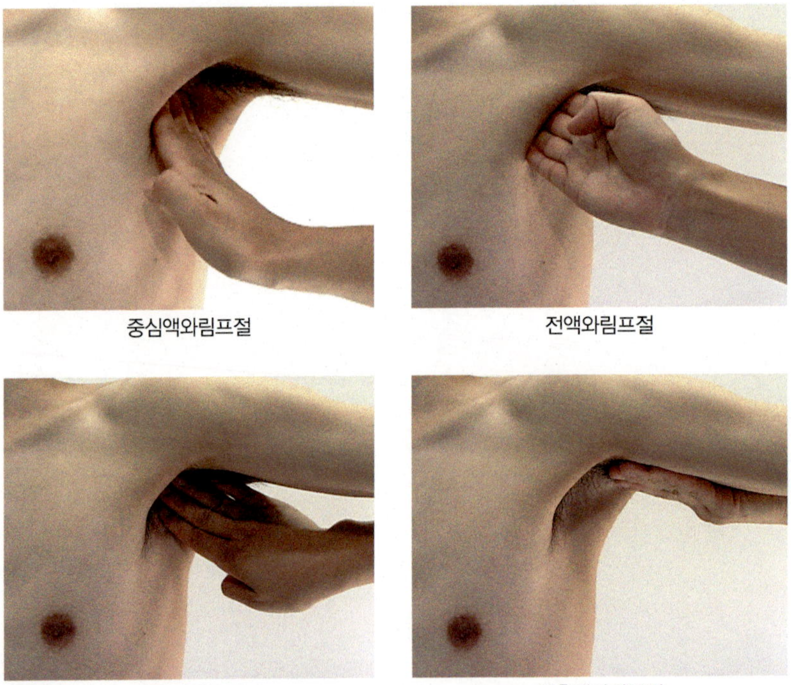

중심액와림프절 / 전액와림프절 / 후액와림프절 / 외측액와림프절

액와부의 림프절을 촉진한다.

- **서혜부**

- **서혜림프절**(샅고랑림프절, inguinal node) : 바로 누운 자세에서 다리를 뻗어서 서혜부를 촉진한다(누운 자세에서의 검진 시 시행).

청진

관찰내용	정상	비정상 ([ ]은 생각할 수 있는 병태 · 질환예)
심박수	• 요골동맥의 맥박수와 일치	• 맥박수보다 심박수가 많음 [기외수축, 심방세동] • 맥박결손은 심실의 약한 수축력을 의미함
심음 ● 제1심음(S1) : 방실판(삼첨판 · 승모판)이 닫힐 때 나는 소리, 수축기 시작 ● 제2심음(S2) : 동맥판(폐동맥판 · 대동맥판)이 닫힐 때 나는 소리, 수축기 종료, 이완기 시작	• 대동맥판영역, 폐동맥판영역(심저부) : 제1심음 < 제2심음 • 삼첨판영역, 승모판영역(심첨부) : 제1심음 > 제2심음 • Erb영역 : 제1심음 = 제2심음 • 흡기 시의 생리적 분열 이외는 분열이 없음 • 이상심음, 심잡음 없음 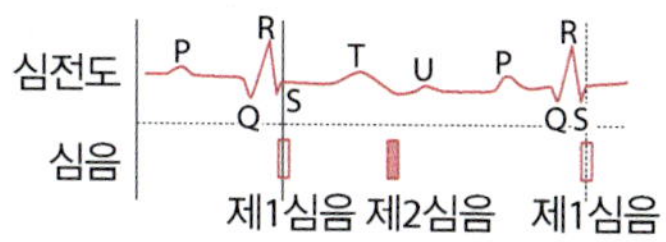	• 제1심음 항진 [빈맥, 운동, 빈혈, 갑상선기능항진증 등의 심박출량 증대, 승모판협착증] • 제1심음 감약 [승모판폐쇄부전, 울혈성 심부전이나 관상동맥질환 등의 좌심실 수축력 저하] • 제2심음 항진 [폐동맥압 상승] • 제2심음 감약 [대동맥판협착이나 폐동맥판협착] • 이상심음 • 제3심음(S3) : 제2심음 뒤에 들리는 낮은 음 [승모판폐쇄부전, 울혈성 심부전] (생리적 제3심음은 아동, 청소년, 젊은 성인의 제2심음 직후, 다음 제1심음이 시작되기 전에 흔히 들리며 정상임, 만 40세 이후로는 잘 들리지 않음) • 제4심음(S4) : 제1심음 직전에 들리는 낮은 음 [폐동맥판협착, 대동맥판협착] (생리적 제4심음은 건강한 운동선수, 40세 이후이면서 심장질환의 증거가 없는 성인의 경우, 확장기가 끝날 무렵 들릴 수 있음) • 심잡음 : 판막의 협착이나 폐쇄부전 시에 혈액의 흐름이 원활하지 않기 때문에 들림
혈류음	• 잡음이 들리지 않음	• 혈관잡음이 들림 [동맥류나 혈관의 확장이나 협착] • 혈관 분지부가 협착되기 쉬우며 잡음이 잘 들림

① 심박수

• 심첨부에서 박동을 청취하여 요골동맥의 맥박과 같은 리듬인지를 확인한다.

• 맥박결손은 심첨맥박수와 말초맥박수의 차이로, 심첨맥박을 청진하면서 동시에 요골맥박을 측정한다.

② 심음

• 앉은 자세나 상체를 30~45° 높인 바로 누운 자세에서 ① 승모판영역 → ② 삼첨판영역 → ③ Erb영역 → ④ 폐동맥판영역 → ⑤ 대동맥판영역 순으로 청진한다.

• 심음을 들을 때는 박동의 리듬과 특징적인 '럽(lub)−덥(dub)'을 들으면서 시작한다. 수축기 시작과 관련 있는 럽(lub)은 제1심음(S1)이며, 수축기 종료와 이완기 시작과 관련 있는 덥(dub)은 제2심음(S2)이다. 각각의 '럽(lub)−덥(dub)'은 하나의 맥박이다.

• 정상 심박수의 건강한 사람인 경우에는 수축기보다 확장기가 길기 때문에 '제1심음 · 제2심음 · 휴식(무음), 제1심음 · 제2심음 · 휴식(무음)'으로 들린다.

- 심첨부(승모판 · 삼첨판영역)에서는 제1심음이, 심저부(폐동맥판 · 대동맥판영역)에서는 제2심음이 더 크게 들린다.
- 제1심음과 제2심음을 구별하기 어려울 때는 심장의 청진과 동시에 경동맥 촉진을 시행한다. 경동맥과 일치해서 들리는 소리가 제1심음이다.
- 제1심음, 제2심음의 시기와 크기, 이상심음이나 심잡음이 없는지 듣는다.
- 이상심음은 낮기 때문에 청진기의 종형으로 듣는다. 심첨부에 종형을 살짝 대고 제2심음 뒤에 제3심음(S3), 제4심음(S4)이 들리지 않는지 확인한다.

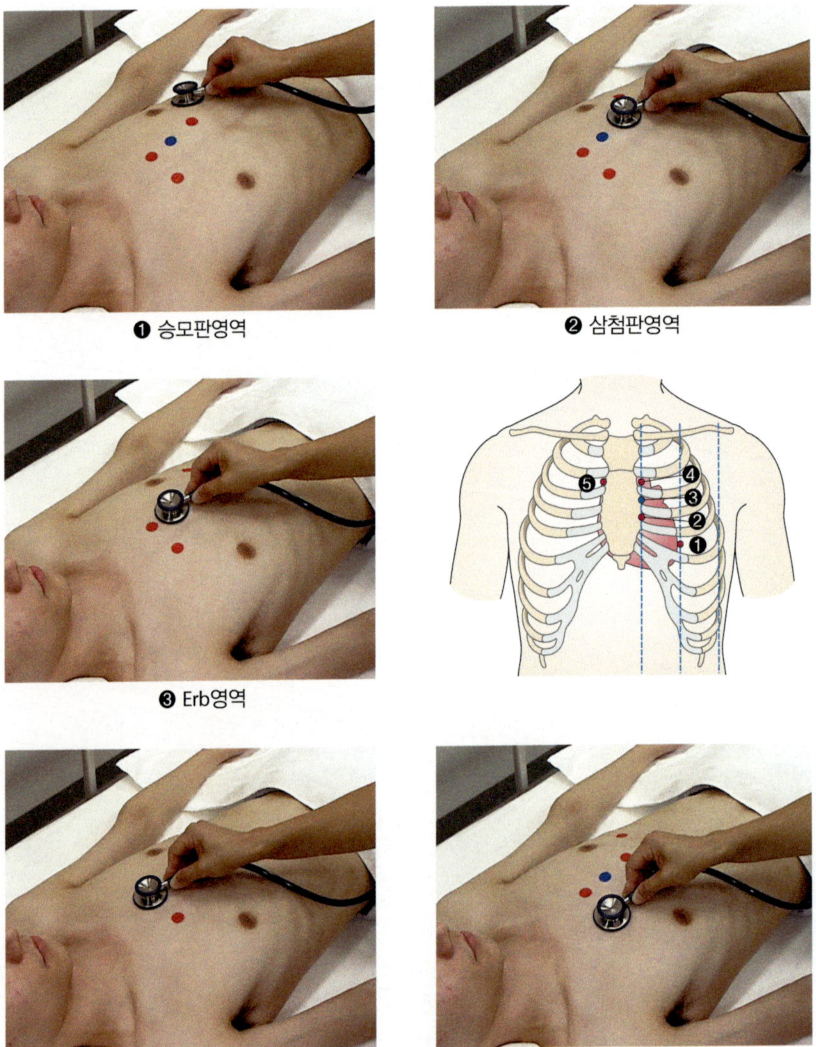

❶ 승모판영역

❷ 삼첨판영역

❸ Erb영역

❹ 폐동맥판영역

❺ 대동맥판영역

각 영역의 심음을 청진한다.

③ 혈류음

- 바로 누운 자세에서 좌우 경동맥, 복부대동맥, 신장동맥, 총장골동맥, 대퇴동맥의 혈류음을 듣는다(p.207 참조).

순환기계 신체사정의 핵심

- 건강력이나 자각증상, 검사결과(심전도나 SpO_2, 혈액검사 등)를 참고로 해서 병태를 예측하여 검진한다.
- 앉은 자세에서 경정맥 확장이 관찰되는 대상자는 누운 자세를 취하면 우심방압이 더 높아져 호흡곤란 등을 일으킬 우려가 있으므로 상체를 올린 채 검진을 진행한다.
- 심장의 박동(심박)은 체격, 성, 나이, 자율신경, 운동, 호르몬, 약물, 병태 등 많은 요인에 영향을 받는다. 검진 자체가 변동요인이 되지 않도록 환경이나 간호사의 언동에 주의하고 변동이 있는 경우에는 그 요인이 영향을 미치고 있지 않은지 생각하면서 검진을 진행한다.
- 심음이나 혈류음을 들을 때는 들으려고 하는 소리에 집중한다. 호흡음과 섞여 잘 들리지 않다면 호흡을 잠깐 멈추게 한다.

2) 기록

- 혈압, 맥박수, 리듬(부정맥 유무), 맥박의 좌우차 유무, 호흡곤란 유무, 경정맥 확장 유무, 혈관잡음 유무, 부종 유무를 기록한다.
- 비정상 소견이 있는 경우에는 어느 부위에서 기준범위를 어떻게 벗어나 있는지를 기록한다.
- 림프절 촉진에서는 부위, 크기, 형태, 가동성, 표면 상태, 열감, 부종, 유착, 경도, 압통 유무를 기록한다. 필요하면 그림으로 표시한다.

■ 기록예

- BP 120/60mmHg, P 68회/분, 부정맥 없음
- 요골동맥에서 우 > 좌이지만, 상완동맥에 좌우차 없음
- 전완에서 말초의 피부색이나 피부온도에 좌우차 없고 저림감 없음
- 경정맥의 박동 · 확장 없음
- 왼쪽 턱 아래에 표면이 매끄러운 콩알 크기의 림프절이 2개 만져지지만, 압통 없고 부드러우며 가동성 있음

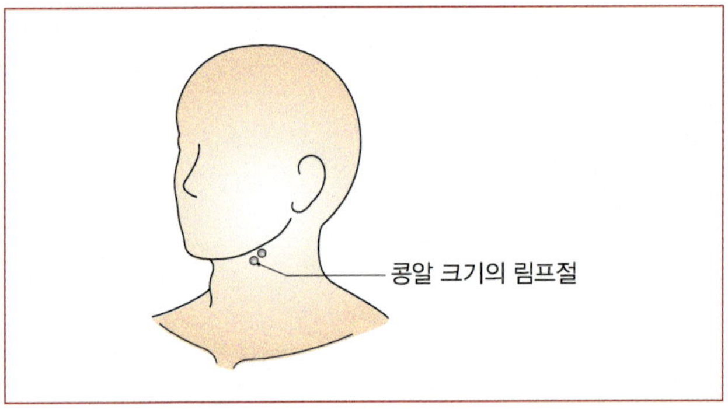

3) 검진결과와 간호수행

- 비정상 소견이 관찰되는 경우에는 의사에게 보고한다.
- 순환상태가 악화될 것으로 예측되는 경우에는 의사에게 필요한 검사, 처치, 치료법을 확인한다.
- 산소흡입, 심전도모니터, 응급처치를 할 수 있도록 기관삽관이나 응급약품, 스완-간즈(Swan-Ganz) 도관의 삽입 준비, 제세동 등을 준비한다.
- 활력징후, 호흡상태, 경정맥 확장(우부하 상황) 등에 맞추어 심장에 가해지는 부담의 경감을 목표로 한 간호중재를 시행한다.
- 호흡곤란이나 경정맥 확장이 있는 경우에는 상체를 올리고, 쇼크상태에 빠지면 즉시 누운 자세를 취해 기도를 확보한다.
- 허용된 일상생활활동 범위에 맞춘 일상생활을 지원한다.
- 순환기의 기능과 그것에 영향을 미치는 요인에 맞는 생활지도를 한다.
- 림프절에 열감을 동반하여 통증이 있는 경우에는 냉찜질을 한다.
- 림프절절제술을 시행한 팔다리에 림프성 부종이 있는 경우에는 부종이 있는 부위를 올리거나 림프 마사지, 피부관리 등을 한다.
- 림프절제거술을 시행한 환부의 팔에서는 혈압을 측정하지 않는다.
- 봉와직염을 예방하려면 림프절제거술을 한 환부 팔의 절상이나 화상, 벌레물림 등에 주의하고 환부 팔에서는 채혈하지 않는 등의 생활지도를 한다.

학습과제

1. 순서에 따라 순환상태를 검진해보자.
2. 어떤 상태일 때 순환기계의 비정상 소견이 관찰되는지 질환의 지식과 통합하여 생각해보자.

CHAPTER

13 소화기계

학습목표

1. 인간이 살아가는 데 필요로 하는 음식물이나 수분 등의 섭취, 소화 · 흡수 · 배설이라는 일련의 기능이 원활하게 이루어지고 있는지를 판단한다.
2. 소화기계의 신체검진을 이론과 절차에 맞게 수행하고 검진내용을 정확히 기록할 수 있다.
3. 검진결과를 해석하고 정상과 비정상 소견을 구분하여 간호문제를 파악하고 간호중재에 활용한다.

1. 구조와 기능

1) 구조

- 소화기계는 ① **소화관**(입에서 항문까지 연속된 관강장기)과 ② **실질장기**(간, 췌장 등)로 분류된다.
- 소화관은 구강(입안, oral cavity) · 인두(pharynx) · 식도(esophagus) · 위(stomach) · 소장(작은창자, small intestine) · 대장(큰창자, large intestine) · 항문(anus)으로 나뉘며, 각 부위마다 형태와 구조 및 기능 등이 다르다(그림 13-1, 13-2).
- 소화관은 **자율신경**(교감신경 · 부교감신경)의 **이중지배**를 받는다. 연동운동이나 소화액 분비와 같은 소화관의 활동은 **교감신경**이 우위가 되면 **저하**하고, **부교감신경**이 우위가 되면 **항진**한다.
- 소화관은 점막(mucosa), 점막하층(점막밑층, submucous layer), 근육층(muscle layer), 장막(serosa) 또는 외막(바깥막, adventitia)의 4층 구조로 구성된다(그림 13-3).

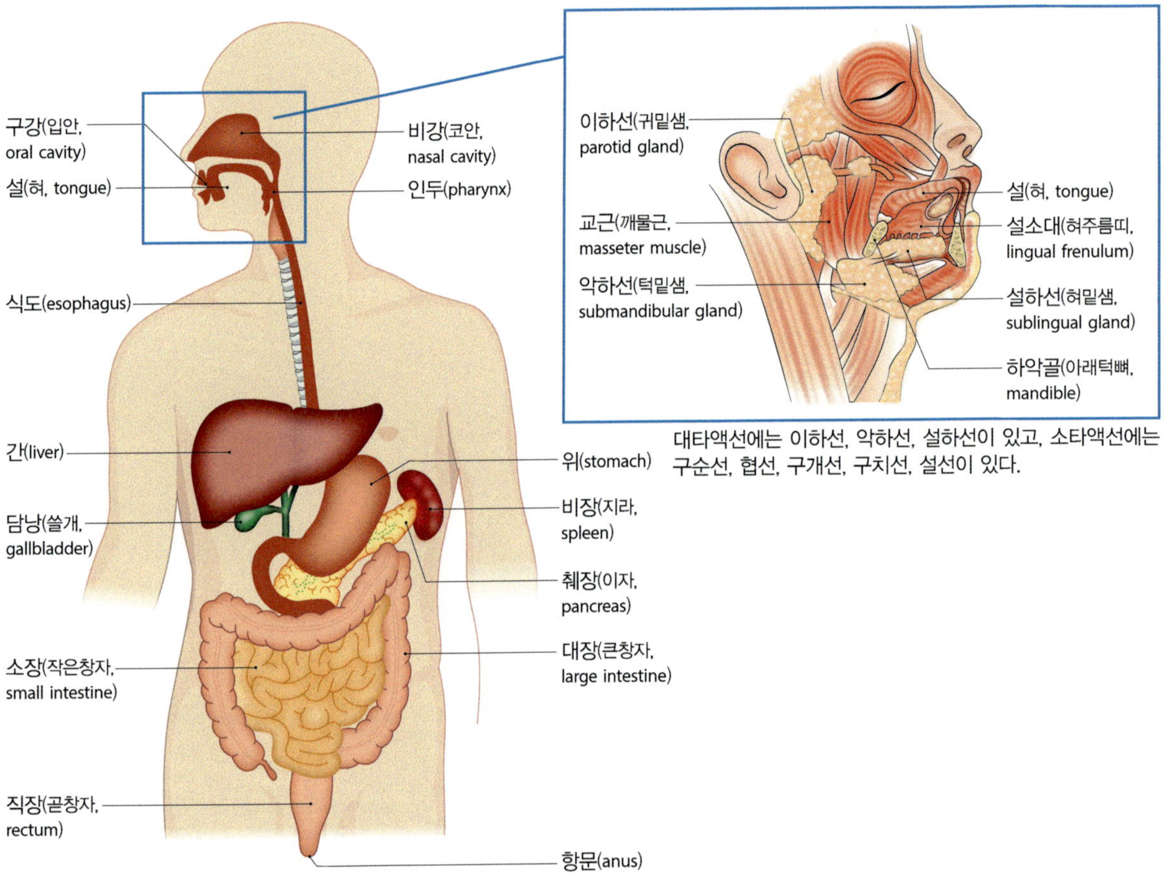

대타액선에는 이하선, 악하선, 설하선이 있고, 소타액선에는 구순선, 협선, 구개선, 구치선, 설선이 있다.

그림 13-1 소화기와 구강

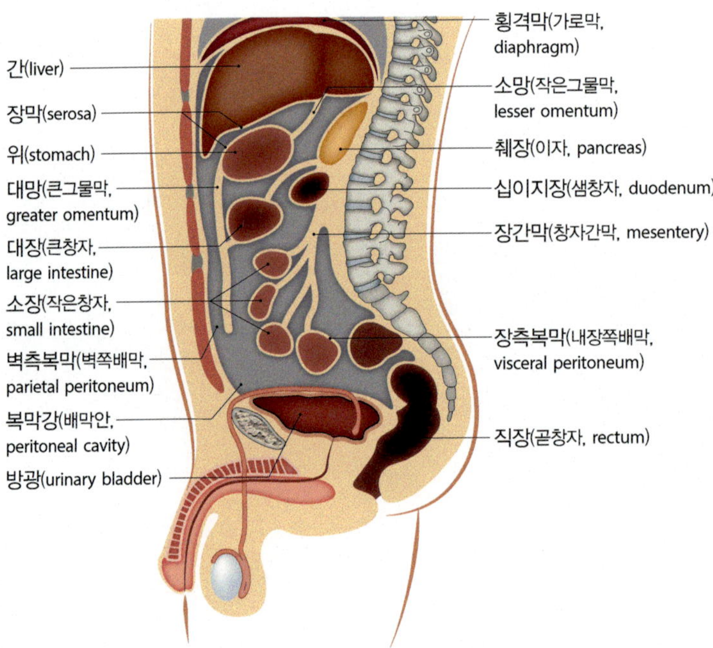

그림 13-2 소화기(단면)

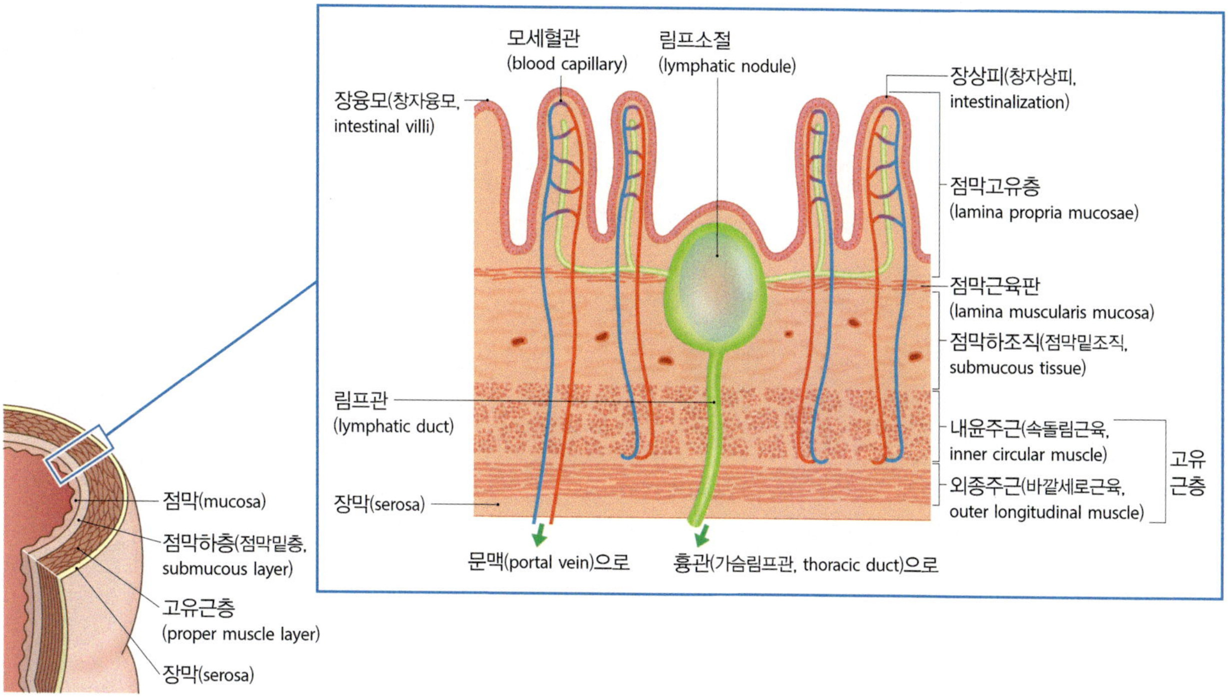

그림 13-3 소화관벽의 구조

(1) 구강·인두

- **구강**(입안, oral cavity)은 소화관의 입구로, ① 구강전정(입안뜰, rima of mouth; 입술과 좌우의 볼, 치아와 치은에 둘러싸인 공간)과 ② 고유구강(고유입안, oral cavity proper; 치아보다 안쪽에 있는 인두까지의 공간)의 2가지로 구성된다(그림 13-4).
- 고유구강의 입술쪽 천장부위를 경구개(단단입천장, hard palate), 뒤쪽 천장부위를 연구개(물렁입천장, soft palate), 연구개 후연에서 내려와 있는 돌기를 구개수(목젖, uvula), 바닥을 구강저(입안바닥, oral floor)라고 하며, 혀와 구강저는 설소대(혀주름띠, lingual frenulum)로 연결된다.
- **치아**(teeth)는 상아질(dentin)로 이루어져 있으며 치관부분의 표면은 사기질(법랑질, enamel)로 덮여 있다. 성인은 상하, 좌우 합쳐서 32개의 영구치(사랑니 포함)가 있고, 소아는 20개의 유치가 있다.
- 구강 내에는 좌우 3쌍의 대타액선과 소타액선이 있어 타액을 분비한다. 대타액선에는 이하선(귀밑샘, parotid gland), 설하선(혀밑샘, sublingual gland), 악하선(턱밑샘, submandibular gland)이 있고(그림 13-1), 소타액선에는 구순선(입술샘, labial gland), 협선(볼샘, buccal gland), 구개선(입천장샘, palatine gland), 구치선(어금니샘, molar gland), 설선(혀샘, lingual gland)이 있다.
- 구륜근(입둘레근, orbicularis oris muscle)은 구강 내에 음식물을 유지하는 근육이며, 구순 주위의 표재근[1]이다.

1) 구륜근(입둘레근)은 구강 · 인두는 아니지만, 저작 · 연하에 중요한 근육이기 때문에 이 장에서 설명한다.

• **인두**(pharynx)는 ① 상인두(코인두, nasopharynx), ② 구인두(입인두, oropharynx), ③ 후두인두(laryngopharynx)의 세 부분으로 구성된다(그림 13-5).

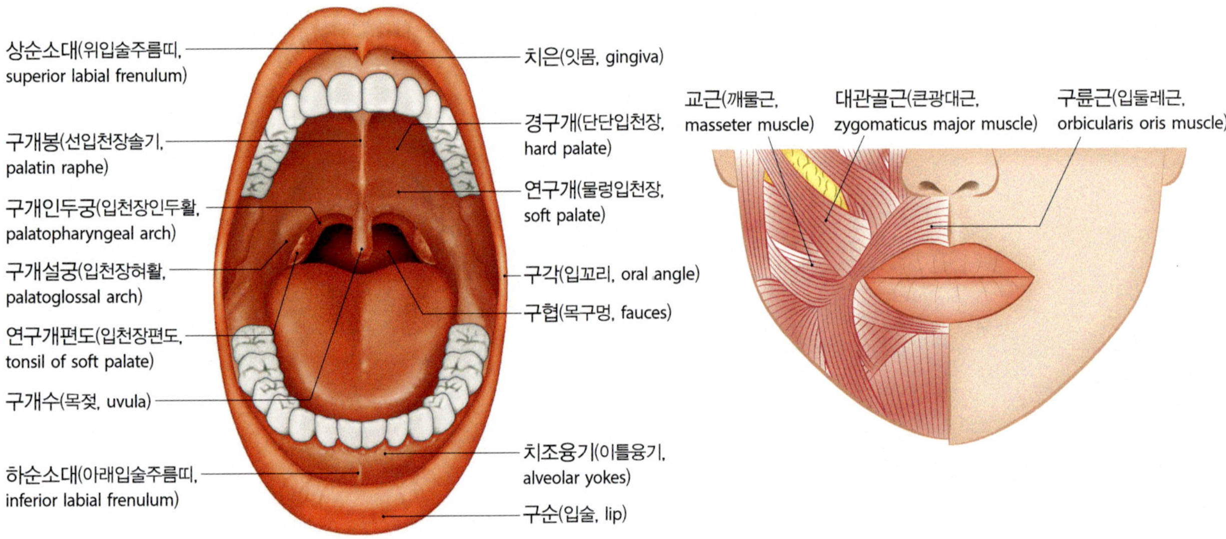

그림 13-4 구강 내와 주변 근육

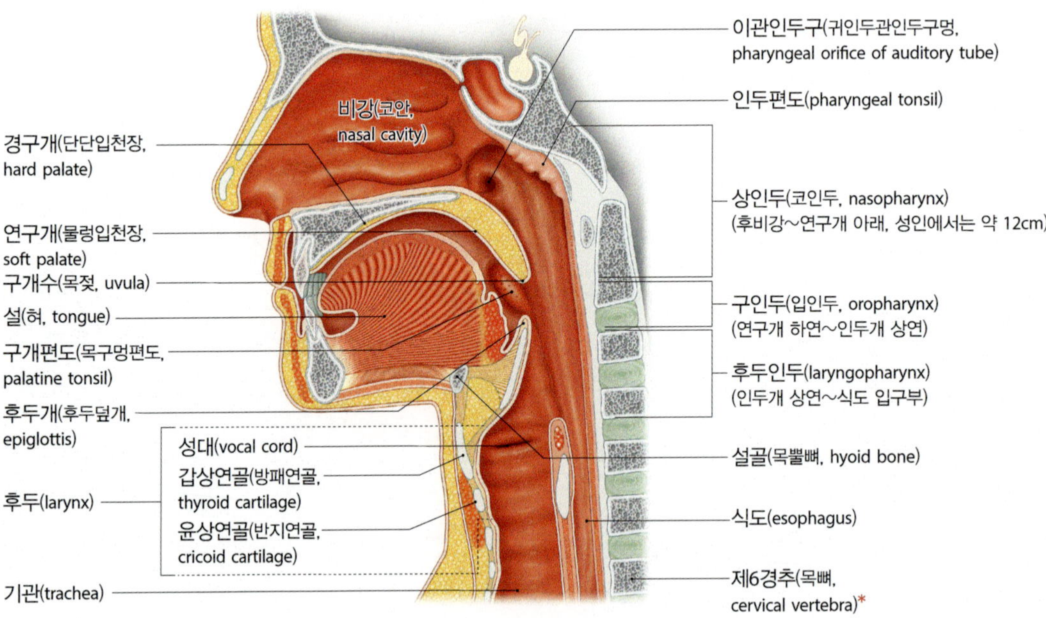

* 보통 제6경추 높이의 위치를 인두와 식도의 경계로 본다.

그림 13-5 인두부

(2) 식도

- **식도**(esophagus)는 인두와 위를 연결하는 연동성의 관강장기로, 후종격(뒤세로칸, posterior mediastinum)에 위치한다(그림 13-6). 크게 ① 경부식도, ② 흉부식도, ③ 복부식도의 세 부분으로 나뉘며, 길이 약 25cm, 굵기 약 2~3cm, 두께 약 4mm이다.
- 세 곳의 생리적 협착부가 있으며 음식물 통과 시 장애가 잘 발생하는 부위이다(그림 13-6).
- 식도의 연동운동은 자율신경의 이중지배에 의해 조절된다.

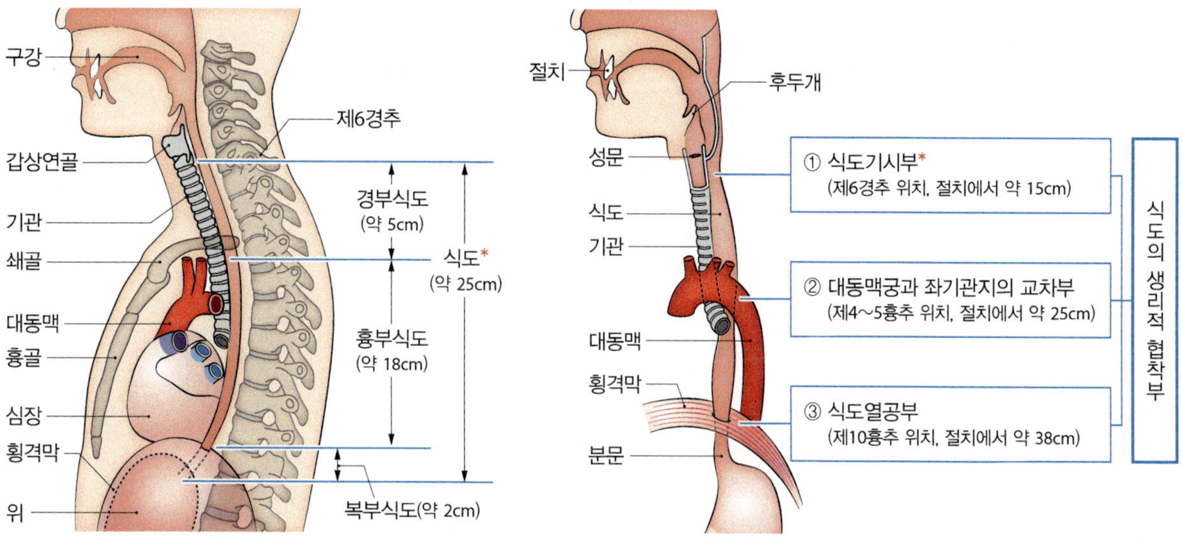

* 치열에서 식도(경부식도) 기시부까지는 약 15cm, 치열에서 위까지는 약 40cm이다.

그림 13-6 식도

(3) 위

- **위**(stomach)는 식도와 소장(작은창자) 사이에 위치하는 J자형의 주머니 모양 기관으로, 상복부의 횡격막(가로막) 아래에 위치한다(그림 13-7).
- 식도와의 경계부(위의 입구)를 **분문**(들문, cardia), 십이지장(샘창자)과의 경계부(위의 출구)를 **유문**(날문, pylorus)이라고 한다. 분문에서 상부를 **위저**(위바닥, fundus of stomach), 분문에서 위각까지의 중앙부를 **위체**(위몸통, body of stomach), 위각에서 유문까지를 **전정부**(안뜰부위, vestibular region; **유문부**)라고 하며, 위 내측의 작은 만곡부를 **소만**(작은굽이, lesser curvature), 외측의 큰 만곡부를 **대만**(큰굽이, greater curvature)이라고 한다.
- 위벽은 앞에서 설명했듯이 4층 구조이다. 소장 및 대장과 다른 점으로 근육층이 외종주근(바깥세로근육, external longitudinal muscle), 중윤주근(중간돌림근육, middle circular muscle), 내사주근(속빗근육, inner oblique muscle)의 3개 근육으로 구성된다.
- 위의 용적은 공복 시 약 50mL, 포만 시 약 1.2~1.4L로 전체가 크게 신축한다.

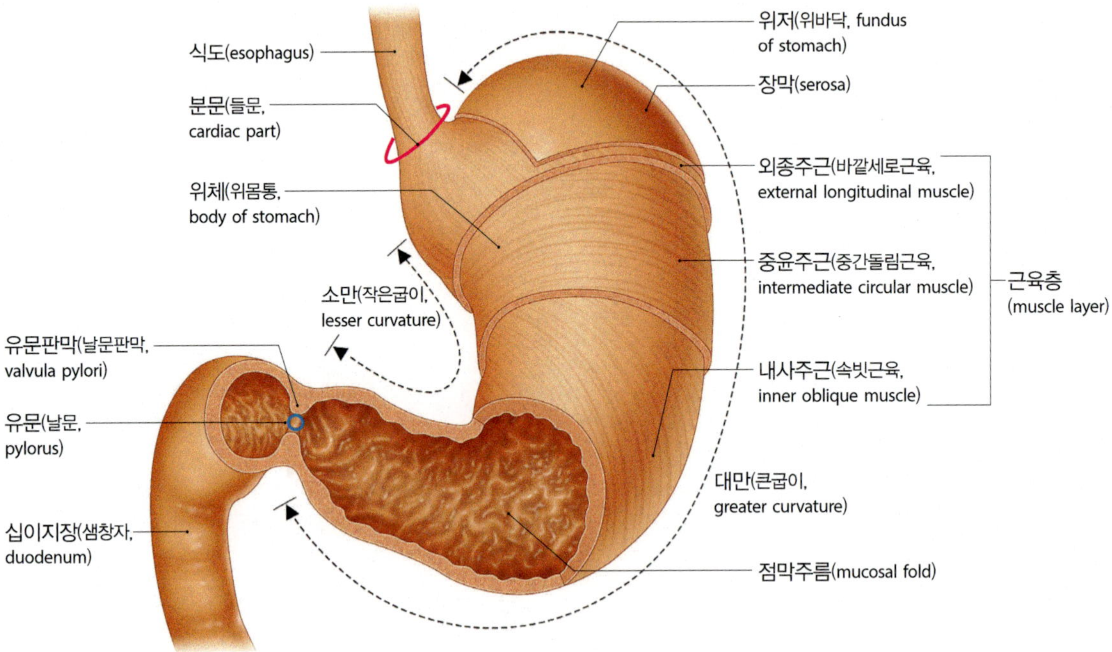

그림 13-7 위

(4) 소장

- **소장**(작은창자, small intestine)은 위에서 이어지는 길이 약 6~7m의 관강장기이다. 유문 쪽에서부터 ① **십이지장**(샘창자, duodenum), ② **공장**(빈창자, jejunum), ③ **회장**(돌창자, ileum)으로 분류되며 모두 복강 내에 위치한다(그림 13-8).
- 십이지장은 췌두(이자머리)를 감싸듯이 C형으로 구부러지며, 하행부의 파터유두에서 **총담관**(온쓸개관, common bile duct)과 **췌관**(이자관, pancreatic duct)이 열려 있다(그림 13-12, p.195 참조)
- 소장은 위와 같은 4층 구조로 구성된다. 소장점막은 윤상주름(돌림주름, circular fold)을 가지며 이 표면에는 1mm 정도의 무수한 융모(villus)가 나 있다(그림 13-9).
- 소장의 혈관은 주로 **상장간막동맥**(위창자간막동맥, superior mesenteric artery)의 지배를 받으며 정맥은 **장간막**(창자간막, mesentery)을 동맥을 따라 역행하여 문맥(portal vein)으로 들어간다. 림프관은 **장간막림프절**(창자간막림프절, mesenteric lymph node)에서 **흉관**(가슴림프관, thoracic duct)을 경유하여 혈액순환으로 들어간다.

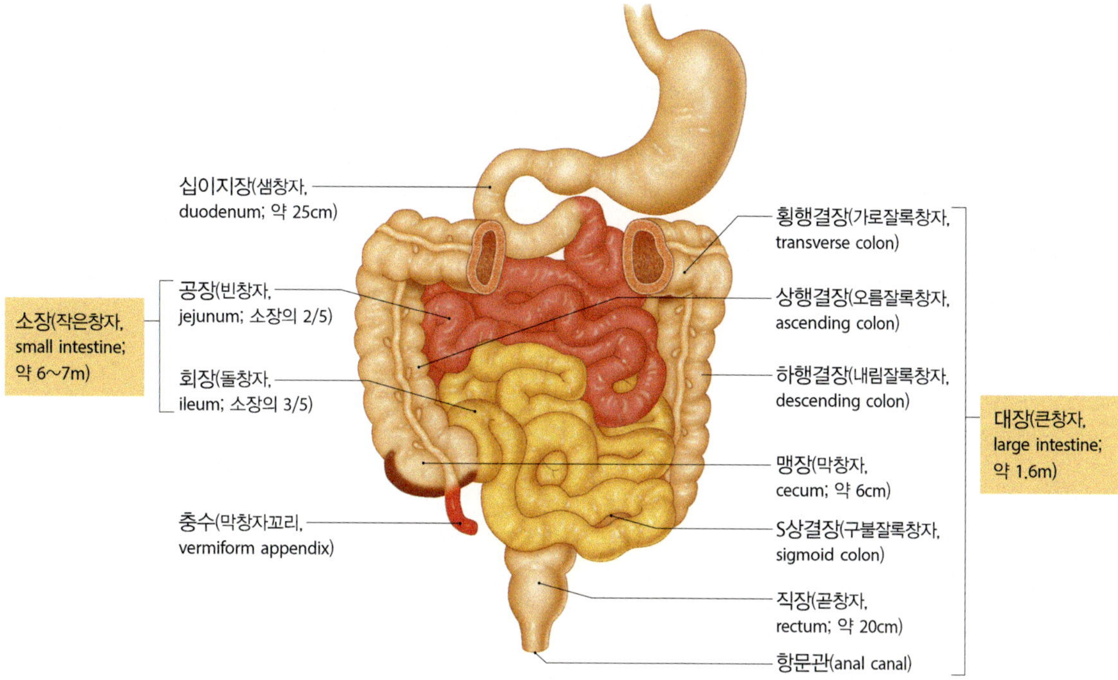

그림 13-8 소장과 대장

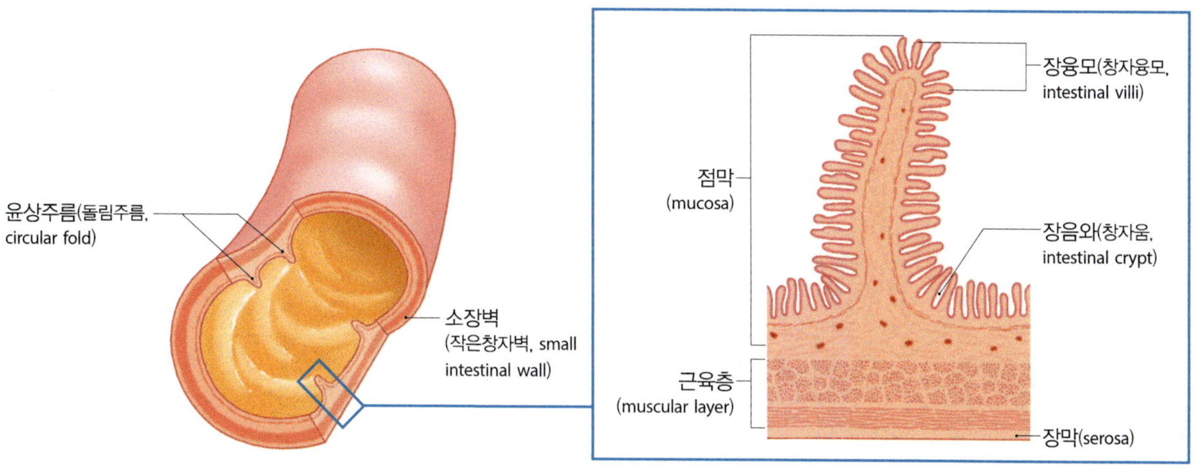

그림 13-9 소장점막

(5) 대장

- **대장**(큰창자, large intestine)은 소장에서 이어지는 길이 약 1.6m의 관강장기이다. 회장 쪽에서부터 ① **맹장**(막창자, cecum), ② **결장**[**상행결장**(오름잘록창자, ascending colon), **횡행결장**(가로잘록창자, transverse colon), **하행결장**(내림잘록창자, descending colon), **S상결장**(구불잘록창자, sigmoid colon)], ③ **직장**(곧창자, rectum)으로 분류된다(**그림 13-8**).
- 맹장에서는 **충수**(막창자꼬리, vermiform appendix)가 돌출해 있다.
- 맹장, 상행결장, 하행결장은 후복막에 고정되어 가동성은 없다. 한편, 횡행결장과 S상결장은 장간막을 가지며 가동성이 있다.
- 회장(돌창자, ileum) 말단은 맹장과 상행결장의 경계에서 약간 대장 안으로 돌출하며 회맹판(돌막창자판막, ileocecal valve)을 형성한다.
- **항문**(anus)은 **내항문괄약근**(속항문조임근, sphincter ani internus muscle; 평활근)과 **외항문괄약근**(바깥항문조임근, sphincter ani externus muscle; 골격근)으로 구성된다(**그림 13-10**).
- 대장점막에는 소장점막과 같은 융모는 없다. 대장벽은 위나 소장과 마찬가지로 4층 구조이다.

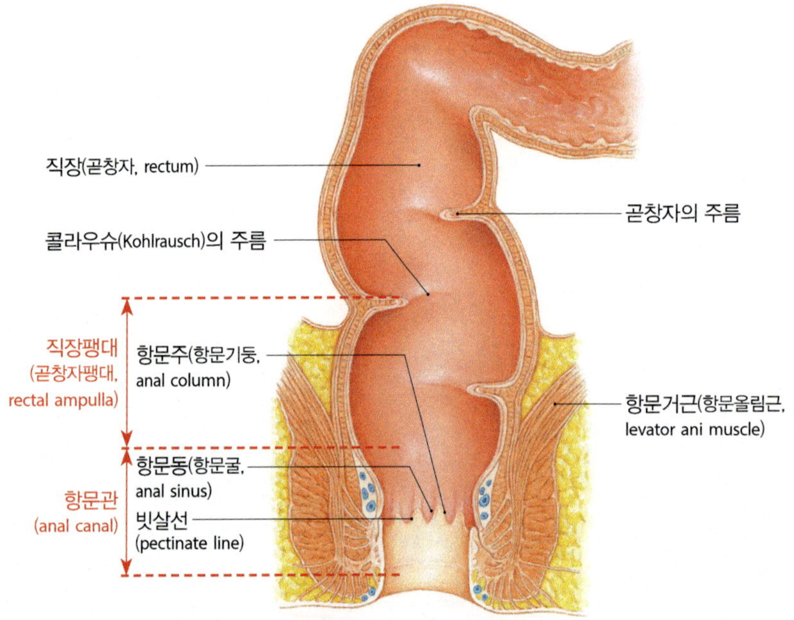

그림 13-10 항문관

(6) 간

- **간**(liver)은 우엽(오른엽, right lobe)과 좌엽(왼엽, left lobe)으로 나뉘며, 무게 약 1.2~1.5kg인 인체 최대의 실질장기이다(**그림 13-11**). 간은 좌상부의 횡격막 바로 아래에 위치하기 때문에 우늑골궁(오른갈비활) 아래에서 만져지는 일은 없지만, 간경화 등으로 간이 비대해지면 만져진다.

- 간의 실질은 간세포(hepatocyte)와 혈관으로 구성된 **소엽**(lobule)이라는 기능적 단위의 집합체로 이루어진다.
- 간은 복강동맥에서 분지된 **간동맥**(hepatic artery)과 위 · 장 · 췌장 · 비장에서의 정맥혈이 흐르는 **문맥**(portal vein)의 2곳에서 영양을 공급받는다. 모두 간문(porta hepatis)을 통해 간 안으로 들어오며 문맥 영역에서 나온 혈액은 **간정맥**(hepatic vein)이 되어 횡격막 아래에서 하대정맥(아래대정맥, inferior vena cava)으로 유입된다.
- 문맥영역을 흐르는 담즙(쓸개즙, bile)은 간관(hepatic duct)을 지난 후 총간관(온간관, common hepatic duct)을 지난다. 그 후 담낭관(쓸개주머니관, cystic duct)과 합류하여 **총담관**(온쓸개관, common bile duct)을 지나 십이지장으로 보내진다.

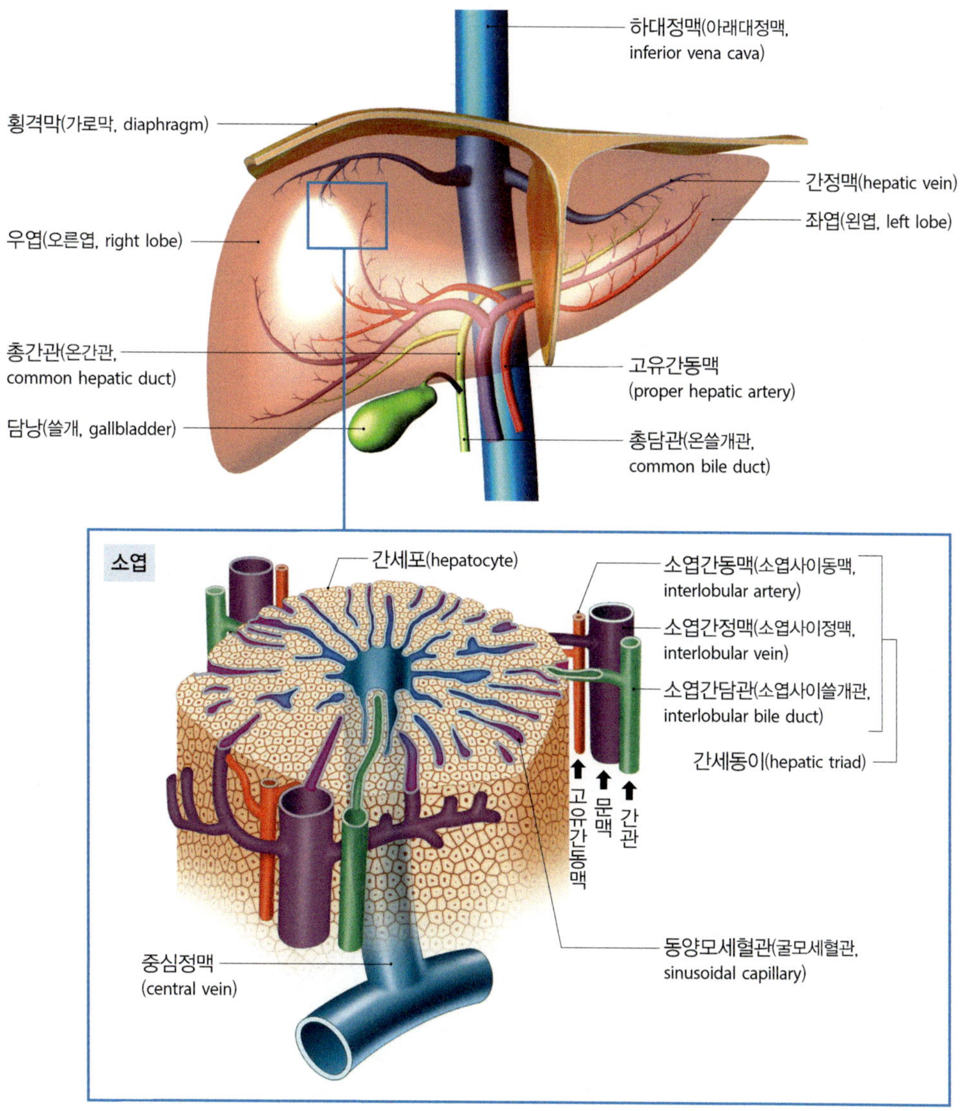

그림 13-11 간담도계

(7) 담낭

- **담낭**(쓸개, cholecyst)은 간 우엽 아래에 붙어 있는 가지 모양을 한 주머니 장기이며, 길이 약 8~10cm 이다(그림 13-11).

(8) 췌장

- **췌장**(이자, pancreas)은 **외분비 부분**과 **내분비 부분**으로 구성되는 가늘고 긴 삼각형 모양의 실질장기로, 길이 약 12~25cm, 무게 약 65~150g이다(그림 13-12). 위 뒤쪽, 제1~2요추 전방에 위치하며 후복막에 고정된다. 십이지장 쪽에서부터 ① **췌두**(이자머리, head of pancreas), ② **췌체**(이자몸통, body of pancreas), ③ **췌미**(이자꼬리, tail of pancreas)의 세 부분으로 나뉜다.
- 췌장의 도관에는 **주췌관**(주이자관, main pancreatic duct)과 **부췌관**(덧이자관, accessory pancreatic duct)이 있으며, 주췌관은 췌미에서 췌두를 지나 오디괄약근(오디조임근, sphincter of Oddi)에 조절되는 파터유두에서 총담관과 합류하여 십이지장으로 열린다. 부췌관은 그 위쪽의 부유두로 열린다.
- 외분비 부분은 소화효소를 만드는 복합포상선(복합꽈리샘)으로 이루어지며 포상선(꽈리샘) 무리와 연결된 작은 관들이 합쳐져 췌관(이자관)을 형성한다.
- 내분비 부분은 외분비조직 속에 있는 세포덩어리로 **랑게르한스섬**(islands of Langerhans)이라고 한다. 랑게르한스섬은 췌미부에 많이 존재한다.

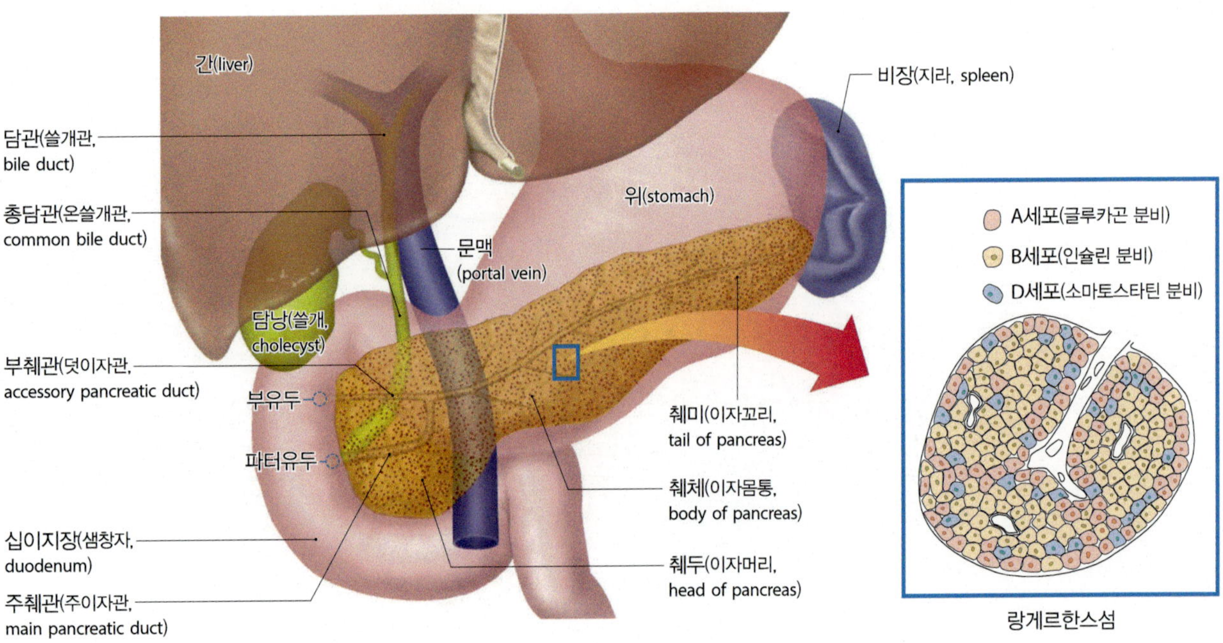

그림 13-12 췌장 주변

2) 기능

(1) 구강·인두

- 구강은 소화기계의 입구로, 음식물을 **저작**함으로써 잘게 부수어 소화하기 쉬운 형태로 변화시키고, 타액선에서 타액을 분비하여 소화를 돕고 구강을 정화하는 기능을 가진다. 하루 1~1.5L의 타액이 분비되며 노화에 따라 분비량은 감소한다.
- 혀는 4가지 맛(단맛, 짠맛, 신맛, 쓴맛)을 느낀다(**그림 10-10**, p.143).
- 혀는 섭취와 연하에 중요한 역할을 담당하며, 혀운동은 설하신경(혀밑신경, CN XII)의 지배를 받는다.
- 인두는 소화기관이면서 호흡기관이기도 하며 ① 음식물의 통로, ② 공기의 통로, ③ 연하 시 폐로 흡인 방지, ④ 체내로 들어오는 공기의 가온 · 가습, ⑤ 편도에서의 생체방어 등 많은 기능을 가진다.
- 구강과 인두는 섭취와 연하에 필요한 역할을 담당한다(**표 13-1**).
- 타액 속의 아밀라아제(amylase; 탄수화물분해효소)는 전분을 분해해서 소화를 촉진한다. 또 타액 속의 뮤신(mucin)은 점조성이 있는 단백질로, 구강 내의 점막을 보호하고 **음식물 덩어리가 형성**되도록 촉진하며, 식도 입구로 음식물이 원활하게 들어가게 하여 폐흡인 방지에 도움이 된다.

표 13-1 섭취와 연하

	시기	구체적 내용 등
섭취	제1기 : 선행기(인지기)	음식물을 보고 형태, 양 및 질감 등을 확인함으로써 먹는 방법을 판단하거나 타액 또는 위액의 분비를 촉진한다.
	제2기 : 준비기(저작기)	음식물을 치아나 혀 등을 사용해서 저작하고 타액과 서로 섞음으로써 인두나 식도를 통과할 수 있는 형태로 만든다.
연하	제3기 : 구강기(연하운동 제1기)	주로 혀운동에 의해 구강 내에 있는 음식물을 수의적으로 구강에서 인두부로 보낸다.
	제4기 : 인두기(연하운동 제2기)	연하운동에 의해 인두강과 비강 · 후두강 사이가 일시적으로 폐쇄됨과 동시에 압력차에 의해 구강에서 보내진 음식물을 인두부의 압력(대기압과 같은 압력)보다 낮은 식도로 보낸다.
	제5기 : 식도기(연하운동 제3기)	인두부에서 보내진 음식물은 식도 입구부에서 식도 본체를 통과하여 위의 분문으로 보내진다. 음식물이 통과하지 않을 때는 식도내압은 −10~2mmHg로 복강내압보다 낮기 때문에 음식물을 식도에서 위로 보내려면 식도의 연동운동에 의한 수축과 위산의 역류를 방지하는 하부식도괄약근의 압이 일시적으로 저하될 필요가 있다.

(2) 식도

- 식도는 주로 음식물의 통로 기능과 연하운동의 일부를 맡고 있다(**표 13-1**).

- 구강 · 인두에서 식도 · 위까지 **연동운동**(꿈틀운동, peristaltic movement)과 내압의 변화에 의해 음식물이 운반된다.
- 식도의 위아래 양끝은 평상시에는 닫혀 있고, 음식물이 삼켜질 때 이완한다. 식도의 상단은 상부식도괄약근(위식도조임근), 하단은 하부식도괄약근(아래식도조임근)이 제어하여 음식물의 역류를 방지하며, 연하, 트림, 구토 시 열린다.

(3) 위

- 위는 음식을 담아두고 섞는 역할을 한다.
- 식도를 통과하여 위로 보내진 음식물은 위벽의 **연동운동**과 위액의 **소화작용**(단백질분해)에 의해 제1단계의 소화가 이루어지며, 죽상(chyme)이 되어 주기적으로 조금씩 십이지장(샘창자)으로 보내진다.
- **위액**(gastric juice)은 냄새가 없고 무색투명의 강산성 액체로, 점막에서 약 1.5~2.0L/일 분비된다. 위 내의 pH는 식사나 시간에 따라 변화하는데 식전 공복 시에는 pH 1.0~1.5로 강산성을 띠고 식사를 하면 pH 4.0~5.0이 되며 식후 2~3시간에 식전 공복 시 정도로 되돌아온다.
- 위액의 주성분은 ① 펩신(pepsin; 펩시노겐으로서 분비되며 위산에서 펩신으로 변화, 단백질분해효소), ② 위산(gastric acid; 염산, 위 내로 들어온 세균을 살균), ③ 점액(위의 점막을 보호)이며 각종 전해질도 함유한다.
- 위액은 공복 시에도 소량씩 분비되며, 음식물을 섭취할 때의 자극으로 분비가 항진된다.
- 십이지장과 연결된 부분에는 유문괄약근이 있어 역류를 방지한다.

(4) 소장

- 소장은 ① **연동운동**, ② 분절운동, ③ 진자운동을 통해 대장으로 내용물을 운반한다.
- 소화관에서의 **영양소 흡수**는 대부분 소장에서 이루어진다. 위에서 제1단계의 소화가 이루어진 내용물은 소장으로 보내지며, 지방이나 지용성 비타민은 담즙과 섞임으로써 가용화하여 소장의 림프관에서 흡수된다. 수용성 비타민도 소장에서 흡수된다. 단백질과 탄수화물은 장선(창자샘)에서 분비되는 장액(serous fluid)에 소화된 후 소장융모의 모세혈관에서 충분히 흡수되어 문맥을 지나 간을 통과한 후 대순환으로 들어간다.
- 소장 안은 담즙, 췌액(이자액), 장액이 더해져 **약알칼리성**을 띤다.

(5) 대장

- 대장은 소화관의 마지막 부위이며, **수분**이나 **무기질** 등을 흡수하고 **대변을 형성**한다. 소화되지 않은 식이섬유 등은 장내효소에 의해 발효나 부패 등의 변화를 받는다.
- 대장에는 혐기성 연쇄구균, 비피더스균, 대장균, 유산균 등의 많은 **장내세균**(intestinal bacterium)이 있

다. 인체에 유익한 유익균, 인체에 해로운 유해균, 어느 쪽이든 우세한 쪽으로 가담하는 기회균이 있으며, 이들은 장관면역에 영향을 미친다.

- 장내세균의 균형은 노화와 함께 변화하며 유익균인 비피더스균은 중년기 이후에 감소한다. 컨디션이 나빠지지 않는 한 중년기까지는 유해균이 유익균의 수를 넘는 일은 드물다.
- 회맹판(돌막창자판막)은 소장에서 대장으로 이동하는 내용물을 조절하며, 역류방지판의 역할도 한다.
- 직장 주위의 골반신경총은 배변 · 배뇨 기능과 성기능에 중요한 역할을 한다. 분변이 직장 내에 유입되어 직장내압이 30~50mmHg가 되면 내항문괄약근이 이완한다. 또 직장이 신전하는 반사를 통해 변의를 자각하고 외항문괄약근이 수축하여 배변을 조정한다. 힘주기 등의 **배변동작**을 하여 직장내압이 100~200mmHg로 상승하면 내항문괄약근이 이완하고 수의적으로 외항문괄약근을 이완시켜 변을 배출한다(**그림 13-13**).

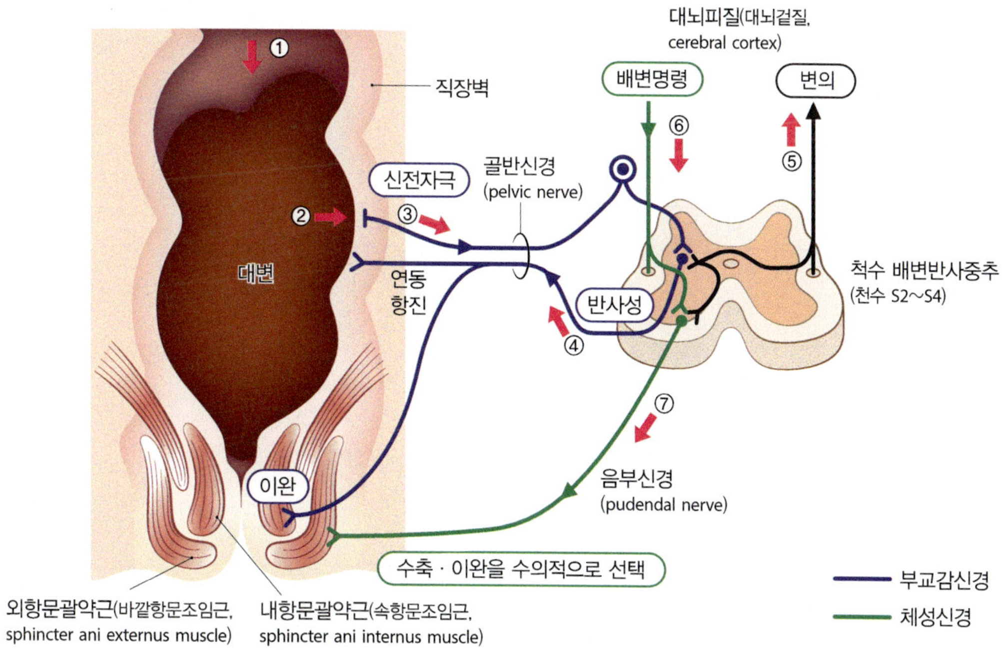

그림 13-13 직장 · 항문관의 기능과 지배신경

(6) 간

- 간은 ① 소화관에서 흡수된 영양소를 신체에 필요한 성분으로 합성 및 분해하여 **대사**하는 기능, ② 유해물질의 **해독**이나 약물을 대사하여 담즙으로 배설하는 기능, ③ 담즙을 생성 및 분비하는 기능이 있다.
- 알코올은 90% 이상이 간에서 대사된다.

- 간에서 분비되는 담즙산은 콜레스테롤을 배설시킨다.
- 간은 재생과 대사 능력이 상당히 뛰어나며 손상을 받아도 남은 정상조직이 작용하여 기능을 유지할 수 있다.
- 담즙성분의 97%는 수분이고 나머지 3%는 담즙산, 콜레스테롤, 인산, 지방산, 빌리루빈이다. 약 600~ 1,200mL/일의 담즙이 분비된다.
- **빌리루빈**(bilirubin)은 헤모글로빈 유래의 비수용성 간접빌리루빈과 수용성 직접빌리루빈으로 나뉜다. 직접빌리루빈은 간세포에서 배설된다.
- 간은 혈액응고인자(피브리노겐, 프로트롬빈)를 합성한다.

(7) 담낭

- 간에서 생성된 **담즙**(쓸개즙, bile)은 담낭에 일시 저장되어 약 10배로 농축된다. 담낭은 약 30~40mL의 담즙을 저장할 수 있다. 생성 직후의 담즙은 황갈색이며, 담낭에서 저장 중에 산화되어 녹색으로 바뀐다.
- 구강 내에 음식물이 들어가면 담낭이 수축하고 오디괄약근이 느슨해져 파터유두가 열림으로써 농축된 담즙이 십이지장으로 보내진다.
- 십이지장으로 보내진 담즙이 지질이나 지용성 비타민과 섞임으로써 가용화하고 소장의 림프관에서 소화 및 흡수된다.

(8) 췌장

- 췌장의 외분비 부분은 췌장의 약 90%를 차지하며 **췌액**(이자액, pancreatic juice)을 분비한다.
- 췌액은 투명한 약알칼리성의 액체로, 약 1L/일 분비된다. 아밀라아제(amylase), 트립시노겐(trypsinogen; 단백질분해효소의 전구체), 리파아제(lipase; 지방분해효소) 등의 소화효소가 풍부하게 함유되어 있는데, 이들은 탄수화물이나 단백질, 지방을 분해하여 음식물을 소화하는 데 도움을 준다.
- 불활성형인 트립시노겐은 십이지장으로 유입된 후 활성형 트립신(trypsin)이 된다. 췌장도 단백질로 구성되며 이 기전으로 자기소화를 방지한다.
- 췌액은 알칼리성의 중탄산염을 많이 함유하고 있으며 산성의 위액을 중화하고 십이지장을 위액으로부터 보호하는 역할도 한다.
- 내분비부의 랑게르한스섬 α세포에서는 글루카곤(glucagon), β세포에서는 인슐린(insulin)이 분비되어 혈당제어에 관여한다.
- 글루카곤은 지방을 포도당으로 전환하거나 간에 저장된 글리코겐을 포도당으로 전환하는 등 혈액 속의 당분을 늘리는 역할을 한다.
- 인슐린은 혈액 중의 포도당을 세포에 흡수시키고 과잉의 포도당을 지방조직으로 저장시키며 포도당을 글리코겐으로 전환하여 간이나 근육에 저장시키는 등 혈액 속의 당분을 줄이는 역할을 한다.

2. 사정방법

1) 검진순서

순환기나 호흡기 등의 신체사정에서는 대상자에게 부담이 적은 항목부터 진행하는 것이 원칙이다. 그러나 소화기계(복부)는 촉진이나 타진으로 장음이 증강되는 경우가 있기 때문에 문진 → 시진 → **청진** → 타진 → 촉진 순으로 진행한다.

또한, '소화기계'라고 하면 흔히 복부만 떠올리기 쉬운데, 음식물의 흡수(저작, 연하 등)에 중요한 역할을 하는 구강 · 인두나 배설구인 직장 · 항문도 대상범위가 된다. 여기서는 각각의 사정 항목이 다르고 대상자의 체위 및 불필요한 노출을 피하는 의미에서 ① 구강 · 인두, ② 복부, ③ 직장 · 항문부의 순서로 설명한다.

필요물품

- 펜라이트, 설압자, 청진기, 마킹펜(피부연필), 자 · 줄자, 일회용 장갑, 윤활제, 화장지, 농반, 비닐봉지(소), 담요

준비

① 환경 준비

- 실온(22~24℃)을 유지하고 소음이 없고 사생활을 보호할 수 있는 곳에서 검진한다.
- 감염 예방을 위해 손을 씻고 따뜻하게 하여 대상자의 안위를 도모한다.

② 설명과 동의

- 대상자에게 검사의 목적과 방법(입 벌림과 삼킴 협력, 복부 및 항문부 노출과 신체 접촉, 입술이나 입 호흡의 협력 등)을 설명하고 동의를 얻는다.

③ 대상자 준비

- 의치를 착용한 대상자의 경우는 장착상태를 확인한다. 구강 내 점막을 확인할 때에는 의치를 일시적으로 빼고 파손이나 분실되지 않도록 관리한다.
- 구강 · 인두의 검진은 침대나 의자에서 앉은 자세로 진행한다(앉은 자세를 유지하기 어려운 경우에는 바로 누운 자세). 복부의 검진은 바로 누운 자세를 취하고 두 무릎을 세운다. 직장 · 항문부의 검진은 왼쪽으로 누워서(심스위) 두 무릎을 끌어안는 자세를 취한다. 모두 베개를 사용한다.
- 발열이 있는 경우에는 보온에 유의한다. 복통 · 오심 · 구토 등이 있는 경우에는 체위에 유의하고 손이 닿는 범위 내에 휴지나 농반, 비닐봉지를 준비해둔다.

- 복부 및 직장 · 항문부의 검진은 대상자가 수치심을 느끼지 않도록 노출을 최소한으로 하고 대상자에게는 적절한 체위와 호흡을 하도록 협력을 구한다.

(1) 구강·인두

문진

- 치아 문제(치통, 치은 문제, 저작기능 등), 구강 내 병변(궤양, 통증, 기타 변화), 목의 통증, 연하곤란, 쉰 목소리, 미각의 변화 등에 대해 사정한다.

① 건강력

- 나이
- 병력 : 뇌경색 등의 뇌신경질환, 설암이나 인두암, 후두암 등의 구강외과계나 이비인후과계 질환 유무와 치료 이력
- 충치 · 치은출혈 · 치조농루 등의 치아 · 치은 문제 유무, 의치상태
- 구강 내 병변 유무 : 기간, 위치, 통증, 치료 유무, 선행원인 유무(스트레스, 음식, 담배 등)
- 목의 통증 : 통증 정도, 기간, 타 증상 동반 여부(열, 기침, 피로 등)
- 연하곤란 : 기간, 부위, 통증 등
- 쉰 목소리 : 기간, 관련된 문제
- 미각의 변화

② 자각증상

- 입의 개폐상태 : 개폐의 어려움
- 구순에서의 음식물 흐름 : 음식물을 섭취할 때나 구강 내에 음식물이 들어 있을 때 음식물이 입 밖으로 흐르는지의 여부
- 연하 시 사레 여부 : 사레가 있는 경우에는 그때의 음식물 종류나 형태, 양 빈도 등
- 미각 유무 : 단맛, 짠맛, 신맛, 쓴맛, 감칠맛을 느끼고 있는지(아연부족이나 노화 등, p.147)
- 구강 내의 통증 유무 : 급성 또는 만성, 부위, 발현 또는 증가 · 경감인자, 정도, 지속시간
- 구취 · 구강 내 건조감 · 이물감 유무 : 정도, 부위
- 구음장애 : 말하기 어려움의 여부

시진 / 촉진

관찰내용	정상	비정상 ([ ]은 생각할 수 있는 병태 · 질환예)
입 · 턱의 개폐	• 개폐는 원활 • 개폐 시 소리가 나지 않음	• 충분히 열수 없음, 개폐 시 걸림이 있음 [악관절증] • 개폐 시 소리가 남 [악관절증]
구순 · 구각의 색조 · 상태	• 구순 · 구각은 분홍색으로 매끄러움, 출혈이나 수포 · 종괴 · 궤양 · 균열 없음 (정상적으로 거칠고 약간의 흰 설태 있음) • 구순에 균열 없음 • 건조하지 않음 • 침흘림 없음	• 청색증 있음 [심부전, 저산소상태] • 구각의 발적 · 미란 · 균열 있음 [영양부족, 비타민 B2 부족, 구각염] • 수포 있음 [구순헤르페스, 대상포진] • 경결이 장기간 있음 [악성종양, 연성하감] • 구순이 갈라져 있음 [구순열] • 건조함 [발열, 탈수, 당뇨병] • 침흘림 있음 [뇌신경질환, 구순마비, 파킨슨병]
구강 내의 색조 · 상태	• 구강점막은 분홍색, 경구개는 푸르스름하고 연구개는 분홍색, 출혈 · 종괴 · 궤양 없고 특히 통증 없음 • • 구개에 열상 없음 • 이하선이 열려 있음 • 광택 · 습윤 있음	• 구강점막의 발적 · 미란 · 부종 · 백태 있음 [구강칸디다증] • 구강점막에 발진 · 궤양 · 통증 있음 [홍역의 코플릭반점, 아프타성 구내염, 수족구염] • 구개가 갈라져 있음 [구개열] • 이하선이 열려 있지 않음 [이하선종창] • 구강 내 건조 [타석증, 쇼그렌증후군, 당뇨병, 철결핍성 빈혈]
치은의 색조 · 상태	• 치은은 분홍색으로 탄력이 있음 • 치은에서 출혈이나 종창 · 퇴축 · 고름은 확인되지 않음	• 치은의 혈색이 나쁘고 탄력성이 떨어짐 [치은염] • 치은에 발적 · 종창 · 출혈 · 종괴 · 가래 등이 있음 [악성종양, 혈액질환, 치은염, 치조농루]
치아의 색조 · 상태 개수	• 설압자로 치아를 건드려도 흔들리지 않음 • 치아는 상아색으로 약간 황색을 띰 • 제3대구치를 포함하여 32개의 치아(영구치)가 있음(유치는 20개)	• 동요치 있음 [치은염, 치조농루, 충치] • 치아 일부가 흑색 [충치] • 치아가 결손되어 있음 [결손치, 충치]
치열	• 치열은 규칙적이고 정상교합임	• 교합면이 맞지 않음 [악관절증, 부정교합, 의치 부적합]
혀의 색조 · 상태	• 혀는 분홍색이고 광택이 있음, 종괴 · 종양 · 설태 없음	• 설태가 두껍고 백색 [구강칸디다증] • 혀에 발적 · 미란 · 반흔 · 경결 있음 [발열, 영양부족, 약물 복용], 궤양형성 · 균열 · 종괴 있음 [설암]
움직임	• 혀는 좌우대칭으로 움직이고 고정할 수 있음	• 혀가 한쪽으로 기움 [뇌혈관질환] • 혀의 움직임을 제어할 수 없음 [설인신경, 미주신경, 설하신경의 이상]
구륜근의 움직임	• 구순을 다물고 입안을 부풀릴 수 있음	• 구순을 다물지 못해 공기가 샘 [뇌혈관질환, 노화]
교근의 움직임	• 이를 악물 수 있음	• 이를 악물 수 없음 [노화]
인두 · 편도의 색조 · 상태	• 인두 · 편도는 분홍색으로 매끄러움, 인두 · 편도의 종괴 · 종창 없음	• 적색 · 종창이 있음 [세균성 감염 vs 바이러스성 감염] • 황색(농) · 회황색의 가막 형성 [디프테리아] • 종괴 있음 [물집앙기나, 인두암] • 구개편도가 비대해 있음 [편도선비대]
인두반사	• 인두반사 확인	• 인두반사 없음 [뇌혈관질환, 신경질환]
연구개 · 구개수의 움직임	• 연구개는 대칭으로 올라감 • 구개수는 중앙에 남음	• 연구개 올라가지 않음 [미주신경 병변] • 구개수의 한쪽 편위 혹은 움직임 없음 [신경손상, 소아마비, 디프테리아균 감염]

① 입 · 턱의 개폐

- 좌우의 하악관절돌기 위에 두 손을 올리고 천천히 입을 벌리고 다물게 하여 개구상태, 하악의 움직임과 비정상적인 소리 등을 확인한다.

② 구순 · 구각의 색조 · 상태, 구강 내의 색조 · 상태

- 구순이나 구각의 색조나 상태, 침흘림 등을 관찰한다.
- 설압자로 혀나 구순을 누르면서 펜라이트로 구강 안을 비추어 구강점막의 상태나 압통 유무 등을 관찰한다. 이때 구강전정, 협부점막, 구강저점막도 잊지 말고 관찰한다.
- 설압자로 상구순을 밀어 올려 좌우의 이하선관 개구부를 관찰하여 타액 유출을 확인한다. 또 구강 내의 건조 정도를 관찰한다.

③ 치은 · 치아의 색조 · 상태

- 설압자와 펜라이트를 사용해서 치은을 관찰한다. 동시에 치아결손이나 동요치를 관찰한다.

주의 : 의치를 장착한 대상자의 경우에는 의치의 적합상태를 관찰한 후 의치를 벗게 하여 구강점막을 관찰한다.

④ 혀의 색조 · 상태, 움직임

- 혀를 거즈로 싸서 좌우로 당기면서 혀의 표면, 설태 유무 등을 시진하고, 움직임의 좌우차를 관찰한다. 혀의 고정은 혀를 최대한 앞으로 꺼내어 혀의 움직임을 멈추고 유지할 수 있는지 관찰한다.

⑤ 구륜근의 움직임

- 구순을 닫고 구강 내에 공기를 채운 후 부풀려서 구륜근을 관찰한다.

⑥ 교근의 움직임

- 양측 하악관절돌기에 손을 대고 이를 악물게 해서 교근의 움직임을 관찰한다.

⑦ 인두 · 편도의 색조 · 상태

- 대상자에게 입을 벌리게 하여 구개수의 움직임을 관찰한다.
- 설압자로 혀를 누르면서 '아' 하고 소리 내게 한다. 구개수가 정중앙에 있는지, 발성에 의해 연구개와 구개수가 좌우대칭으로 올라가는지를 관찰한다. 이어서 양쪽 인두후벽에 설압자를 대어 인두반사 유무를 관찰한다.
- 펜라이트를 이용하여 편도를 관찰하고, 편도의 비대와 염증 유무를 관찰한다.

주의 : 침습적인 검사이므로 필요성을 고려한 후 시행한다.

편도의 크기(Brodsky 편도선 사정 기준)

Grade	Tonsil Assessment
1+	편도선은 전편도기둥 사이에서 구인두 측면의 25% 미만 차지
2+	편도선은 구인두 측면지수의 26~50%
3+	편도선은 구인두 측면지수의 51~75%
4+	편도선은 구인두 측면지수의 75% 이상 차지(tosil kiss)

(2) 복부

- 각 소화관이 소화 및 흡수를 할 수 있는 상태에 있는지, 영양섭취 후의 내용물을 배설할 수 있는지 등을 확인한다.
- 소화기계 증상 : 소화불량, 오심, 구토, 복부 통증, 복부 팽만
- 영양상태 : 식욕, 체중 변화, 음식사정
- 배변습관, 생활습관

문진

① 건강력

- 과거력(소화기질환 이외도 포함)
- 수술 · 치료 · 검사력(특히 복부)
- 복약 상황(비스테로이드성 항염증제, 항응고제, 항암제 외)
- 직업, 체중의 현저한 증감, 심한 스트레스 유무, 흡연력

② 영양상태

- 평소 식생활, 최종 식사섭취 상황(내용, 양, 시간), 음수섭취 상황, 폭음 · 폭식 여부, 생어패류(고등어, 연어, 다랑어, 오징어, 굴 등) · 생고기의 섭취 여부와 섭취시간, 식사제한 유무, 음주력

③ 배변 관련 사항

- 횟수, 양, 상태, 색조, 냄새, 설사 · 변비 유무, 혈변 · 배변 시 출혈 유무와 정도, 배변곤란감 유무

④ 자각증상

- 복통 : 급성 또는 만성인지, 부위, 성질(콕콕 쑤시는지, 계속 아픈지 등), 악화 또는 완화인자(식사나 배설 · 구토 · 체위 · 발열 등과의 관련), 지속시간, 통증척도(NRS, VAS, 표정척도 등), 【여성의 경우】 월경이나 임신과의 관련

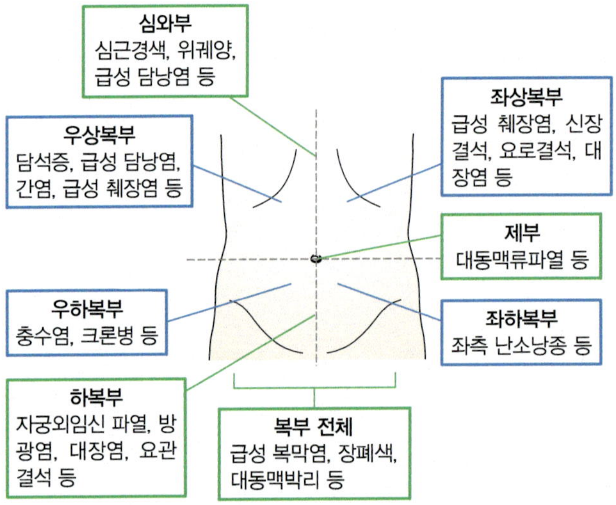

부위별 복통에서 생각할 수 있는 질환

(p.206, 복부의 4영역과 복부의 내부구조 참조)

- 오심 · 구토 · 가슴쓰림 · 트림 · 복부팽만감 : 유발인자(시간대, 체위 등), 지속시간, 정도, 구토물의 혈액혼입, 토혈 유무
- 식욕 : 유무, 식욕부진의 발현시간, 식사섭취량이나 내용과의 관련

주의 : 소화기계는 식생활이나 배설습관 등의 생활습관과 크게 연관되어 있기 때문에 문진 시 일시적인 것뿐만 아니라 수일~수개월의 변화에 대해 문진한다.

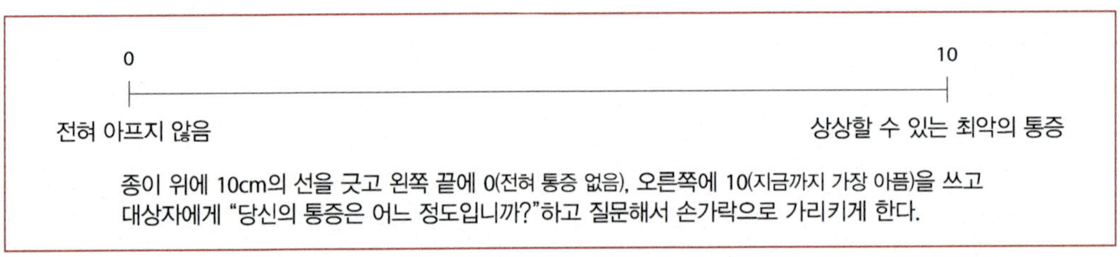

VAS(Visual Analogue Scale)

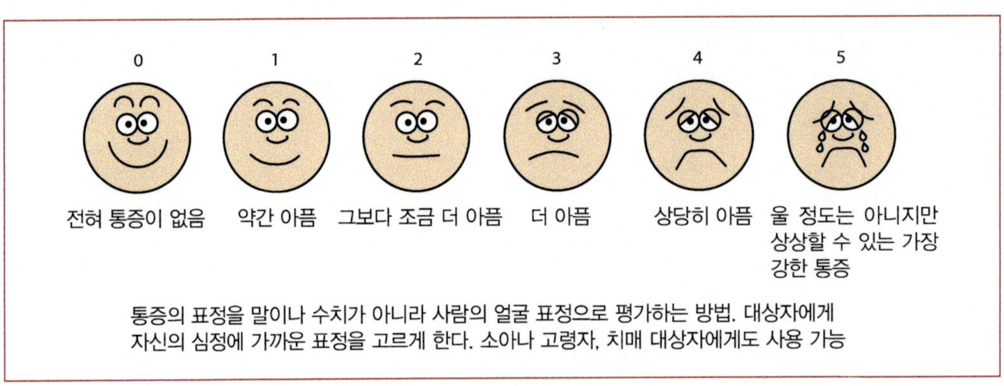

표정척도

시진

관찰내용	정상	비정상 ([ ]은 생각할 수 있는 병태 · 질환예)
표면	• 신체의 다른 부위와 비슷한 양상, 동일한 색깔 • 매끄럽고 균일	• 황달, 색소침착 있음 [간경화, 애디슨병] • 배꼽 주변의 푸른색 [복강 내 출혈] • 피부혈관종(거미혈관종, spider nevi) [간질환, 문맥고혈압] • 가늘고 초승달 모양의 흰 피부선조 있음 [임신, 비만, 급격한 복수 저류] • 적색의 피부선조 있음 [쿠싱증후군] • 반흔 [복부 수술 후, 외상의 과거력]
윤곽	• 전체적으로 둥그스름하며 좌우대칭, 융기나 패임 없음(편평, 둥근 배 모양)	• 비만 : 둥근 모양(균일), 배꼽이 움푹 들어감, 청진(정상 장음), 타진(고창음, 지방조직–산발적 둔탁음) • 복수 : 둥근 곡선, 튀어나온 배꼽, 청진(장–정상 장음, 복수–장음 감소), 타진(장–고창음, 액체–둔탁음)
배꼽	• 배꼽은 복부 중앙에 위치하며 함몰이나 탈장의 징후가 없음	• 제대탈장 : 복압 증가 시 발생 [임신, 복수, COPD] • 절개탈장 : 수술 후 배근육의 약화로 발생 • 복직근 이개 : 임상적 의미는 없음
대칭성	• 좌우 대칭	• 팽윤, 덩어리 [탈장, 전이암]
운동	• 대동맥 박동(상복부 아래) • 연동운동(일부 마른체형)	• 현저한 대동맥 박동 [대동맥류] • 증가된 연동운동 [장폐색]

- 대상자에게 검진을 위해 복부를 노출해서 만질 것이라고 설명하고 동의를 구한 후 대상자의 오른쪽에 위치한다.

주의 : 대상자의 표정을 관찰하면서 검진을 진행한다.

- 정확하게 검진할 수 있도록 대상자에게 바로 누운 자세(앙와위)를 취하게 하고 검상돌기에서 치골결합까지 충분히 노출시킨다. 이때 복근에 힘이 들어가지 않도록 무릎을 세우고 손은 신체 옆이나 가슴 위에 올리게 한다. 또한, 복부는 부위가 넓기 때문에 배꼽을 중심으로 4영역(우상복부, 우하복부, 좌상복부, 좌하복부)으로 나누어 검진을 진행한다.
- 우선 대상자 정면에서 복부 전체의 윤곽이나 표면, 배꼽 주위를 관찰하고 좌우 대칭성, 돌출이나 함몰 유무 등을 관찰한다.
- 이어서 대상자의 복부 높이로 눈높이를 맞추어 옆에서 검진한다(위에서 내려다보지 않음).

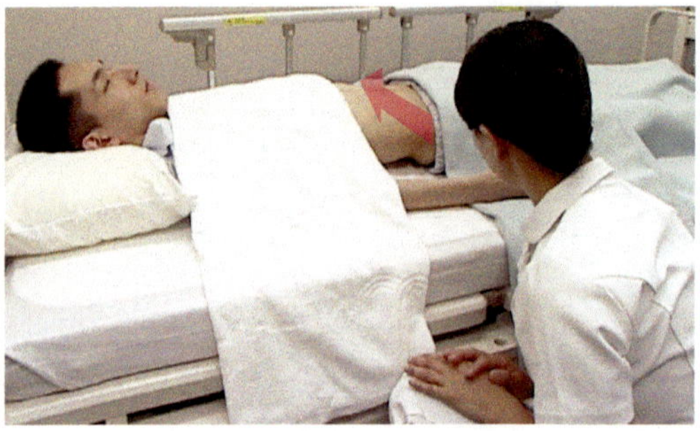

복부를 시진한다.

- 마지막으로 검상돌기에서 치골까지의 외견 · 피부 · 표면의 움직임을 검진한다.
- 복부측정이 필요한 경우에는 측정 장소를 정해서(배꼽 위 · 최대위치 등) 자로 복부둘레를 측정한다.

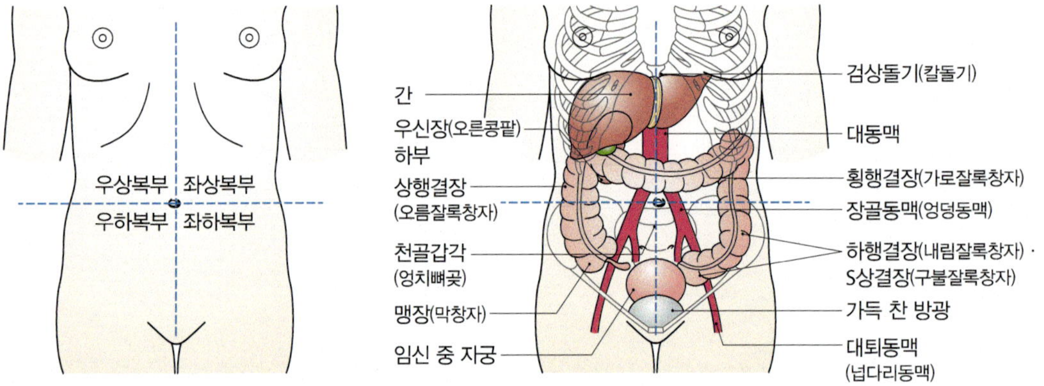

복부의 4영역과 복부의 내부구조

청진

관찰내용	정상	비정상 ([ ]은 생각할 수 있는 병태 · 질환예)
장음	• '꼬르륵꼬르륵' 등의 높은 소리를 5~15초에 1회 정도 불규칙적으로 들을 수 있음	• 과소장음 : 5분간 들리지 않음 [장폐색] • 과다장음 [장관의 협착 · 초기 장폐색] • 진수음 [유문협착, 장폐색, 위내용물 저류]
혈류음	• 복부대동맥, 좌우 신장동맥, 장골동맥, 대퇴동맥 모두 혈관잡음 없음	• 혈관잡음 동맥잡음 : 혈관협착이나 폐쇄 [대동맥류, 신장동맥 협착, 대퇴동맥 폐쇄] 정맥잡음 : 배꼽 주위에서 청진 [문맥고혈압, 간경화] • 복막 마찰음 : 거칠고, 삐걱거리는 고음조 [종양, 감염, 복막염]

• 청진은 장의 운동성을 평가하고, 비정상적 혈류음을 사정하기 위해 시행한다. 시진이 완전히 끝나면 청진을 시행하며, 타진과 촉진으로 인해 장의 연동운동이 항진되어 장음의 빈도와 강도가 변화될 수 있기 때문에 일반검진 순서와 달리 타진과 촉진에 앞서 진행한다.

① 장음

• 복부 한 곳에 청진기의 원판형(막형)을 대고 1분간 청진한다. 1분간 들리지 않는 경우에는 '감소', 5분간 들리지 않는 경우에는 '소실'로 판단한다.

• 복부 4영역을 모두 청진한다(회맹장판막이 있는 우하복부에서 시작).

주의 : 청진기는 손으로 데워서 사용한다(차가운 청진기는 배근육의 수축 유발).

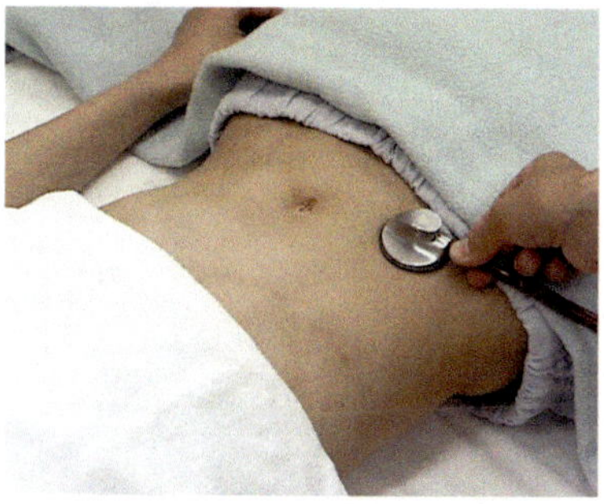

장음을 청진한다.

② 혈류음

• 정상적인 혈류음은 거의 들리지 않지만, 혈관협착 등이 있는 경우에는 혈관잡음으로서 들린다. 혈관잡음은 낮은 음이기 때문에 청진기의 종형으로 청진한다.

• 복부대동맥 → 좌우 신장동맥(배꼽 위 3~5cm 정도의 좌우 3~5cm 부위) → 좌우 장골동맥(배꼽 아래 좌우 3~5cm정도)[→ 필요에 따라 좌우 대퇴동맥] 순으로 청진한다. 또한, 신장동맥은 깊이 위치하기 때문에 청진기를 다소 세게 누르고, 대퇴동맥은 얕게 위치하기 때문에 압박하지 않도록 유의한다.

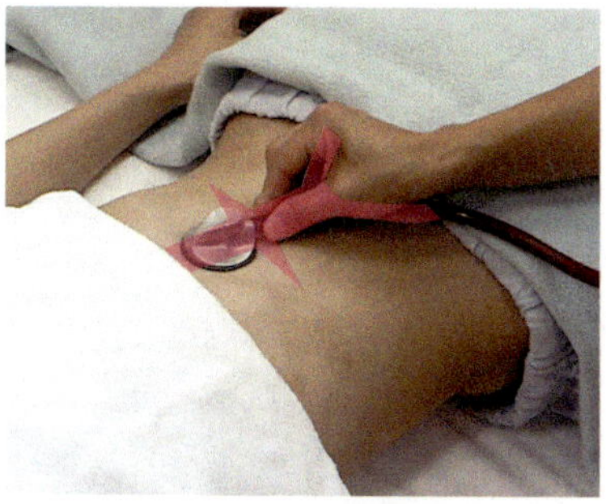

혈류음을 청진한다.

타진

관찰내용	정상	비정상 ([ ]은 생각할 수 있는 병태 · 질환예)
복부 전체 (가스 · 변 유무)	• 고창음(tympanic sound)	• 고음의 고창음 [마비성 장폐색]
둔탁음 유무 통증 유무	• 둔탁음 없음 • 타진으로 인한 통증 없음	• 둔탁음 [팽만된 방광, 액체가 있는 곳, 덩어리, 대변, 지방조직] • 우늑하부에 타진 시 통증 있음 [간염, 간농양, 울혈성 간장애]
간의 크기	• 둔탁음 영역은 6～12cm • (남성 10cm, 여성 8cm 정도)	• 둔탁음 영역 12cm 이상 [간비대 : 지방간, 간경화, 간종양, 바이러스성 간염, 알코올성 간염, 우심부전] • 둔탁음 영역 6cm 이내 [간위축 : 간경화]
비장	• 고창음(둔탁음 없음)	• 양성 비장타진징후 : 전액와선에서 흡기 시 고창음에서 둔탁음으로 변함 [비장비대]
복수 유무	• 고창음(둔탁음 이동검사) • 반대쪽에서 파동이 느껴지지 않음 (액체파동검사)	• 중앙부에서 고창음, 측복부에서 둔탁음 [복수저류] • 반대쪽에서 파동이 느껴짐 [복수저류]

① 복부 전체

- 대상자에게 복부의 타진을 진행함을 설명하고 동의를 구한 후 청진이나 촉진과 마찬가지로 바로 누운 자세에서 무릎을 세우도록 한다.
- 우하복부에서 시계방향으로 타진하여 고창음인지 둔탁음인지를 구분한다. 또한, 통증이 있는 부위는 가장 마지막에 타진한다.

주의 : 대상자 몸에 손을 대기 전에 자신의 손을 따뜻하게 데워둔다.
타진으로 통증이 출현할 가능성이 있기 때문에 대상자의 표정도 관찰하면서 진행한다.

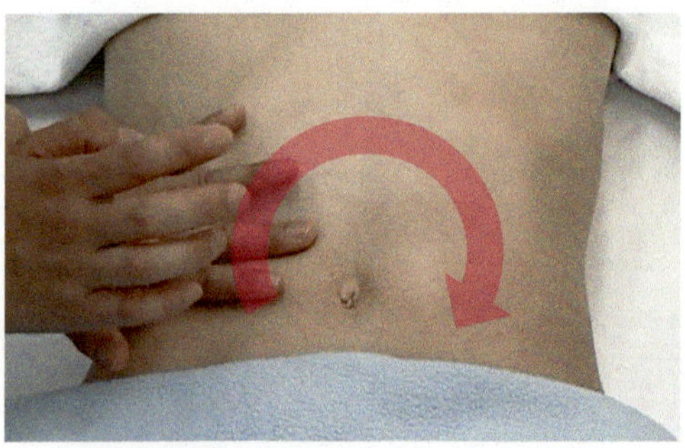

복부 전체를 타진한다.

② 간

수직범위의 둔탁음 측정

- 대상자의 오른쪽에 서서 복부 전체와 마찬가지로 타진을 진행한다. 우쇄골중선 위에서 시행하며

수직범위의 둔탁음이 들리는 부위를 측정한다.

- 우선 간 상연을 확인하기 위해 우쇄골중선에서 폐를 나타내는 공명음 영역부터 간 방향으로 하강하면서 가볍게 타진하여 둔탁음으로 바뀐 부위를 표시한다.
- 이어서 간 하연을 확인하기 위해 우쇄골중선에서 장을 나타내는 고창음 영역(배꼽 아래 위치)부터 간 방향으로 상승하면서 가볍게 타진하여 둔탁음으로 바뀐 부위를 표시한다.
- 표시한 2점 사이의 거리를 자 등으로 측정한다.

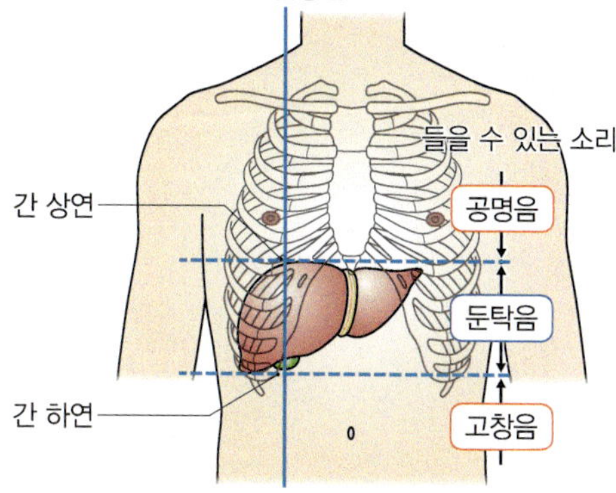

간의 타진 : 둔탁음 측정

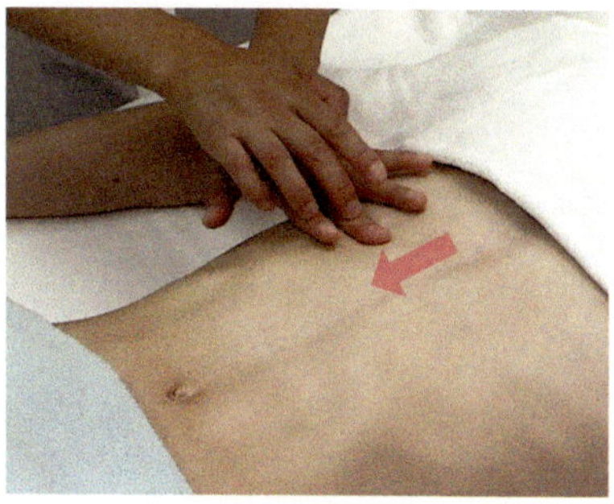

① 간 상연 확인

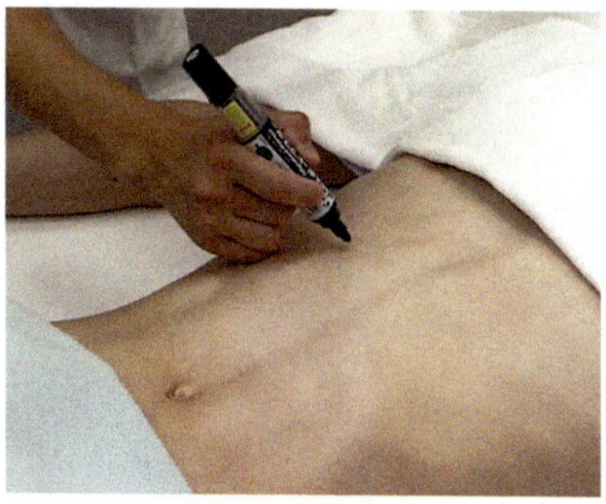

② 간 상연에 표시

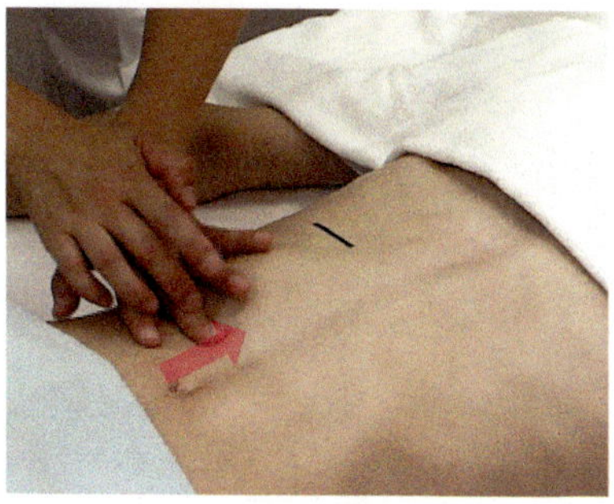

③ 간 하연 확인

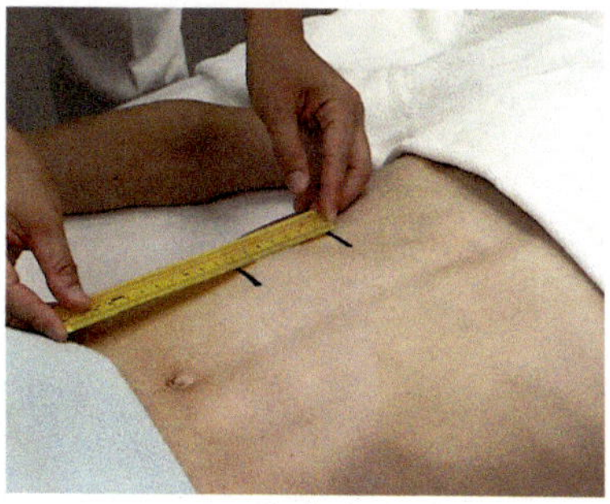

④ 측정

수직범위의 둔탁음을 측정한다.

● **스크래치 검사**(scratch test)

※ 스크래치 검사는 타진은 아니지만, 간의 상연과 하연을 더 정확하게 측정할 수 있다.

- 타진과 마찬가지로 대상자의 오른쪽에 선다. 우선은 우쇄골중선에서 늑골궁의 다소 위에 청진기의 원판형을 대고 왼손가락으로 흉벽을 가볍게 좌우로 긁는다.
- 이어서 우쇄골중선 위를 폐 방향에서 간 방향을 향해 왼손가락으로 흉벽을 좌우로 긁으면서 이동해가면 갑자기 소리가 커지는 부위가 있으며 여기를 표시한다.
- 그 후 역방향으로 우하복부에서 폐 방향을 향해 왼손가락으로 복벽을 좌우로 긁으면서 이동시킬 때 갑자기 소리가 커지는 부위가 있으며 여기를 표시한다.
- 표시한 2점 사이의 거리를 자 등으로 측정한다. 측정치의 기준은 타진의 경우와 같다.

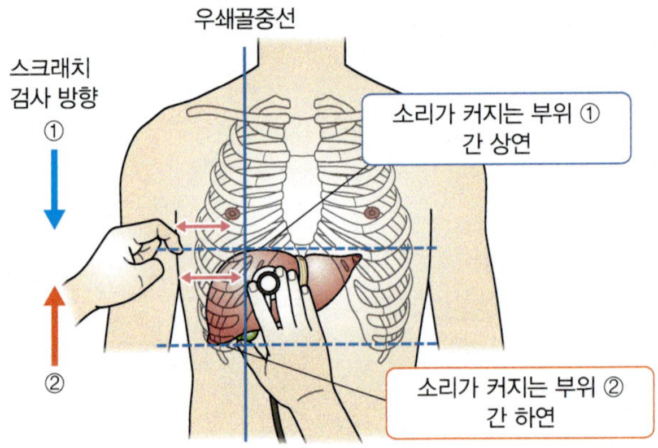

스크래치 검사

③ 비장

- 좌측 중앙액와선 가장 아래 늑간을 타진하며, 깊은 흡기에도 고창음(가스팽만음)이 나타나는 것이 정상이다.
- 제6늑골, 늑골궁, 전액와선으로 둘러싸인 부위를 타진한다. 둔탁음인 경우 비장비대가 의심되기 때문에 비장 촉진을 진행한다.

④ 복수 유무

a. 둔탁음 이동검사

- 우선은 타진음의 변화로 복수 유무를 사정한다. 바로 누운 자세에서 타진을 시행한다. 복수 저류부위에서는 둔탁음, 저류가 없는 부위에서는 고창음
- 이어서 대상자를 옆으로 눕게 하여 타진을 진행한다. 복수의 저류가 있으면 중력으로 인해 상부에서 고창음, 하부에서 둔탁음을 들을 수 있다.

b. 액체파동검사

- 우선 왼손바닥을 대상자의 좌측 복부에 대고 오른손으로 우측 복부를 '통' 하고 살짝 두드리면 왼손에서 파동을 느낄 수 있다. 피하지방이 많은 경우에도 느껴진다.
- 복수 때문인지 피하지방 때문인지를 감별하기 위해 보조자(경우에 따라서는 대상자 자신)가 복벽 중앙에 한쪽 손을 모아서 척골측을 아래로 올린다. 마찬가지로 두드렸을 때 왼쪽 손바닥에 파동이 느껴지면 복수로 평가한다.

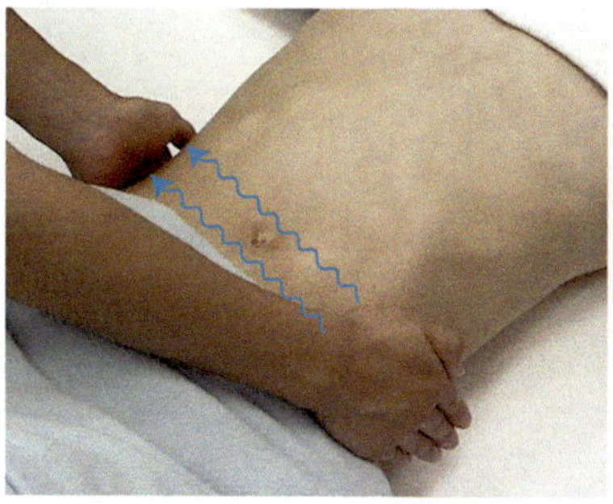
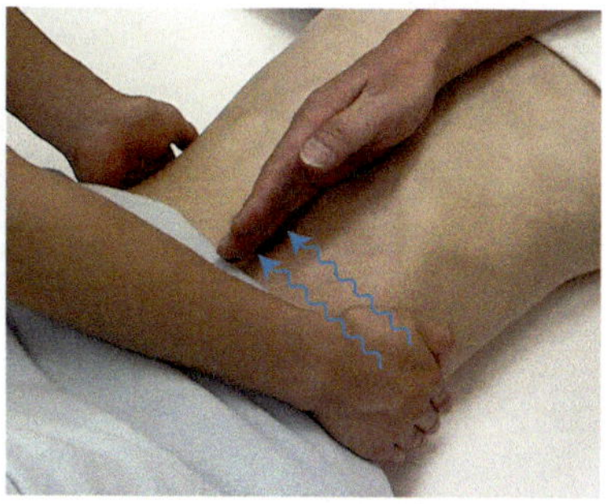

액체파동검사

⮕ 촉진

관찰내용	정상	비정상 ([ ]은 생각할 수 있는 병태 · 질환예)
복부의 덩어리 · 융기 유무	• 복벽은 부드럽고 긴장이 없음 • 덩어리 · 융기 없음	• 부분적으로 덩어리 · 융기 있음 [복벽헤르니아, 지방종] • 복부 전체에 융기 있음 [종양, 간경화나 간기능장애 등에 의한 복수저류, 감염성 장염 등에 의한 가스저류, 지방, 임신]
압통 유무	• 압통 없음	• 압통이 있음 [복막염에 기인하는 압통 : 급성 담낭염, 급성 췌장염, 급성 게실염, 급성 충수염(압통점은 아래의 그림 참조). 흉복부나 골반강 내의 질환에 기인하는 압통 : 난관염] 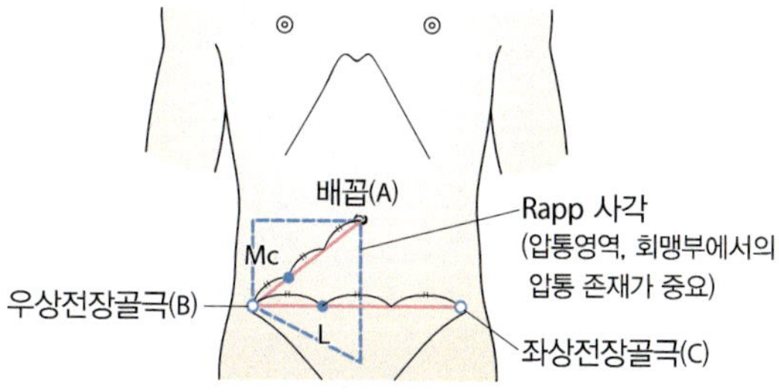 충수염에 특징적인 압통점 Mc : 맥버니점(McBurney's point; A와 B를 연결하는 선을 3등분한 오른쪽 1/3 지점) L : 란츠점(Lanz's point; B와 C를 연결하는 선을 3등분한 오른쪽 1/3 지점)
장관	• 만질 수 없음	• 하행결장이나 S상결장에 종괴 있음 [종양] • 만질 수 있음 [가스나 변의 저류]

(계속)

관찰내용	정상	비정상 ([ ]은 생각할 수 있는 병태 · 질환예)
간	• 만질 수 없음	• 만질 수 있음 [간비대, 지방간, 간경화, 간종양, 바이러스성 간염, 알코올성 간염, 우심부전]
비장	• 만질 수 없음	• 만질 수 있음 [비장비대 : 감염병, 혈액질환, 문맥압항진(간경화, 심부전 등), 사르코이드증, 전신성 홍반루푸스(SLE)]
담낭	• 통증 없음	• 머피(Murphy) 징후 양성 : 심호흡 시 간 경계 아랫부분 촉진에서 심한 통증을 느끼고, 급격히 흡기를 멈춤 [담낭염]
대동맥	• 성인 : 2.5~4cm	• 두드러진 맥박 촉진 : 측부 박동 [대동맥류]

① 복부의 덩어리 · 융기, 압통 유무

주의 : 대상자의 복부를 만지기 때문에 한랭자극을 주지 않도록 손바닥을 따뜻하게 데운 후 촉진한다.

- 대상자에게는 복벽을 긴장시키지 않도록 두 무릎을 세운 자세에서 심호흡을 하게 한다.
- 복부의 촉진은 손가락의 바닥쪽을 사용하여 복벽이 솟아오르는 것을 느끼면서 복부 4영역을 약 1cm 깊이로 빠짐없이 눌러 덩어리 · 융기나 압통이 없는지 검진한다(표면 촉진). 이때 막연히 누르는 것이 아니라 복부의 해부를 염두에 두면서 진행한다.

주의 : 복부를 4영역이나 9영역으로 나누어 표면 촉진을 시작으로 나중에 심부 촉진을 시행한다(필요시 양손 촉진).

주의 : 복통을 호소하는 경우에는 통증 부위를 가장 나중에 검진한다.

● 충수염(복막염) 평가

- **반동압통**(rebound tenderness) : 대상자는 누운 자세로 하고, 검진자는 손가락을 곧게 세우고 복부와 직각이 되도록 유지하여 천천히 깊게 누르고 재빨리 손을 뗀다. 배막에 염증이 있다면 촉진에 의해 깊게 들어간 구조들이 갑자기 반동되면서 매우 심한 통증을 일으킨다. 이 검사는 통증과 근육경직을 일으켜서 신체검진 마지막 단계에 시행한다.
- **장요근검사**(iliopsoas muscle test) : 충수돌기의 염증은 측부 장요근(엉덩이허리근)의 자극을 유발하게 되는데, 바로 누운 자세에서 우측 다리를 들어 올리게 하고 검진자는 대상자의 다리를 아래쪽으로 누른다. 정상에서는 아무런 통증을 느끼지 못하지만, 충수염 시 우하복부에서 통증이 느껴진다.
- **폐쇄근검사**(obturator test) : 바로 누운 자세에서 오른쪽 다리를 들게 하여 고관절과 슬관절이 직각이 되도록 굴곡시킨 무릎 바로 위를 잡고 다른 손으로 발목을 잡은 자세로 발을 외측과 내측으로 회전시킨다. 충수염 시 우하복부에서 통증이 느껴진다.

② 장관

- 장관의 주행을 염두에 두면서 복부 4영역 전체를 쓰다듬듯이 촉진한다.
- 대장에 대해서는 하행결장에서 S상결장을 향해 손끝을 중심으로 원을 그리듯이 압박하면서 검진한다.

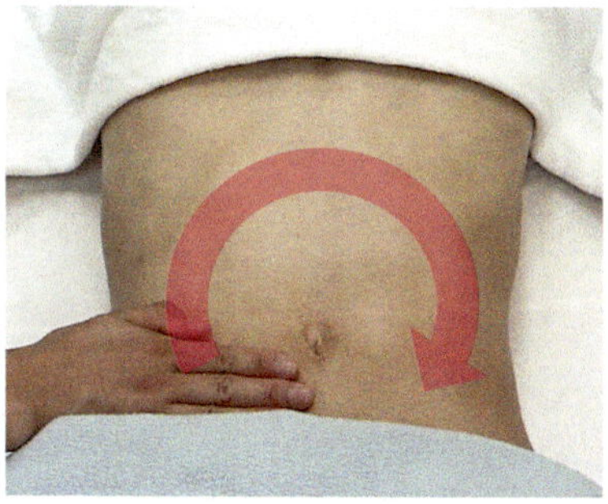

장관을 촉진한다.

③ 간

- 대상자에게는 입으로 복식호흡을 깊게 하도록 협력을 구한다.
- 대상자의 오른쪽에 서서 왼손으로 대상자의 등부위를 받치면서 대상자의 최대호기(최대날숨)에 맞추어 오른손으로 좌측 늑골하연에서 위를 향해 촉진한다.

※ 간 아래부분만 알 수 있기 때문에 최근에는 다음 사진과 같은 심부 촉진은 잘 시행하지 않는다.

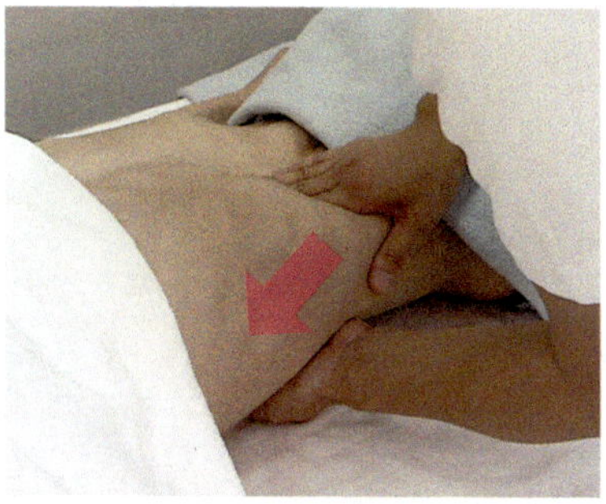

간을 촉진한다.

④ 비장

- 대상자에게는 입으로 복식호흡을 깊게 하도록 협력을 구한다.
- 비장은 정상에서는 만져지지 않으며 타진에서 둔탁음이 있는 경우(비장비대)에만 시행한다.
- 간의 촉진과 마찬가지로 대상자의 오른쪽에 서서 왼손으로 대상자의 좌측 늑골하연 등부위를 받치면서 대상자의 최대호기에 맞추어 오른손으로 좌측 늑골하연에서 위를 향해 촉진한다.

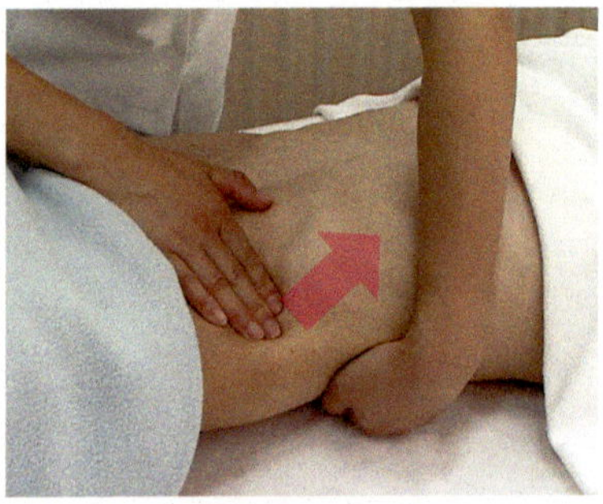

비장을 촉진한다.

⑤ **담낭**

- 우측 상복부의 늑골 아래 경계 부위를 누른 상태에서 대상자에게 숨을 깊게 들이마시게 한다.
- 정상에서는 통증이 없지만 담낭염이 있으면 심한 통증이 유발되어 숨을 더이상 들이마실 수 없게 된다(머피징후 양성).

⑥ **대동맥**

- 복부 중심선(상복부 중앙) 왼쪽에서 약간 깊게 엄지와 나머지 손가락으로 집게를 집듯이 촉진한다. 정상적인 대동맥 크기는 성인 2.5~4cm 정도이며, 맥박이 바깥쪽으로 두드러지면 대동맥류를 의심할 수 있다.

(3) 직장·항문부

- 직장 · 항문부의 검진은 많은 수치심과 공포심을 동반하기 쉬우므로 사생활에 충분히 배려한다. 여성의 직장 · 항문부를 검진하는 경우에는 남성 의사 혼자서 시행하지 말고 반드시 여성 의료인를 동석시키도록 한다.

문진

① **건강력**

- 과거력 · 검사 · 치료력(직장암 · 치루 등의 직장 · 항문에 관한 치료, 비뇨기 · 생식기에 관한 치료)
- 완하제 · 관장 · 좌약 등의 사용상황

② **자각증상**

- 항문부의 자각증상 : 통증, 가려움, 출혈 유무와 정도, 출혈시기 등
- 배변습관, 배변 시 통증 · 출혈 유무, 변의 색 · 양 · 상태, 배변곤란감 유무
- 비뇨기 · 생식기 통증 · 불쾌감 등의 이상 유무
- 속옷의 오염 유무

시진

관찰내용	정상	비정상 ([ ]은 생각할 수 있는 병태 · 질환예)
항문부의 색조 · 상태	• 항문륜은 암적색으로 매끄러움 • 주위 피부에 발적 · 종창 · 압통 · 습진 · 손상 미란 없음 • 탈장 없음 • 항문륜의 주름 규칙적	• 광택이 있는 청자색 [울혈상태, 혈류장애] • 종창이나 압통 있음 [항문주위농양, 종양, 치핵, 치루] • 탈장해 있음 [치핵, 직장탈] • 항문륜의 주름 불규칙 [치핵, 치루, 종양]
배액 · 배설물	• 배액 · 혈변 없음, 항문부에 변 덩어리 없음	• 장액, 혈액, 농즙 등의 분비물 있음 [염증, 손상, 치루] • 점액변, 혈변 있음 [궤양, 종양, 게실염] • 토끼똥과 같은 단단한 변 확인 [이완성 변비]

촉진

관찰내용	정상	비정상 ([ ]은 생각할 수 있는 병태 · 질환예)
항문괄약근의 움직임	• 단단하게 꽉 조인 느낌으로 수의적으로 수축할 수 있음	• 조임이 약하고 변을 실금함 [항문질환, 마비성 질환, 뇌혈관질환, 출산 후]
직장내벽의 상태	• 매끄럽고 굴곡이나 협착이 없음	• 덩어리가 촉진됨 [종괴, 직장폴립] • 궤양, 압통 있음 [염증, 손상]
전립선의 크기 · 상태 압통 유무	• 직장벽에서 5cm 정도의 복벽에서 만질 수 있으며 표면은 매끄럽고 탄력성이 있음 • 호두 크기 • 압통 없음	• 경결이나 굴곡이 만져짐 [전립선암] • 호두 크기보다 큼 [전립선비대증, 전립선종양, 전립선염] • 압통 있음 [급성 전립선염]
자궁주위조직	• 직장면에서 매끄럽게 만져지며 압통은 없음	• 경결이나 종괴가 만져짐, 압통 있음 [자궁주위조직염, 자궁암]

- 대상자에게 직장 · 항문부를 검진한다는 말을 하고 동의를 구한다. 이때 많은 수치심과 공포심을 동반하기 쉬우므로 사용하는 단어에 주의하고 사생활을 확보하여 대상자의 등 쪽에 위치한다.
- 대상자를 심스위(또는 쇄석위 또는 슬흉위)로 눕히고 직장 · 항문부를 노출시킨다. 불필요한 노출은 피하도록 검진부 이외는 담요 등으로 덮는다.
- 직장이 잘 보이도록 왼손으로 항문을 벌린다.
- 일회용 장갑을 낀 오른손 검지에 윤활제를 충분히 바른 후 손가락을 우선은 2~3cm삽입한다. 이때 대상자에게는 가볍게 입호흡을 하여 긴장을 풀도록 하고 항문괄약근에 힘이 들어가지 않도록 협력을 구한다. 또한, 저항이 있는 경우에는 무리하게 삽입하지 않는다(직장수지법).
- 더 깊이 손가락을 삽입해서 닿는 범위의 직장내벽 전체를 촉진한다. 이상을 느낀 경우에는 몇

시 방향의 이상인지를 명확히 해둔다.

- 종료 후에는 항문부를 휴지로 닦아내고 불쾌감이 없는지 확인한다. 또한 삽입했던 손끝의 부착물도 관찰한다.

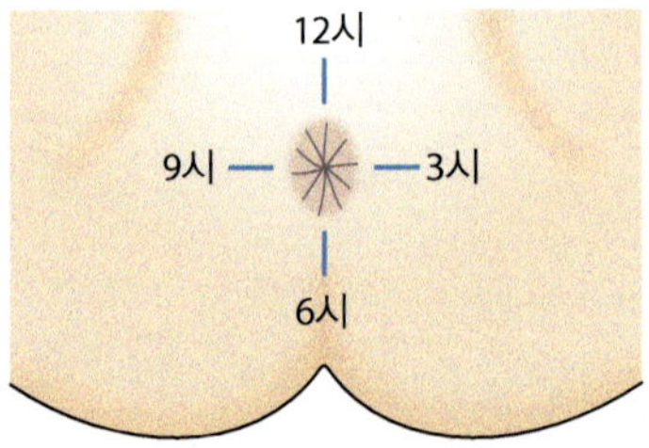

항문륜의 위치 명칭

소화기계 신체사정의 핵심

- 복부뿐만 아니라 구강에서 저작 · 연하하여 영양을 흡수 · 대사 · 배변할 때까지의 과정이 소화기계의 기능이라고 이해하고 저작기능, 연하기능, 배설기능도 사정한다.
- 복부에서는 문진 → 시진 → 청진 → 타진 → 촉진 순으로 진행한다. 타진이나 촉진을 먼저 하면 장음이 변화하여 청진에서 정확한 정보를 얻지 못할 가능성이 있다.
- 복통 등 자각증상이 심한 경우가 많으므로 단시간에 유용한 정보를 수집한다.
- 대상자의 생활습관이나 과거력 · 검사 · 치료력 등에 유의하면서 사정한다.
- 복통은 가장 많은 증상이지만, 정도, 특징, 호소하는 방식은 개인마다 다르므로 한 번의 평가가 아니라 시간에 따른 변화를 파악한다. 또 긴급성을 요하는지도 사정한다.
- 토혈, 하혈 전에 의식소실발작을 일으키는 경우도 있으므로 대상자의 표정이나 안색 등을 관찰하면서 진행한다. 필요하면 모니터를 장착하여 관찰하면서 시행한다.
- 직장 · 항문부의 검진은 많은 수치심과 공포심을 동반하기 쉬우므로 사생활에 충분히 배려한다. 여성의 직장 · 항문부를 검진하는 경우에는 반드시 여성 의료인을 동석시킨다. 또한, 월경 시에는 원칙적으로 직장검진을 하지 않는다.

2) 기록

- 척도나 수치 등의 객관적인 표현을 사용하여 기록한다. 비정상 소견을 확인한 경우에는 해당 부위와 어떻게 기준에서 벗어났는지를 시간적 변화와 함께 명기하고, 비정상 소견이 없는 경우에는 '이상 없음'으로 기록한다.
- 저작기능, 연하기능, 소화기능, 배변기능을 기록한다.

- 간의 크기 등 실제 측정치를 기록한다.
- 그림이나 영상이 이해하기 쉬울 때에는 그림이나 영상으로 표현한다.

■ 기록예

- 구강 내 이상 없음, 오심 · 구토 없음, 연하기능 이상 없음
- 3월부터 우하복부통이 출현하여 서서히 증강, 현재 VAS 최대 7, 안정 시 3. 식사섭취에 관계없이 증감 있음
- 배변 10회, 물설사, 혈액혼입 없음
- 간비대 있음(13cm 이상)
- 항문부 3시 방향으로 발적 · 종창 있음

3) 검진결과와 간호수행

- 비정상 소견이 관찰된 경우 의사에게 보고한다. 특히 심한 복통이나 대량의 구토 · 하혈은 긴급성이 높기 때문에 그 자리에서 벗어나지 말고 즉시 의사에게 보고하다.
- 오심 · 구토가 있는 경우에는 측와위나 얼굴을 옆으로 향하게 하는 등 폐흡인 예방에 힘쓴다.
- 복통이나 구토 등의 증상악화가 예측되는 경우 증상이 경감하는 체위를 취하게 하고 의사에게 필요한 검사, 처치, 치료법을 확인한다.
- 대량 또는 계속적인 토혈이나 하혈 등이 있는 경우 쇼크증상으로 진행될 가능성이 있기 때문에 심전도모니터, 산소흡입세트, 기도흡인세트, 구급세트를 침대 옆에 준비한다. 또한, 토혈이나 하혈이 소량이고 일시적이라고 예측되는 경우에는 농반, 휴지, 이동변기나 기저귀 등을 침대 옆에 준비한다.
- 감염력이 강한 감염병으로 예측되는 경우에는 각 감염경로나 원인 바이러스 등에 대응한 대책을 시행한다.
- 연하기능장애가 관찰되는 경우 식사섭취의 적합 여부에 대해 의사에게 확인한다.
- 토혈 · 하혈 등에서 유래하는 빈혈이 있는 경우에는 기립성 저혈압이나 쇼크증상이 예측되기 때문에 갑자기 일어서지 말고 보행 시에는 난간을 잡는 등 낙상사고에 주의한다.
- 변비가 있는 경우에는 생활습관에 대해 더 자세하게 질문하여 원인에 맞춘 대응을 지도한다.

학습과제

1. 소화기계 검진을 통해 정상과 비정상 소견을 나열해 보자.
2. 소화기계 검진의 순서를 생각하여 임상사례의 주관적 · 객관적 자료 수집을 한 후, 비판적 사고를 통해 간호사정을 하여 기록해보자.

   [예시] 김○○ 씨는 45세 남성으로, 하루 전부터 심한 복통으로 응급실로 내원하였다.

   과거력 : 고혈압, 쿠싱증후군, V/S : 112/70–116–22–38.3

CHAPTER

14 근골격계

학습목표

1. 근골격계의 구조와 기능을 설명할 수 있다.
2. 대상자와의 면담을 통해 근골격계와 관련된 주관적 자료를 사정한다.
3. 정확한 신체사정을 통하여 근골격계의 정상과 비정상 소견을 구분하고 객관적 자료를 수집, 원인이나 관련 요인을 검토하여 간호중재에 활용한다.

1. 구조와 기능

1) 구조

근골격계에는 뼈, 관절, 근육, 인대, 건이 포함된다.

(1) 뼈, 관절 (그림 14-1)

- 전신의 골격은 치아와 연골 내 작은 뼈를 제외하고 206개의 **뼈**(bone)로 구성된다.
- 골격은 크게 **체간골격**(axial bone)과 **사지골격**(appendicular skeleton)으로 분류된다.
- **관절**(joint)은 2개 이상의 뼈가 연결되는 부분이다.
- 대부분의 관절은 관절낭(관절주머니, articular capsule)에 감싸여 바깥쪽이 인대(ligament)로 덮여 있다.
- 관절은 부착된 연골의 종류에 따라 섬유관절(fibrous joint), 연골관절(cartilaginous joint), 윤활관절(synovial joint)로 분류된다.
- 관절의 가동성에 따라 부동관절(못움직관절, synarthrosis), 반관절(amphiarthrosis), 가동관절(움직관절, abarthrosis)로 분류된다.

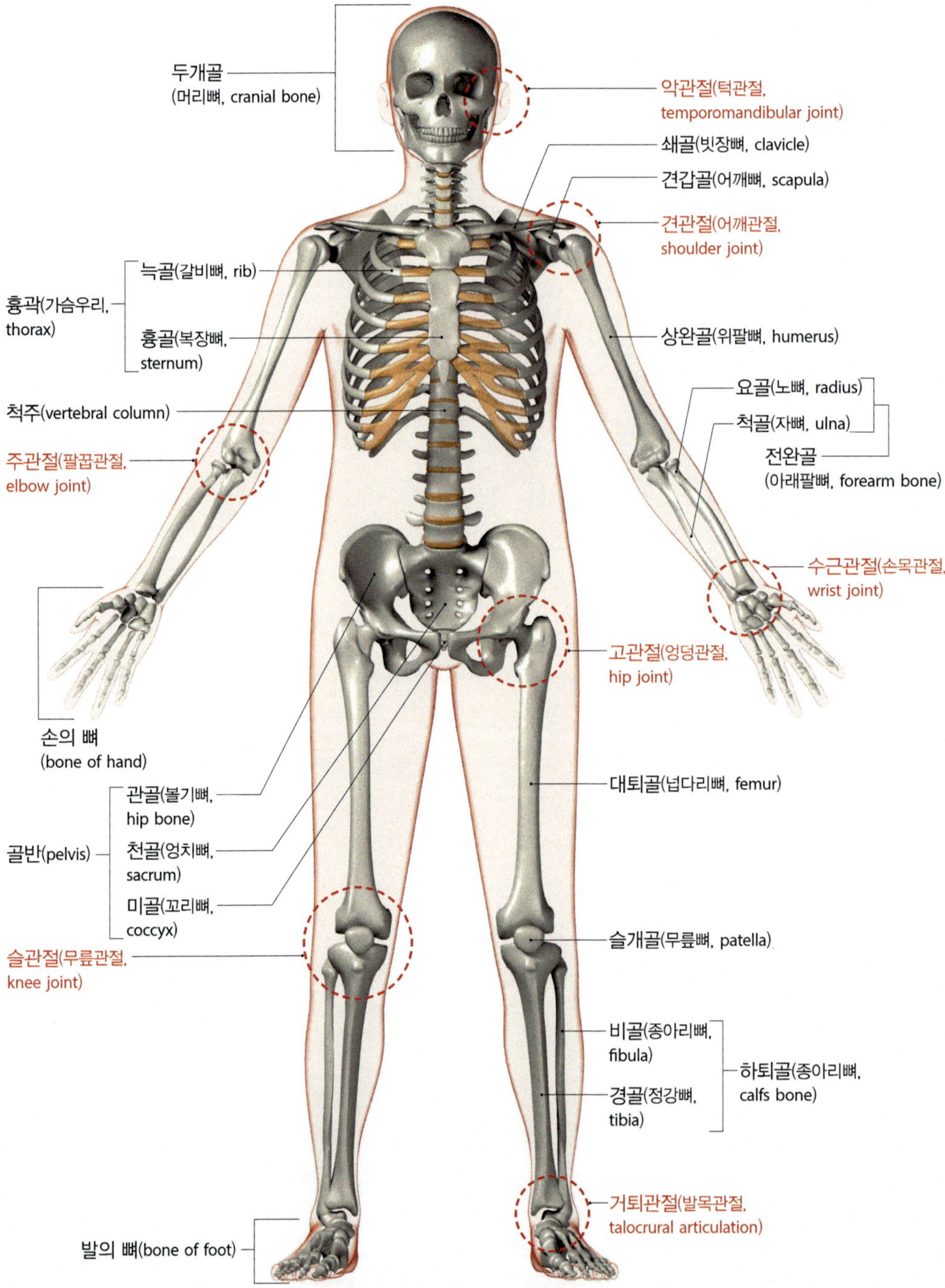

그림 14-1 전신의 골격과 관절

- 가동관절은 형태에 따라 접번관절(경첩관절, hinge joint), 차축관절(중쇠관절, pivot joint), 타원관절(ellipsoidal joint), 안장관절(saddle joint), 구관절(절구관절, condyloid joint), 과상관절(두융기관절, bicondylar joint)로 분류된다.

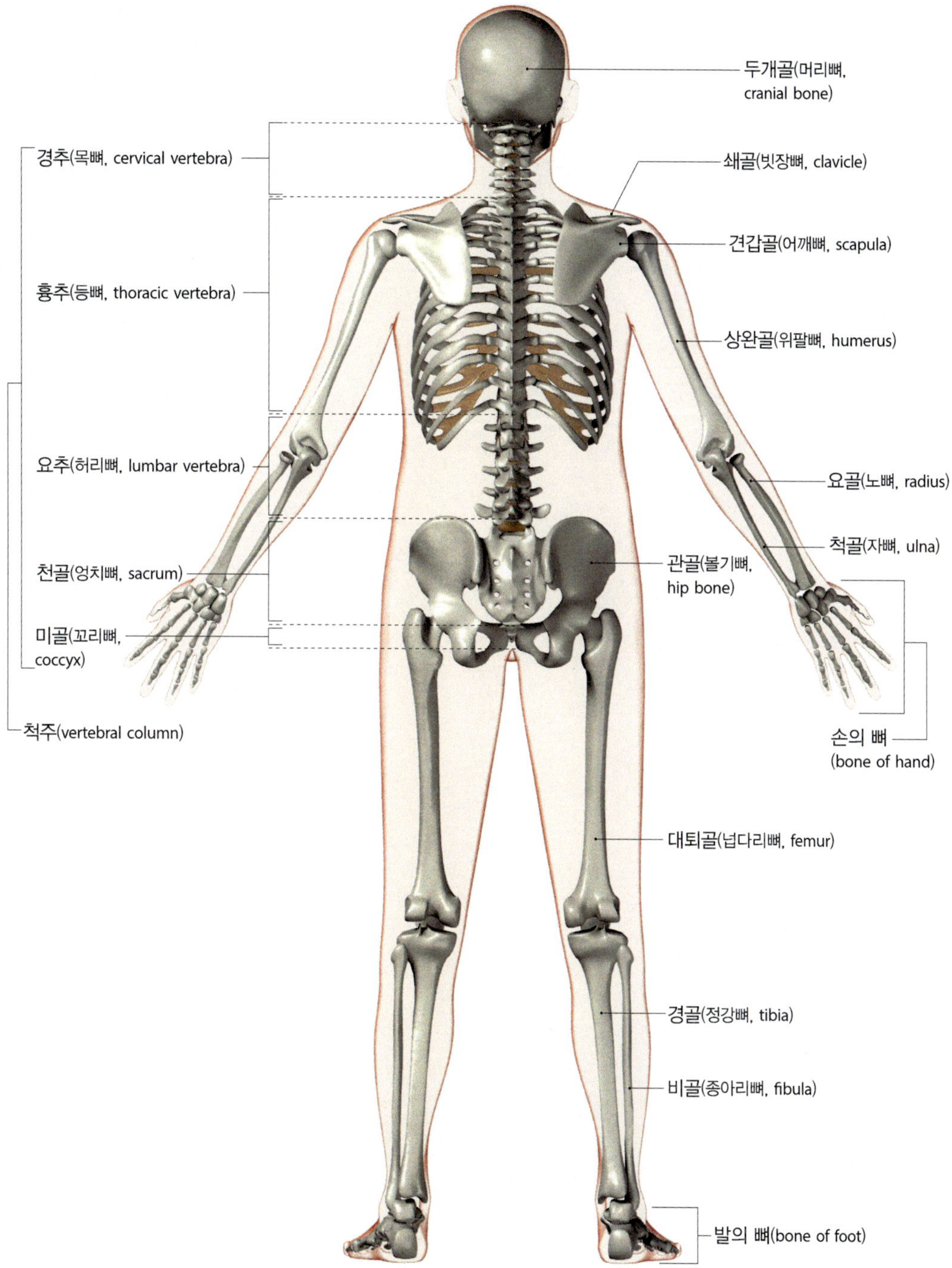

그림 14-1 전신의 골격과 관절 (계속)

(2) 근육, 인대, 건, 연골 (그림 14-2, 14-3)

- **근육**(muscle)에는 골격근(뼈대근육, skeletal muscle; 수의근), 평활근(민무늬근육, smooth muscle; 불수의근), 심근(심장근육, myocardium)의 3가지 종류가 있다.

- 근골격계에서 말하는 근육은 흔히 골격근을 가리키며, 신체에는 약 650개의 골격근이 있다.
- 골격근은 2곳 이상에서 뼈 또는 결합조직에 부착되어 있고, 체중의 40~50%를 차지한다.

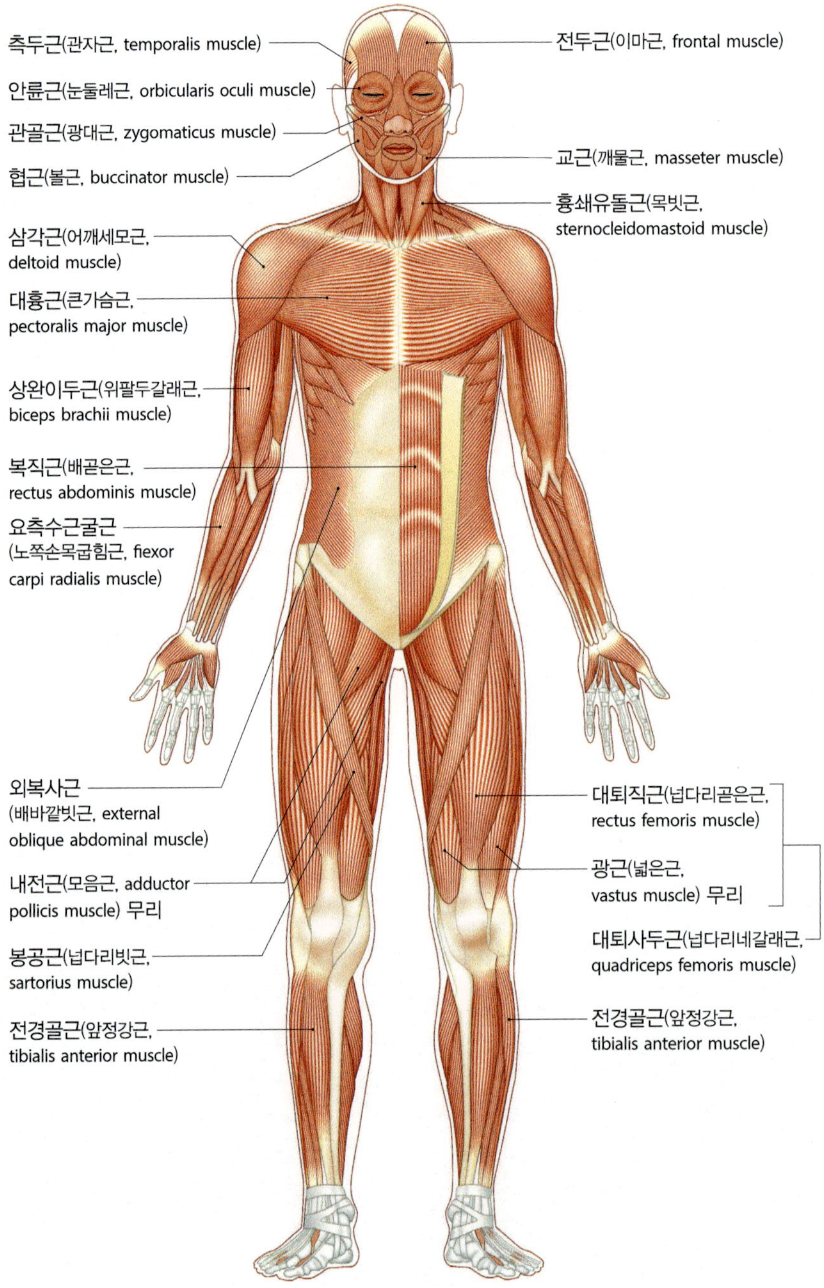

그림 14-2 전신의 골격근

- **인대**(ligament)는 뼈와 뼈 사이를 연결하는 강하고 치밀하며 유연한 결합조직 다발이다.
- **건**(힘줄, tendon)은 뼈와 근육을 연결하는 강하지만 유연성이 없는 결합조직이다.
- **연골**(cartilage)은 반고형의 강한 지지조직이다.

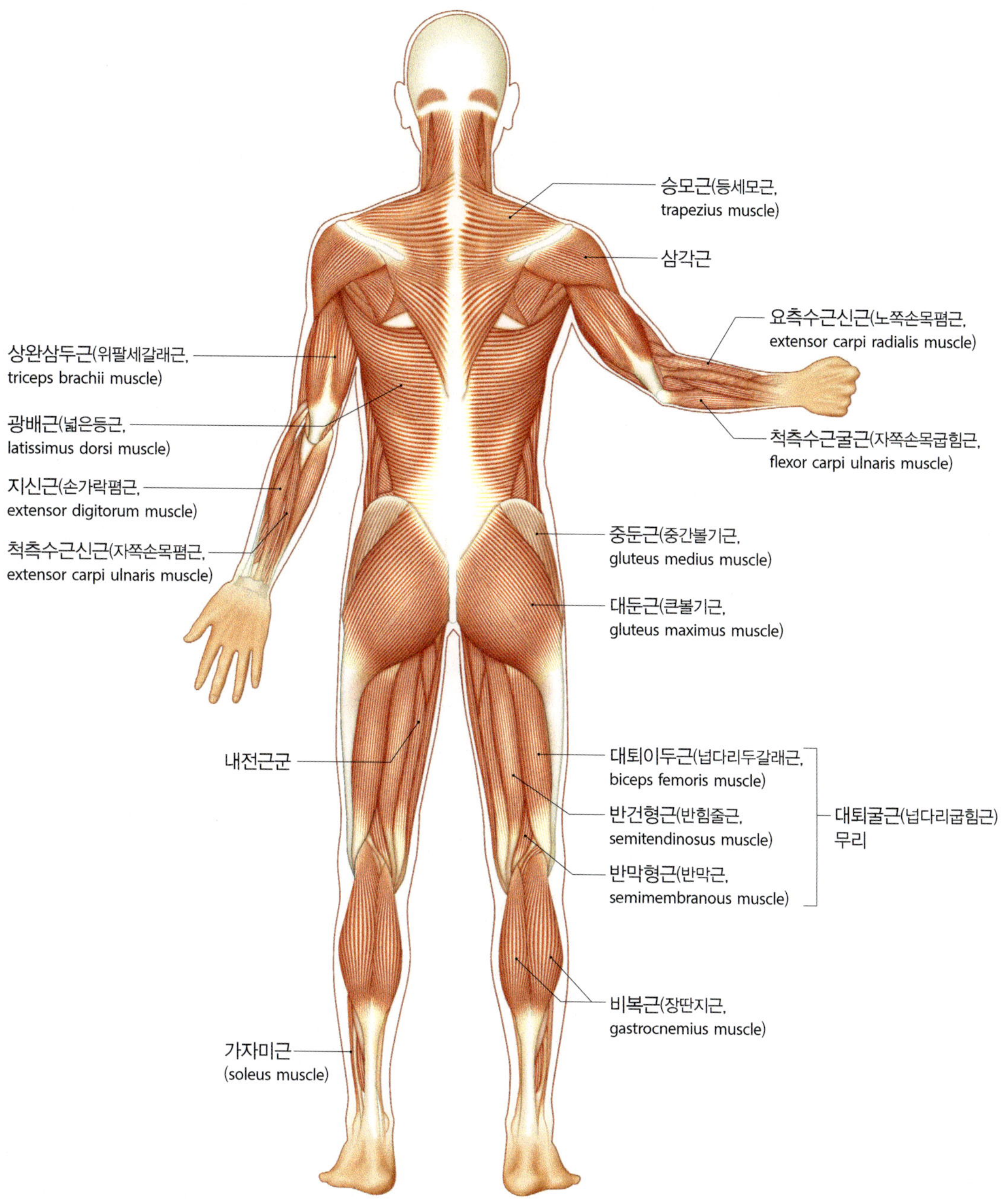

그림 14-2 전신의 골격근 (계속)

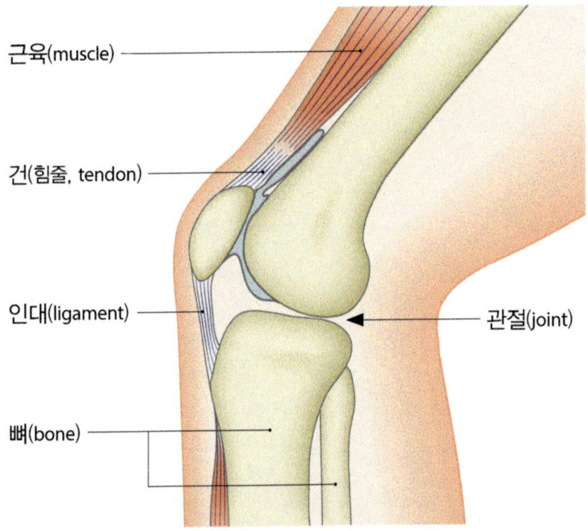

그림 14-3 인대와 건

2) 기능

(1) 뼈, 관절, 근육

- 뼈는 몸을 움직이고 칼슘을 저장하며 혈액을 생성하는 기능을 한다.
- 골격은 신체의 형태를 유지하고 연부조직과 내부 장기를 보호하고 지지한다.
- 관절은 뼈가 움직일 때 뼈를 단단하게 고정시키는 역할을 한다.
- 골격근은 수의근(voluntary muscle)으로 수축을 통해 운동을 하며, 자세를 유지하는 등의 기능을 한다.
- **근수축**에는 장력은 일정하고 근육이 짧아지는 등장성 수축과, 근육의 길이는 일정하고 장력을 발휘하는 등척성 수축이 있다.
- 골격근의 기능은 신경계에서 조정하며 근골격계 자체에 장애가 없더라도 신경계에 장애가 있으면 적절한 운동을 할 수 없는 경우가 있다.
- 관절을 넘어 골격근이 수축할 때 신체의 운동이 발생한다. 관절의 형태 또는 근육과 관절의 위치관계에 따라 운동방향이나 움직이는 범위가 규정된다.
- **관절운동**에는 굴곡(굽힘, flexion)과 신전(폄, extension), 외전(벌림, abduction)과 내전(모음, adduction), 회내(엎침, pronation)와 회외(뒤침, supination), 회전(돌림, rotation) 등이 있으며 각각의 관절에는 움직이는 범위 즉, **관절가동범위**(range of motion, ROM)가 있다(표 14-1, 14-2).

(2) 인대, 건, 연골

- 인대는 관절을 덮어 관절에 강도와 안정성을 부여함과 동시에 일정 방향으로 움직일 수 있게 하지만, 그 이외의 방향으로는 움직임을 제한한다.

- 건은 근육의 수축력을 뼈에 전달한다.
- 연골은 장골의 끝을 싸고 있어 뼈의 말단 연결 표면을 부드럽게 한다.

표 14-1 관절운동

종류	운동의 특징
굴곡(굽힘, flexion)	관절의 각도를 감소시켜 두 뼈를 근접시키는 운동. 족관절의 굴곡(발가락을 아래쪽으로 뻗는 운동)은 저굴(바닥쪽굽힘, plantar flexion)이라고 함
신전(폄, extension)	관절을 뻗어 두 뼈 사이의 각도가 0°가 되도록 거리를 넓히는 운동. 족관절의 신전(발등을 종아리 쪽으로 드는 운동)은 배굴(등쪽굽힘, dorsal flexion)이라고 함
과신전(과다폄, hyperextension)	0°를 넘어 중립 위치를 지나치는 신전
내전(모음, adduction)	체간이나 손가락의 중심축으로 다가가는 방향의 운동
외전(벌림, abduction)	체간이나 손가락의 중심축에서 멀어지는 방향의 운동
회전(돌림, rotation)	중심축을 중심으로 움직이는 운동
내회전(안쪽돌림, internal rotation)	신체 일정 부분의 장축(뼈의 세로축)을 축으로 안쪽으로 회전하는 운동
외회전(바깥돌림, external rotation)	신체 일정 부분의 장축(뼈의 세로축)을 축으로 바깥쪽으로 회전하는 운동
회내(엎침, pronation)	전완의 운동으로, 손바닥을 위에서 아래로 뒤집듯이 안쪽으로 돌리는 운동
회외(뒤침, supination)	전완의 운동으로, 회내와 반대로 손바닥을 아래에서 위로 뒤집는 운동
순환(휘돌림, circumduction)	관절 주위로 원을 그리며 움직이는 운동
내반(속말림, inversion)	발바닥을 안쪽(다른 발쪽)으로 향하는 운동
외반(겉말림, eversion)	발바닥을 바깥쪽으로 향하는 운동
대립(opposition)	엄지손가락이 다른 네 손가락에 각각 닿도록 향하는 운동

표 14-2 관절가동범위 및 측정법

부위명	운동방향		참고 가동 범위 각도	기본축	이동축	측정부위 및 주의점	참고도
A. 체간							
경부 (cervical spine)	굴곡(전굴)		60°	견봉을 지나는 바닥에 대한 수직선	이공(귓구멍)과 두정을 연결하는 선	두부 체간의 측면에서 시행 원칙적으로 의자에 앉은 자세에서 측정	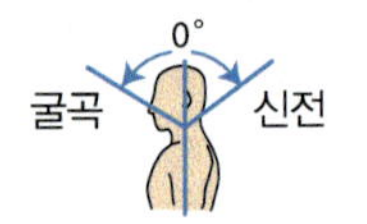
	신전		50°				
	회전	좌회전	60°	양측 견봉을 연결하는 선에 대한 수직선	콧등과 후두결절을 연결하는 선	의자에 앉은 자세에서 측정	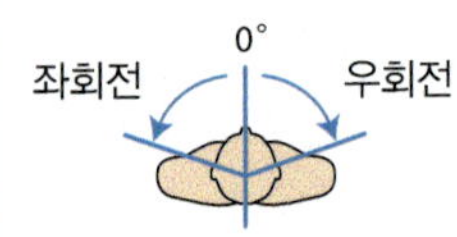
		우회전	60°				
	측굴	좌측굴	50°	제7경추 극돌기와 제1천추 극돌기를 연결하는 선	두정과 제7경추 극돌기를 연결하는 선	체간의 등면에서 시행 의자에 앉은 자세에서 측정	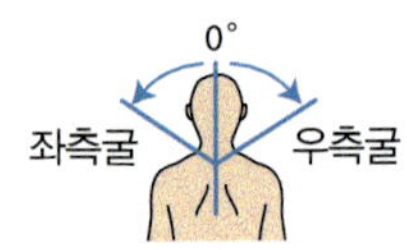
		우측굴	50°				
흉요부 (thoracic and lumbar spines)	굴곡(전굴)		45°	천골 후면	제1흉추 극돌기와 제5요추 극돌기를 연결하는 선	체간 측면에서 시행 선 자세, 의자에 앉은 자세 또는 옆으로 누운 자세에서 측정 고관절의 운동이 들어가지 않도록 함 → 최대굴곡은 손가락 끝과 바닥 사이의 거리(cm)로 표시함	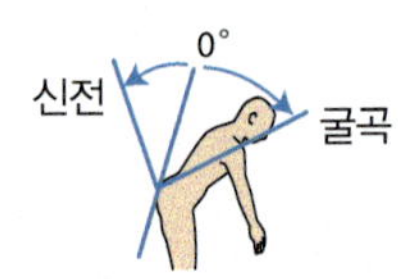
	신전(후굴)		30°				
	회전	좌회전	40°	양측 후상장골극을 연결하는 선	양측 견봉을 연결하는 선	앉은 자세에서 골반을 고정하여 측정	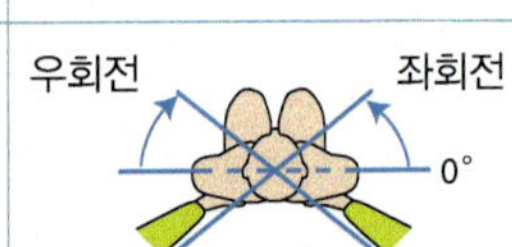
		우회전	40°				
	측굴	좌측굴	50°	야코비선 (Jacoby's line) 중점에 세운 수직선	제1흉추 극돌기와 제5요추 극돌기를 연결한 선	체간의 등면에서 시행 의자에 앉은 자세 또는 선 자세에서 측정	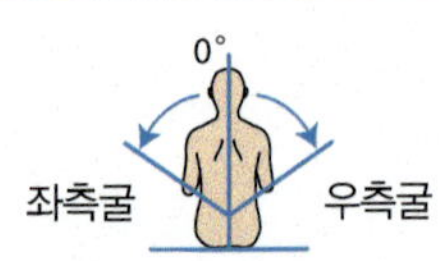
		우측굴	50°				
B. 상지							
부위명	운동방향		참고 가동 범위 각도	기본축	이동축	측정부위 및 주의점	참고도
어깨 (shoulder)	굴곡 (전방거상)		180°	견봉을 지나는 바닥에 대한 수직선(입위 또는 좌위)	상완골	전완은 중간위로 함 체간이 움직이지 않도록 고정 척주가 앞뒤로 구부러지지 않도록 주의	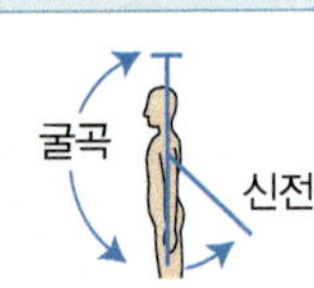
	신전 (후방거상)		50°				

B. 상지 (계속)						
부위명	운동방향	참고 가동 범위 각도	기본축	이동축	측정부위 및 주의점	참고도
어깨 (shoulder)	외전 (측방거상)	180°	견봉을 지나는 바닥에 대한 수직선(입위 또는 좌위)	상완골	체간이 옆으로 굽지 않도록 90° 이상이 되면 전완을 회외하는 것을 원칙으로 함	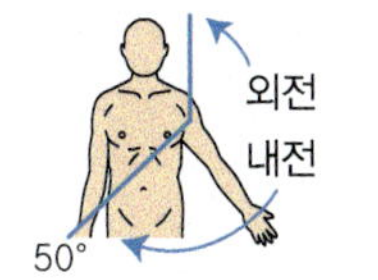
	내전	50°				
	외회전	90°	팔꿈치를 지나는 전액면(이마면)에 대한 수직선	척골	상완을 체간에 붙이고 주관절을 전방 90°로 구부린 자세에서 측정 전완은 중간위로 함	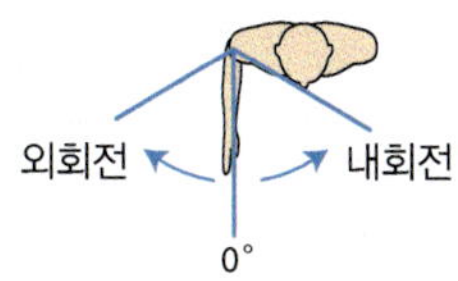
	내회전	90°				
	수평굴곡	135°	견봉을 지나는 시상면에 대한 수직선	상완골	견관절을 90° 외전위로 함	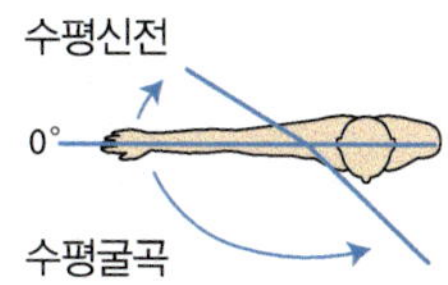
	수평신전	30°				
팔꿈치 (elbow)	굴곡	160°	상완골	요골	전완은 회외위로 함	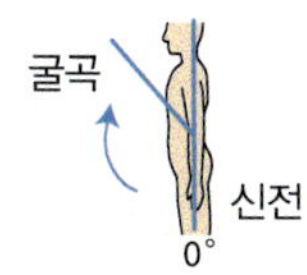
	신전	5°				
전완 (forearm)	회내	90°	상완골	손가락을 편 손바닥면	어깨의 회전이 들어가지 않도록 팔꿈치를 90°로 구부림	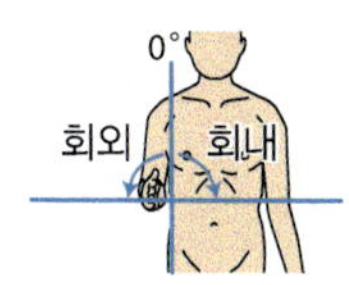
	회외	90°				
손 (hand)	굴곡(장굴)	90°	요골	제2중수골	전완은 중간위로 함	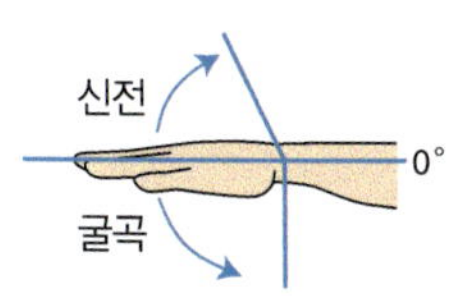
	신전(배굴)	70°				
	요굴	25°	전완의 중앙선	제3중수골	전완을 회내위로 함	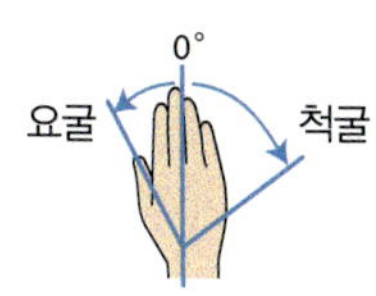
	척굴	55°				

B. 상지 (계속)

부위명	운동방향	참고 가동 범위 각도	기본축	이동축	측정부위 및 주의점	참고도
엄지손가락 (thumb)	요측외전	60°	검지 (요골의 연장선 위)	엄지	이하의 손가락 운동은 원칙적으로 손등쪽에 각도계를 댐 운동은 손바닥면으로 함	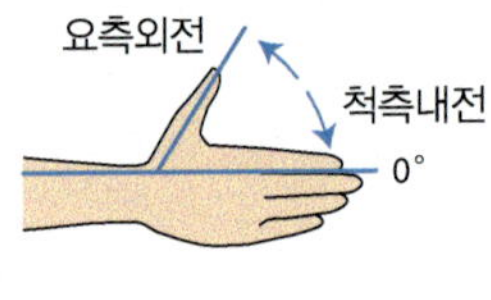
	척측내전	0°				
	장측외전	90°			운동은 손바닥면에 직각인 면으로 함	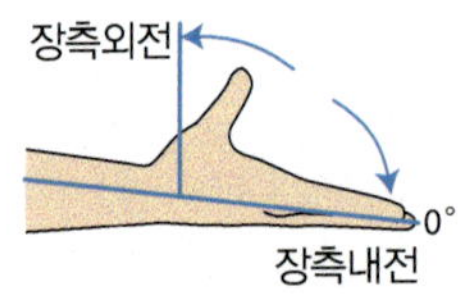
	장측내전	0°				
	굴곡(MCP)	60°	제1중수골	제1기절골		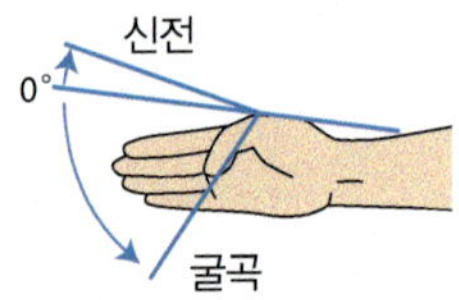
	신전(MCP)	10°				
	굴곡(IP)	80°	제1기절골	제1말절골		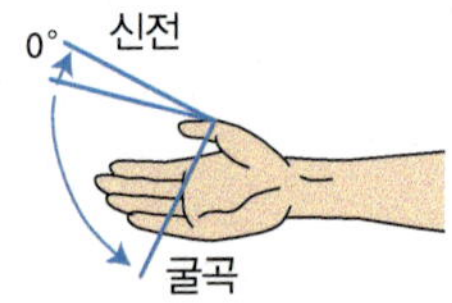
	신전(IP)	10°				
	대립				엄지 끝과 소지 시작부(또는 끝)와의 거리(cm)로 나타냄	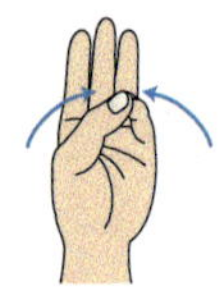
손가락 (fingers)	굴곡(MCP)	90°	제2~5중수골	제2~5기절골		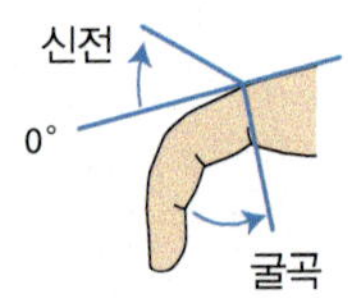
	신전(MCP)	45°				
	굴곡(PIP)	100°	제2~5기절골	제2~5중절골		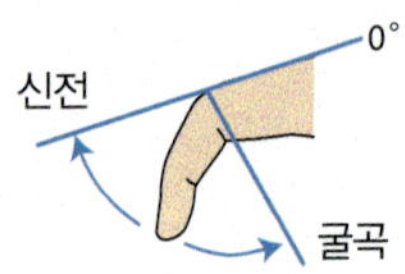
	신전(PIP)	0°				
	굴곡(DIP)	80°	제2~5중절골	제2~5말절골		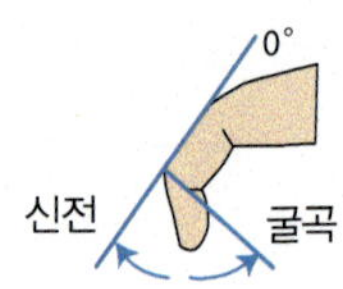
	신전(DIP)	0°			DIP는 10°의 과신전을 취할 수 있음	
	외전	20°	제3중수골 연장선	제2, 4, 5지축	중지의 운동은 요측외전, 척측외전으로 함	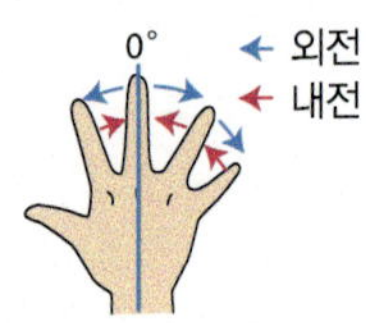
	내전	20°				

C. 하지						
부위명	운동방향	참고 가동 범위 각도	기본축	이동축	측정부위 및 주의점	참고도
엉덩이 (hip)	굴곡	125°	체간과 평행한 선	대퇴골(대전자와 대퇴골외과의 중심을 연결하는 선)	골반과 척주를 충분히 고정함 굴곡은 등을 대고 누워 무릎을 구부린 자세에서 측정 신전은 엎드려 누워 무릎을 편 자세에서 측정	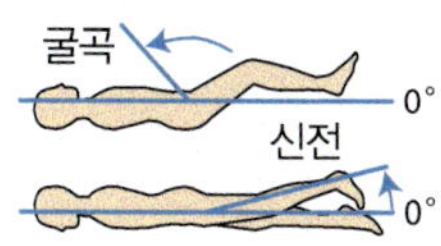
	신전	15°				
	외전	45°	양측 상전장골극을 연결하는 선에 대한 수직선	대퇴중앙선(상전장골극에서 슬개골 중심을 연결하는 선)	등을 대고 누운 자세에서 골반을 고정함 하지는 외회전되지 않도록 함 내전의 경우는 반대쪽 하지를 굽힌 후 들어서 그 아래를 통해 내전시킴	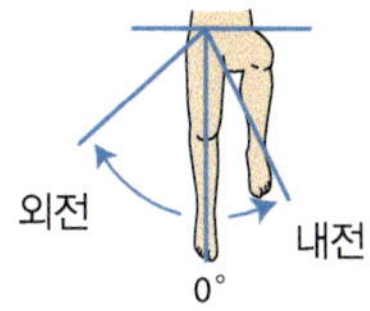
	내전	20°				
	외회전	45°	슬개골에서 내린 수직선	하퇴중앙선(슬개골 중심에서 족관절 내외과 중앙을 연결하는 선)	등을 대고 누운 자세에서 고관절과 슬관절을 90° 구부린 상태에서 측정 골반의 보상을 줄임	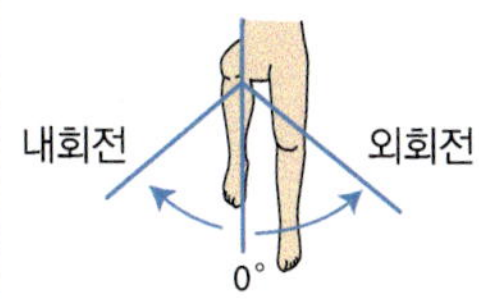
	내회전	45°				
무릎 (knee)	굴곡	130°	대퇴골	비골(비골두와 외과를 연결하는 선)	고관절을 구부린 자세에서 측정	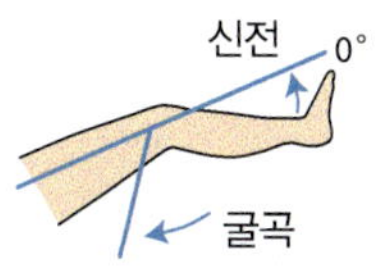
	신전	0°				
발목 (ankle)	굴곡(저굴)	45°	비골에 대한 수직선	제5중족골	슬관절을 구부린 자세에서 측정	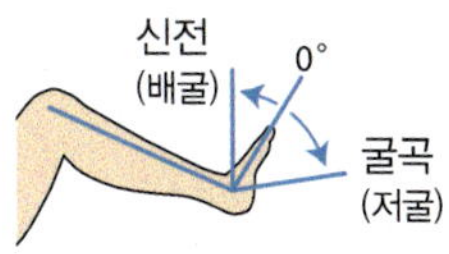
	신전(배굴)	20°				
족부 (foot)	외번	20°	하퇴축에 대한 수직선	족저면	족관절을 구부린 자세에서 측정	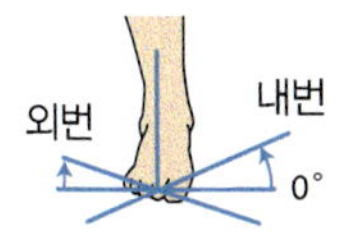
	내번	30°				
	외전	10°	제1, 제2중족골 사이의 중앙선	좌동	족저에서 발의 외연 또는 내연에서 시행하기도 함	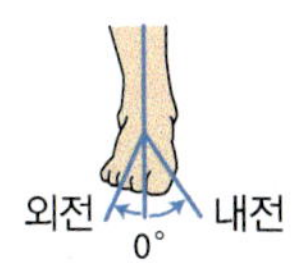
	내전	20°				

C. 하지 (계속)						
부위명	운동방향	참고 가동 범위 각도	기본축	이동축	측정부위 및 주의점	참고도
엄지발가락 (great toe)	굴곡(MTP)	35°	제1중족골	제1기절골		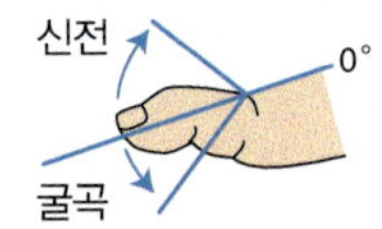
	신전(MTP)	60°				
	굴곡(IP)	60°	제1기절골	제1말절골		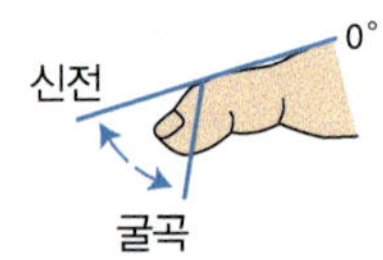
	신전(IP)	0°				
발가락 (toes)	굴곡(MTP)	35°	제2~5중절골	제2~5기절골		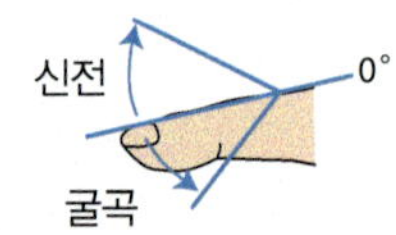
	신전(MTP)	40°				
	굴곡(PIP)	35°	제2~5기절골	제2~5중절골		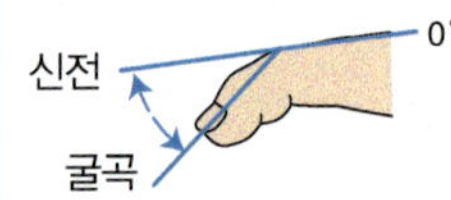
	신전(PIP)	0°				
	굴곡(DIP)	50°	제2~5중절골	제2~5말절골		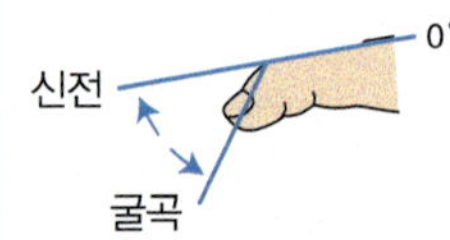
	신전(DIP)	0°				

2. 사정방법

근골격계의 검진은 우선 문진을 통해 자각증상의 유무나 부위, 강도 등을 파악하고 그 이후에 근골격계 전체의 시진, 이어서 부위별 시진, 촉진, 각 관절가동범위 측정, 도수근력검사 순으로 진행한다.

1) 근골격계 전체의 검진순서

필요물품

- 줄자, 관절각도계(goniometer), 펜

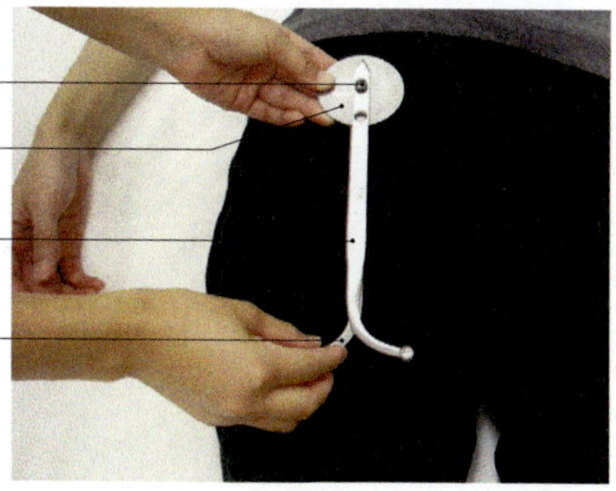

관절각도계

준비

① 환경 준비

- 검진부위를 충분히 노출시켜야 하기 때문에 속옷만 입고 있어도 대상자가 춥지 않을 실온으로 조절한다. 담요 등을 준비하여 보온과 수치심에 배려한다.
- 앉은 자세와 누운 자세를 안정적으로 취할 수 있는 진찰대와 의자를 준비한다.
- 보행할 수 있고 관절가동범위를 검진하는 데 충분한 공간을 확보한다.

② 설명과 동의

- 대상자에게 사정의 목적, 방법, 소요시간을 설명하고 동의를 구한다. 특히 전신의 관절이나 근육을 만지게 되는 점, 다양한 지시 하에 관절운동 등을 해야 하는 점을 설명하여 동의를 구한다.
- 관절운동을 할 때는 가능한 범위에서 결코 무리하지 않도록 설명한다.

③ 간호사와 대상자 준비

- 고령자나 체력 소모가 있는 대상자의 경우에는 검진을 여러 차례 나누어 진행하거나 휴식을 취하면서 한다.
- 고령자나 돌연 신체운동에 이상을 일으킨 대상자 등의 경우는 자신의 신체상과 실제 신체능력에 차이가 있는 경우도 있으며, 무리해서 지시를 따르려고 하여 사고의 위험이 높아질 수 있으므로 지시 방법이나 낙상사고에 충분히 주의하면서 진행한다.

문진

- 문진을 통해 통증이나 압통 등을 확인한 부위의 촉진은 신중하게 진행하며 관절가동범위나 근력을 측정할 때도 무리하지 않도록 한다.
- 주소 : 통증, 변형, 관절장애(운동제한), 저림, 종창, 부종 등
- 현병력 : 자각증상의 발현시기, 증상의 출현 양상(급성 · 만성, 악화 · 관해를 반복하는지), 증상의 내용(정도, 부위, 지속시간, 동작 · 자세와의 관련, 감각이상 유무, 구체적인 동작의 부자연스러움)
- 과거력 : 골절, 인대 · 관절 · 건의 장애 등, 근골격계의 과거력 등

- 가족력 : 유전성 질환 유무
- 기타 : 나이, 성별, 직업(직종, 구체적인 작업동작, 자세, 시간 등), 취미, 생활습관(운동습관) 등

시진

관찰내용	정상	비정상 ([ ] 안은 생각할 수 있는 병태 · 질환예)
선 자세 (자세, 변형, 관절의 종창)	• 어깨 높이, 골반 높이, 둔부의 근육 등이 좌우 동일 • 부위의 변형은 없고 좌우대칭 • 관절의 종창 없음	• 좌우차 있음 [척주의 만곡이상, 하지 길이의 좌우차 존재 등] • 관절 주위에 종창 있음 [관절염]
보행 (자세, 보폭, 이상보행, 파행 유무)	• 체중이 고르게 분산 • 어깨의 큰 흔들림 없이 똑바로 걸음 • 보폭은 일정하고 좌우 발이 나가는 패턴이 동일	• 이상보행, 파행 있음(p.98 참조) • 전경자세, 발을 끄는 보행, 소폭 [파킨슨병] • 도피성 파행 : 통증을 피하기 위해 통증이 있는 쪽 발에 하중을 가하는 시간을 짧게 하는 보행 [좌골신경통, 추간판탈출증] • 트렌델렌버그 보행 : 골반이나 체간의 경사가 있음 [선천성 고관절탈구] 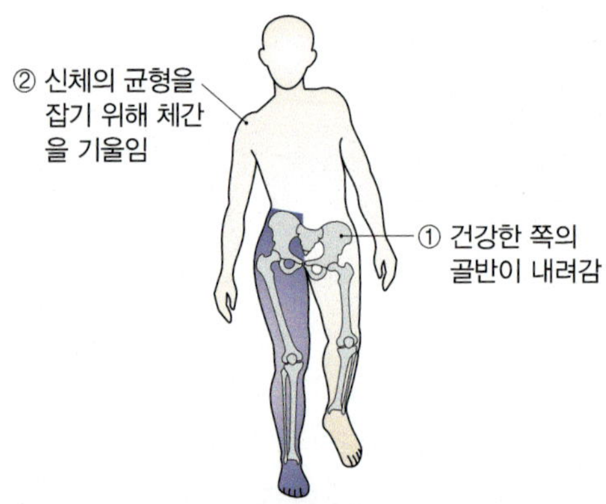 **트렌델렌버그 보행** 보행 시 건강한 쪽에 하중이 가해진 경우

- 전체적인 시진은 대상자와 맨 처음 만났을 때부터 시작되어야 하며, 보행 모습이나 자세 변화, 동작 시 고통스러운 표정 등은 문진을 시작하기 전 대상자가 의자에 착석하는 동안 관찰한다.
- 선 자세의 모습을 관찰한다. 전후좌우에서 자세, 변형, 관절의 종창 등을 관찰한다.
- 보행하는 모습을 관찰한다. 전방 및 후방에서 보행자세, 보폭, 전신의 정렬(alignment; 신체 각 부위의 배열이나 각도 등의 위치관계)을 관찰한다(p.98 참조).
- 선 자세에서 앉은 자세 등 체위나 자세를 바꿀 때의 동작을 수시로 관찰한다.

2) 부위별 검진순서

- **관절가동범위의 측정순서**

• 간호사가 각 관절의 움직임을 직접 보여주고 대상자에게 따라하도록 지시한다.
• 각 관절에 각도계를 대고 기본축과 이동축을 설정해서 각도를 측정한다.
• 측정오차는 피할 수 없으므로 5° 단위로 기록하는 경우가 많다.

주의 : 자동운동에 제한이 있는 경우에는 타동운동에 의한 가동범위도 측정하며, 어떤 측정치인지를 명기한다.

• 가동범위에 제한이 있는 경우에는 뼈 · 관절의 변형이나 염증, 탈구, 근위축, 신경장애 등을 고려하여 문진, 촉진 등과 함께 원인을 특정한다.
• 만약 움직임에 제한이 있다면 조심스럽게 수동적인 운동을 시도한다.
• 한 손으로 관절을 붙잡고, 다른 손으로는 움직임이 제한될 때까지 천천히 움직인다.
• 정상에서는 능동적인 운동범위와 수동적인 운동범위가 동일해야 한다.

- **도수근력검사(manual muscle testing, MMT) 순서**

• 각 관절의 근육 또는 근육 무리에 대해 발휘할 수 있는 힘을 측정하는 방법이다. 중력에 저항해서 운동할 수 있는지, 간호사가 가하는 힘에 저항해서 운동할 수 있는지, 운동할 수 없는 경우에는 근수축이 있는지를 검사해서 대상자의 근력을 사정한다. 결과로부터 근육을 지배하는 신경도 사정할 수 있다.
• 검사하는 근육이 가장 힘을 내기 쉬운 체위를 취하게 하고 대상자에게 운동 내용을 지시하여 진행한다.
• 점수 3에서 시작해서 3의 운동이 가능하면 4 → 5, 불가능하면 2 → 1로 진행한다. 점수 4, 5에서 가하는 힘은 일정하도록 항상 같은 손(잘 쓰는 손)으로 하면 좋다(표 14–3).
• 운동시키는 관절에 대해 중추측을 고정하고 말초측에 저항을 가한다.

표 14–3 도수근력검사(MMT)에 의한 근력측정기준

수적 점수	질적 점수	상황
5	Nomal(N)	최대 저항을 가해도 운동할 수 있다.
4	Good(G)	최대 저항이 가해지면 운동을 지속할 수 없지만, 어느 정도의 저항이라면 움직일 수 있다.
3	Fair(F)	중력의 저항에 대해만 운동가동범위 내(대상자가 움직일 수 있는 범위 내)를 완전하게 움직일 수 있다.
2	Poor(P)	중력을 제거하면 운동가능범위 내를 완전하게 움직일 수 있다.
1	Trace(T)	근육의 수축이 눈에 보이거나 만질 수 있지만, 운동은 일어나지 않는다.
0	Zero(Z)	근수축을 촉진과 시진에서도 확인할 수 없다.

(1) 척주(경추)

시진 / 촉진

관찰내용	정상	비정상 ([ ]은 생각할 수 있는 병태 · 질환예)
흉쇄유돌근 · 승모근의 상태	• 근육 상태는 좌우대칭이고 머리는 중심에 위치 • 근육이 단단하고, 매끈하며, 압통이나 연축이 없음	• 근육 상태나 머리의 위치가 비대칭 [종괴, 사경(기운목), 근위축 등] • 압통, 근육경련 및 통증 유발

① **시진**

- 대상자에게 앉은 자세를 취하게 하여 머리부터 전후를 시진하면서 흉쇄유돌근 및 승모근의 상태를 관찰한다.

② **촉진**

- 근육의 긴장 등을 촉진한다.

측정

관찰내용	정상	비정상 ([ ]은 생각할 수 있는 병태 · 질환예)
관절가동범위	경추(굴곡 · 신전, 좌우 회전 · 측굴)의 운동을 할 수 있음	관절가동범위에 제한 있음 [근긴장 항진]
근력	MMT 점수 3~5	저항할 수 없음 [근력저하, 제XI뇌신경 장애]

① **관절가동범위**

- 경추의 관절가동범위(**표 14-2 A. 체간** 참조, p.225)를 측정한다.

② **도수근력검사**(MMT)

- 흉쇄유돌근, 승모근의 도수근력검사를 실시한다.

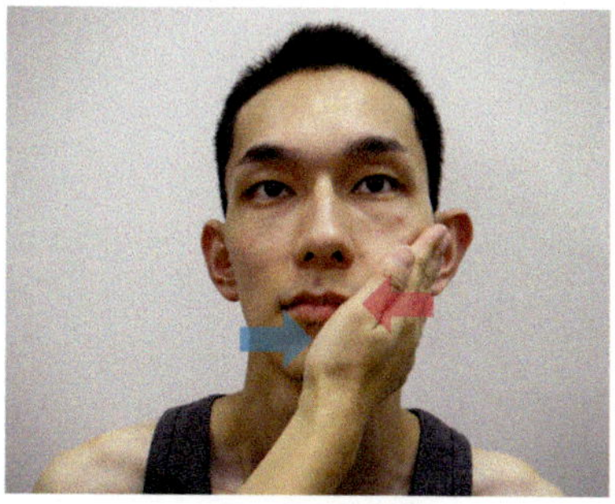

MMT : 흉쇄유돌근

대상자에게 얼굴을 옆으로 향하게 하고 간호사는 대상자의 경부(측두부)에 힘을 주어 그에 저항하는 힘을 관찰한다.

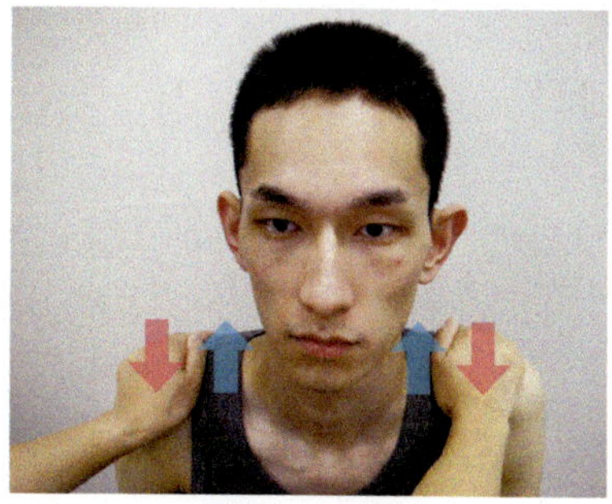

MMT : 승모근

간호사가 어깨를 누르는 힘에 반해서 어깨를 올리려는 힘을 관찰한다.

간호사 대상자

(2) 척주(흉추, 요추)

시진 / 촉진

관찰내용	정상	비정상 ([ ] 안은 생각할 수 있는 병태 · 질환예)
척주의 형태	• 척주는 생리적 만곡(경추와 요추는 오목하고, 흉추는 볼록한 만곡)을 나타냄 • 척추골의 돌출이나 함몰이 없음	만곡 이상이 있음 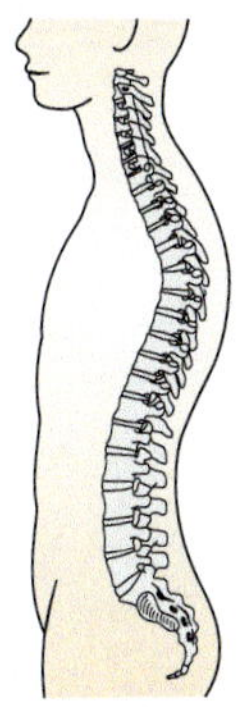 **원배** : 흉추의 후만이 증강 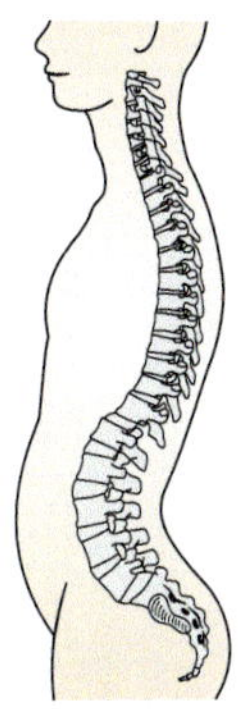 **요배** : 요추의 전만이 증강 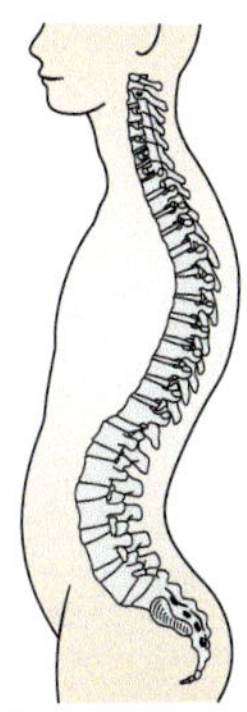 **요원배** : 흉추 후만과 요추 전만이 증강 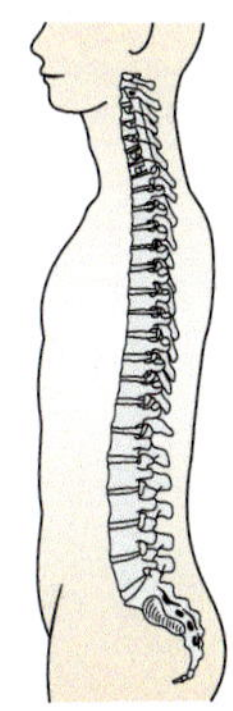 **평배** : 흉추 후만과 요추 전만이 감소 **측만** : 척주가 측방으로 굴곡 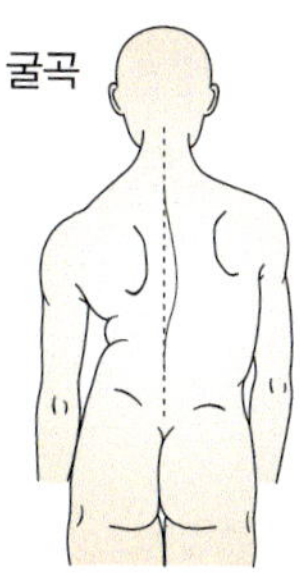 **선 자세의 등면** • 견갑골의 높이, 위치가 다름 • 어깨의 높이가 다름 • 허리선이 좌우가 다름 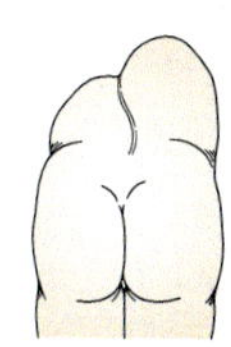 **앞으로 구부렸을 때** • 등면의 높이가 다름
압통 유무	• 없음	• 압통 있음 [전이성 골종양이나 골다공증에 의한 병적 골절]

① **시진**

- 대상자에게 선 자세를 취하게 하여 등면과 측면에서 관찰한다.

② **촉진**

- 대상자의 등 뒤에서 척추를 따라 양쪽을 엄지로 누르면서 이동한다.

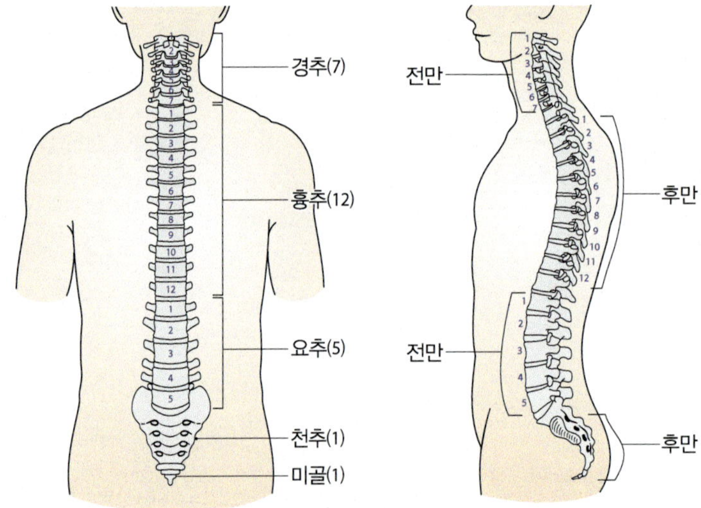

척주의 생리적 만곡

측정

관찰내용	정상	비정상 ([ ]은 생각할 수 있는 병태 · 질환예)
관절가동범위	• 흉요부(전굴 · 후굴, 좌우 회전 · 측굴)의 운동을 할 수 있음	• 관절가동범위에 제한 있음 [추간판 변형]

① **관절가동범위**

- 흉요부의 관절가동범위(**표 14-2 A. 체간** 참조, p.225)를 측정한다.

전굴
허리를 앞으로 구부려서 손이 발가락에 닿도록 한다. 정상은 45~90°의 굴곡을 보이며 대칭적으로 움직인다.

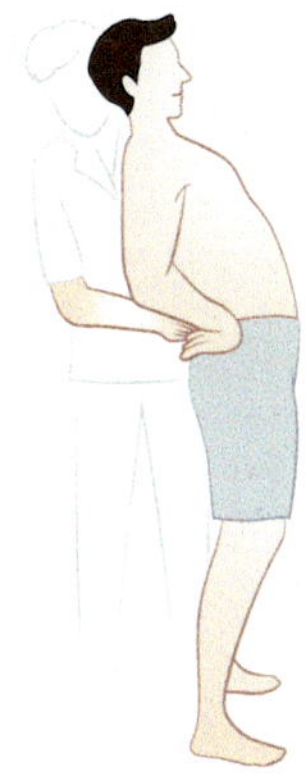

후굴
허리를 최대한 뒤로 젖히도록 하여 과신전 각도를 관찰한다. 정상은 30°이다.

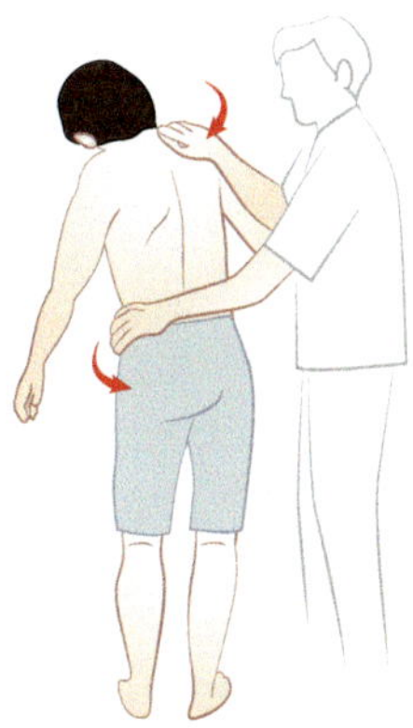

좌우 회전
골반을 고정하고 상체를 오른쪽과 왼쪽으로 돌리도록 한다. 정면을 향한 자세에서 각각의 회전범위는 40° 이상이다.

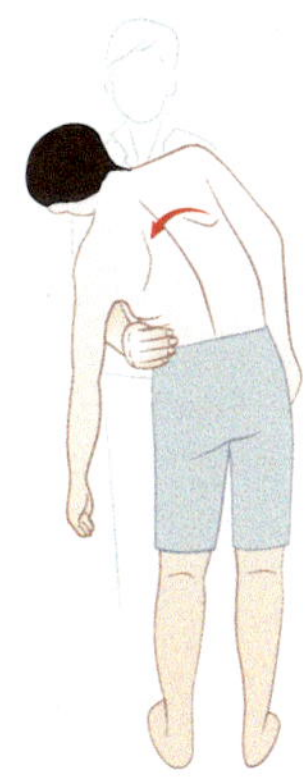

측굴
몸을 옆으로 굽히도록 하면서 측굴 범위를 관찰한다. 정상은 50°이다.

흉요부의 관절가동범위 측정

(3) 상지

시진 / 촉진

관찰내용	정상	비정상 ([ ]은 생각할 수 있는 병태 · 질환예)
상지의 상태	• 상지 길이의 좌우차 거의 없음 • 관절위치의 이동 없음 • 변형 없음	• 길이의 좌우차나 변형, 관절위치의 이동 있음 [골절, (아)탈구 의심] • 수지관절의 변형 있음 [류마티스관절염]
열감, 종창, 압통 유무	• 없음	• 있음 [염증 가능성, 류마티스관절염]

① **시진**

- 대상자에게 앉은 자세를 취하게 하여 전후 및 측방에서 관찰한다.

② **촉진**

- 근육의 긴장을 촉진한다. 각 관절에 대해 형태, 열감, 종창이나 통증 유무를 관찰한다.
- 팔꿈치 관절을 70° 구부린 상태에서 척골의 주두돌기(olecranon process)와 상완골의 외측상과를 촉진한다.

측정

관찰내용	정상	비정상 ([ ]은 생각할 수 있는 병태 · 질환예)
관절가동범위	• 견관절(굴곡 · 신전, 외전 · 내전, 외회전 · 내회전, 수평굴곡 · 수평신전)의 운동을 할 수 있음 • 주관절(굴곡 · 신전), 전완(회내 · 회외)의 운동을 할 수 있음 • 수근관절(굴곡 · 신전, 요굴 · 척굴)의 운동을 할 수 있음 • 손가락(굴곡 · 신전, 외전 · 내전)의 운동을 할 수 있음	• 가동범위에 제한 있음 [관절장애, 신경장애]
근력	• MMT 점수 3~5	• 저항할 수 없음 [근력저하, 마비]

① **관절가동범위**

- 견관절, 주관절, 전완, 수근관절, 손가락의 각 관절가동범위(**표 14-2 B. 상지** 참조, p.232)를 측정한다.

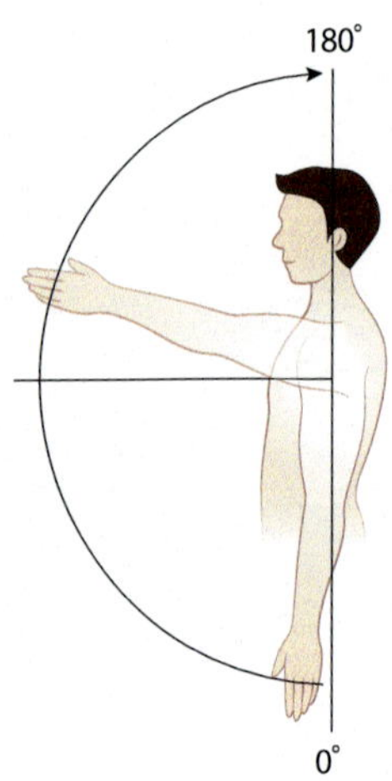

굴곡
양팔을 뻗어 귀 옆에 붙이게 한다. 정상은 180° 이며, 올릴 때 불편감 없이 움직일 수 있다.

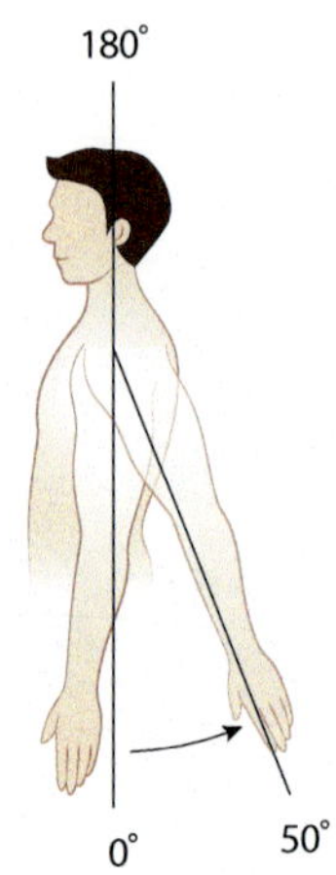

신전
팔을 등 뒤로 최대한 뻗도록 한다. 정상은 50° 이며, 올릴 때 불편감 없이 움직일 수 있다.

견관절의 관절가동범위 측정

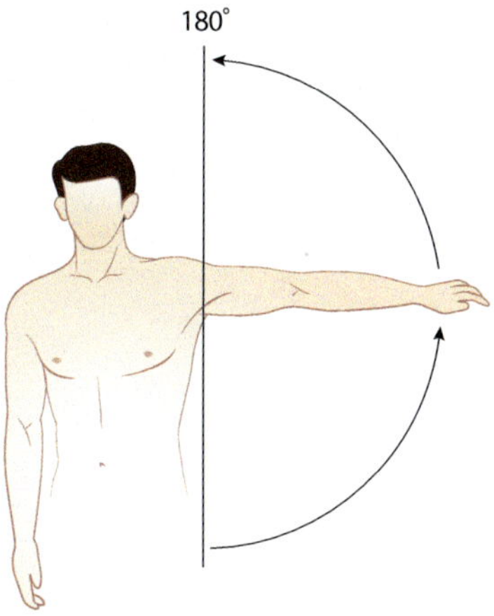

외전
양팔을 펴고 옆에서 머리 쪽으로 들도록 한다.
정상은 180°이다.

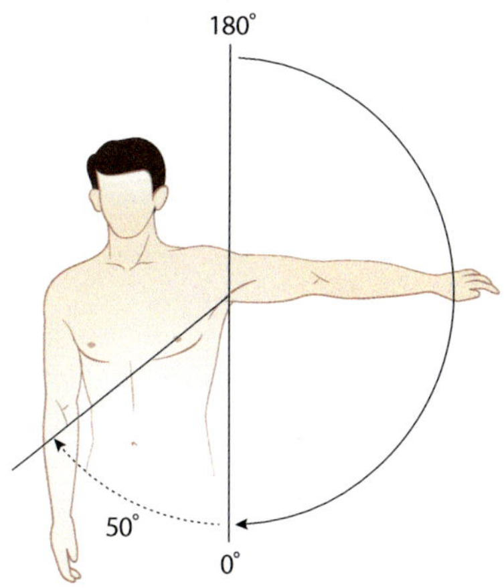

내전
양팔을 내리면서 최대한 몸을 가로지르도록 한다.
정상은 50°이다.

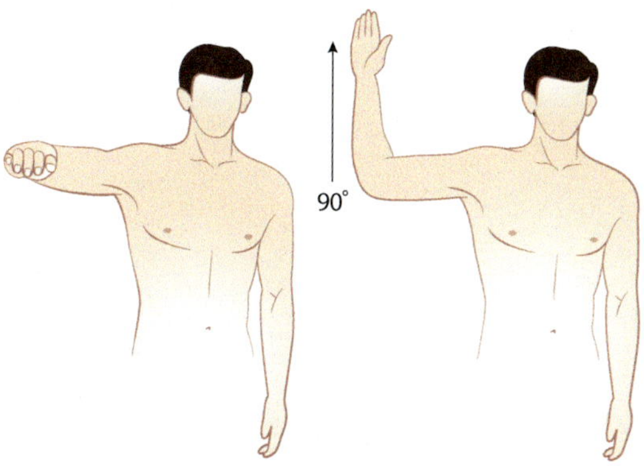

외회전
팔꿈치를 바깥으로 굽혀 손이 머리 뒤쪽으로 가도록 한다.
정상은 90°이다.

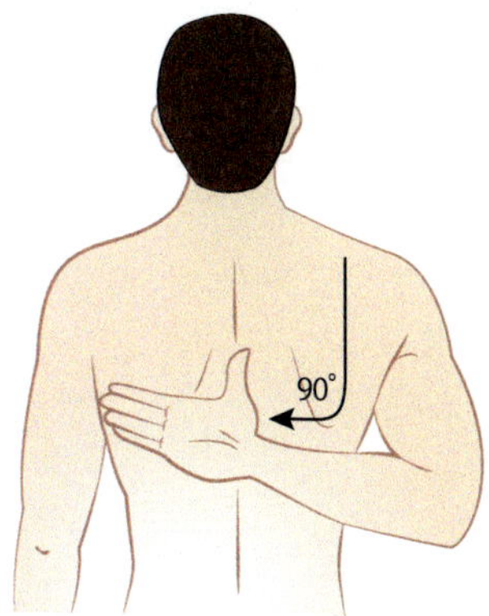

내회전
팔꿈치를 바깥으로 굽혀 손이 등 뒤쪽으로 가도록 한다. 정상은 90°이다.

견관절의 관절가동범위 측정 (계속)

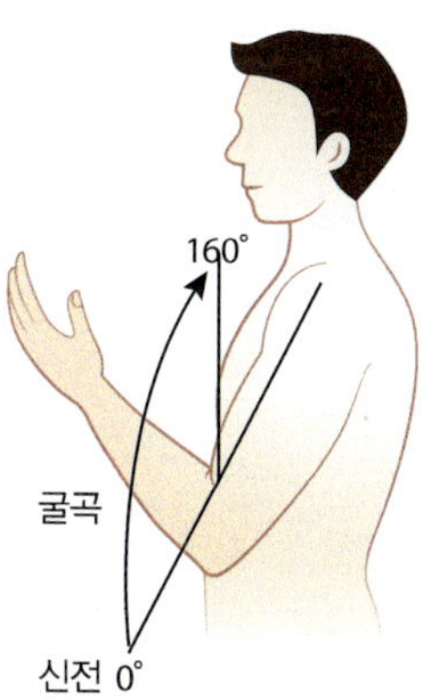

굴곡과 신전
팔꿈치를 구부렸다 펴도록 한다. 정상은 160°이며, 양쪽 모두 불편감 없이 움직일 수 있다.

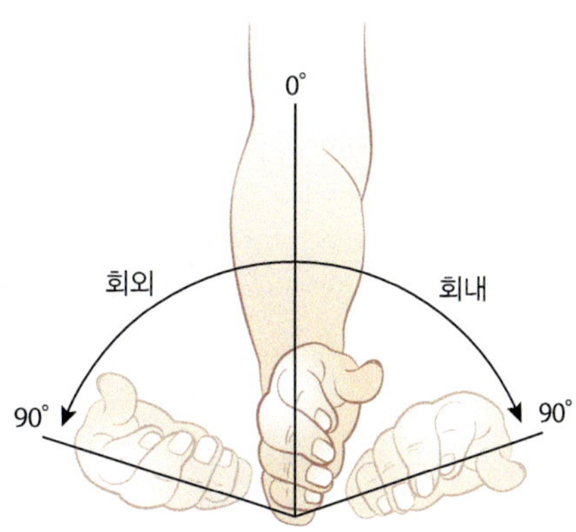

회외와 회내
손을 중립에 놓은 상태에서 손바닥을 아래로, 위로 가도록 돌리도록 한다. 양쪽의 운동범위가 같고, 정상은 90°이다.

주관절의 관절가동범위 측정

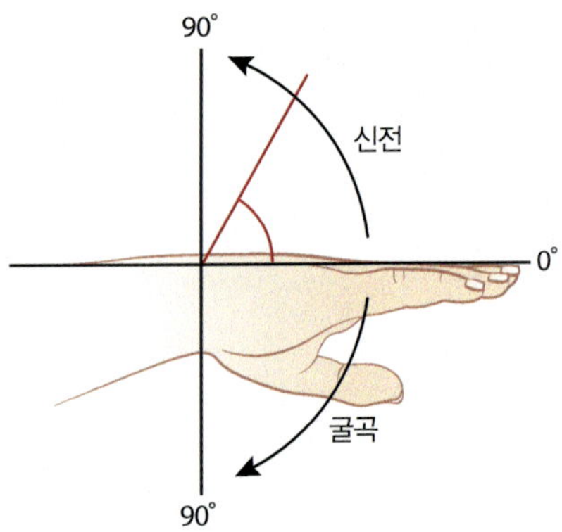

굴곡과 신전

손목을 위와 아래로 움직이도록 한다. 정상은 굴곡 90°, 신전 70°이다.

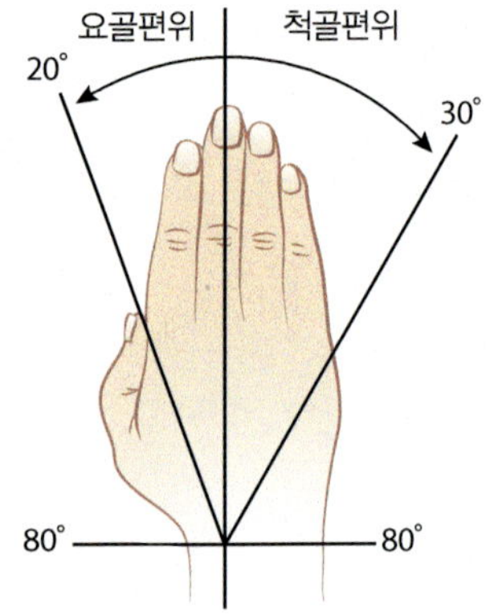

요굴과 척굴

손을 안쪽(요골 측)과 바깥(척골 측)으로 돌리도록 한다. 정상은 요골 25°, 척굴 55°이다.

수근관절의 관절가동범위 측정

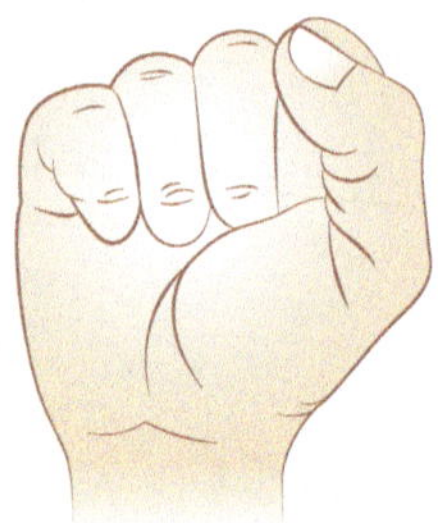

굴곡과 신전

주먹을 쥐었다 펴도록 한다. 정상은 굴곡 90°, 신전 45°이다.

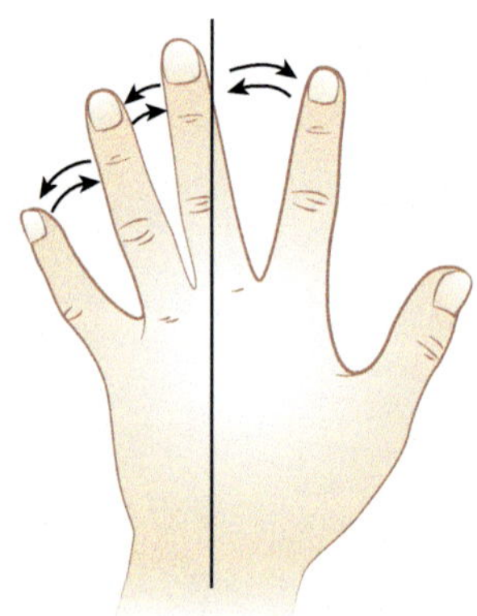

외전과 내전

손가락을 모두 옆으로 붙였다가 떼도록 한다. 정상은 20°이다.

손가락관절의 관절가동범위 측정

② 도수근력검사(MMT)

- 어깨의 굴곡력, 삼각근력, 어깨의 내전 · 외전력, 팔꿈치의 굴곡력, 수근관절의 굴곡력, 손가락의 대립근에 대해 도수근력검사를 실시한다.

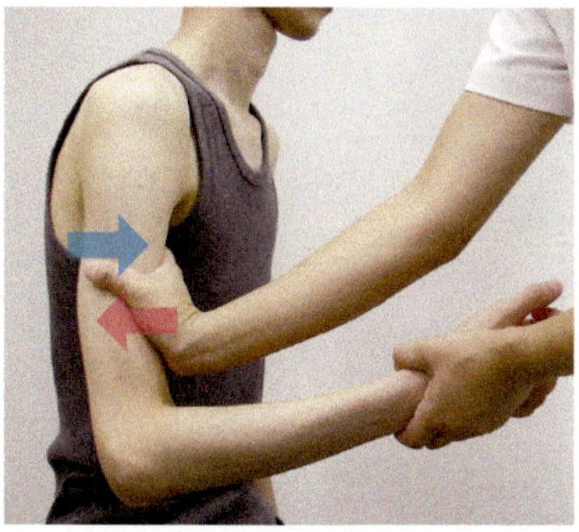

MMT : 어깨의 굴골력

간호사가 상완을 뒤쪽으로 미는 힘에 대항하게 한다.

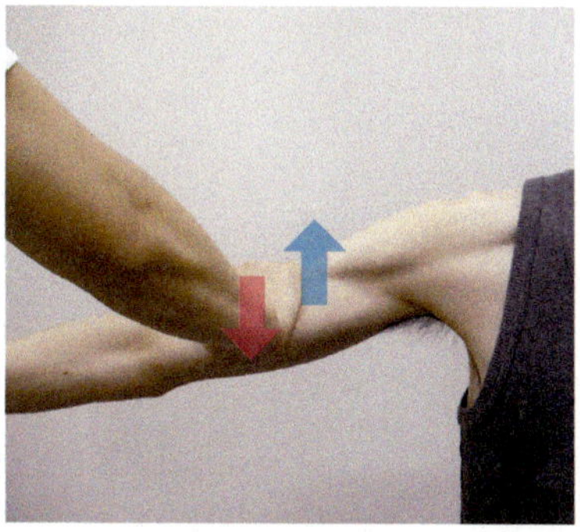

MMT : 삼각근력

대상자가 팔을 올리는 것을 간호사가 누른다.

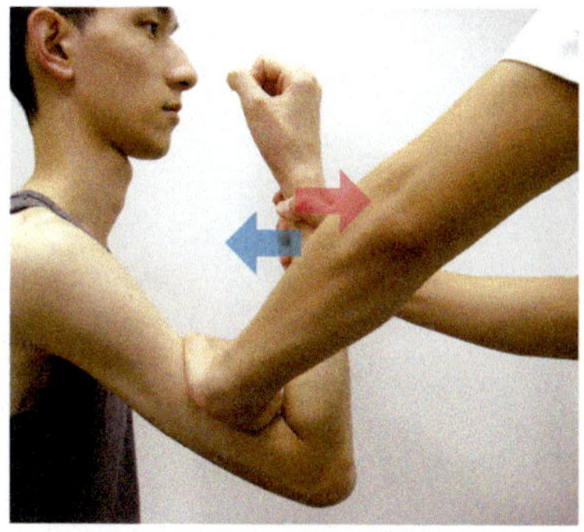

MMT : 팔꿈치의 굴곡력

간호사는 한쪽 손을 상완이두근, 다른 손을 손목에 두고 손목을 당긴다.

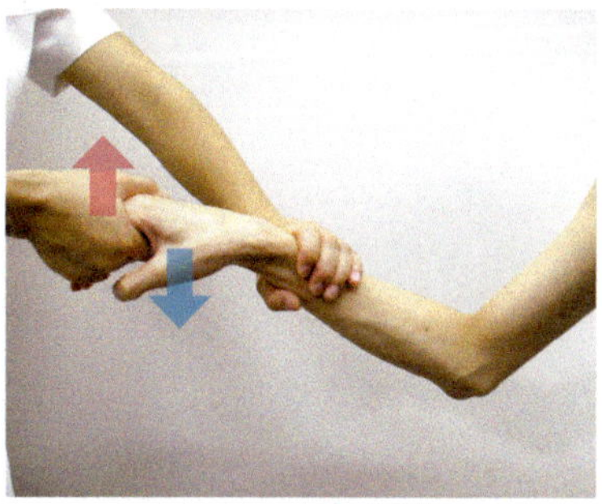

MMT : 수근관절의 굴곡력

대상자에게 수근관절을 중간위로 유지하도록 하고 간호사는 손을 펴듯이 힘을 가한다.

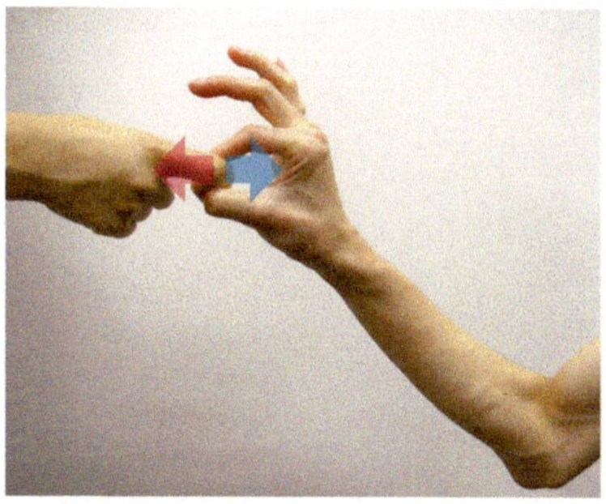

MMT : 손가락의 대립근

대상자에게 엄지와 검지로 링을 만들게 하고 간호사는 그 고리 안에 검지를 넣어 당긴다. 동시에 엄지와 중지~소지도 시행한다.

상지의 특수검진

검진명	정상	비정상 ([ ]은 생각할 수 있는 병태 · 질환예)
낙하상완검사 (Drop arm test)	• 통증 없이 자세를 유지할 수 있음	• 통증이 있거나 팔을 갑자기 떨어뜨림 [회전근개 손상]
팔렌검사 (Phalen test)	• 무감각(numbness), 저림(tingling), 통증 등 어떠한 증상도 없음(음성).	• 양성 [수근터널증후군]
티넬검사(Tinel test)	• 저린 감이나 방사통 등 어떠한 증상도 없음(음성)	• 양성 [수근터널증후군]

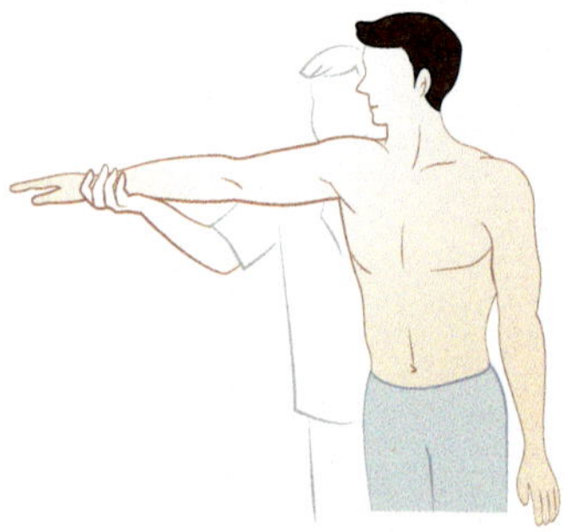

낙하상완검사
어깨를 90° 벌리도록 하거나 외전 상태를 유지하도록 한다.

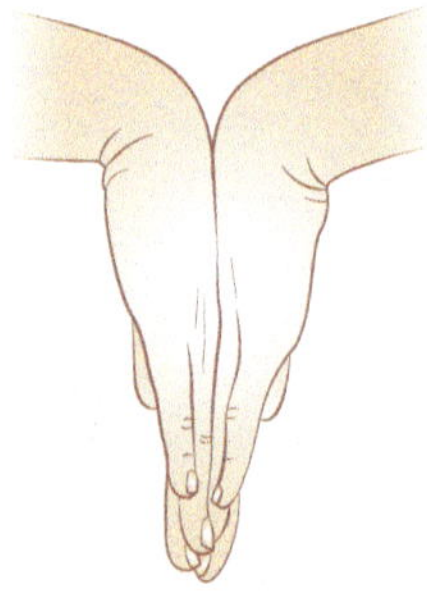

팔렌검사
양쪽 손목을 90°로 굴곡시키고 1분 동안 손등과 손등을 마주대고 있도록 한다.

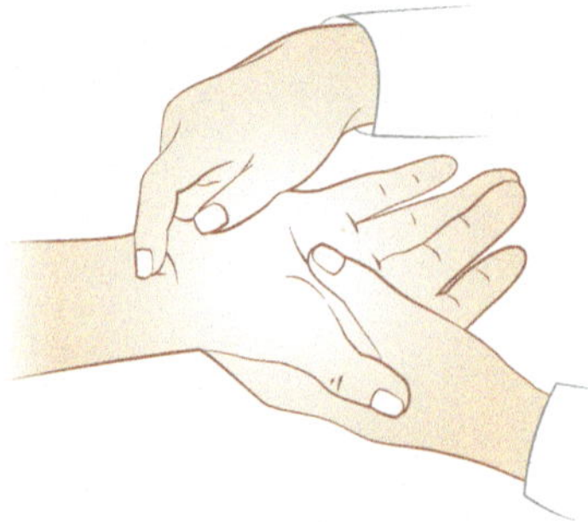

티넬검사
손목의 수근터널(carpal tunnel)을 지나는 정중신경(median nerve)을 직접 타진한다.

상지의 특수검진

(4) 하지

시진 / 촉진

관찰내용	정상	비정상 ([ ]은 생각할 수 있는 병태 · 질환예)
하지의 형태	• 길이의 좌우차 거의 없음 • 관절위치의 이동 없음 • 변형 없음	• 길이의 좌우차나 변형, 관절위치의 이동 있음 [골절, (아)탈구 의심]
열감, 종창, 압통 유무	• 없음	• 없음 [염증 가능성, 관절액 저류] • 엄지 시작부위의 통증 있음 [통풍]
무릎의 상태	• 무릎이 부드럽고 부종과 압통이 없음	• 부풀어 오르거나 두껍거나 압통 또는 통증 있음 [류마티스관절염, 골관절염, 관절삼출] • 부종 [활막염]

① 시진

- 대상자에게 앉은 자세 또는 누운 자세를 취하게 하여 관찰한다.

② 촉진

- 앉은 자세 또는 누운 자세에서 대상자에게 이완하게 하여 최대한 근육의 긴장이 없는 상태에서 검사받을 수 있도록 하며, 근긴장이나 각 관절의 형태, 열감, 종창이나 통증 유무를 관찰한다.
- 사두근 양측에 있는 슬개골상낭(suprapatellar pouch)을 촉진하고 양쪽을 비교한다.

측정

관찰내용	정상	비정상 ([ ]은 생각할 수 있는 병태 · 질환예)
길이, 둘레	• 하지 길이의 좌우차 거의 없음(1cm 미만의 차이는 정상으로 간주) • 자주 사용하는 쪽의 근육이 다른 쪽보다 약간 더 큼	• 길이의 좌우차 있음 [척추측만증, 골절, (아)탈구 의심] • 양측의 근위축 있음 [척수손상이나 영양실조로 인한 신경자극 감소]
관절가동범위	• 고관절(굴곡 · 신전, 외전 · 내전, 외회전 · 내회전)의 운동을 할 수 있음 • 슬관절(굴곡 · 신전)의 운동을 할 수 있음 • 족관절(굴곡 · 신전)의 운동을 할 수 있음 • 족부(외전 · 내전, 외반 · 내반)의 운동을 할 수 있음 • 발가락(굴곡 · 신전)의 운동을 할 수 있음	• 가동범위에 제한 있음 [관절장애, 신경장애]
근력	• MMT 점수 3~5	• 저항할 수 없음 [근력저하, 마비]

① 길이, 둘레

- 양측 다리 길이를 비교하기 위해 전상장골능에서 내측 복사뼈까지의 길이를 측정한다.
- 근육의 둘레를 줄자로 측정하여 양쪽을 비교한다.

② 관절가동범위

- 고관절, 슬관절, 족관절, 족부, 발가락의 운동(**표 14-2 C. 하지** 참조, p.228)을 측정한다.
- 고관절의 외전 · 내전, 외회전 · 내회전은 등을 대고 누운 자세에서 측정한다.

주의 : 고관절의 외회전 · 내회전 측정에서는 하지를 들어올려 90° 구부린 자세로 할 필요가 있기 때문에 하퇴나 대퇴를 지지하면서 진행한다.

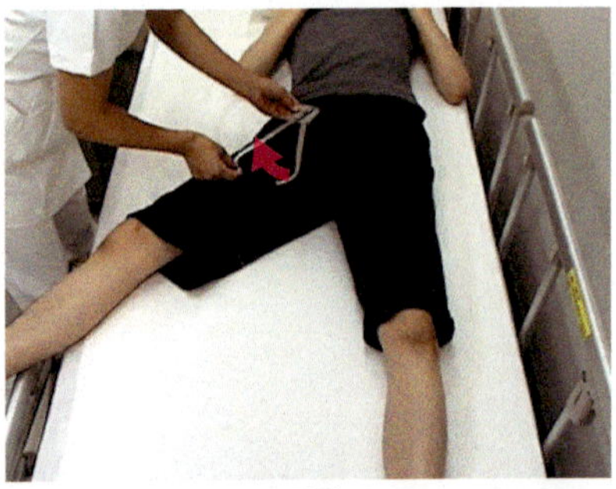

외전

양측 상전장골극을 연결한 선과 측정측 대퇴중앙선의 교차점에 각도계의 축심을, 대퇴골에 축을 두고 고정축은 그대로 해서 대상자의 외전에 맞추어 이동축을 이동하여 각도를 읽는다.

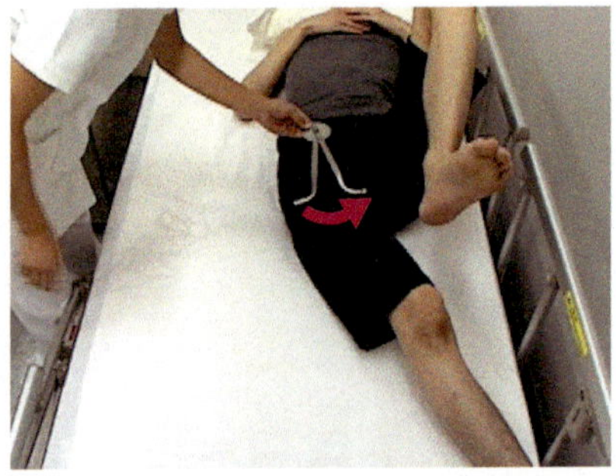

내전

반대쪽 하지를 구부리고 들어 그 아래를 통해 내전시킨다.

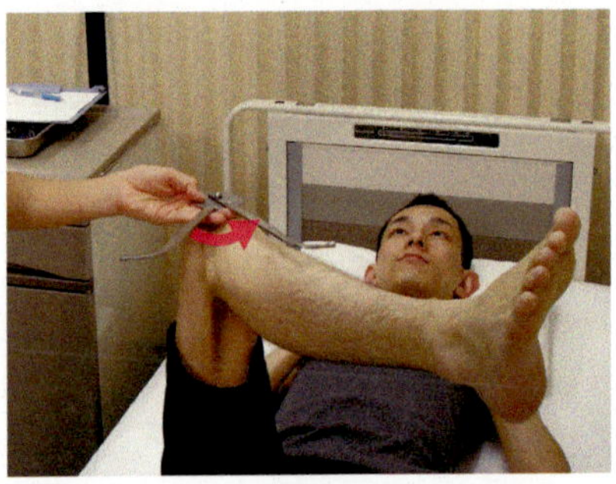

외회전

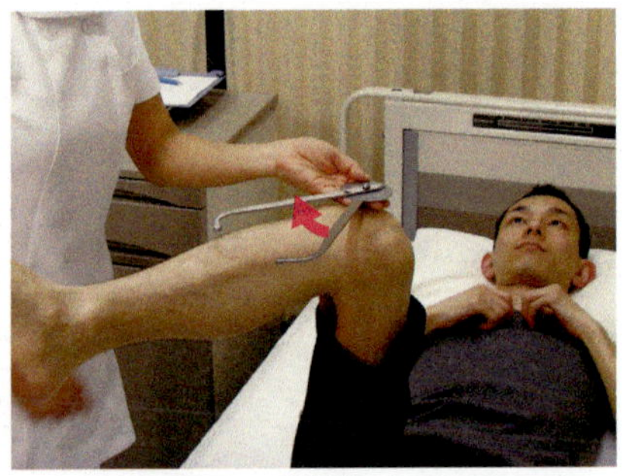

내회전

고관절과 슬관절을 90° 구부린 자세에서 슬개골 중심에 각도계의 축심을, 하퇴에 축을 두고 대상자가 외회전 · 내회전시킨 하퇴에 맞추어 이동축을 이동하여 각도를 읽는다.

고관절의 관절가동범위 측정

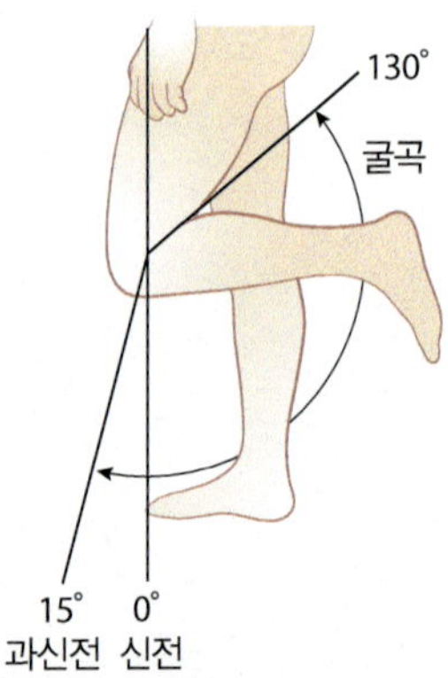

굴곡과 신전

대상자의 무릎을 굽히게 하여 운동범위를 측정한다. 굽힌 상태에서 정상은 통증이나 어려움 없이 130° 이상이다.

슬관절의 관절가동범위 측정

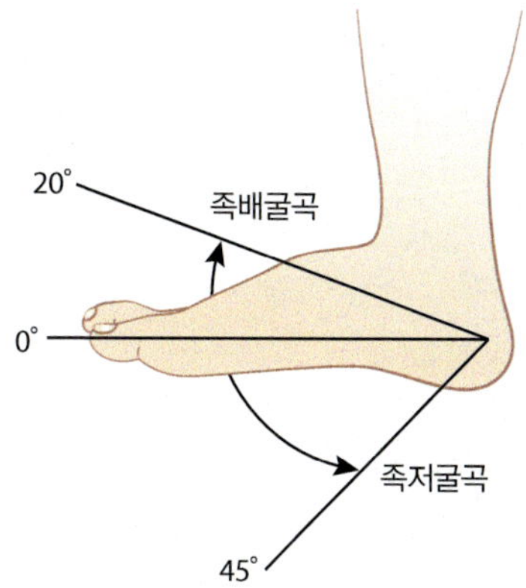

굴곡과 신전

대상자의 발을 족배굴곡과 족저굴곡시킨다. 정상은 족배굴곡 20°, 족저굴곡 45°이다.

족관절의 관절가동범위 측정

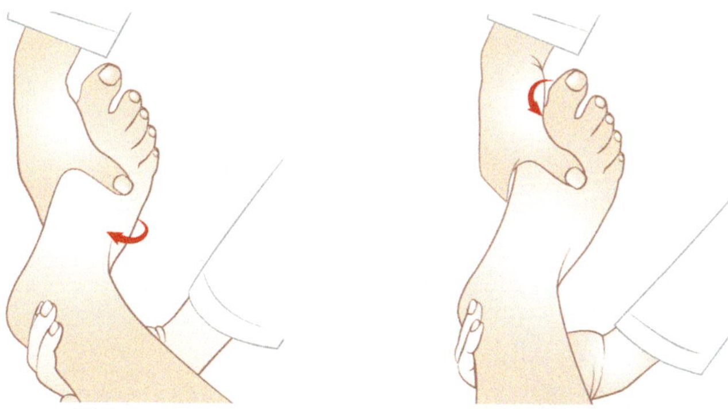

외전 **내전**

대상자의 다리를 잡고 발목을 다른 다리 쪽으로, 그리고 반대편으로 돌려보도록 한다. 정상은 외전 10°, 내전 20°이다.

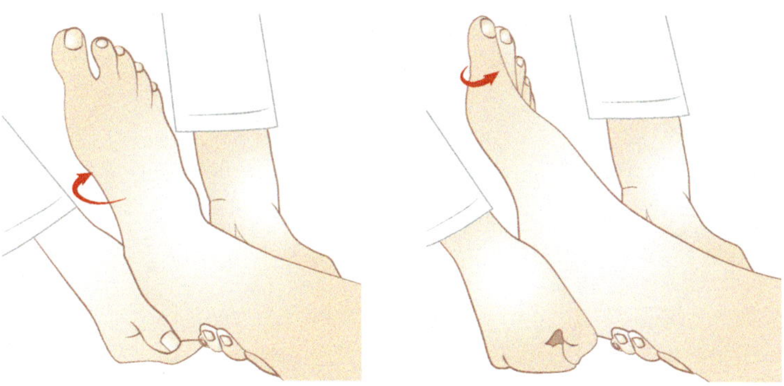

외번 **내번**

한 손으로 발목을 고정시키고 다른 손으로 발뒤꿈치를 잡는다. 발을 발목의 바깥쪽으로 굽히고(외번) 발을 발목의 안쪽으로 굽힌다(내번). 정상은 외번 20°, 내번 30°이다.

족부의 관절가동범위 측정

③ 도수근력검사(MMT)

• 고관절의 굴곡력 · 내전력 · 외전력, 무릎의 굴곡력 · 신전력, 족관절의 굴곡력 · 신전력을 검사한다.

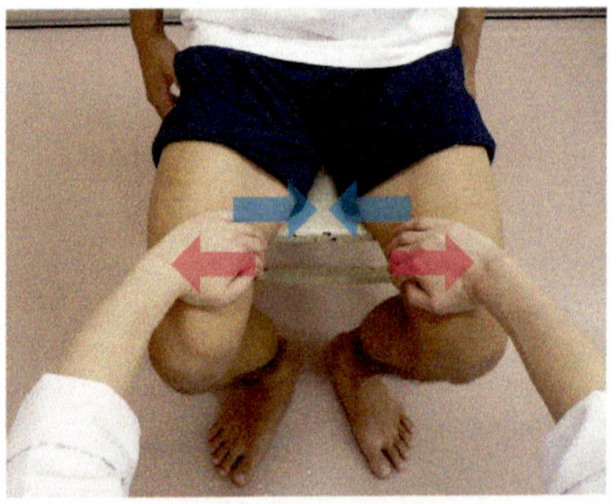

MMT : 고관절의 내전력
대상자에게 두 허벅지를 오므리게 하고 간호사가 손으로 좌우를 벌리듯이 힘을 가한다.

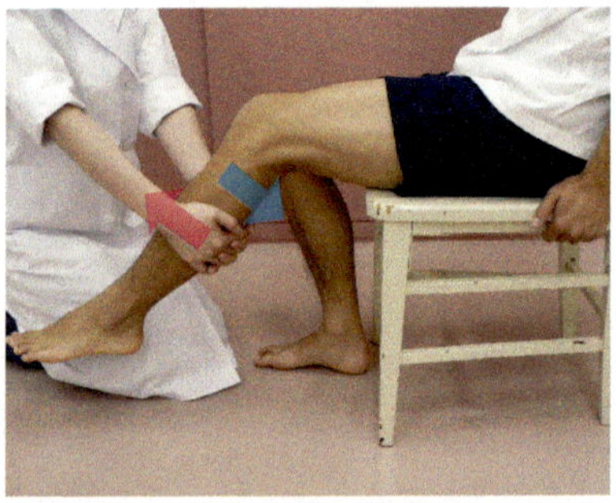

MMT : 무릎의 굴곡력
대상자에게 슬관절을 90° 구부린 자세를 유지하게 하고 간호사는 하퇴를 들어 올려 펴지도록 힘을 가한다.

■ 하지의 특수검진

검진명	검진방법	정상	비정상 ([ ]은 생각할 수 있는 병태 · 질환예)
팽윤징후검사 (bulge sign test)	바로 누운 자세에서 한 손으로 무릎 내측면을 2~3회 쓸어내린 후 다른 손으로 슬개골 외측면을 가볍게 두드려 액체의 움직임을 관찰한다. 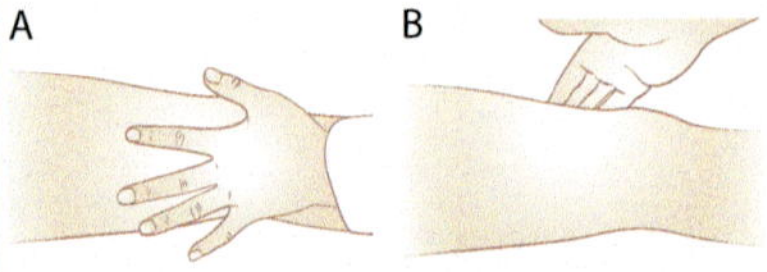 	관절 반대쪽에서 액체파동이나 팽윤징후 없음	관절 반대쪽에서 액체파동이나 팽윤징후 있음 [골관절염, 염증]
슬개골 부구감검사 (ballottement test)	바로 누운 자세에서 검진자가 한 손의 엄지와 나머지 손가락으로 슬개골상낭(suprapatellar pouch)을 압박하기 위해 아래쪽으로 압력을 가하고 다른 손으로는 대퇴골 쪽으로 슬개골을 힘껏 밀었다가 갑자기 뗀다. 이때 액체의 파동이 있는지 관찰한다. 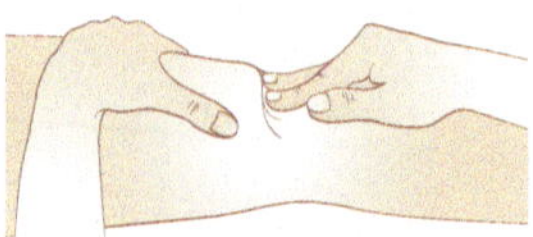	액체파동 없음	액체파동 촉진(부구감) [과다한 액체 저류]

(계속)

검진명	검진방법	정상	비정상 ([ ]은 생각할 수 있는 병태 · 질환예)
맥머레이 검사 (McMurray test)	바로 누운 자세에서 한 손으로 발뒤꿈치를 잡고 무릎을 90°로 굴곡시킨다. 다른 한 손으로 무릎의 양면을 잡고 손과 전박을 사용하여 발과 하지를 외회전(내측 반월연골 검사), 내회전(외측 반월연골 검사)시킨다. 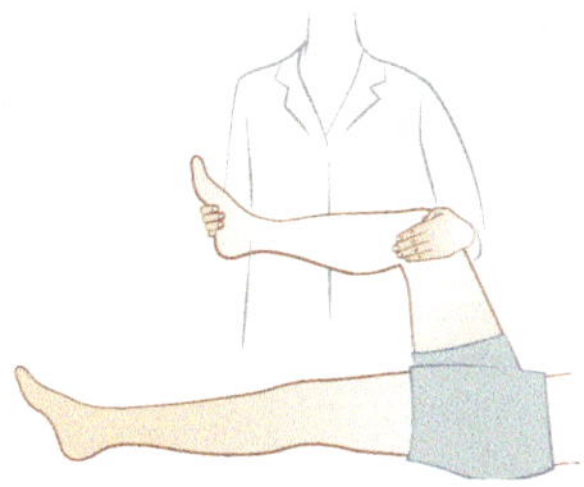	딸깍하는 소리나 통증 없음	통증 있음 [무릎 반월연골 손상]
Apley 검사	엎드려 누운 자세에서 무릎을 90°로 굴곡시킨다. 경골이 대퇴에 견고하게 있도록 대상자의 발에 힘을 가하고 무릎을 외측으로 회전한다.	통증이나 움직임에 문제 없음	체중을 실거나 무릎을 구부릴 수 없음 [반월연골 파열]
라크만 검사 (Lachman test)	무릎을 20~30° 정도 구부리고, 대퇴골(femur)을 기준으로 고정하고 경골(tibia)을 전방으로 당긴다.	통증 없음	앞쪽으로 당겨짐 [전십자인대(ACL) 손상]
토마스 검사 (Thomas test)	바로 누운 자세에서 검사대에 한쪽 다리를 충분히 신전시키고 반대편 다리는 고관절을 굴곡시켜서 대퇴를 가슴에 대고 있을 때 신전된 다리를 관찰한다. 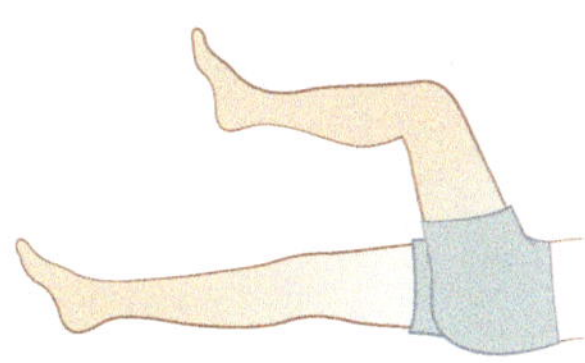	신전된 다리가 검사대 위에 편평하게 있음	신전된 다리가 검사대에서 들어 올라감 [고관절 굴곡경축(hip flextion contracture)]
패트릭 검사 (Patrick test)	바로 누운 자세에서 대퇴와 무릎을 구부리고, 한쪽의 외측 거골을 반대쪽 다리의 무릎 위에 놓은 후 무릎에 압력을 가한다.	통증 없음	통증 있음 [고관절염]

검진명	검진방법	정상	비정상 ([ ]은 생각할 수 있는 병태 · 질환예)
하지직거상검사 (straight leg raising test)	바로 누운 자세에서 다리를 들어 올려 무릎을 편 상태로 유지시킨다. 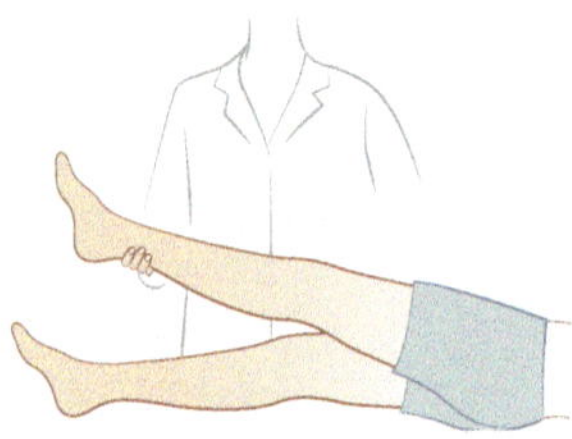	슬개근의 긴장은 있지만 통증은 없음	다리 뒤쪽으로 통증 있음 [추간판 탈출증]

근골격계 신체사정의 핵심

- 전체적인 시진은 대상자와 맨 처음 만났을 때부터 시작되어야 하며, 보행 모습이나 자세 변화, 동작 시 고통스러워하는 표정 등은 문진을 시작하기 전 대상자가 의자에 착석하는 동안 관찰한다.
- 고령자나 체력 소모가 있는 대상자의 경우에는 검진을 여러 차례 나누어 진행하거나 휴식을 취하면서 한다.
- 고령자나 돌연 신체운동에 이상을 일으킨 대상자 등의 경우는 자신의 신체상과 실제 신체능력에 차이가 있는 경우도 있으며, 무리해서 지시를 따르려고 하여 사고의 위험이 높아질 수 있으므로 지시 방법이나 낙상사고에 충분히 주의하면서 진행한다.

3) 기록

- 소견을 기록한다. 변형, 좌우차 등을 그림으로 표시하면 알기 쉽다.
- 관절가동범위에 대해서는 좌우 관절명과 관절운동의 형태에 이어서 가동범위를 각도로 기록한다. 기본자세를 0°로 표시한다.
- 도수근력검사(MMT)는 판정한 척도를 기록한다.

■ 기록예

- 좌측 견관절 굴곡 0~130°, 신전 0~30°
- MMT 삼각근력 4

4) 검진결과와 간호수행

- 심한 통증이나 서서히 심해지는 통증, 현저한 변형이나 운동제한이 있는 경우에는 신속하게 의사에게 보고하고 필요한 검사를 확인한다.
- 운동제한이 있는 경우에는 신경계 사정도 진행한 후 보고한다.
- 통증이 완화되는 자세를 찾아 대상자가 편안해질 수 있도록 운동제한에 대응하여 보조한다.
- 생활, 이동, 식사, 배설, 옷 입기, 세면 동작 등에 대해 대상자의 관절가동범위나 근력 정도를 파악하여 가능한 것과 불가능한 것을 사정한다.
- 관절가동범위에 제한이 관찰되는 경우에는 입고 벗기 쉬운 옷을 고르거나 보조도구를 사용하는 등의 방법을 고안한다.
- 근력저하나 운동제한이 관찰되는 경우에는 필요한 재활훈련을 지원하고, 이와 함께 할 수 있는 동작을 활용하게 하여 일상생활동작을 재구축할 수 있도록 지원한다.

학습과제

1. 관절가동범위 측정과 도수근력검사의 순서에 따라 운동기능을 검진해보자.
2. 어떠한 상태일 때 비정상 소견이 관찰되는지 질환의 지식과 통합하여 생각해보자.

CHAPTER

15 신경계

학습목표

1. 신경계의 구조와 기능을 설명할 수 있다.
2. 대상자와의 면담을 통해 신경계와 관련된 주관적 자료를 사정한다.
3. 정확한 신체사정을 통하여 신경계의 정상과 비정상 소견을 구분하고 객관적 자료를 수집, 원인이나 관련 요인을 검토하여 간호중재에 활용한다.

1. 구조와 기능

1) 구조

- 신경계는 **신경세포**(뉴런, neuron)가 서로 얽혀서 생긴 기관계이다. 신경세포는 핵을 함유하는 세포체(cell body)와 돌기[**수상돌기**(가지돌기, dendrite), **축삭**(axon)]로 구성되며, 돌기를 **신경섬유**(nerve fiber)라고도 한다.
- 신경세포의 축삭 말단에 있는 접합부인 **시냅스**(synapse)에서 **신경전달물질**(neurotransmitter)을 방출하여 다른 신경세포의 수상돌기를 통해 다음 세포로 정보를 전달한다(그림 15-1). 신경계는 중추신경계와 말초신경계로 나뉜다.

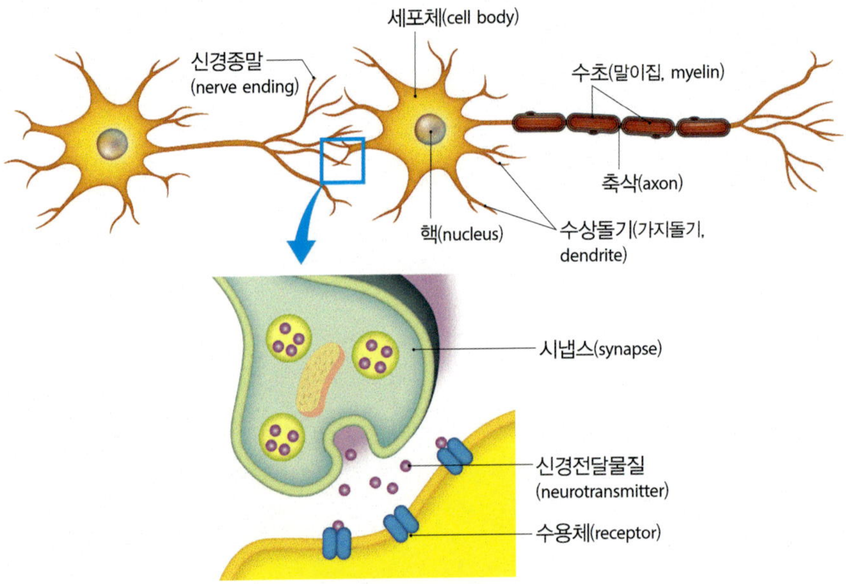

그림 15-1 신경세포

(1) 중추신경계

- **뇌**(brain)와 **척수**(spinal cord)를 **중추신경계**라고 한다(그림 15-2). 뇌와 척수는 뇌척수막(meninges)으로 덮여 있으며 각각 뼈(두개골과 척추골) 안에 들어가 있다.
- 뇌와 척수는 **백질**(백색질, white matter)과 **회백질**(회색질, gray substance)로 나뉜다. 백질은 신경섬유의 다발이 기능별로 신경경로를 만들고 있으며 하얗게 보인다. 회백질은 신경세포의 세포체와 정보전달을 받아들이는 수상돌기가 포함된다.

① 뇌

- **대뇌**(cerebrum), **간뇌**(사이뇌, deutencephalon), **뇌간**(뇌줄기, brain stem), **소뇌**(cerebellum)로 나뉜다.

② 척수

- 척수를 덮는 척추별로 **경수**(목척수, cervical spinal cord), **흉수**(가슴척수, thoracic spinal cord), **요수**(허리척수, lumbar spinal cord), **천수**(엉치척수, sacral spinal cord), **미수**(꼬리척수, coccygeal spinal cord)로 나뉘며, 31개의 분절로 더 세분된다(그림 15-3).
- 척수는 지름 약 1cm 정도의 굵기로, 안에는 신경섬유(축삭)가 다발을 이룬다. 각 분절에서 31쌍의 척수신경이 출입한다.

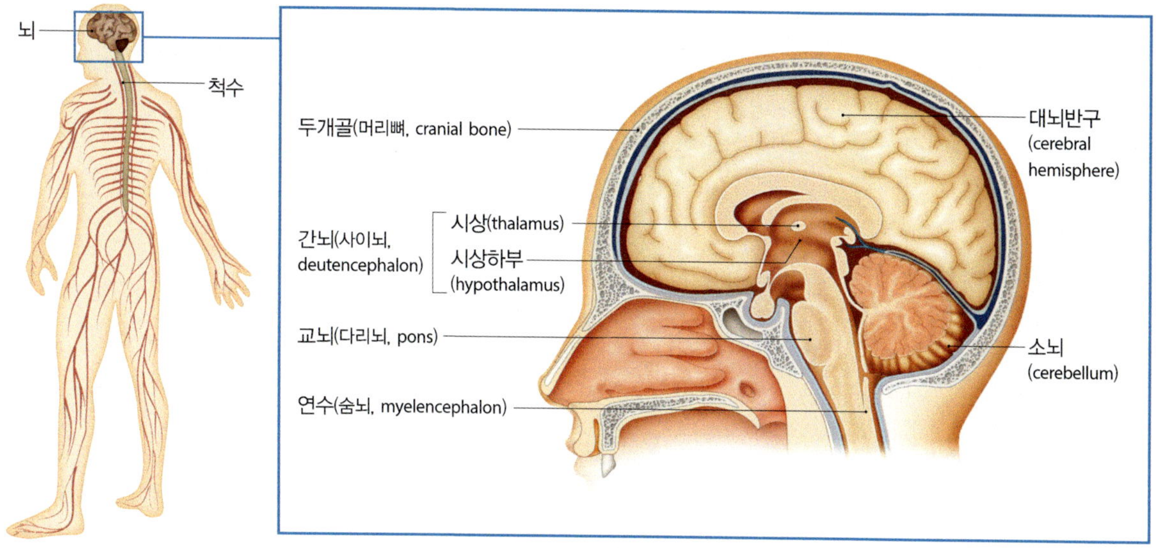

그림 15-2 뇌와 척수

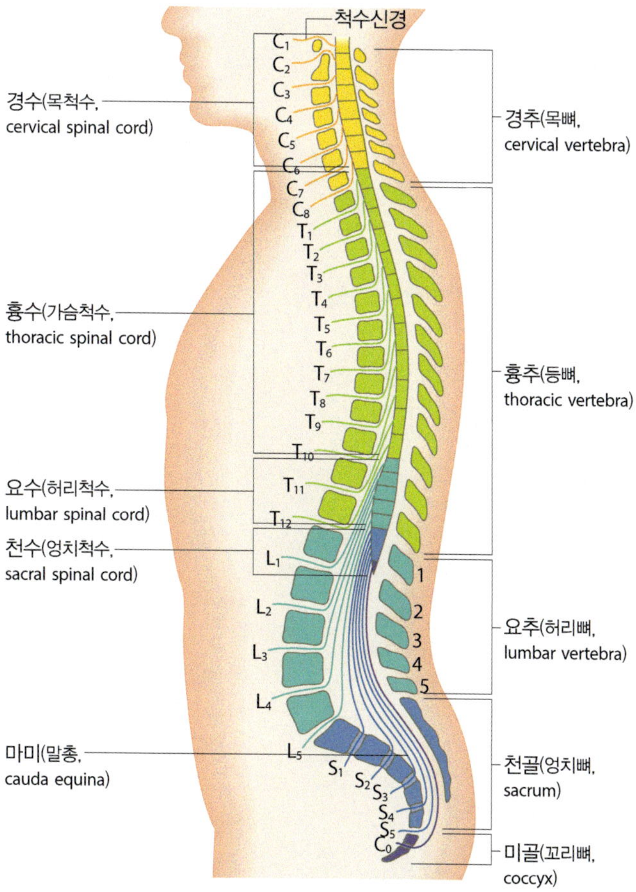

그림 15-3 척수와 척수신경

(2) 말초신경계

- 중추신경(뇌와 척수)에서 말초를 향해 뻗어 있는 신경계를 **말초신경계**라고 한다. 말초신경은 뇌에서 나오는 **뇌신경**(cranial nerve)과 척수에서 나오는 **척수신경**(spinal nerve)으로 구성되며, 기능적 측면에서 체성신경(감각신경, 운동신경)과 자율신경(교감신경, 부교감신경)으로 나뉜다.

① 뇌신경(cranial nerve)

- 뇌신경은 뇌에서 직접 출입하는 12쌍의 말초신경을 말한다(그림 15–4).

② 척수신경(spinal nerve)

- 척수신경은 척추의 추간공(척추사이구멍, intervertebral foramen)을 지나 출입하는 31쌍의 말초신경을 말한다. 체간이나 상 · 하지와 뇌를 연결하며 운동의 명령정보나 감각정보를 전달한다(그림 15–3).
- 척수신경은 척주 좌우의 각각 복측에서 전근(앞뿌리, anterior root; 운동신경과 자율신경이 지나감), 배측에서 후근(뒤뿌리, dorsal root; 감각신경이 지나감)으로 나뉜다(그림 15–5). 후근은 척수신경절(spinal ganglion)을 이룬다. 척추의 추간공을 지나기 전에 전근과 후근은 다시 합류한다.

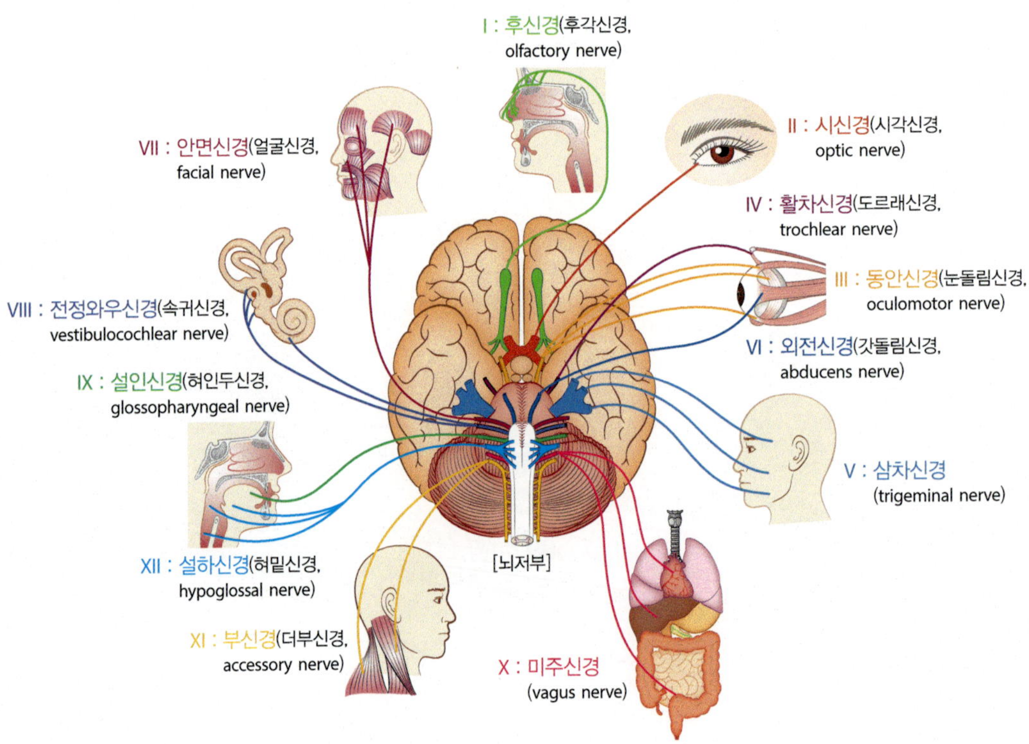

그림 15–4 뇌신경의 종류와 지배 영역

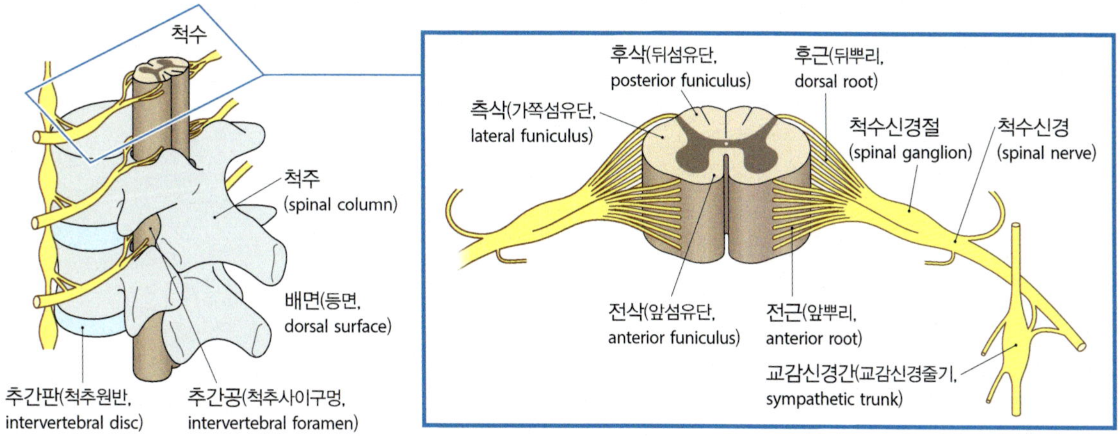

그림 15-5 척수신경

● **체성신경과 자율신경**

- **체성신경**은 뇌간과 척수로 이어지며 전신에 직접 연결된다.
- 자율신경 가운데 **교감신경**(sympathetic nerve)은 흉수와 요수에서 뻗는다(그림 15-6). 척주 좌우 양측에서 사슬 모양의 교감신경간(교감신경줄기)을 만들고 그곳에서 각 장기로 연결된다(그림 15-5).
- **부교감신경**(parasympathetic nerve)은 뇌간과 천수에서 유래하며 각 장기로 연결된다(그림 15-6).

2) 기능

- 말초신경 말단에 있는 감각수용체에서 받아들인 자극정보는 척수를 지나 중추신경계로 전달되어 과거의 경험이나 학습과 통합되어 지각으로서 인식된다. 중추신경계에서 내려진 명령은 근육이나 선(샘, gland) 등의 기관으로 전달되어 근수축을 통해 일어나는 운동 등의 반응으로서 나타난다.
- 운동명령에는 의지와 관계없이 일어나는 **불수의반응**과 의식 하에서 일어나는 **수의반응**이 있다.
- 중추신경계 및 말초신경계에서 신호가 중추에서 말초를 향하는 운동정보경로를 원심로(하행로), 말초에서 중추로 향하는 감각정보경로를 구심로(상행로)라고 한다.

(1) 중추신경계의 기능

① 뇌의 영역별 기능

- **뇌간**(뇌줄기)은 의식, 호흡, 순환 등의 생명유지기능을 담당한다.
- **간뇌**(사이뇌)는 자율신경계의 중추이며 생명유지기전을 조절한다. 분노나 불안 등의 정서행동이나 식욕, 수면 등의 본능적 욕구를 발동시킨다. 개일리듬(하루주기리듬, circadian rhythm)을 만드는 호르몬(멜라닌)이나 내분비기관의 호르몬 분비도 조절한다.

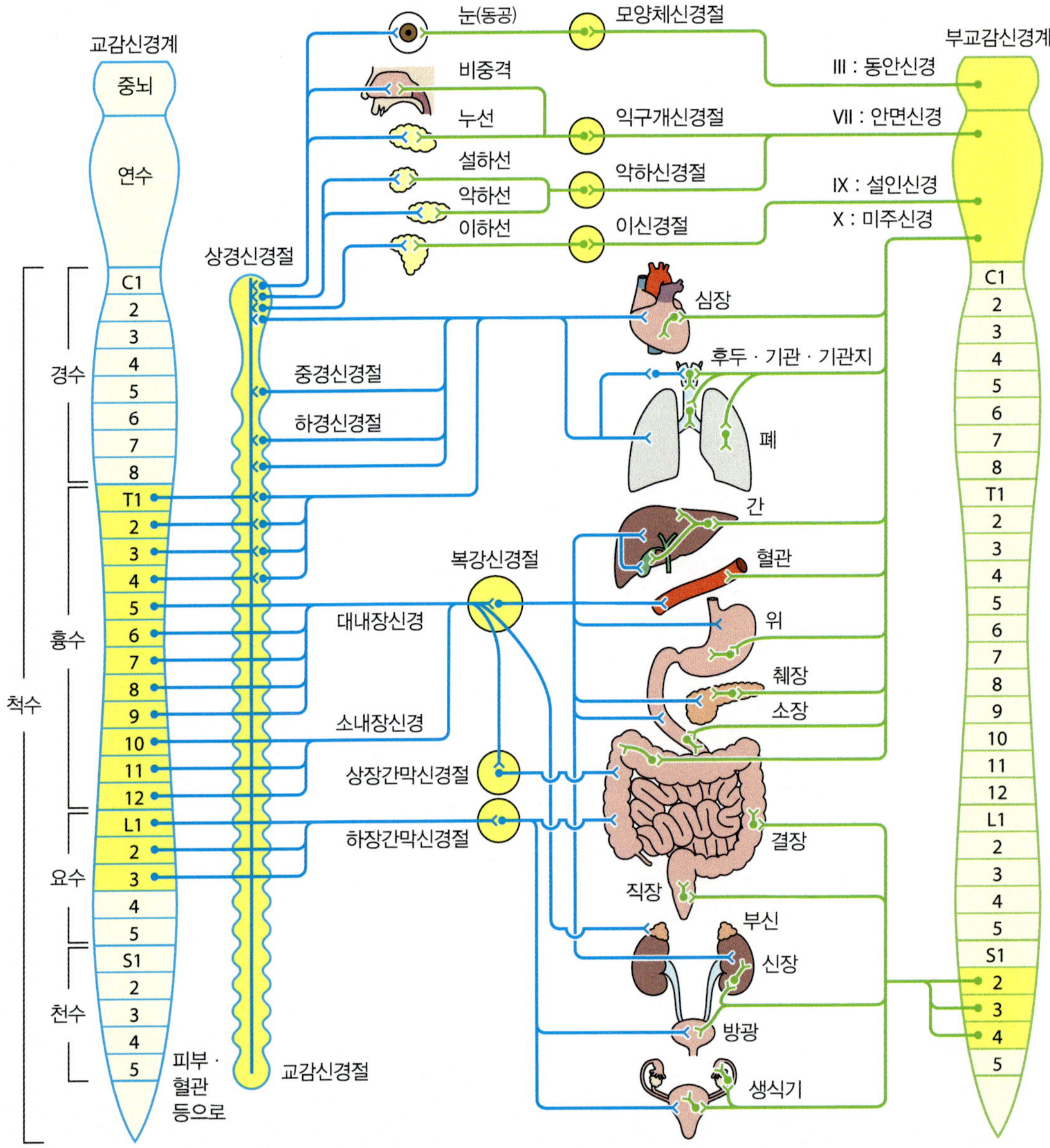

	교감신경	부교감신경
동공	산대	축소
누선	(분비억제)	분비촉진
심장 ─ 심박수	증가	감소
심장 ─ 박출량	증가	감소
혈관	수축	확장
기관지	이완	수축
위 ─ 운동	억제	항진
위 ─ 분비	감소	증가
소장·대장	운동제어	운동항진
췌장	(분비과다)	분비증가
담낭	이완	수축
부신수질	분비항진	–
방광	배뇨억제	배뇨촉진

작용이 명확하지 않은 것은 ( )로 나타내었다. 부신수질은 교감신경의 지배만 받는다.

그림 15-6 교감신경과 부교감신경

- **소뇌**는 신체의 평형이나 자세 유지를 담당하며, 감각과 운동기능을 균형 좋게 통합하고 수의근 운동을 조절한다.
- **대뇌**는 인지, 언어, 사고, 기억, 의사표현, 행동제어를 담당하며 전신의 말초와 연락을 취하여 수집한 감각정보를 분석한다. 대뇌피질에는 **기능국재**(localization of function)가 있으며 부위에 따라 특정 기능의 신경활동이 관찰된다(그림 15-7).

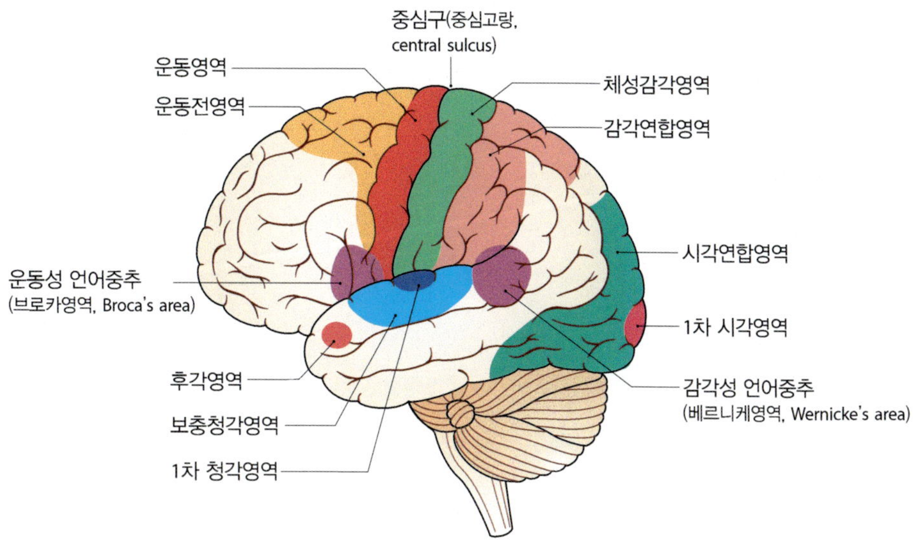

그림 15-7 대뇌피질의 기능국재

② 추체로와 추체외로

- **추체로**(피라미드로, pyramidal tract)는 운동정보(명령) 전달의 대부분을 담당한다. 운동명령은 대뇌피질의 운동영역에서 일어나 내포(속섬유막, internalcapsule)를 경유해서 척수 전각(앞뿔, anteriorhorn)으로 전달되고, 연수에 있는 **추체**(피라미드, pyramid)라고 불리는 융기 부분을 지나 척수신경을 거쳐 골격근이 수축하여 운동이 일어난다.
- 추체로계 신경섬유의 약 80%가 추체에서 좌우로 교차한다[**추체교차**(피라미드교차, pyramidal decussation)]. 따라서 좌측 대뇌반구(대뇌피질의 운동영역)에서 일어난 운동명령은 우반신의 운동으로서 나타난다.
- **추체외로**(피라미드바깥길, extrapyramidal tract)는 추체로의 조절적 역할을 담당한다. 반사적이고 불수의적이기 때문에 보통은 거의 의식에 이르지 않는다.

③ 반사기능

- 특정 자극에 대한 단순하고 정형적인 불수의반응을 **반사**(reflex)라고 한다. 영아가 가진 **원시반사**(primitive reflex), 열이나 통증에 대한 방어반사 등 많은 반사기능이 있다.

- 반사의 정보전달은 수용기 – 감각신경(구심로) – 척수 · 뇌간 – 운동신경(원심로) – 효과기 순으로 이루어지며, 이를 **반사궁**(반사활, reflex arc)이라고 한다. **반사중추**(reflex center)에서는 감각계의 신호를 대뇌까지 상행시키지 않고 운동계로 전환한다.
- 반사는 전달 수용부위에 따라 심부반사, 표재반사, 자율성 반사로 크게 나뉜다(표 15-1).
- 소아기에 특징적으로 관찰되는 반사로서 원시반사나 자세반사(static reflex)가 있다. 주로 추체로장애로 인해 소아기 특유의 반사가 성인이 된 후에 다시 출현하는 것을 **병적반사**(pathologic reflex)[1]라고 한다.
- 반사중추가 척수에 있는 경우에는 척수반사(spinal reflex), 뇌간에 있는 경우는 뇌간반사(뇌줄기반사, brain stem reflex)라고 한다.

표 15-1 반사의 종류

심부반사	도피반사(굴곡반사), 건반사(신장반사)
표재반사	각막반사, 인두반사, 복벽반사, 항문반사, 고환거상반사 등
자율성 반사	대광반사, 기침반사, 압수용기반사, 방광반사, 직장반사 등

④ 감각기능

- 감각자극이 수용기로 들어와 구심성 신경을 지나 대뇌피질 감각영역에 도달하여 식별됨으로써 지각된다.
- 감각은 수용부위나 자극의 종류에 따라 표재감각, 심부감각, 복합감각, 내장감각, 특수감각으로 나뉜다(표 15-2).

표 15-2 감각의 종류

표재감각	촉각, 압각, 통각, 온도각 등
심부감각	진동각, 위치각, 심부통각, 저항각, 중량각 등
복합감각	이점식별각, 입체인지
내장감각	공복감, 포만감, 구갈감, 요의 · 변의
특수감각	시각, 청각 · 평형각, 후각, 미각

1) 병적반사 : 호프만반사(Hoffmann's reflex), 바빈스키반사(Babinski's reflex), 오펜하임반사(Oppencheim reflex), 고든반사(Gordon reflex), 차도크반사(Chakkock reflex), 마리-포아반사(Mari-Foix reflex) 등이 알려져 있다.

⑤ 운동기능

- 대뇌피질의 운동영역에서 명령이 내려지고 뇌간과 척수에 있는 운동신경으로 전달되어 운동이 실행된다(수의운동).

⑥ 고차뇌기능

- **고차뇌기능**이란 모인 감각정보로부터 대뇌피질이 인지, 언어, 기억, 학습, 판단, 정서, 행동제어 등으로 처리 및 대처하는 기능을 가리킨다.

(2) 말초신경계의 기능

- 말초신경계는 기능면에서 운동이나 감각을 담당하는 **체성신경계**(감각신경, 운동신경)와 생명유지에 관여하는 **자율신경계**(교감신경, 부교감신경)로 분류된다(그림 15-8).

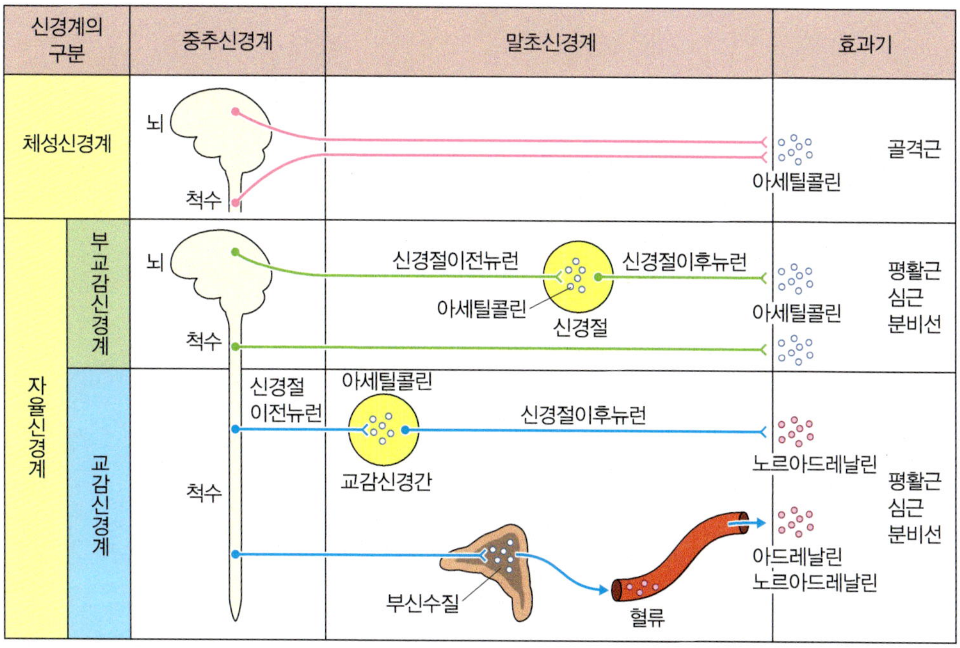

그림 15-8 체성신경계와 자율신경계의 비교

① 체성신경계

- 피부감각은 척수의 각 분절에서 뻗는 말초의 감각신경에 의해 영역별로 지배를 받는데, 이 피부 영역을 **피부분절**(dermatome)이라고 한다(그림 15-9).

② 자율신경계

- **자율신경계**는 의지와는 관계없이(불수의) 신체의 생명활동을 일정 상태로 유지하는 기능을 조절한다. 많은 장기, 전신의 혈관으로 연결되어 심장이나 내장, 선, 혈관 등의 평활근을 지배하고 생명활동(순환, 호흡, 소화, 대사)을 조절한다.
- **교감신경**이 우위로 작용하면 심박수나 혈압을 증가시키고 소화관운동을 억제하는 등 신체활동을 항진(에너지 소비)시킨다. **부교감신경**이 우위로 작용하면 심박수와 혈압을 감소시키고 소화관운동을 활발히 시키는 등 신체를 휴식(에너지 보존 또는 이완)시킨다(그림 15-6). 이 둘은 길항(힘이 동등하여 서로 대립) 상태에 있으며 체내의 항상성(homeostasis)을 유지하도록 균형 있게 작용한다.

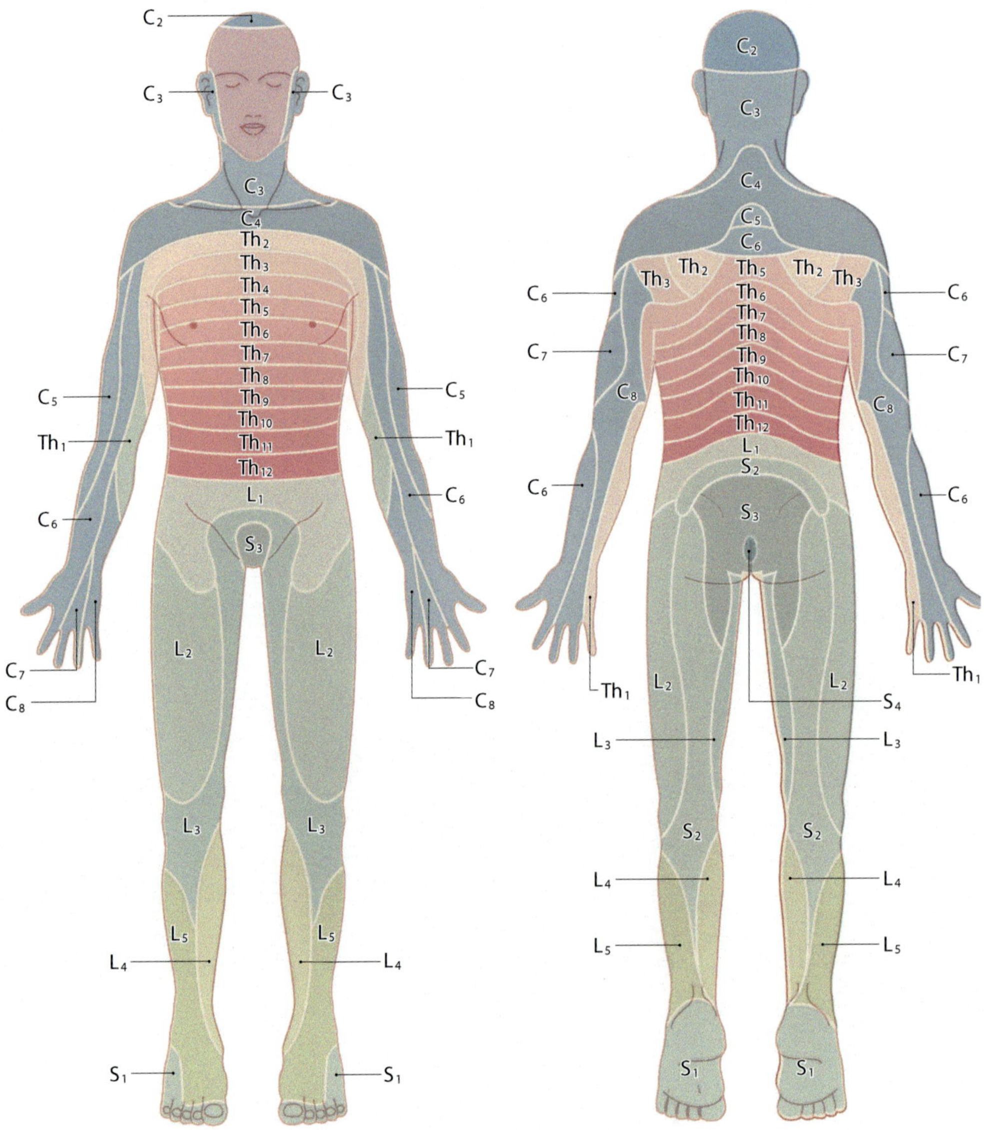

그림 15-9 피부분절

피부분절을 이용함으로써 신체의 통증이 어느 신경 지배하에 생기고 있는지 특정할 수 있다. C, T, L, S는 각각 척수의 경수(C), 흉수(T), 요수(L), 천수(S)를 나타낸다.

2. 사정방법

1) 검진순서

필요물품

- 연필, 룰렛 지각계, 핀 지각계, 온수 · 냉수가 든 용기, 음차, 동전 · 고무줄 등, 노기스, 타진용 해머, 펜라이트

준비

① 환경 준비

- 실온(22~24℃)을 유지하고 소음이 없는 조용한 곳에서 사정한다.

② 설명과 동의

- 대상자에게 사정의 목적과 방법을 설명하고 동의를 구한다.

③ 대상자 준비

- 배설을 마쳐둔다.

문진

- 건강력 : 나이, 대상자의 과거력(고혈압, 당뇨병 등), 과거 증상(두통, 경련, 현기증 등), 두부외상 등의 유무
- 자각증상 : 마비, 저림, 근력저하, 경련, 떨림, 감각이상(과민, 둔마, 이상감각), 발음장애(실어증, 구음장애 유무), 연하곤란 · 사레, 피로감 증가, 자세유지 · 보행곤란, 일상생활동작 곤란
- 기타 : 복약 상황, 농약 · 귀금속 · 용매 등과의 접촉 유무
- 문진을 시행한 후 의식장애 유무를 확인하고[의심되는 경우에는 **글래스고혼수척도**(GCS)를 이용, p.114 참조], 인지기능 저하에 대해서도 확인한다[의심되는 경우에는 **한국어판 하세가와 치매척도**(K-HDS)(표 15-3)를 활용].
- 대화가 어려운 경우 대화를 이해할 수 없는지(감각성 실어), 대화를 이해했으나 대답할 수 없는지(운동성 실어), 발음이 어려운지(구음장애)도 확인한다.

표 15-3 한국어판 하세가와 치매척도(K-HDS)

질문 내용		배점
1. 나이는 몇 살입니까? (2년까지의 오차는 정답)		0 · 1
2. 오늘은 몇 년 몇 월 며칠입니까? 무슨 요일입니까? (년, 월, 일, 요일이 정확하면 각각 1점씩)		0 · 1 · 2 · 3 · 4
3. 우리가 지금 있는 곳은 어디입니까? • 자발적으로 나오면 2점 (안 되면 5초 있다가) • 집입니까? 병원입니까? 시설입니까? 중에서 올바르게 선택하면 1점		0 · 1 · 2
4. 지금부터 말하는 3개의 단어를 말해보세요. 나중에 또 물어볼테니 잘 기억하고 계세요. (이하의 계열 어느 하나로 채택한 계열에 ○를 표시해둔다) 1 : a) 무궁화, b) 고양이, c) 지하철 2 : a) 매화, b) 개, c) 자동차		a : 0 · 1 b : 0 · 1 c : 0 · 1
5. 100에서 7을 순서대로 빼보세요. • 100−7은? 거기서 또 7을 빼면? 하고 질문한다. • 첫 대답이 정답이 아니면 중단한다.		(93) 0 · 1 (86) 0 · 1
6. 내가 지금부터 말하는 숫자를 순서대로 말해 보세요. • 6−8−2, 3−5−2−9를 반대로 말하게 한다. • 세 자리 숫자를 반대로 말하지 못하면 중단한다.		(2−8−6) 0 · 1 (9−2−5−3) 0 · 1
7. 앞에서 기억하게 한 단어를 다시 말해보세요. • 자발적으로 대답을 하면 각 2점 • 만일 대답이 없는 경우 다음의 힌트를 주어 정답이면 1점 a) 식물, b) 동물, c) 탈것		a : 0 · 1 · 2 b : 0 · 1 · 2 c : 0 · 1 · 2
8. 지금부터 5가지의 물품을 보여드리고 숨기면 무엇이 있었는지를 대답해보기 바랍니다. • 시계, 열쇠, 담배, 펜, 동전 등 반드시 서로 관계가 없는 것		0 · 1 · 2 · 3 · 4 · 5
9. 알고 있는 채소 이름을 가능한 많이 말해보세요. • 대답한 채소의 오른쪽 란에 기입한다. 도중에 막히고 약 10초 기다려도 대답하지 않으면 그 시점에 중단한다. 0∼5개=0점, 6개=1점, 7개=2점, 8개=3점, 9개=4점, 10개=5점		0 · 1 · 2 · 3 · 4 · 5
※ 30점 만점 중 20점 이하면 치매를 의심하고 21점 이상을 비치매성으로 판단한다.	합계 득점	/30점

【이 항목에서는 의식이 뚜렷한 대상자라고 상정하고 신경계 신체사정에 대해 해설한다.】

(1) 감각기능

검사

관찰내용	정상	비정상 ([ ]은 생각할 수 있는 병태 · 질환예)
표재감각 촉각 통각 온도각	• 만지는 범위를 식별할 수 있음 • 통증을 느끼고 통증의 대소와 종류를 식별할 수 있음 • 온도차를 식별할 수 있음	• 지각의 둔마 · 소실 · 과민, 이상지각, 좌우차 있음 [말초신경장애, 척수장애, 뇌경색, 뇌출혈]
심부감각 진동각	• 진동을 올바르게 식별할 수 있음	• 진동을 명확하게 느끼지 못함, 좌우차 있음 [당뇨병, 알코올중독, 말초신경장애, 척수후삭장애]
위치각	• 손가락의 움직이는 방향을 정확하게 식별할 수 있음	• 움직인 방향을 모름, 좌우차 있음 [척수후삭장애]
복합감각 입체인지 문자각 이점식별각	• 손바닥으로 쥐는 사물이 무엇인지 식별할 수 있음 • 손바닥에 쓴 글자나 숫자를 식별할 수 있음 • 자극 개소가 1점인지 2점인지를 식별할 수 있음. 2점의 거리가 손끝은 3mm 이상, 전완은 40mm 이상, 대퇴는 75mm 이상 떨어트리는 것이 기준	• 모름, 좌우차 있음 [두정엽 장애] • 모름, 좌우차 있음 [두정엽 장애] • 1점인지 2점인지 모름 [두정엽 장애]

① 표재감각

- 눈을 감은 상태에서 좌우의 전완과 하퇴 내측 부근의 피부에서 시행한다.

- **촉각** : 연필로 살짝 댄다.
- **통각** : 룰렛이나 핀 지각계를 사용해서 통증의 대소와 종류에 차이가 있는지를 질문한다. 각 자극은 2초 정도 간격을 둔다.
- **온도각** : 온수와 냉수가 든 용기를 약 3초간 피부에 대고 용기의 종류를 질문한다.

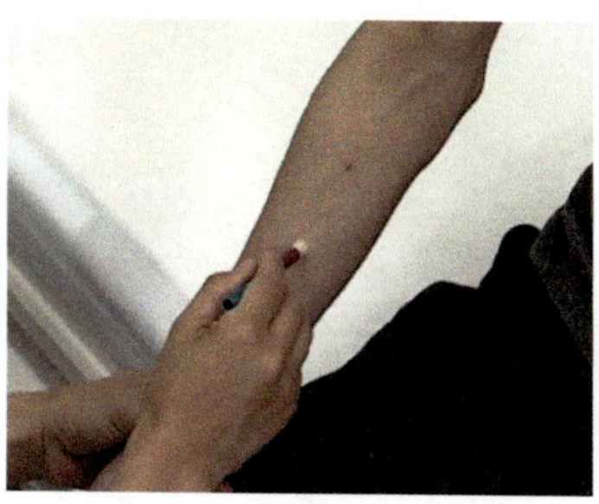
촉각

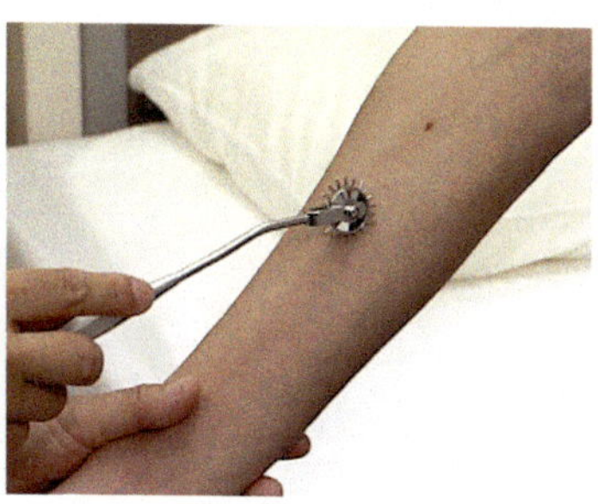
통각

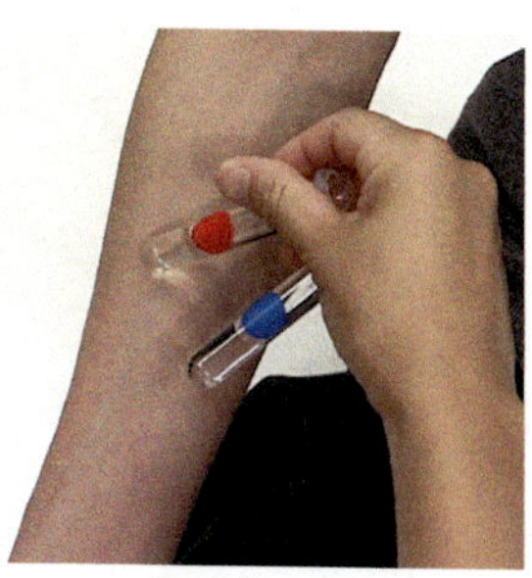
온도각

② **심부감각**

- 각각 눈을 감은 상태에서 시행한다.

- **진동각** : 진동하고 있는 음차를 좌우 손목과 발목의 뼈 돌출부에 대고 음차의 진동이 느껴지는지를 질문한다. 진동이 없어지면 신호하도록 하고 음차를 떨어뜨리고 나서 대상자가 신호할 때까지의 시간을 측정한다.
  주의 : 음차의 위치가 좌우 동일하도록 주의한다.

- **위치각** : 수평방향으로 놓은 손가락과 발가락을 간호사가 수직방향(상하)으로 움직여 어느 방향으로 움직였는지를 질문한다.

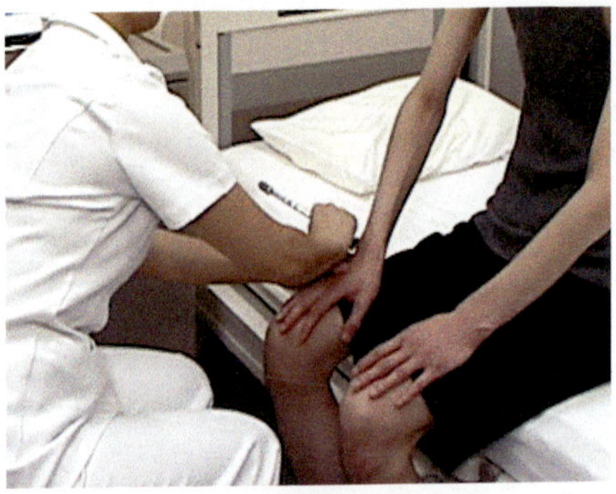

진동각

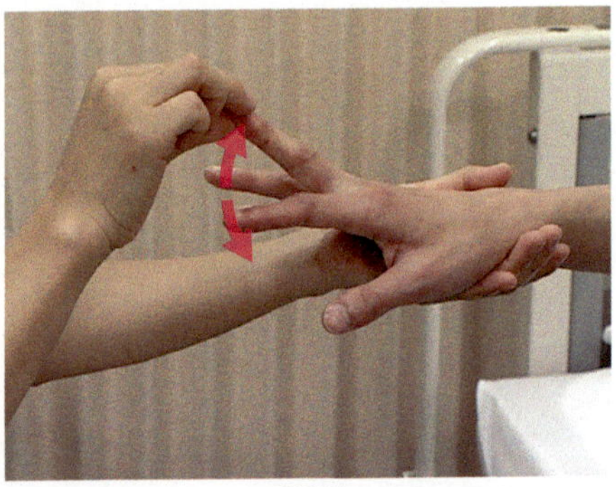

위치각

③ **복합감각**

- 각각 눈을 감은 상태에서 한쪽 손바닥에서 시행한 후 다른 쪽 손바닥에서도 마찬가지로 확인하여 좌우차를 관찰한다.

- **입체인지** : 손바닥에 동전, 고무줄 등을 올린 후 쥐어보게 하고 무엇인지를 질문한다.

- **문자각** : 손바닥에 손으로 간단한 문자나 숫자를 써서 무엇이라고 쓴 것인지를 질문한다.
  주의 : 문자의 방향이 대상자 쪽을 향하도록 주의한다.

- **이점식별각** : 노기스로 손끝, 전완, 하퇴 등의 피부에 한 점 또는 두 점 동시에 대고 자극을 느낀 개소가 한 곳인지 두 곳인지를 질문한다. 이때 두 점의 간격은 넓게 한다. 정답을 맞히면 두 점의 간격을 양끝에서 점차 좁혀가서 두 점을 식별할 수 있는 최소폭을 관찰한다.
  주의 : 부위에 따라 두 점을 식별할 수 있는 최소폭은 다르다.

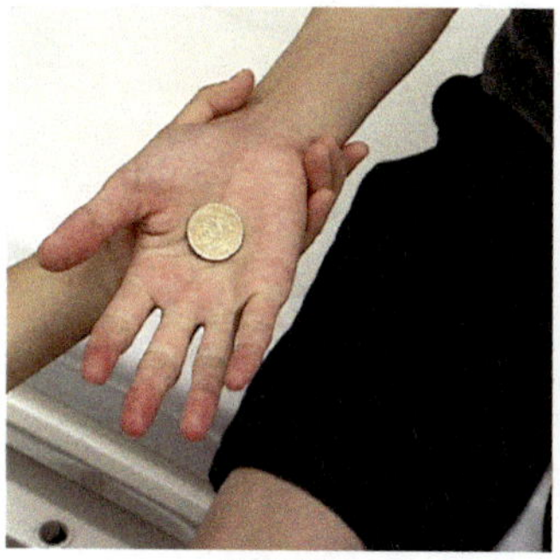

입체인지

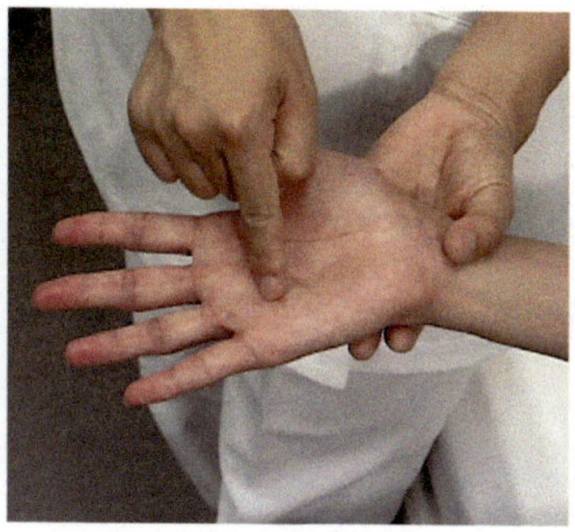

문자각

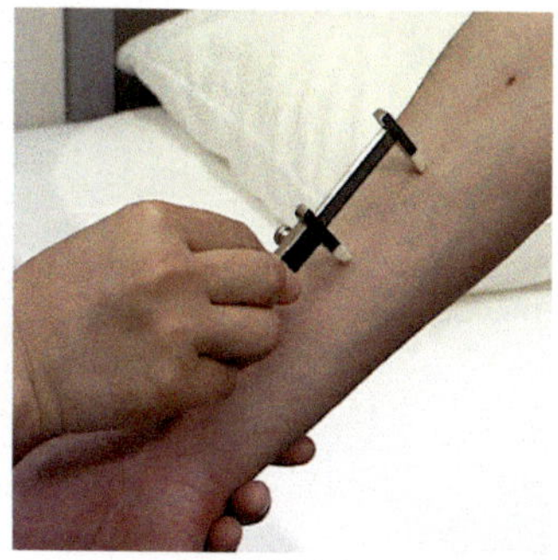

이점식별각

(2) 운동기능

검사

관찰내용	정상	비정상 ([ ]은 생각할 수 있는 병태 · 질환예)
바레징후		
상지	• 상지의 자세를 약 20초 유지할 수 있음	• 대상자의 손바닥이 내측으로 회전(회내)하고 팔 전체도 하강함 [추체로장애]
하지	• 하지의 자세를 약 20초 유지할 수 있음	• 대상자의 하지가 휘청거리고 하강함 [추체로장애] 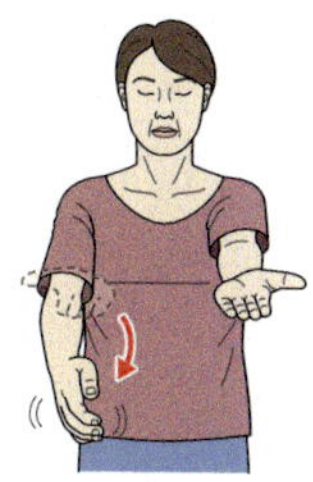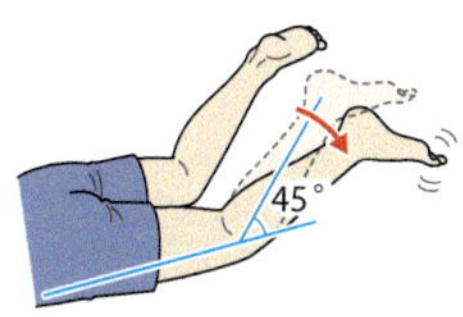

- **바레징후**(Barre's sign)
- **상지** : 앉은 자세에서 눈을 감고 손바닥을 위로 향하게 한 다음 팔꿈치를 수평으로 펴서 약 20초간 유지할 수 있는지를 확인한다.
- **하지** : 엎드려 누운 자세에서 두 슬관절을 45°로 구부려 약 20초간 유지할 수 있는지를 관찰한다.

(3) 소뇌기능·평형기능

검사

관찰내용	정상	비정상 ([ ]은 생각할 수 있는 병태 · 질환예)
손가락코대기검사	• 손가락을 코까지 최단거리로 이동시켜 정확하게 만질 수 있음 • 눈을 감았을 때도 코를 만질 수 있음, 손가락에 떨림이 없음	• 손가락이 코를 만질 수 없음, 움직임이 느리고 정확하지 않음 [소뇌실조] • 눈을 떴을 때와 눈을 감았을 때 차이가 있음, 떨림이 있음, 신속하고 정확하게 움직이지 못함 [운동실조]
손가락맞대기검사 (협조운동)	• 대상자의 코 – 간호사의 손가락 – 대상자의 코를 순서대로 정확하고 신속하게 만질 수 있음 • 간호사의 손가락이 이동해도 만질 수 있음 • 손가락에 떨림이 없음	• 간호사의 손가락에 갖다 대지 못함, 떨림이 있음, 움직임이 느리고 정확하지 않음 [소뇌실조]
빠른교대검사	• 손바닥과 손등으로 같은 부위(예 : 무릎)를 교대로 규칙적으로 신속하게 두드림	• 움직임이 느림, 반복해서 정확하게 두드리지 못하고 불규칙, 두드리는 부위가 일정하지 않음 [소뇌실조]
발꿈치무릎검사	• 정확한 움직임이 가능함	• 움직임이 느리고 일정하지 않음, 반복하여 정확하게 할 수 없음 [소뇌실조]
롬베르그검사	• 눈을 뜨고 비틀거리지 않고 약 60초 선 자세를 유지할 수 있음 • 눈을 감고 비틀거리지 않고 약 60초 선 자세를 유지할 수 있음	• 눈을 뜨고 비틀거림 [평형기능장애] • 눈을 감으면 비틀거림 [척수후삭장애]
한발서기	• 눈을 뜨고 약 10초 한발서기가 가능함 • 눈을 감고 약 10초 한발서기가 가능함	• 눈을 뜨고 약 10초 한발서기를 유지할 수 없음 [평형기능장애] • 눈을 감고 한발서기를 5초 유지할 수 없고 비틀거림 [척수후삭장애]
보행	• 상세한 내용은 p.231 참조	
발붙여걷기	• 똑바로 직선 위를 걸을 수 있음 	• 비틀거림 있음 [평형기능장애]

① **손가락코대기검사**(finger to nose test)

- 한쪽 손가락으로 자신의 코를 만졌다가 떼는 동작을 속도를 높이면서 반복하도록 지시한다.
- 손가락을 이동시켜 원활하게 코를 만질 수 있는지, 코까지의 최단거리를 유지하는지, 떨림은 없는지를 관찰한다.
- 눈을 감은 상태에서 같은 동작을 하게 하여 마찬가지로 관찰한다.

② **손가락맞대기검사**(finger to finger test)

- 간호사와 마주 앉아 간호사의 손가락과 자신의 코를 최대한 빨리 교대로 만지도록 지시한다.
- 간호사의 손가락을 다양하게 움직여 대상자에게 간호사의 손가락을 맞대도록 지시한다. 움직임에 맞게 만질 수 있는지를 관찰한다.

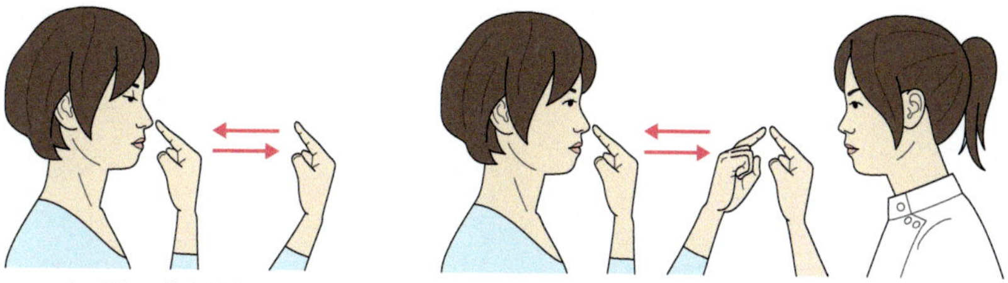

손가락코대기검사　　손가락맞대기검사

③ **빠른교대검사**

- 마주 앉아 간호사의 움직임에 맞추어 자신의 한쪽 무릎 또는 양 무릎을 손바닥과 손등으로 교대로 두드리도록 지시한다. 반복하면서 서서히 속도를 높여 움직임을 관찰한다.

④ **발꿈치무릎검사**(heel-knee test)

- 바로 누운 자세 또는 앉은 자세에서 발꿈치를 한쪽 무릎에 올리고 경골을 따라 아래로 미끄러지는 움직임을 좌우에서 관찰한다.

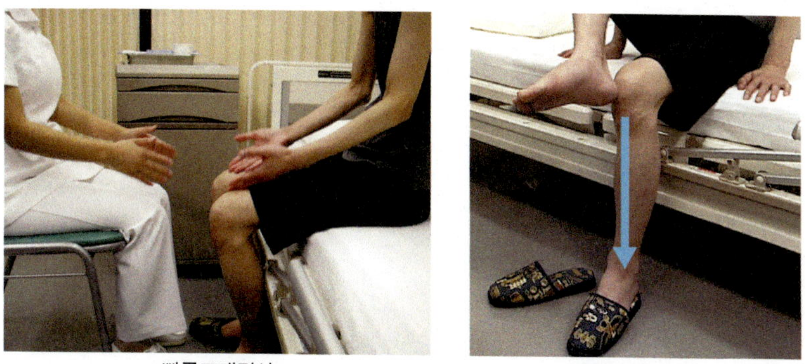

빠른교대검사　　발꿈치무릎검사

⑤ **롬베르그검사**(Romberg's test)

- 발끝을 붙이고 선 자세를 취한다. 첫 번째는 눈을 뜨고, 두 번째는 눈을 감은 상태에서 약 60초간 선 자세를 유지하게 하여 비틀거림 유무를 관찰한다.

⑥ **한발서기**

- 눈을 뜬 상태에서 한발로 서고 약 10초간 유지할 수 있는지를 관찰한다. 그 다음 눈을 감은 상태에서 다른 발로 서고 마찬가지로 약 10초간 유지할 수 있는지를 관찰한다.

⑦ 보행

- 보행에 대한 상세한 내용은 p.231을 참조하기 바란다.

⑧ 발붙여걷기

- 우선 한쪽 발을 앞에 내밀고 그 발끝에 다른 발 발꿈치를 붙여 직선을 그리듯 연속해서 걷게 하여 비틀거림 유무를 관찰한다.

(4) 반사기능

➲ 측정 / 타진 / 검사

관찰내용	정상	비정상 ([ ]은 생각할 수 있는 병태 · 질환예)
대광반사 직사대광반사 간접대광반사	• 빛이 닿는 쪽 동공이 작아짐 • 빛이 닿지 않는 쪽 동공이 작아짐	• 동공이 작아지지 않음(반사 소실) [제Ⅲ뇌신경(동안신경)장애]
심부반사 이두근반사 (제5 · 6경수신경근)	• 전완이 굴곡	• 주관절의 굴곡이 항진/감약 ※
삼두근반사 (제6 · 7경수신경근)	• 전완이 신전	• 주관절의 신전이 항진/감약 ※
상완요골근반사 (제5 · 6경수신경근)	• 손바닥이 요굴	• 수관절의 신전이 항진/감약 ※
슬개건반사 (제2~4요수신경근)	• 하퇴가 신전	• 신전이 항진/감약 ※
아킬레스건반사 (제5요수신경근 · 제1 · 2천수신경근)	• 족저가 저굴	• 저굴이 항진/감약 · 소실 ※ ※ 반사항진 [반사궁보다 상위의 뇌 · 척수손상(추체로장애)], 반사감약 [반사궁보다 하위의 말초신경장애]
표재반사 복벽반사 (제상부 : 제8–10흉수신경근, 제하부 : 제11 · 12흉수신경근, 제1요수신경근)	• 배꼽이 자극을 받은 쪽으로 편위	• 한쪽에서 감약 · 소실 [추체로장애] • 양측성으로 소실 [고령, 비만, 임신, 복부수술 과거력, 복수 등]
바빈스키반사	• 발가락이 발바닥 쪽으로 굴곡	• 엄지가 발등 쪽으로 구부러지고 다른 발가락이 벌어짐 [추체로장애] 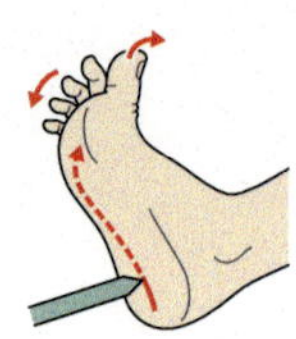
근긴장	• 발에 진동과 유사한 떨림이 없음	• 발에 진동과 유사한 떨림이 있고 상하로 움직임, 좌우차 있음 [추체로장애]

① **대광반사(빛반사, light reflex)**

- 망막에 도달하는 빛이 축동(miosis; 동공이 작아짐)을 일으키는 원리를 이용해서 의식장애의 정도를 측정하는 방법이다.
- 눈을 뜬 상태에서 먼 곳을 보도록 지시하고 가쪽에서 한쪽 눈의 동공에 펜라이트로 빛을 비춘다.

  주의 : 빛을 비추지 않는 다른 눈에 빛이 들어가지 않도록 간호사의 손으로 빛을 막는다.

- **직접대광반사** : 펜라이트의 빛이 닿는 쪽 동공이 작아지는지를 관찰한다.
- **간접대광반사** : 펜라이트의 빛이 닿지 않는 쪽 동공이 작아지는지를 관찰한다.

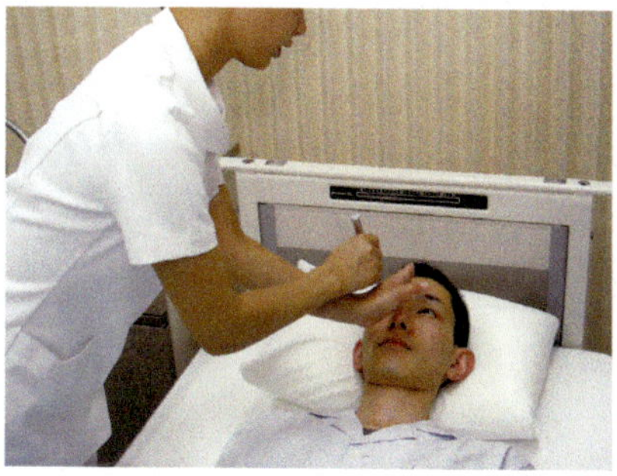

대광반사

② **심부반사[신장반사(뻗침반사, stretch reflex)]**

- 각 부위에 대해 좌우 모두 시행한다.
- **이두근반사**(두갈래근반사, biceps reflex) : 주관절을 살짝 구부리고 전완을 약간 외회하여 주와(팔꿈치오목) 중앙부에 간호사의 엄지를 올리고 타진용 해머의 예리한 부분으로 살짝 두드린다.
- **삼두근반사**(세갈레근반사, triceps reflex) : 주관절을 90°로 구부리고 주두(팔꿈치머리)에서 4~5cm 위를 타진용 해머로 두드린다.
- **상완요골근반사**(위팔노근반사, brachioradialis reflex) : 요골의 경상돌기(붓돌기)에서 5cm 정도 위를 타진용 해머로 두드린다.

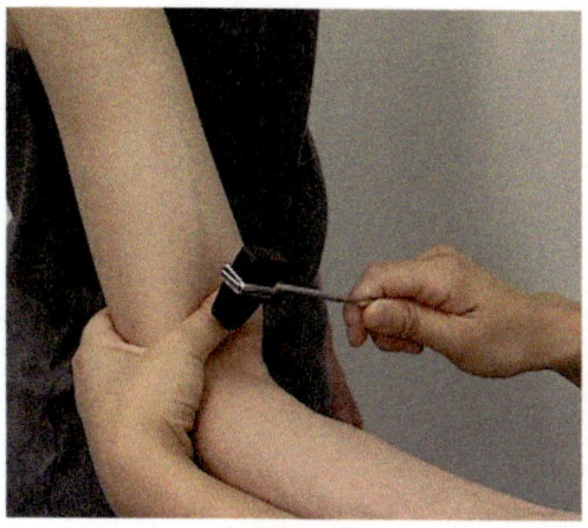

이두근반사

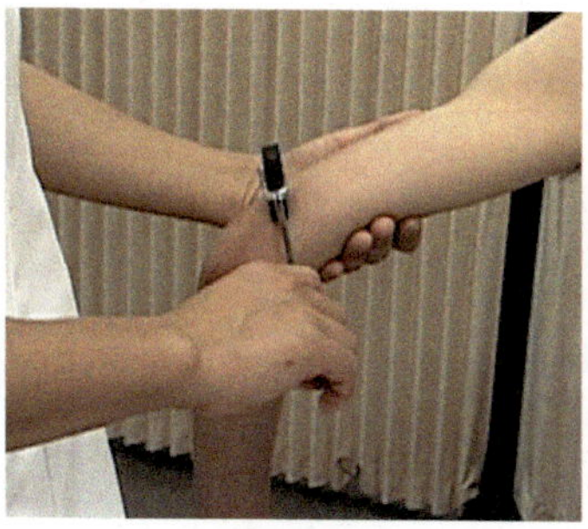

삼두근반사

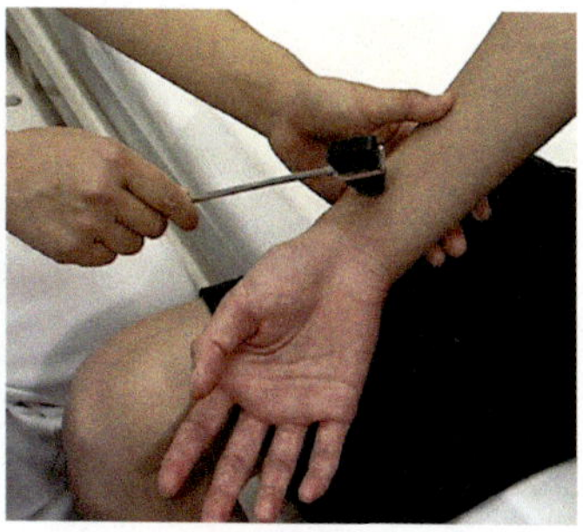

상완요골근반사

- **슬개건반사**(무릎힘줄반사, patellar tendon reflex) : 바로 누운 자세 또는 앉은 자세에서 한쪽 무릎에 다른 쪽 다리를 올려 꼬고 슬개골 바로 아래를 타진용 해머로 직접 두드린다. 발을 바꾸어 같은 강도로 두드려 좌우차를 비교한다.
- **아킬레스건반사**(아킬레스힘줄반사, Achilles tendon reflex) : 슬개건반사의 사정과 마찬가지로 다리를 꼬고 손으로 발바닥을 약간 발등 쪽으로 굽힌 상태에서 타진용 해머로 아킬레스건을 두드린다. 발을 바꾸어 같은 강도로 두드려 좌우차를 비교한다.

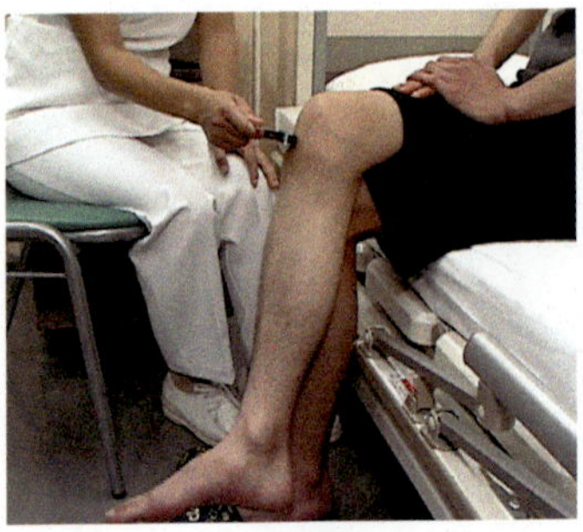
슬개건반사

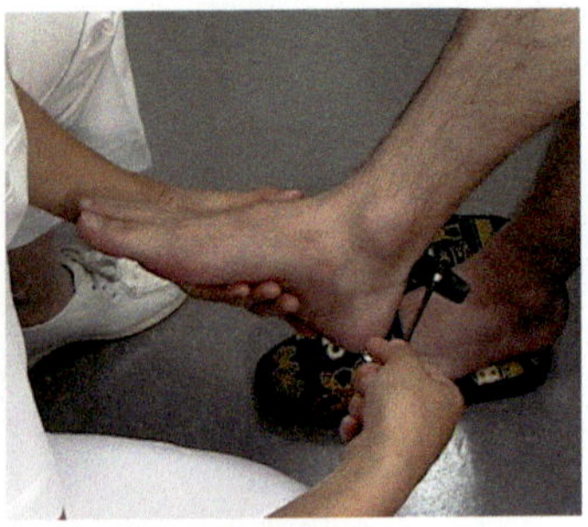
아킬레스건반사

③ 표재반사

- **복벽반사**(배근육반사, abdominal reflex) : 바로 누운 자세에서 무릎을 구부려 복벽을 이완시킨다. 복벽 좌우 한쪽에서 상 · 중 · 하 3영역으로 나누어 바깥쪽에서 배꼽을 향해 타진용 해머의 손잡이로 긁어 배꼽이 편위하는지, 좌우차가 있는지를 관찰한다.
- **바빈스키반사**(Babinski reflex) : 바로 누운 자세에서 두 다리를 뻗는다. 타진용 해머의 손잡이로 발바닥 가쪽을 발꿈치에서 엄지를 향해 긁는다. 발가락의 움직임, 좌우차도 관찰한다.
- **근긴장** : 바로 누운 자세에서 무릎을 살짝 구부린다. 무릎 아래를 한손으로 받치고 다른 손을 발바닥에 대어 발을 등쪽으로 구부리듯이 힘을 가한다. 족부의 떨림이 있는지, 좌우차도 관찰한다.

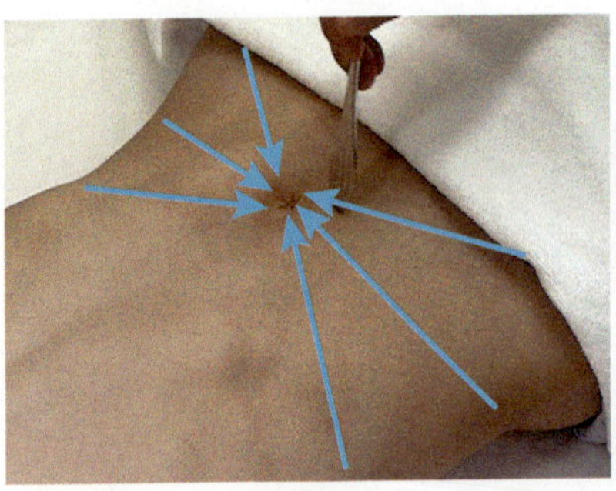
복벽반사

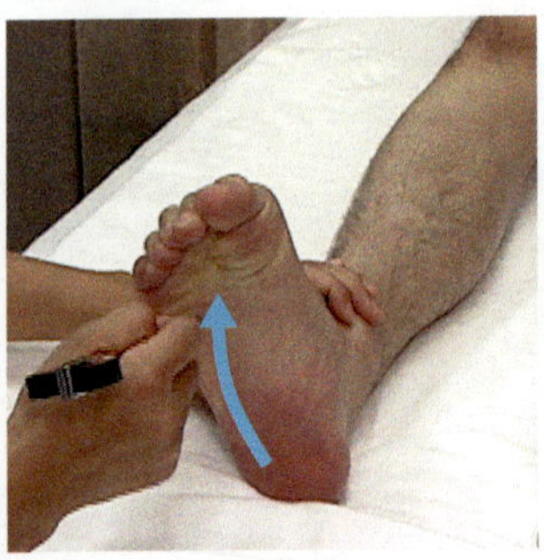
바빈스키반사

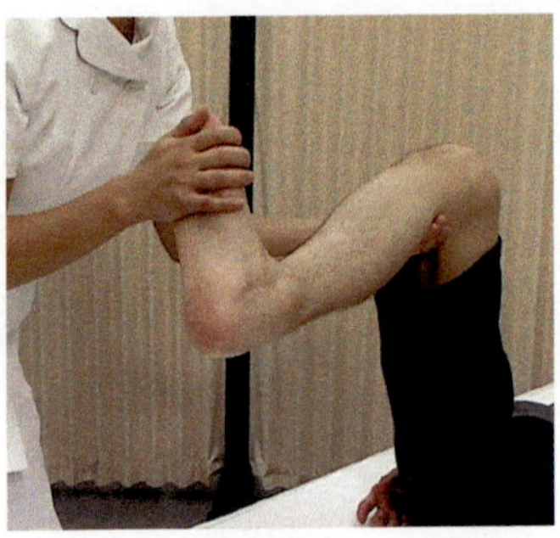
근긴장

신경계 신체검진의 핵심

- 선 자세에서 검진하는 경우에는 낙상방지를 위해 언제든 대상자를 붙들 수 있도록 한다.
- 신경학적 검진은 시간을 필요로 하기 때문에 피로를 최소한으로 줄이도록 노력한다.
- 대상자의 부담을 줄이고 원활하게 검진을 진행하기 위해 앉은 자세에서 할지 선 자세에서 할지를 생각하여 검진 순서를 구성한다.
- 고령자의 경우 시 · 청각의 저하, 노화 또는 질병 등 여러 인자가 얽혀 있기 때문에 반응이 느리더라도 잘 들리지 않는지, 질문을 이해하고 있는지, 대답을 못하고 있는지 등 충분히 시간을 들여 사정한다.
- 언어장애가 있는 경우 정확하게 자료를 얻을 수 있도록 문진한다. 대상자 본인에게서 자료수집과 확인을 충분히 하여 가족 등 타인으로부터의 정보에 치우치지 않도록 한다.
- 반사검사에서는 대상자가 긴장하면 결과에 영향이 나타나기 때문에 긴장을 이완할 수 있도록 배려한다.

2) 기록

- 비정상 소견이 관찰되는 경우 그 부위, 기능, 기준범위에서 벗어난 정도, 좌우차 등을 명기한다. 시간에 따른 변화가 있으면 추가로 기록한다.
- 필요하면 그림으로 표시한다. 기울기가 관찰되는 부위가 있으면 구체적인 각도도 기록한다.
- 의식수준의 변화는 활력징후와 연동하여 특유의 변화가 관찰되기 때문에 혈압, 맥박, 체온, 호흡에 대해서도 측정하여 명기한다.

■ 기록예

- 온도각 : 둔마
- 롬베르그검사 : (++) 눈을 감고 30초 유지 가능
- 보행 : 발붙여걷기 불가
- 발꿈치무릎검사 : 양측 정확함
- 심부반사 :
  - 이두근반사 : 양측 (±)
  - 삼두근반사 : 양측 (±)
  - 상완요골근반사 : 양측 (±)
  - 복벽반사 : 양측 (−)
  - 슬개건반사 : 양측 (−)
  - 바빈스키반사 : 양측 (+)

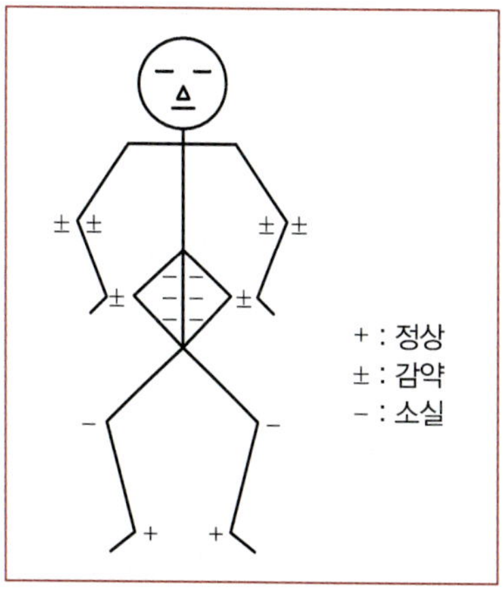

3) 검진결과와 간호수행

- 비정상 소견이 관찰된 경우에는 의사에게 보고한다. 향후 생각할 수 있는 증상의 악화에 대해 확인한다.
- 시간에 따른 경과를 관찰하여 특히 의식장애 등 심각한 이상의 조기발견에 노력한다.
- 기능장애로 일어날 수 있는 운동제한, 즉 일상생활활동의 제한을 생각하고 예측되는 부상이나 이차적 합병증에 대한 구체적인 예방책이나 지원을 검토한다.
- 운동마비나 근력저하가 있으면 환경 정비와 낙상방지를 위한 도구 등도 검토한다.
- 대상자에게 감각기능장애, 예를 들어 표재감각장애가 있으면 외상이나 화상, 욕창 등을 예방한다.
- 대상자에게 언어기능장애가 있으면 천천히 말하고 동작을 많이 사용하는 등 원활한 의사소통에 노력한다.
- 대상자에게 기억기능장애가 있으면 복약지도 시 가족도 참가시켜 지원하도록 검토한다. 약의 제형 변경 등도 의사와 상담한다.

학습과제

1. 환자상을 설정하고 대상자에게 부담이 적은 신경계 사정을 구성해보자.
2. 어떤 상태일 때 신경계의 비정상 소견이 관찰되는지 질환의 지식과 통합하여 생각해보자.

CHAPTER

16 비뇨기계

학습목표

1. 비뇨기계의 구조와 기능을 설명할 수 있다.
2. 대상자와의 면담을 통해 비뇨기계와 관련된 주관적 자료를 사정한다.
3. 정확한 신체사정을 통하여 비뇨기계의 정상과 비정상 소견을 구분하고 객관적 자료를 수집, 원인이나 관련 요인을 검토하여 간호중재에 활용한다.

1. 구조와 기능

1) 구조

- **비뇨기계**는 신장, 요관, 방광, 요도로 구성된다(그림 16–1).
- **신장**(콩팥, kidney)은 좌우 1쌍의 강낭콩 모양을 한 후복막장기이다.
- 신장은 제12흉추에서 제3요추 높이에 위치하며 우신(오른콩팥)은 간 때문에 좌신(왼콩팥)보다 약간 아래쪽에 위치한다(그림 16–2).
- **요관**(ureter)은 좌우 신우(콩팥깔때기, renalpelvis)에서 방광을 연결하는 관강장기로, 25~30cm 정도이다.
- **방광**(bladder)은 평활근(민무늬근육)으로 이루어진 신축성 풍부한 주머니 모양의 장기로, 치골결합(두덩결합, pubicsymphysis) 뒤의 골반강에 위치한다.
- **요도**(urethra)는 방광에서 요도구(요도구멍, urethral meatus)까지의 관강장기로, 남성이 15~20cm, 여성이 3~4cm 정도이다.

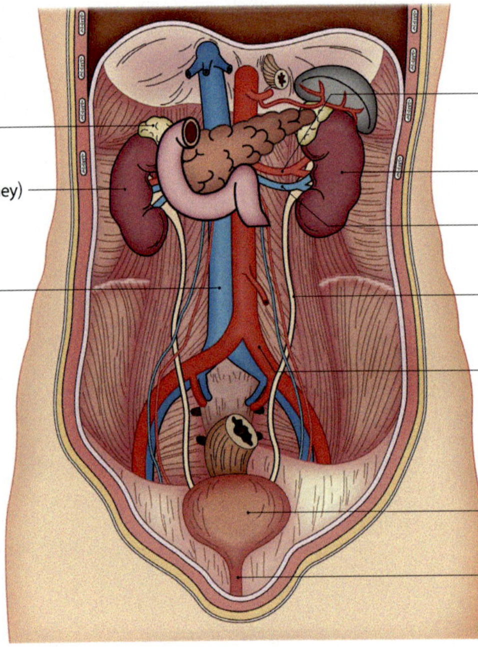

그림 16-1 비뇨기계의 장기

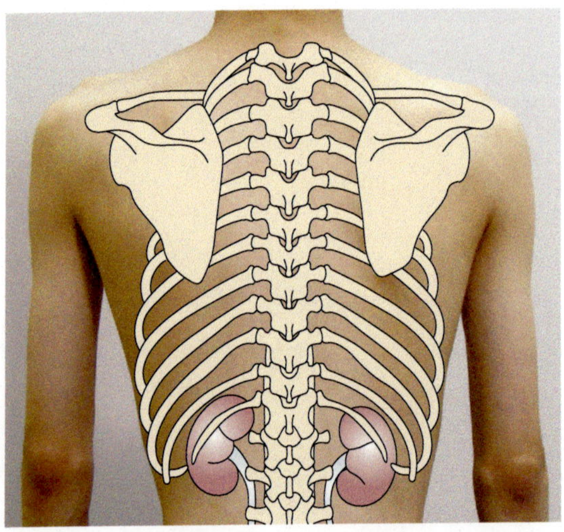

그림 16-2 신장의 위치(배부)

2) 기능

(1) 신장의 기능

- 신장은 **소변**을 생성함으로써 노폐물을 몸 밖으로 배설한다.
- 나트륨이온(Na^+), 칼륨이온(K^+), 칼슘이온(Ca^{2+}), 염소이온(Cl^-), 인산수소이온(HPO_4^{2-})의 혈중농도를 조

절한다.

- 수소이온(H^+)을 소변 중으로 배설함으로써 중탄산이온(HCO_3^-)을 유지하여 혈액의 pH를 조절한다.
- 수분을 유지하거나 배설함으로써 체내 혈류량을 조절한다.
- 레닌(renin)을 분비하여 **레닌–앤지오텐신–알도스테론계**를 활성화시켜 혈압을 조절한다.
- **적혈구형성인자**(erythropoietin)를 생산하여 적혈구 생산을 촉진한다.
- 활성형 비타민 D를 합성하여 칼슘의 흡수를 돕는다.

(2) 배뇨기전 (그림 16–3)

- 생성된 소변이 차서 방광내압이 100mmHg(소변양 200~250mL)가 되면 방광벽이 늘어나 수용기를 자극한다.
- 척수반사(spinal reflex)를 통해 배뇨근이 수축되고 내요도괄약근(속요도조임근)이 이완된다. 이에 따라 대뇌에서 요의를 느끼는데, 어느 정도까지는 참을 수 있다.
- 대뇌에서 배뇨할 수 있는 상황을 인식하면 의식적으로 외요도괄약근을 이완시켜 몸 밖으로 소변을 배출한다.

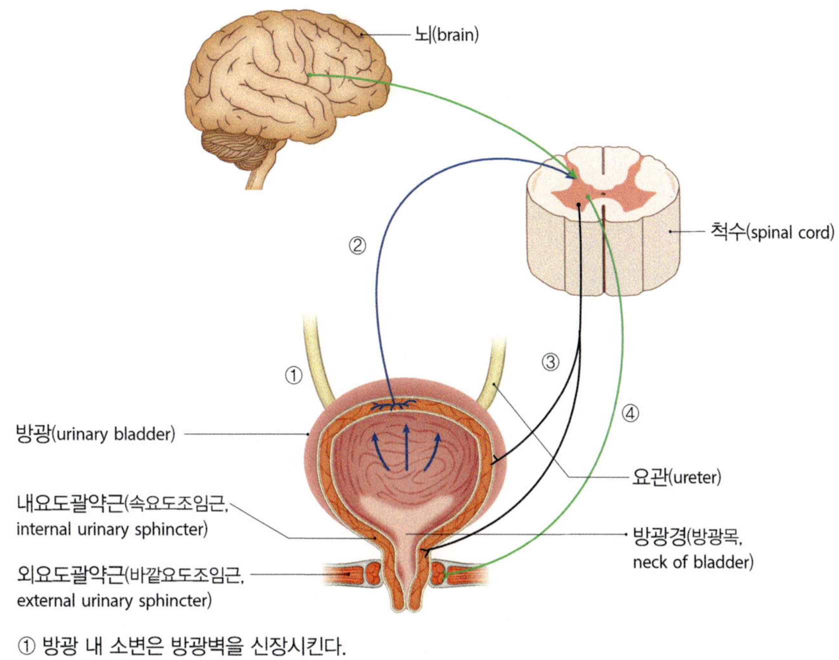

① 방광 내 소변은 방광벽을 신장시킨다.
② 신장수용기에서 오는 흥분자극은 척수로 전달된다.
③ 척수 내에 있는 시냅스에서의 활동전압은 부교감신경을 따라가서 속요도조임근을 이완시키고 방광의 평활근을 수축시킨다(척수반사).
④ 고위 뇌중추에서 오는 흥분자극은 외요도괄약근의 이완을 자극 또는 억제하여 배뇨를 조절한다.

그림 16–3 배뇨기전

2. 사정방법

1) 검진순서

문진, 시진, 촉진, 타진 순으로 진행한다.

필요물품

- 담요

준비

① 환경 준비

- 실온과 조도를 유지하고 소음이 없는 조용하고 사생활을 보호할 수 있는 공간에서 진행한다.

② 설명과 동의

- 대상자에게 사정의 목적과 방법을 설명하고 동의를 구한다.

③ 대상자 준비

- 배뇨를 마쳐둔다.
- 복부를 노출한다. 담요를 덮어 노출부위를 최소한으로 한다.

문진

- 배뇨상태(소변양, 낮과 야간의 배뇨횟수, 소변색, 소변 냄새, 배뇨곤란, 배뇨지연, 소변의 세기, 잔뇨감, 실금, 배뇨 시 통증 등)
- 복통, 요배부통 유무
- 과거력(비뇨기계 질환, 골반 내 수술, 당뇨병 등)
- 복용 약물

시진 / 촉진 / 타진

관찰내용	정상	비정상 ([ ]은 생각할 수 있는 병태 · 질환예)
신장의 촉진	• 만져지지 않음(야윈 사람의 경우 드물게 만져지기도 함) • 압통 없음	• 종괴 있음 [신장종양] • 비대 있음 [수신증, 신장비대] • 압통 있음 [신장의 염증]
방광의 시진	• 팽윤 없음	• 팽윤 있음 [소변의 저류]
방광의 촉진	• 압통 없음	• 압통 있음 [방광의 염증]
신장의 타진	• 통증 없음	• CVA 압통 [신장의 염증 및 결석]

① 신장의 촉진

- 대상자에게 바로 누운 자세에서 무릎을 구부리게 하여 검상돌기에서 치골결합 부위까지를 노출시킨다.
- 간호사는 대상자의 오른쪽에 서서 왼쪽 손바닥을 대상자 등면의 제12늑골 아래에 대고 오른손을 같은 높이의 우늑하부에 대어 양손에 대상자의 측복부를 끼운다.
- 대상자에게 심호흡을 시킨다.
- 대상자가 흡기 시 왼손으로 등면을 밀어 올리고 오른손으로 깊숙이 압력을 가한다.
- 좌측 신장도 마찬가지로 진행한다.

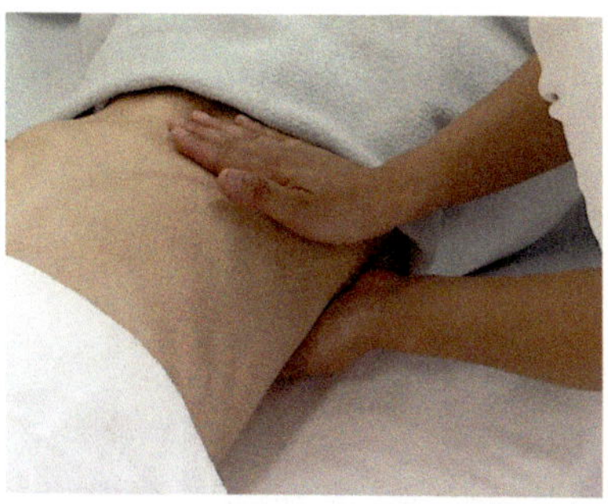
① 양손에 대상자의 측복부를 끼운다.

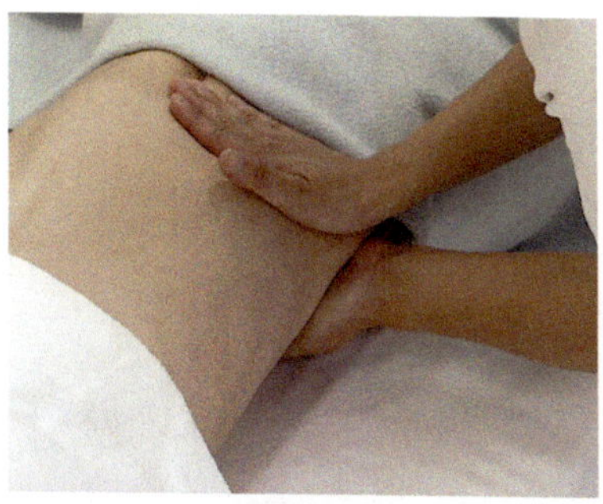
② 왼손으로 등면을 밀어 올리고 오른손으로 깊숙이 압력을 가한다.

양손으로 신장을 촉진한다.

② 방광의 시진

- 계속해서 대상자에게 바로 누운 자세를 취하게 한다.
- 간호사의 시선을 대상자의 복부 높이로 수평하게 맞추고 치골결합 상부의 하복부 팽윤을 확인한다.

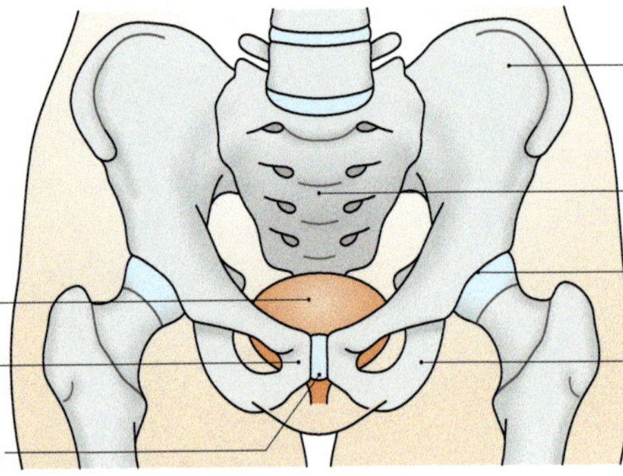

방광의 위치관계

③ 방광의 촉진

- 방광의 시진 후 치골결합 상부를 관찰한다.

④ 신장의 타진

- 대상자를 등받이가 없는 의자에 앉혀 등 부위를 노출시킨다.
- 간호사는 대상자의 배부에 서서 배부의 제12늑골에 왼손을 올리고 오른손으로 타진한다.
- 좌우의 신장을 타진한다.
- 정상에서는 통증이 없지만 신장이나 주변에 염증이나 결석이 있으면 늑골척추각(costovertebral angle, CVA)에서 압통이 느껴진다.

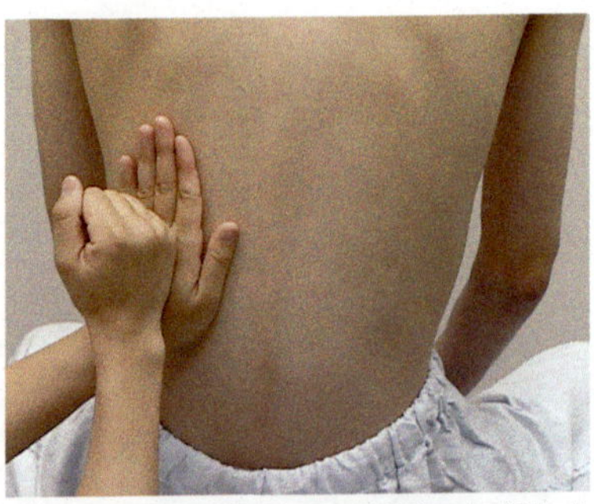

왼쪽 배부의 제12늑골 위를 타진한다.

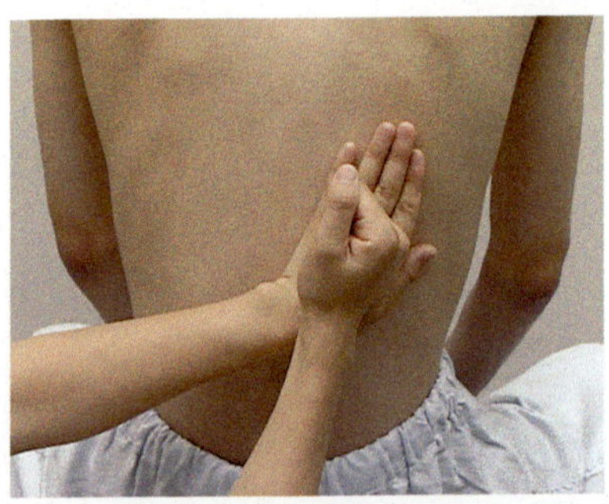

오른쪽 배부의 제12늑골 위를 타진한다.

비뇨기계 신체사정의 핵심

- 신장 타진 시 왼손을 등에 대고 오른손으로 두드리는 이유는 신장의 염증을 확인하기 위해 자극을 심부에 전달시키려는 목적 때문이다.
- 혈액이나 소변의 검사결과를 참고로 병태를 예측하여 검진을 진행한다.

2) 기록

- 비정상 소견이 있는 경우에는 부위와 그 정도를 기록한다.
- 필요하면 그림으로 표현한다.
- 시간에 따른 변화를 기록한다.

3) 검진결과와 간호수행

- 비정상 소견이 관찰된 경우 의사에게 보고한다.
- 통증이 심하면 복통을 완화시키는 편안한 자세를 취하게 하고 의사에게 치료방침을 확인한다.
- 오한 · 전율 시에는 충분히 보온하고 의사에게 치료방침을 확인한다.
- 신장기능의 저하가 의심되는 경우에는 전신의 부종상태나 호흡상태 등도 함께 확인한다.
- 호흡곤란이 있는 경우에는 체위에 배려하고 의사에게 보고한다.
- 배설 환경을 정비함으로써 인간의 기본적 욕구를 충족시킨다.
- 실금으로 인해 피부통합성이 손상된 경우 욕창간호에 준한 간호중재를 시행한다.

학습과제

1. 순서에 따라 신장과 방광의 상태를 검진해보자.
2. 어떠한 상태를 비뇨기계의 비정상 소견으로 보는지 질환의 지식과 통합하여 생각해보자.

CHAPTER 17

생식기계

학습목표

1. 생식기계의 구조와 기능을 설명할 수 있다.
2. 대상자와의 면담을 통해 생식기계와 관련된 주관적 자료를 사정한다.
3. 정확한 신체사정을 통하여 생식기계의 정상과 비정상 소견을 구분하고 객관적 자료를 수집, 원인이나 관련 요인을 검토하여 간호중재에 활용한다.

1. 구조와 기능

1) 남성 생식기

(1) 구조

- 남성 생식기는 고환(testis), 부고환(epididymis), 정관(vas deferens), 사정관(ejaculatory duct), 정낭(seminal vesicle), **전립선**(전립샘, prostate), 요도구선(망울요도샘, bulbourethral gland)과 음낭이나 음경 등의 지지 조직으로 구성된다(**그림 17-1**).
- 음낭(scrotum)은 고환, 부고환, 정관의 일부를 감싸며 주머니 모양을 하고 있다.
- 음경(penis)은 음경근(음경뿌리, root of penis), 음경체(음경몸통, body of penis), 귀두(glans)로 나뉘며 음경해면 체와 요도해면체를 포함한다.

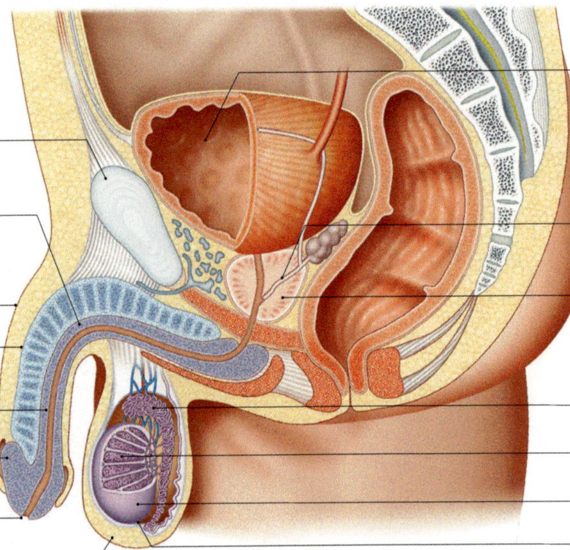

그림 17-1 남성 생식기와 주위 구조(시상단면)

(2) 기능

- 생식기는 남녀의 형태와 기능이 확연히 다른 기관이며, 성기능 · 생식기능을 담당한다.
- 남성성 · 여성성, 성역할의식이나 신체상 등을 형성한다.
- 고환에서 **정자**(sperm)가 생산되고 남성호르몬(안드로겐)이 분비된다.

2) 여성 생식기

(1) 구조

- 여성의 외부생식기는 피부, 음모, 대음순(labium major), 소음순(labium minor), 음핵(clitoris), 외요도구(바깥요도구멍, external urethral opening), 대전정선(큰질어귀샘, greater vestibular gland; 바르톨린선), 회음(샅, perineum) 등으로 구성된다(그림 17-2).
- 여성의 내부생식기는 **질**(vagina), **자궁**(uterus), **난소**(ovary), **난관**(자궁관, uterine tube)으로 구성된다(그림 17-3).
- 대음순은 외부생식기의 가장 바깥에 있으며 치구(불두덩, mons pubis)에서 항문까지 좌우로 주행하는 주름으로, 소음순을 둘러싸는 지방이 풍부한 조직이다.
- 소음순은 음핵 상부에서 후방을 향해 좌우대칭으로 열려 질 후연에서 닫힌다.
- 좌우 소음순에 둘러싸인 부분을 질전정(질어귀, vestibule of vagina)이라고 하며, 질전정에는 외요도구

(바깥요도구멍, external urethral opening)와 질구(질구멍, vaginal orifice)가 있다.

- 소음순의 내면은 점막과 유사한 피부로 덮이며 음모는 없다.
- 대전정선(바르톨린선)은 완두콩 크기의 부속생식선으로 점액을 분비하며, 도관은 소음순 내측의 4시 및 8시 방향에 있다.

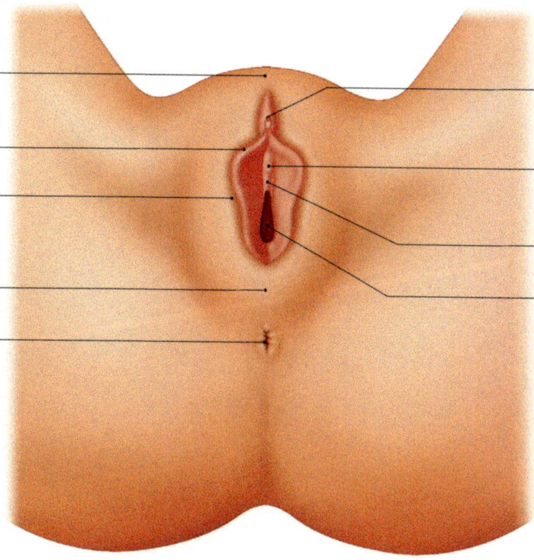

그림 17-2 여성의 외부생식기

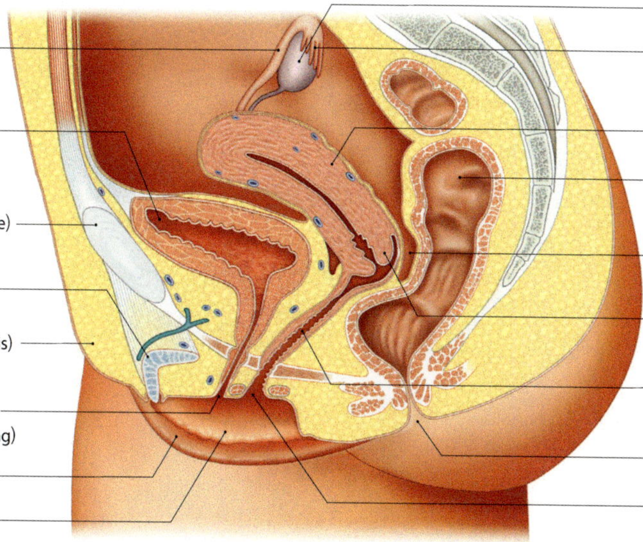

그림 17-3 여성 골반의 정중단면

(2) 기능

- 생식기는 남녀의 형태와 기능이 확연히 다른 기관이며, 성기능 · 생식기능을 담당한다.
- 남성성 · 여성성, 성역할의식이나 신체상 등을 형성한다.
- 난소에서 **난자**(ovum)가 생산되고 여성호르몬(에스트로겐, 프로게스테론)이 분비된다.

3) 유방

(1) 구조

- **유방**(젖, breast)은 전흉부(앞가슴벽, anterior chest wall) 좌우에 부풀어 올라 있는 부분으로, 중앙에 **유두**(젖꼭지, nipple)가 돌출되어 있고 그 주위를 **유륜**(젖꽃판, areola)이 1~2cm 둘러싸고 있다. 모양은 사람에 따라 다소의 차이는 있지만 거의 좌우대칭이다. 유방의 크기는 남성의 경우 호르몬의 불안정으로 사춘기에 크기가 일시적으로 커져 여성형 유방(gynecomastia)이 나타날 수 있으나 호르몬이 안정되면 대부분 없어지고, 여성의 경우 사춘기가 되면서 에스트로겐(estrogen)과 프로게스테론(progesterone)의 영향으로 커진다(그림 17-4).
- 유방은 선조직(샘조직, glandular tissue), 섬유성 조직(fibrous tissue), 지방조직(fattu tissue)으로 구성된다.
- 선조직은 유두를 중심으로 15~20개의 유선소엽(젖샘소엽, lobules of mammary gland)과 각 유선소엽마다 여러 개의 선방(샘꽈리, acinus)을 구성하는데 여기서 모유가 생성된다. 선조직은 액와부위까지 뻗어 있는데 이를 스펜스 꼬리(tail of Spence)라고 한다.
- 섬유성 조직은 주로 쿠퍼인대(Cooper's ligament)로 구성되고 선조직을 지지하며 대흉근(큰가슴근, pectoralis major muscle)에 부착된다.
- 지방조직은 유방의 대부분을 구성하고 있고 선조직을 둘러싸며 모양과 크기를 만든다.
- 유두는 유방 중앙에 위치하고 털은 없으며 유연한 근육섬유가 있어 자극을 받으면 단단해진다.
- 유륜은 유륜선(젖꽃판샘, areolar gland; 몽고메리선)이 돌기되어 있고 유두를 보호하는 기름기 있는 분비물을 분비하여 유두와 유륜의 피부를 보호한다. 유륜 주위에는 모낭이 산재해 있는 경우도 있다. 유두와 유륜의 색상은 피부색과 출산 여부에 따라 분홍색에서 갈색 등 다양하다.
- **유선**(젖샘, mammary gland)은 각각 1개의 유관(젖샘관, lactiferous duct)을 내며 개구부 바로 앞에서 다소 넓어진 유관동(젖샘관팽대, lactiferous sinus)을 만든 후 유두로 열린다.

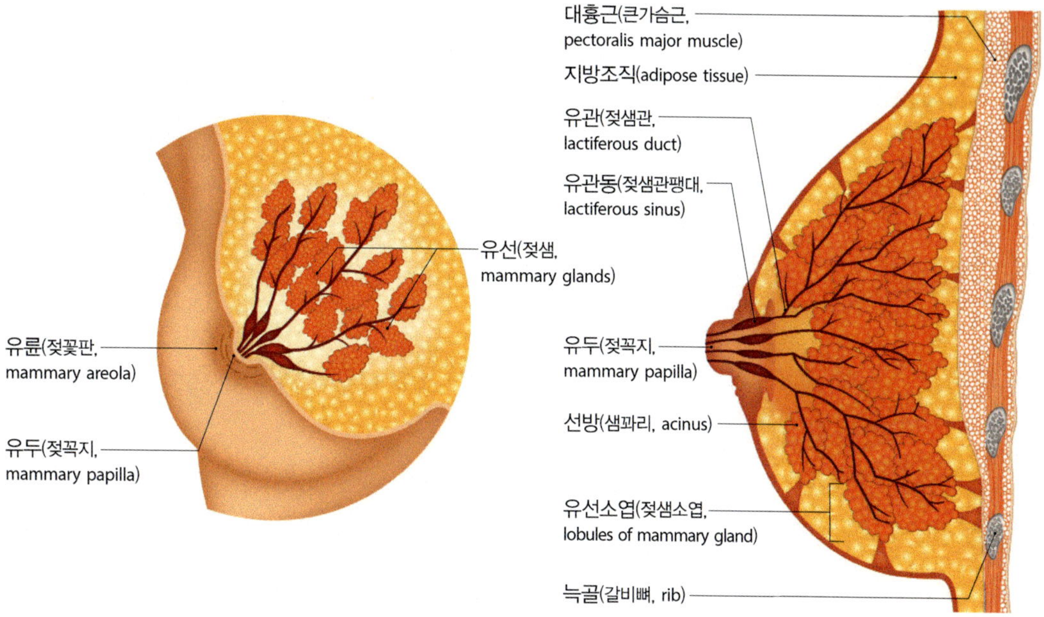

그림 17-4 유방의 구조

(2) 기능

- 성호르몬의 표적기관이다. 여성에서는 사춘기 이후에 발달하고 임신 중에 유선조직이 발달해서 출산 후에 유즙을 분비한다.
- 유방은 월경 전이 되면 충혈되어 민감해지며 주기적으로 단단함이 변화한다.
- 유방은 형태와 기능에서 남녀차가 확연하며 여성성이나 신체상 등을 형성한다.
- 유방암은 남성에게서도 발생하므로 남성이라도 유방 사정은 필요하다.

▶▶ MEMO

유방암 고위험군

- 유전적 요인 : 어머니나 형제 중 유방암 환자가 있는 사람
- 발생기전과 위험인자 : 유방암 병력, 유방에 지속적 병소가 있거나 자궁내막, 난소, 대장에 악성 종양이 있었던 사람, 가슴부위의 방사선치료를 받은 사람, 핵물질의 방사능에 노출된 적이 있는 사람
- 호르몬 : 호르몬 자극을 오랫동안 받은 사람(이른 초경, 늦은 폐경, 폐경 후 장기적인 여성호르몬 투여)
- 연령 및 출산 : 40세 이후 여성, 출산 경험이 없는 사람, 30세 이후 첫 출산을 한 경우, 출산 후 수유하지 않은 여성
- 음주, 비만(폐경 후 비만은 위험)

2. 사정방법

1) 검진순서

필요물품

- **남성 생식기** : 일회용 장갑(라텍스가 아닌 소재), 조명(투과조명법이 필요한 경우), 펜라이트, 수용성 윤활제, 담요
- **여성 생식기** : 일회용 장갑(라텍스가 아닌 소재), 펜라이트, 휴지, 농반, 담요
- **유방** : 담요, 작은 베개, 센티미터 자

준비

① 환경 준비

- 적절한 조명환경 하에서 검진한다. 잘 보이지 않는 부위의 시진에는 펜라이트를 사용한다.
- 적절한 실온(22~24℃)에서 시행한다.
- 사생활을 보호하기 위해 문이나 커튼을 닫고 검진 중에 불필요하게 사람이 출입하지 않도록 조치한다.

② 설명과 동의

- 대상자에게 사정의 목적과 방법(탈의, 자세, 촉진, 소요시간 등)을 설명하고 동의를 구한다.
- 특히 남성 생식기 검진에서는 외부생식기를 만져야 하는 필요성을 설명하고 승낙을 얻는다.
- 남성 생식기 검진은 수치심을 동반하기 때문에 남성 간호사가 시행하는 것이 바람직하다.

③ 간호사와 대상자 준비

- 간호사는 손을 따뜻하게 데워 차가운 손으로 촉진하는 일이 없도록 하며, 장갑을 착용한다.
- 대상자는 배뇨를 끝내둔다.
- **남성 생식기 검진** : 외부생식기 검진은 하반신만 탈의하고 담요를 덮어 노출을 최소한으로 한다.
- **여성 생식기 검진** : 침대에 바로 누운 자세를 취하고 무릎을 구부려 대퇴부를 벌리거나 진찰대에서 쇄석위를 취한다. 담요를 덮어 하반신을 탈의시키고 외음부를 노출시킨다.
- **유방 검진** : 시진 시의 체위는 앉은 자세 또는 바로 누운 자세로 하고, 촉진 시의 체위도 앉은 자세 또는 바로 누운 자세이지만 바로 누운 자세가 촉진하기 쉽다. 담요를 덮고 상의를 탈의한다.

문진

남성 생식기

- 통증, 소양감, 발진, 분비물 유무, 정액 속 혈액 유무, 발기상황 등
- 복통, 요배부통 유무
- 과거력(성병, 골반 내 수술, 당뇨병 등)
- 복용 약물

여성 생식기

- 나이, 월경력(초경, 주기, 규칙성, 출혈량, 수반증상, 폐경), 결혼(배우자 유무), 임신력(임신, 출산), 과거력(산부인과질환, 내분비질환) 등의 건강력
- 소양감, 통증, 부정자궁출혈, 대하의 색 · 양 · 상태 · 냄새, 복통 등 자각증상의 유무와 출현시간 · 경과

유방

- 나이, 월경력(초경 나이, 폐경 나이), 임신력(임신 · 출산 · 유산 경험과 횟수, 초산 나이), 모유 수유경험, 약물 복용력(경구피임제, 여성호르몬제, 정신질환치료제 등), 유방암 자가검진(시기, 빈도, 방법), 건강검진이력, 생활습관(직업, 고지방식이, 음주, 흡연, 카페인 섭취 여부, 체중변화 등), 신체상(유방암의 두려움, 유방에 대한 생각 등) 등의 건강력
- 유방질환(섬유선종, 유방암 등), 수술(유방성형술, 유방절제술 등), 병력(자궁암, 난소암, 대장암 등)
- 가족 · 친척의 유방암이나 양성 유방질환 유무
- 유방의 응어리나 부기, 통증(특징, 시작, 위치, 기간, 정도, 양상, 관련요인) · 압통 · 위화감, 유방의 외관 이상(형태나 크기의 좌우차, 피부의 색조나 광택, 함몰이나 패임 등), 유두의 변화(발진, 습진, 함몰 등), 유두에서의 분비물(있는 경우에는 색, 냄새, 양, 부위와 수유기와의 연관성), 등의 통증 · 어깨결림(있는 경우에는 어깨나 팔의 움직임과의 연관성) 등의 자각증상 유무

(1) 남성 생식기

시진 / 촉진

관찰내용	정상	비정상 ([ ]은 생각할 수 있는 병태 · 질환예)
음경 피부 포피 귀두	• 피부에 병변 없음 • 뒤로 당겨지고 잘 회복됨 • 궤양, 반흔, 결절, 염증 징후 없음	• 피부에 병변 있음 [염증, 결절, 궤양, 구진 등] • 젖혀진 포피가 다시 회복되지 않음 [감돈포경, 부종 등] • 궤양, 반흔, 결절, 염증 징후 있음 [귀두염 등]

(계속)

관찰내용	정상	비정상 ([ ]은 생각할 수 있는 병태 · 질환예)	
음낭 피부 음낭 윤곽 서혜부	• 피부에 병변 없음 • 종창, 덩어리, 팽창된 정맥, 음낭의 좌우 비대칭 없음 • 홍반, 피부박리, 림프선비대 없음	• 피부에 병변 있음 [발진, 표피낭종 등] • 한쪽 또는 양쪽에 덜 형성된 음낭 [잠복고환] • 음낭 종창 [서혜부탈장, 음낭부종] • 홍반과 피부박리 [진균 감염]	
전립선 크기 표면 변연 경도 가동성 압통	• 3cm×3cm 크기 • 매끄러움 • 명료 • 탄력성 있는 단단함 • 있음 • 압통 없음	[전립선비대] • 좌우대칭성 종대 • 매끄러움 • 보다 명료 • 탄력성 있는 단단함 • 있음 • 압통 있음 [전립선염]	[전립선암] • 좌우비대칭성 종대 • 부분적 경결, 부정연 • 불명료 • 돌과 유사 • 없음

① 남성 외부생식기의 시진

- 환자의 하반신을 노출시키고 선 자세 또는 바로 누운 자세를 취하게 한다.
- 음모의 양과 탈모, 옴(scabies), 이(louse) 유무를 관찰한다.
- 음경의 형태, 부종 유무를 관찰한다.
- 음낭의 형태, 크기, 균형, 부종 유무를 관찰한다.

② 남성 외부생식기의 촉진

- 남성 외부생식기의 시진 후 간호사는 일회용 장갑을 착용한다.
- 포피를 뒤집어서 귀두부의 분비물, 발적, 치구(smegma), 손상이나 요도구의 위치를 관찰한다.
- 요도구를 잡고 분비물 유무를 관찰한다.
- 음낭을 촉진하여 좌우의 고환 유무, 형태, 크기, 압통을 관찰한다.
- 음낭 뒤쪽에서 펜라이트를 비추어 부종 유무를 관찰한다.

③ 전립선의 촉진

- 환자에게는 진찰대 위에서 쇄석위나 슬흉위를 취하게 한다.
- 간호사는 일회용 장갑을 착용한 검지에 윤활제를 바른다.
- 환자에게 입으로 호흡하게 한다.
- 직장으로 검지를 삽입해서 전립선을 촉진하여 크기, 형태, 표면 상태(평활, 부정연, 결절, 경결 유무), 경도, 압통을 관찰한다.

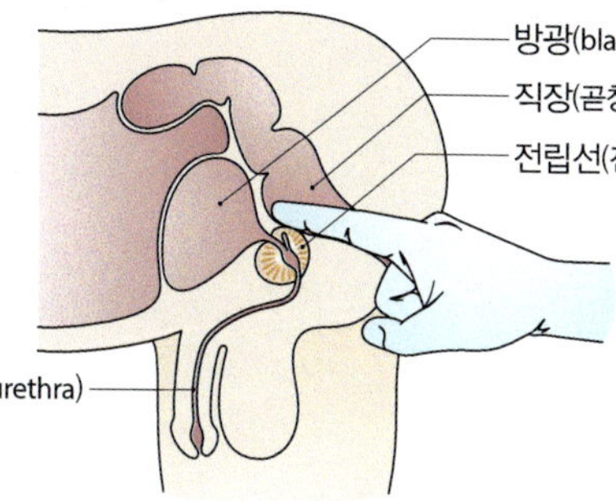

전립선 촉진

(2) 여성 생식기

시진 / 촉진

관찰내용	정상	비정상 ([ ]은 생각할 수 있는 병태 · 질환예)
음모 형태 부착물	• 역이등변삼각형으로 치구 가까이에서 음순으로 펼쳐짐 • 부착물 없음	• 다이아몬드형 [남성형, 내분비이상], 불규칙 [호르몬부족] • 백색 알이 부착되어 있음 [이]
피부색 · 질감 압통	• 체간과 같은 색 또는 약간 거무스름함, 평평함, 균일, 부드러움	• 발적, 과도한 색소침착, 창백 [에스트로겐 결핍, 폐경] • 종괴, 경결, 팽윤, 종창, 정맥류 있음 [임신 · 자궁종양 등에 의한 골반내압상승] • 미란 있음 [음부포진] • 압통 있음
음순 형태 색조 · 질감	• 좌우대칭 • 거무스름한 분홍색 • 균일, 매끄러움	• 좌우비대칭 • 발적, 종창, 압통 있음
음핵 형태 색조	• 1~1.5cm의 길이 • 분홍을 띤 색	• 2cm 이상, 폭 1cm 이상의 비대 [내분비이상, 고령자의 암 호발부위]
요도구 색조 분비물	• 주위 점막과 같은 색 • 분비물 없음	• 홍반, 폴립 있음 [만성 요도염] • 분비물 있음
질구 크기 · 두께	• 개인차가 있음, 자궁경부는 보이지 않음	• 자궁경부가 질구에서 보이거나 질구에서 밖으로 나와 있음 [자궁하수]

(계속)

관찰내용	정상	비정상 ([ ]은 생각할 수 있는 병태 · 질환예)
대전정선 종창 압통 분비물	만져지지 않음 압통 없음 분비물 없음	• 종창 있음 [바르톨린선종양 등 염증] • 압통 있음 [바르톨린선종양 등 염증] • 분비물 있음 [불현성 감염]
분비물 색조 · 양	• 백색~담황색 • 소량	• 농성 녹황색 [임균 감염], 백색 치즈 유사 [칸디다질염], 회백색으로 다량 [클라미디아]

① 시진

- 외부생식기 전체를 살펴 음모가 자란 형태 · 부착물 유무, 피부 · 대음순의 좌우비대칭 유무나 종창 · 색의 변화가 없는지를 관찰한다.
- 대음순을 왼손 엄지와 검지로 벌리고 대음순에서 소음순, 음핵, 요도구, 질구를 관찰하고, 분비물의 색과 양을 관찰한다.
- 분비물 때문에 피부를 관찰하기 어려운 경우에는 필요 시 검체를 채취한 후 닦아내고 검진을 진행한다.

② 촉진

- 피부 · 음순 등에 종창 · 색의 변화가 있는 경우에는 환자에게 말을 하고 촉진을 진행한다.
- 촉진에서는 압통, 경결 유무, 경도 · 부드러움을 살핀다.
- 음순이 부어 있는 경우에는 엄지와 검지로 음순 양측을 촉진해서 통증과 종대 유무를 확인한다.

(3) 유방

◆ 시진

관찰내용	정상	비정상 ([ ]은 생각할 수 있는 병태 · 질환예)
유방 크기 · 형태 피부 표면 색조	• 좌우대칭(약간의 비대칭은 정상), 안정 시와 상완 거상 시 좌우차 없음 • 전체적으로 평평하고 매끄러움 • 복부와 거의 같은 색(썬탠 등에 의한 차이가 있는 경우도 있음), 좌우 같은 색	• 안정 시 좌우비대칭, 안정 시와 상완 거상 시 차이 있음 [종양], 크기 변화 [종괴, 염증, 엽상종양, 거대선종증 등] • 함몰 또는 팽윤 있음 [종양] • 발적이나 종창 · 부종 있음 [유선염], 점, 멍, 국소적 · 한쪽에서만 정맥양상 두드러짐 [임신, 종양] 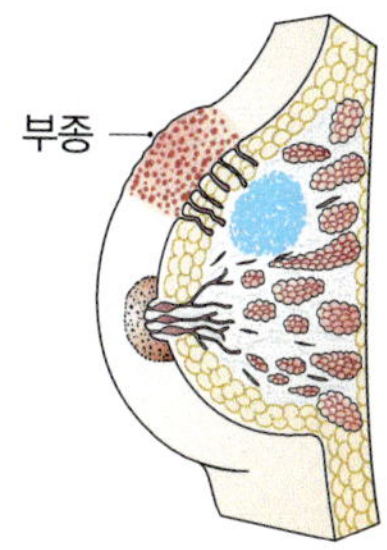 유방의 부종
유륜 크기 · 형태 색조	• 좌우차가 있어도 약간임, 당겨짐은 없음 • 분홍색에서 갈색으로 좌우차 없음	• 좌우비대칭, 조임 [선천적, 종양] • 변색 [화농, 미란 등]
유두 크기 · 형태 색조 분비물	• 좌우차가 있어도 약간 • 분홍색에서 갈색으로 좌우차 없음 • 분비물은 임신 후기~수유기 이외에는 없음	• 좌우비대칭, 함몰 있음 [선천적, 종양] • 발진, 습진, 미란, 궤양 있음 [습진, 파제트병, 암의 침윤, 수유에 의한 손상] • 분비물 있음 [종양]

- 환자를 마주보고 서서 두 팔을 옆으로 자연스럽게 내리고 있을 때의 좌우 유방과 유두의 크기, 형태, 윤곽, 대칭성, 피부 표면 등을 관찰한다.
- 환자에게 두 팔을 든 만세 자세 또는 두 팔을 머리 위에서 잡은 자세, 양손을 허리에 대고 세게 누르는 자세, 양 손바닥을 마주잡고 미는 자세 또는 팔을 앞으로 뻗어 상체를 숙인 자세를 취하게 하여 유방의 지지조직이 견인되었을 때의 병변에 의한 당김이나 함몰 유무를 관찰한다.
- 대상자가 유방절제술을 받은 경우에는 악성 변화에 주의하고 수술 후 반흔 주변의 종괴, 종창, 발진, 색조변화 등을 관찰한다.

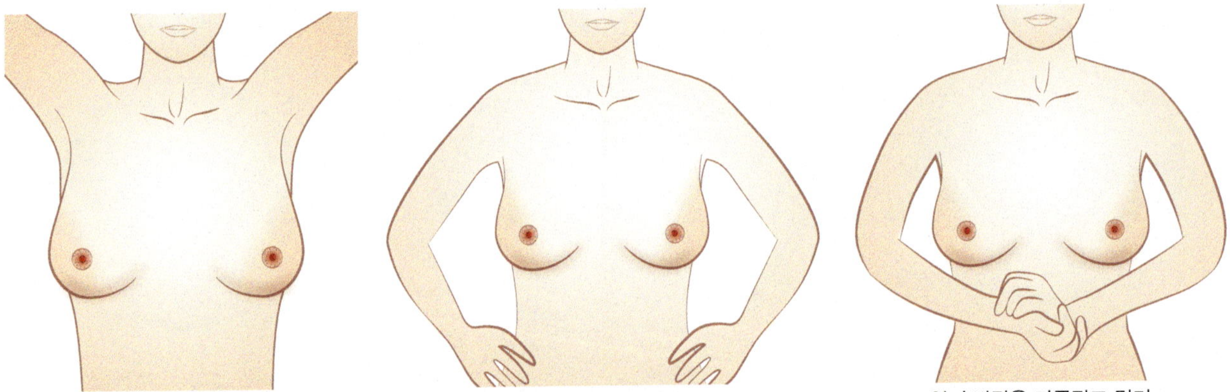

머리 위로 두 팔 들기 / 양손을 허리에 대기 / 양 손바닥을 마주잡고 밀기

유방을 시진하기 위한 자세

촉진

관찰내용	정상	비정상 ([ ]은 생각할 수 있는 병태 · 질환예)
유방 온도 압통 탄력성	• 따뜻함, 열감 없음 • 촉진 시 압통 없음(월경 전에는 유방이 부어 통증을 동반하는 경우가 있음) • 과립상, 불명료하지만 엽상구조가 만져짐 • 고령자는 다소 섬유질 촉감이 있음	• 열감 있음 [유선염 등의 염증] • 압통 있음 [유선염, 섬유낭 등] • 쥔 피부가 원래로 되돌아가지 않음
응어리	• 응어리(결절이나 종괴)는 만져지지 않음	• 응어리가 만져짐 [유방암]
유두 분비물 통증	• 임신 · 출신 시 이외는 없음 • 압박에 의한 통증 없음	• 분비물(농성, 혈성) 있음 [종양] • 통증 있음

① 체위 조정

- 누운 자세에서는 양손을 머리에서 끼거나 관찰하는 쪽 견갑골 아래에 작은 베개나 담요를 넣으면 유방조직이 전흉벽 전체로 펼쳐져 응어리 등을 발견하기 쉽다.
- 앉은 자세는 가슴이 큰 경우 촉진하기 쉽다.

② 유방

- 유륜과 그 주변의 유방을 손가락을 이용하여 다음 그림의 유방촉진법 패턴에 따라 연속적으로 촉진하고 스펜스 꼬리도 빠짐없이 촉진한다.
- 손가락을 이용하는 방법에는 펼친 손으로 유방 전체를 촉진하는 방법과 검지 · 중지 · 약지의 세 손가락바닥으로 촉진하는 방법이 있다. 세게 누르기보다는 살짝 누르는 것이 오히려 변화를 파

악하기 쉽다. 하지만 조직의 깊이에 따라 힘의 강도를 조절한다.

- 유방촉진법 패턴은 유두를 출발점으로 나선상 또는 동심원을 그리듯이 촉진하는 방법(그림 A), 유방을 흉벽으로 밀듯이 상하로 촉진하는 방법(그림 B), 유방을 8~10분할하는 듯한 느낌으로 유방 주변에서 유두를 향해 방사선상으로 순차 촉진하는 방법(그림 C)이 있다. 이 중 하나를 선택하여 세 손가락의 바닥으로 촉진한다.

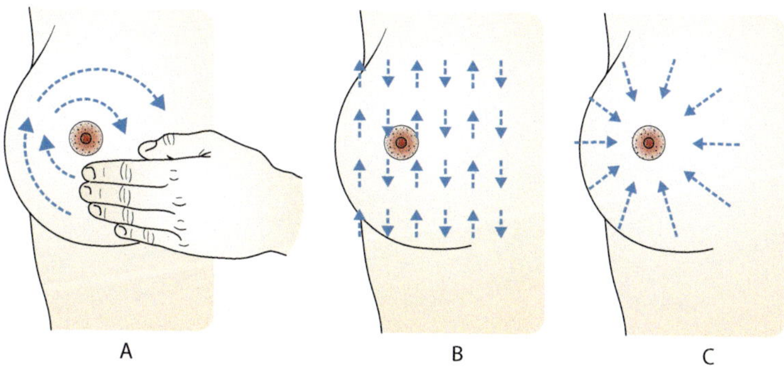

유방촉진법 패턴

- 펼친 손으로 유방을 덮고 유방조직과 함께 손바닥을 좌우로 밀어 함몰이나 당김 유무를 관찰한다. 유방암이 유방 피부의 표면 가까이에 도달하면 암조직 바로 위에 있는 피부가 당겨지거나 패이는 경우가 있다. 처음에는 유방을 잡아야 패임을 알 수 있지만 진행되면 시진만으로도 패임을 확인할 수 있다.

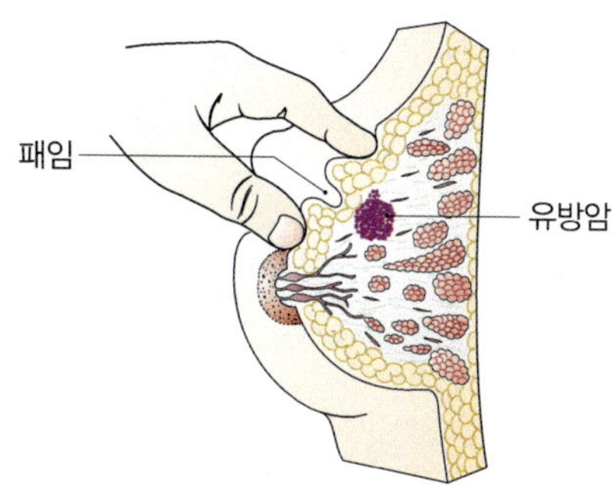

- 유방이 큰 경우 앉은 자세에서 한 손으로 가슴 아래 부분을 받치고 다른 한 손으로는 위에서부터 쓸어내리듯 촉진한다.
- 응어리(경결, 종괴)가 만져진 경우에는 좌우를 비교하고 **표 17-1**의 항목을 더 관찰해서 기록한다.

표 17-1 응어리가 만져진 경우의 관찰항목

위치	유두를 중심으로 한 응어리의 방향과 거리
크기	최장경, 폭, 높이
형태	원형, 타원형, 불규칙한 형태
경도와 탄성	응어리의 경도, 충실성인지 낭포성인지
경계의 선명함	응어리와 주위 유방의 경계가 선명한지 또는 불규칙한지
가동성	가동성 유무, 움직이는 경우는 어느 방향으로 움직이는지
압통	촉진 시의 압통 유무
피부홍반	응어리 위의 피부 홍반 유무
함몰 · 당겨짐	응어리 위의 함몰 · 당겨짐 유무

③ 유두

- 유두의 촉진을 진행한다.
- 엄지와 검지 사이에 유두 및 유륜을 끼워 살짝 짜듯이 눌러 분비물 유무를 관찰한다.
- 분비물이 있는 경우에는 색깔, 양, 냄새 등을 확인한다.

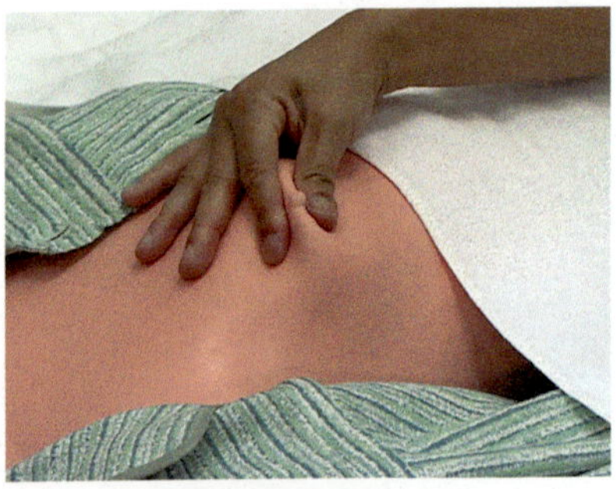

유두를 촉진한다.

유방자가검진 3단계

(한국유방암학회, 유방암백서, 2018)

- 유방자가검진은 매달 생리 전후 7일 내 시행하고, 폐경인 경우 매달 정해진 날짜에 시행하되 자가검진방법을 전문가에게 점검받는 것이 좋다.

[1단계]

- 거울을 보면서 눈으로 관찰하기(평상시 유방의 모양이나 윤곽의 변화를 비교하기)

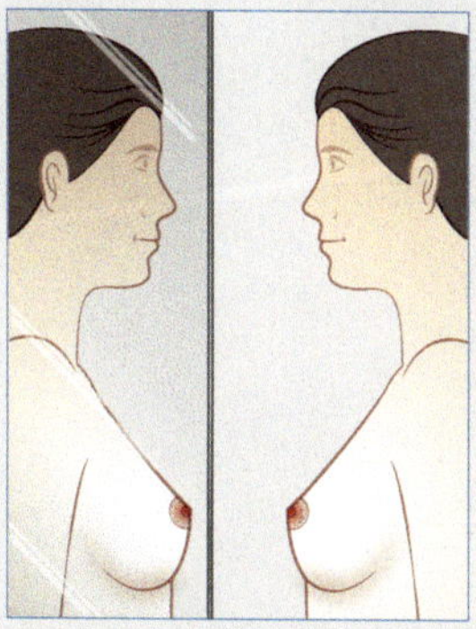

❶ 양팔을 편하게 내려놓은 후 양쪽 유방을 관찰한다.

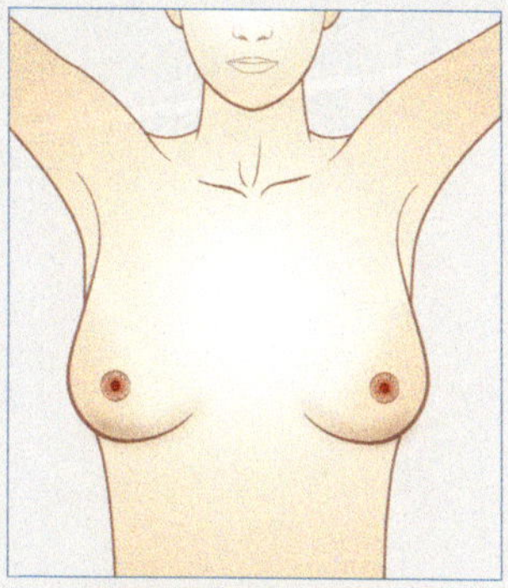

❷ 양손을 머리 뒤쪽으로 올려 깍지 낀 자세를 취한 후 팔에 힘을 주고 가슴을 앞으로 내민다.

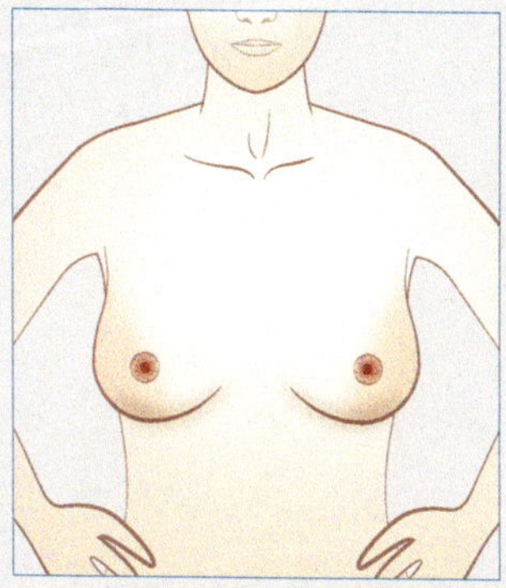

❸ 양손을 허리에 짚고 어깨와 팔꿈치를 앞으로 내밀면서 가슴조직에 힘을 주고 앞으로 숙인다.

[2단계]

- 서거나 앉아서 촉진하기(로션 등을 이용해 부드럽게 검진하기)

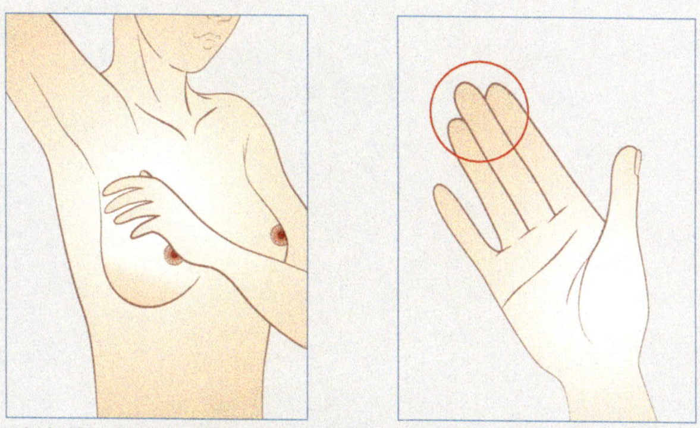

❶ 검진하는 유방쪽 팔을 머리 위로 들어 올리고 반대편 2, 3, 4째 손가락 첫마디 바닥면을 이용해 검진한다.

MEMO

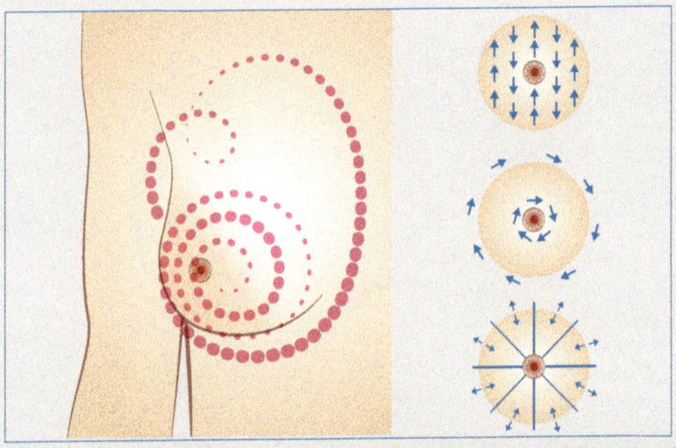

❷ 유방 주위 바깥쪽 상단부위에서 원을 그려가며 안쪽으로, 반드시 쇄골의 위아래 부위와 겨드랑이 밑에서부터 검진한다. 동전 크기만큼씩 약간 힘주어 시계방향으로 3개의 원을 그려가면서 검진한다. 유방 바깥쪽으로 원을 그리고 조금 더 작은 원을 그리는 식으로 한 곳에서 3개의 원을 그린다.

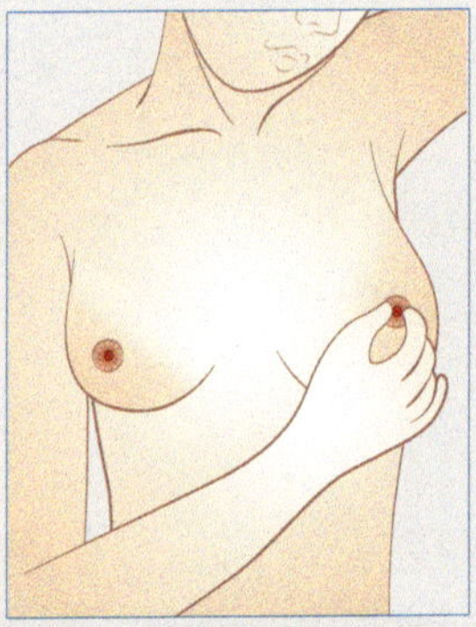

❸ 유두 주변까지 작은 원을 그리며 만져 본 후에는 유두의 위아래와 양옆에서 안쪽으로 짜보고 비정상적인 분비물이 있는지 확인한다.

[3단계]

- 누워서 촉진하기(자세를 바꿈으로써 2단계를 보완해 문제조직 발견하기)

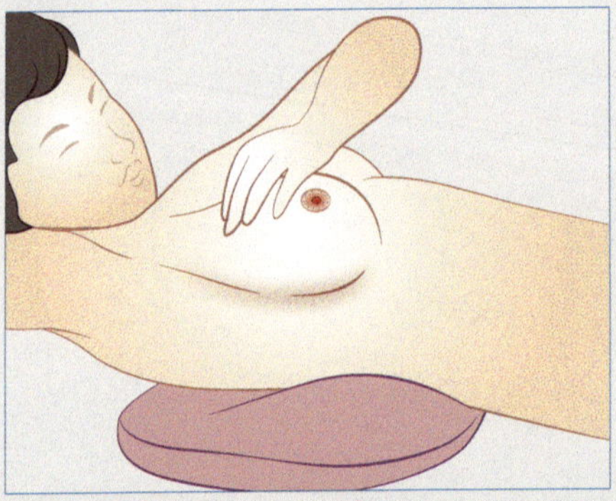

편한 상태로 누워 검사하는 쪽 어깨 밑에 타월을 접어서 받친 후 검사하는 쪽 팔을 위쪽으로 올리고 반대편 손으로 2단계의 방법과 같이 검진한다.

[자가검진 시 유의사항]

- 자가검진 효과를 높이기 위해서 매달 정기적으로 실시하여 습관화한다.
- 평상시 자신의 유방 모양이나 윤곽에 관심을 기울인다(본래 모습 기억).
- 2, 3, 4째 손가락 바닥면을 이용하여 검진한다(손가락 끝은 검진효과 반감).
- 동전 크기의 원을 그리며 빠진 부분이 없도록 유방 전체를 검진한다.
- 유방 측면과 겨드랑이 부위까지 만져본다(반대편 팔을 이용).
- 처음 검진하는 경우 한 달 동안 매일 검진하여 자신의 유방 특성을 파악한다.

생식기계 신체사정의 핵심

- 전립선 촉진 시에는 항문괄약근을 이완시킬 목적으로 환자에게 입으로 호흡하게 한다.
- 수치심을 동반하는 검진이며 그로 인해 환자가 적절한 체위를 취하지 않으면 국부를 관찰하기 어려워져 정확한 검진이 불가능하다. 환자의 이해와 협력을 얻을 수 있도록 "짧게 마칠 테니 협력 바랍니다" 하고 설명하여 신속하게 진행한다.
- 외부생식기의 검진은 배설 지원 시, 음부세정 등의 간호 시, 도뇨 등의 처치 시에 함께 진행하면 국부를 또 다시 노출함으로써 생기는 수치심을 줄이고 이상을 조기 발견할 수 있다.
- 촉진하는 경우에는 반드시 "살짝 만져보겠습니다" 하고 설명한 후 손을 따뜻하게 데워서 만진다. 또 촉진 전에 손등을 허벅지 안쪽에 살짝 대면 환자가 덜 놀라게 되어 긴장을 쉽게 푼다.
- 유방암 호발부위는 상외측 영역이다. 계통적으로 간과하지 않도록 충분히 촉진한다.
- 월경 전에 환자의 유방이 팽창하여 통증을 느끼는 경우에는 월경 후에 다시 촉진한다.

2) 기록

- 각 부위의 색조, 형태, 상태에 대해 비정상 유무와 소견을 기록한다.
- 필요하면 그림으로 표현한다.
- 자각증상의 유무와 내용(가려움, 압통), 시간에 따른 변화를 기록한다.
- 유방의 위치 기록방법에는 그림, 시계의 문자판 표기법을 활용하는 방법, 유방을 4분할(그림 17-5) 해서 영역을 나타내는 방법 등이 있다.
- 유두에서 분비물이 나오는 경우에는 그 상태에 대해 기록한다.

■ 기록예

- 백색 치즈 유사의 대하가 있음, 가려움 없음, 피부 · 음순에 발적 없음
- 오른쪽 바르톨린선 부위에 종창과 압통 있음
- 오른쪽 유방 상외측의 10시 방향, 유두에서 4cm 떨어진 부위에 0.5×1.0×1.0cm의 응어리 있음, 압통 없음, 분비물 없음

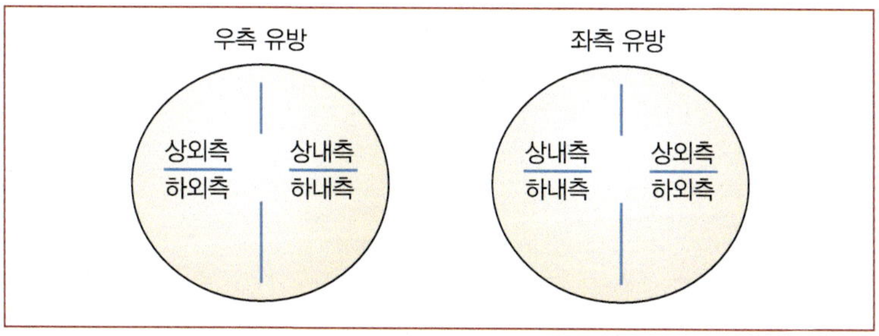

그림 17-5 유방 소견의 기록방법

3) 검진결과와 간호수행

- 비정상 소견이 관찰된 경우 의사에게 보고한다.
- 처치의 필요성이 있는 경우에는 그 준비와 보조를 한다.
- 염증소견(종창, 발적, 분비물, 압통)을 확인한 때에는 청결유지방법 등에 대해 지도한다.
- 감염병이 의심되는 경우에는 진료를 받도록 하고 타인에 대한 감염예방법도 지도한다.
- 감염병 확정진단 시에는 의사에게 치료방침을 확인하고 간호계획을 수립한다.
- 유방에 응어리 등이 발견된 환자는 유방암을 걱정해서 심한 불안감을 느끼게 되므로 정신적 측면을 지원한다.

학습과제

1. 검진순서에 따라 생식기계의 상태를 검진해보자.
2. 어떠한 상태를 생식기계의 비정상 소견으로 보는지 질환의 지식과 통합하여 생각해보자.

Health Assessment

INDEX

찾아보기

- 한글
- 영어

한글

영어

U

V

W

▶▶ 저자진

- **강은희** 경남정보대학교
- **강희경** 제주한라대학교
- **김보라** 서영대학교
- **김옥선** 경북전문대학교
- **김지혜** 신경주대학교
- **노 민** 경인여자대학교
- **박소연** 전남과학대학교
- **신희건** 동서대학교
- **유은정** 부산과학기술대학교
- **장현정** 창원문성대학교
- **장형순** 한림성심대학교

알기 쉬운
건강사정

2025년 2월 20일 초판 인쇄
2025년 2월 25일 초판 발행

저 자 노 민 외
발 행 인 배영환 외
발 행 처 도서출판 의학교육
등록번호 제 2013-114 호
주 소 서울시 영등포구 영중로 138-1(영등포동 8가 80-2) 드림프라자 B 901호
Tel. 02) 2637-4806, 4863 Fax. 02) 2637-4807
홈페이지 www.medipub.co.kr
E-mail okpress1208@naver.com
정 가 42,000 원 (워크북 포함)
I S B N 979-11-6127-244-3 94510(세트)
979-11-6127-245-0 94510